LES SADDUCÉENS

ÉTUDES BIBLIQUES

LES SADDUCÉENS

PAR

Jean LE MOYNE †

BÉNÉDICTIN DE LIGUGÉ

PARIS
LIBRAIRIE LECOFFRE
J. GABALDA et Cie Éditeurs
RUE BONAPARTE, 90

1972

Nihil obstat :
Ligugé, 22 mai 1970.
fr. Jean Lebourlier,
censeur désigné.

Imprimi potest :
Ligugé, 23 mai 1970.
† fr. Pierre Miquel,
abbé de Ligugé.

Imprimatur :
le 3 août 1970.
E. Berrar,
v. é.

A la mémoire d'Amand MICHEL
(1891-1967)
prêtre du diocèse de Cambrai.

AVANT-PROPOS

Pourquoi consacrer un volume aux Sadducéens, et pourquoi se limiter à eux, au lieu de les étudier de front avec les Pharisiens ?

Commençons par répondre à la seconde question. Pharisiens et Sadducéens, il est vrai, représentent, d'une certaine manière, l'endroit et l'envers de la réalité, le noir et le blanc. Mais, justement, cette façon de concevoir la réalité historique n'est-elle pas, en partie, le résutat d'une systématisation quelque peu arbiraire ? Par ailleurs, du fait de notre documentation très pauvre sur les Sadducéens, n'est-on pas amené bien souvent à prêter aux Sadducéens, en plaquant sur eux l'opposé, par principe, des idées et des pratiques pharisiennes, des perspectives qu'ils n'ont jamais eues ? Enfin, l'habitude de regarder Pharisiens et Sadducéens comme des ennemis ne conduit-elle pas inconsciemment à se fermer l'accès à la vraie connaissance de ce qu'ils furent réellement : avant d'être ennemis — et ils ne le furent totalement et définitivement que très tard —, ils furent frères au sein du même peuple de Dieu.

Les études consacrées aux Pharisiens sont extrêmement nombreuses. Par contre, celui qui veut se renseigner sur les Sadducéens ne trouve qu'un nombre très limité d'exposés solides et facilement accessibles. La raison de cette carence est facile à deviner. Nos renseignements sur les Sadducéens sont extraordinairement maigres, et leur interprétation est très difficile.

Nous en arrivons tout naturellement à la réponse à la première des deux questions posées à l'instant : pourquoi une thèse sur les Sadducéens ? Il nous a semblé qu'il serait utile, pour les biblistes, d'avoir facilement sous la main, d'une manière aussi complète que possible, l'ensemble des données, qui, de près ou de loin, peuvent nous éclairer sur les Sadducéens. Du reste, après avoir passé naguère un long temps en compagnie des Pharisiens, nous avons été attirés — pourquoi le taire ? — par les Sadducéens.

La marche de l'exposé se comprend facilement. Comme les données relatives aux Sadducéens proviennent essentiellement de leurs adversaires, le premier travail est de faire une critique des sources. C'est ce que l'on trouve dans la première partie. La seconde partie est consacrée à l'examen des divergences entre Pharisiens et Sadducéens rapportées dans la littérature rabbinique. Menée avec le souci de retrouver toujours, dans la mesure du possible, les éléments authentiquement historiques, cette enquête permet de dégager un certain nombre d'idées et de pratiques sadducéennes. Dans la troisième partie, plus synthétique, on essayera de mettre en lumière la physionomie du groupe sadducéen et d'esquisser son histoire.

C'est M. Cazelles qui m'a suggéré cette recherche. J'ai répondu à cette suggestion et entrepris le travail avec une certaine appréhension, car j'avais l'impression de tenter une aventure. Je suis conscient des limites et des imperfections du résultat.

Grâce à la compétence de plusieurs maîtres et amis, bien des lacunes ont pu être comblées, bien des défauts corrigés. Il m'est agréable d'exprimer ici mes remerciements à MM. Caquot, Cazelles, Hruby, Joachim Jeremias et Vajda. Je dois une gratitude toute particulière à M. le rabbin Touati ; sa familiarité avec la littérature rabbinique m'a permis d'améliorer très sensiblement la grosse partie consacrée à l'examen des écrits pharisiens.

Enfin, il me faut dire combien les encouragements amicaux et les approbations chaleureuses ont été un précieux adjuvant dans la préparation et l'achèvement de ce travail, présenté comme thèse de doctorat à la Faculté de théologie de l'Institut catholique de Paris et comme thèse de troisième cycle à la Faculté des lettres et sciences humaines de la Sorbonne.

Ce volume est dédié à la mémoire de l'abbé Amand Michel. Je témoigne ainsi ma reconnaissance à celui qui m'a pris par la main pour m'introduire dans la compagnie des rabbins d'autrefois, ses amis.

Paris, juillet 1970.

CHAPITRE PREMIER

Préliminaire

PANORAMA DE LA RECHERCHE
DEPUIS ABRAHAM GEIGER (1857)

1. Un coup d'œil sur la bibliographie générale placée en finale permet déjà de se rendre compte du travail des chercheurs. Le présent chapitre n'a pas pour but d'examiner le détail de cette production. Il veut seulement souligner les œuvres marquantes et, surtout, faire entrevoir les grandes questions qui, depuis une centaine d'années, se sont posées à propos des Sadducéens.

Pendant le XVIIᵉ et le XVIIIᵉ siècle, dans le sillage du jésuite Serarius, dont le *Trihaeresium*[1] suscita beaucoup de polémiques, les Sadducéens furent l'objet d'un certain nombre d'études ; leur repérage aurait surtout un intérêt bibliographique. Nous commençons donc directement notre panorama par l'œuvre qui ouvre la période moderne des investigations.

2. En 1857, Geiger publia son grand livre, dont la seconde partie du titre indique clairement la visée profonde et laisse entrevoir la richesse : *Texte original et versions de la Bible dans leur rapport avec le développement interne du judaïsme*[1].

C'est dans ce cadre extrêmement vaste que Geiger fut amené à parler des Sadducéens. Au sujet de l'origine de leur nom, il lança une explication qui eut un grand succès pendant un siècle : le

---

1. N. SERARIUS, *Trihaeresium*, Mayence, 1604. — Pour toutes les études signalées dans la bibliographie générale en finale, nous ne donnons, dans ces notes que des indications bibliographiques sommaires. On trouvera le détail dans cette bibliographie ; l'Index des auteurs modernes (pp. 443-448, permet de s'y retrouver rapidement.

1. A. GEIGER, *Urschrift und Uebersetzungen der Bibel in ihrer Abhängigkeit von der innern Entwicklung des Judentums*, Breslau, 1857.

terme « Sadducéens » vient du prêtre Sadoq vivant au temps de David[2]. Le premier, Geiger vit dans les Sadducéens le parti de l'aristocratie à Jérusalem, avec, à leur tête, les grandes familles sacerdotales[3] ; il fut ainsi, tout naturellement, amené à insister sur leur conservatisme.

Le conflit entre Pharisiens et Sadducéens fut donc présenté principalement du point de vue politique et social. Selon Geiger, les divergences séparant les deux groupes reposaient davantage sur des aspects politiques et des opinions de partis que sur des principes religieux différents. Ce n'est que petit à petit que les deux groupes devinrent des sectes religieuses opposées[4].

De l'avis de Geiger, il est faux de dire, avec Josèphe, que les Sadducéens rejetaient les traditions orales. Jamais le Talmud ne dit qu'ils s'en tenaient au seul texte de la Bible. En tant que prêtres et juges, les Sadducéens, eux aussi, ont élaboré des prescriptions sur le sacerdoce, la pureté, les offrandes, etc., ainsi que dans le domaine judiciaire. L'ancienne halaka est leur œuvre[5]. Elle se retrouve partiellement chez les Samaritains et chez les Qaraïtes[6]. Lorsque notre documentation est muette au sujet des Sadducéens, Geiger est donc amené, parfois avec trop de rapidité, à inférer, à partir de la pratique samaritaine ou qaraïte, quel devait être le point de vue sadducéen.

Enfin, Geiger se préoccupait de souligner la piété des Sadducéens[7], ce qui, par la suite, fut assez largement omis par les chercheurs ; cette omission fut dommageable pour une juste appréciation des Sadducéens.

Dix ans après la publication de ce livre de Geiger, Derenbourg pouvait formuler ce jugement d'ensemble pour le domaine étudié ici : « Les recherches modernes ont établi d'une manière incontestable que les Pharisiens n'étaient pas de faux dévôts, des bigots et des hypocrites, et que les Sadducéens n'étaient pas des libertins impies, occupés exclusivement de leurs plaisirs et de la satisfaction de leurs passions. C'est le mérite éminent de M. Geiger d'avoir réhabilité ces deux grands partis, d'en avoir étudié et démontré le

---

2. *Op. cit.*, pp. 101-102.
3. *Ibid.*, pp. 113-114, 149.
4. *Ibid.*, pp.150, 170.
5. *Ibid.*, p. 133.
6. *Ibid.* pp. 162-163, 451-480.
7. « Ces paroles [d'Antigone de Soko (vers 180 avant J.-C.), Abot I 3] enseignent l'abandon complet à la volonté de Dieu, abandon qui accepte et obéit sans se préoccuper de la récompense qui s'ensuit, et sans la rechercher. *Les Sadducéens restèrent fidèles à cette piété pratique* [c'est nous qui soulignons] ; ils ne se préoccupaient pas d'une rétribution légitime, ils pensaient n'avoir aucun droit à recevoir ultérieurement une récompense, ils faisaient ce qui étaient leur devoir et supportaient ce que leur imposait la volonté insondable du Seigneur » (*Ibid.*, p. 131).

caractère véritable. Depuis 1857, année où parut l'*Urschrift*, cette partie de l'histoire, si importante pour les origines du christianisme, a changé de face parce qu'on appréciait mieux l'esprit et les tendances de l'époque ; on a suivi quelquefois avec une humeur récalcitrante la voie frayée par le savant rabbin ; mais n'importe, on l'a suivie sans se l'avouer, parfois sans le nommer[8]. »

3. Cette influence de Geiger se constate en particulier chez deux historiens du peuple juif qui n'eurent pas de peine à montrer la place des Sadducéens au cœur même de la vie juive : Grätz, dont l'*Histoire des juifs* devint rapidement classique[1], et Derenbourg[2]. Mais ce dernier chercha dans une direction différente l'origine du terme de Sadducéens. Sous Jean Hyrkan (134-104), deux tendances commencèrent à s'affirmer nettement : celle de la « séparation, p^erishût », et celle de la ṣedaqah. Selon Derenbourg, qui propose cette explication, on aurait désigné par ce dernier terme une « vertu modérée qui apporte des tempéraments à la grande austérité de la p^erishût »[3]. Quant à ṣaddûq ou ṣaddûqi, ce serait un sobriquet lancé aux Sadducéens par leurs adversaires les Pharisiens[4].

Derenbourg est amené à critiquer les données de Josèphe. Il pense que les Sadducéens ne rejetaient pas la Providence, mais étaient portés à faire davantage confiance à la force humaine (richesse, pouvoir). Cette influence de la situation sociale des Sadducéens, aristocrates, sur leurs idées religieuses expliquerait également leur indifférence pour le monde futur[5].

Cependant, au sujet de la résurrection, Derenbourg prétend que les Sadducéens ne la niaient pas, mais refusaient seulement d'admettre la possibilité de sa preuve à partir de l'Écriture[6].

Chez Wellhausen[7], nous trouvons un développement et une systématisation beaucoup plus grands de certaines idées lancées par Geiger. Il faut tout d'abord souligner la pertinence de certaines de ses remarques méthodologiques, en regrettant, du reste, qu'il n'en ait pas tiré tout le parti possible dans la suite de son exposé. Il est nécessaire, dit Wellhausen, d'étudier séparément les Pharisiens et les Sadducéens, et, ensuite seulement, de regarder leurs rapports. C'est la seule façon d'éviter une tentation, celle de « s'illusionner avec des abstractions ». En effet, on ne peut saisir

8. Derenbourg, *Essai*, p. 452.
1. H. Graetz, *Geschichte der Juden*, tome III, Leipzig, 1857[1], 1863[2], 1878[3], 1888[4], 1905[5]. Nous utilisons en général la 3e édition, mais citons parfois la 4e.
2. *Essai... Histoire de la Palestine depuis Cyrus jusqu'à Adrien*, Paris, 1867.
3. *Op. cit.*, p. 77.
4. *Ibid.*, p. 78 ; même chose p. 120.
5. *Ibid.*, pp. 127-128.
6. *Ibid.*, pp. 130-132.
7. J. Wellhausen, *Die Pharisäer und die Sadducäer*, Greifswald, 1874.

la position respective des deux groupes en se contentant de regarder leurs oppositions ; par exemple, quand on dit que les Sadducéens sont des aristocrates, on pourrait être enclin à voir dans les Pharisiens des démocrates et des hommes de progrès [8].

Dans sa présentation des Sadducéens, on constate un certain flottement de pensée chez Wellhausen quand il parle de la composition du groupe. A la suite de Geiger, il voit dans le prêtre Sadoq du temps de David l'origine du nom des Sadducéens. Aussi est-il enclin, par endroits, pour justifier en quelque sorte cette explication, à limiter les Sadducéens aux familles sacerdotales [9]. Mais, ailleurs [10], il note que le groupe comprenait aussi des familles de l'aristocratie laïque, et que le caractère des Sadducéens était déterminé non par la position sacerdotale des membres, mais par leur situation dans le monde. Cependant, il ajoute, dans une généralisation inexacte, que ces familles laïques étaient liées par le sang aux prêtres [11]. Il faudra attendre longtemps pour que cette étymologie du nom de Sadducéens cesse de peser sur l'examen de la composition sociologique du groupe.

Wellhausen pense que les Sadducéens, qui constituaient la classe dirigeante, n'étaient pas d'abord une secte ; en cela, ils se distinguaient des Pharisiens. Il s'agissait bien plutôt d'une philosophie pratique *(Lebensanschauung)* commune, différente de celle du peuple [12].

Mais on peut, dit-il, parler d'un parti sadducéen si l'on se place sur le plan politique. C'est ce parti « principalement politique » que Wellhausen, dans une systématisation arbitraire, contraire à ses remarques méthodologiques, oppose au « parti principalement religieux » des Pharisiens [13]. Sous les Asmonéens, se constitua un « parti ecclésiastique », celui des Pharisiens, d'autre part, un « parti politique », que l'on peut appeler aussi « nationaliste » [14]. Une telle vue des choses conduit bien entendu Wellhausen à dire que la fin de l'état asmonéen et la conquête romaine ôtèrent aux Sadducéens toute importance réelle [15].

4. L'essai de Baneth, en 1882, mérite d'être signalé [1] à cause de deux caractéristiques essentielles, l'une et l'autre originales pour l'époque. Dans cette période où la recherche critique était

8. *Op. cit.*, p. 7.
9. *Ibid.*, p. 47.
10. *Ibid.*, pp. 51 et 71.
11. *Ibid.*, p. 51.
12. *Ibid.*, p. 52.
13. *Ibid.*, p. 56.
14. *Ibid.*, pp. 94-95.
15. *Ibid.*, p. 101.
1. E. BANETH, *Ueber den Ursprung der Ṣadoḳäer und Boëthosäer*, dans *Magazin für die Wissenschaft des Judenthums*, 9 (1882), pp. 1-37, 61-95.

portée à dénier globalement, presque par principe, toute valeur historique aux données rabbiniques, Baneth eut le mérite d'affirmer l'intérêt historique du chapitre 5 des *Abot de Rabbi Natan*, recension A, qui présente l'origine des Sadducéens et des Boéthusiens. Par ailleurs, il essaya de prouver qu'il y avait des enseignements d'Épicure à l'origine du sadducéisme[2]; ils auraient déterminé son orientation.

Dans sa grosse synthèse[3], dont malheureusement seule la première partie fut publiée[4], Montet se situe très directement dans la ligne de Wellhausen en ce qui concerne la nature du parti sadducéen, essentiellement politique[5], dont le but était de « maintenir indépendante et forte la patrie juive[6] ». Il pense que Pharisiens et Sadducéens représentaient deux sortes de patriotisme ; les premiers auraient été animés par un patriotisme de la Loi, alors que les seconds auraient représenté l'amour de la patrie, au sens que nous donnons à ce mot[7].

Mais, contrairement à Wellhausen, Montet insiste sur le caractère religieux des Sadducéens, « sincères orthodoxes juifs »[8]. « La Loi, rien que la Loi, voilà leur principe religieux fondamental ; c'est l'antique révélation qui résiste à l'intrusion d'idées nouvelles, de dogmes étrangers »[9]. Et, pour éviter de se trouver empêtré dans des affirmations presque contradictoires, il dit tout simplement que les Sadducéens, c'était l'aristocratie ; il ne parle pas d'aristocratie sacerdotale ou d'aristocratie laïque[10].

La tentative de Rosenthal, en 1880, représente un effort intéressant[11]. Selon lui[12], il faut distinguer, dans les données rabbiniques, deux couches successives. La *Urmischna*, la Mishna primitive, aurait combattu les Sadducéens par de grandes démonstrations générales ; par contre, la seconde couche contient des données moins générales, concernant en particulier le culte, où les rabbins

2. L'un de ses arguments principaux : les Sadducéens emploient *ṭôbîm* comme seule et unique appelation de Dieu (*op. cit.*, pp. 82-84). Notez que, selon *Meg.* IV 9, dire *yebarᵉkûka ṭôbîm* (mot à mot « que les Bons [= Dieu] te bénissent ») est un signe de *mînût* (sur 6 sens de ce terme, voir plus bas, § 66, à *mîn*).
3. Ed. MONTET, *Essai sur les origines des partis sadducéen et pharisien et leur histoire jusqu'à la naissance de J.-C.*, Paris, 1883.
4. Il entrevoyait la suite qui n'a jamais paru : *Histoire des partis sadducéen et pharisien depuis la naissance de J.-C. jusqu'en l'an 70* (*op. cit.*, p. XV, n. 1).
5. *Op. cit.*, p. 218, voir pp. 148 et 154.
6. *Ibid.*, p. 313.
7. *Ibid.*, p. 149.
8. *Ibid.*, p. 219.
9. *Ibid.*, p. 220.
10. *Ibid.*, p. 218.
11. L. A. ROSENTHAL, *Ueber den Zusammenhang der Mischna*, I, Strasbourg, 1890.
12. *Op. cit.*, p. 7.

s'efforcent de résoudre dans le sens de la tradition les disputes entre Sadducéens et Pharisiens. Il nous faudra tenir compte de cette perspective quand nous regarderons le détail des justifications scripturaires que la tradition rabbinique présente contre les Sadducéens.

5. Nous en arrivons au livre d'Hölscher en 1906, consacré exclusivement au *Sadducéisme*[1]. Geiger, Grätz, Derenbourg, Montet également, avaient présenté les Sadducéens avec sympathie. Wellhausen, dans sa défiance pour la littérature rabbinique, amorça une tendance qui s'épanouit pleinement dans cette *Recherche critique sur l'histoire religieuse du bas judaïsme*.

C'est chez le juif Flavius Josèphe qu'Hölscher croit pouvoir découvrir un tableau extrêmement sombre. Pour Josèphe, affirme Hölscher en commençant son examen détaillé des Sadducéens, ces gens sont « les ennemis de la piété juive, et, à cause de cela précisément, ils sont à ses yeux des impies »[2]. Ils apparaissent chez Josèphe comme les représentants « d'une sorte d'*Aufklärung* de libres penseurs dans le judaïsme »[3] ; pour l'ensemble des juifs pieux comme pour Josèphe, le sadducéisme est « une hérésie athée »[4].

La littérature talmudique, continue Hölscher, présente un tableau analogue. Il n'y a pas à retenir les démonstrations scripturaires des Sadducéens qu'elle nous fournit, car tout cela n'est que « fiction rabbinique »[5]. Il ressort des textes talmudiques que les Sadducéens ne respectaient pas la totalité des exigences de la Tora[6]. Ils se moquaient des rites sacrés, par exemple de la libation d'eau à soukkôt, ou de la procession autour de l'autel des holocaustes, le sabbat, pendant le septième jour de cette fête[7]. Dans le Talmud, le Sadducéen « est un esprit qui sans cesse se nie »[8].

Ce mouvement d'*Aufklärung*, cette orientation de pensée irreligieuse et profane fut influencée par les Romains[9] ; on constate en particulier l'influence du droit romain dans le point de vue sadducéen au sujet de l'héritage de la fille, de la responsabilité d'un maître pour son esclave et des conditions nécessaires pour la condamnation de faux témoins[10].

---

1. G. HOELSCHER, *Der Sadduzäismus. Eine kritische Untersuchung zur späteren jüdischen Religionsgeschichte*, Leipzig, 1906.
2. *Op. cit.*, p. 10.
3. *Ibid.*, p. 12.
4. *Ibid.*, p. 16.
5. *Ibid.*, p. 24.
6. *Ibid.*, p. 26.
7. *Ibid.*, p. 27.
8. *Ibid.*, p. 29.
9. *Ibid.*, p. 33.
10. *Ibid.*, pp. 30-32.

Rejetant encore beaucoup plus catégoriquement que Well-hausen l'existence de toute organisation du parti sadducéen. Hölscher considère le sadducéisme tout simplement comme l'attitude d'esprit des aristocrates amis des Romains [11], aristocrates qui, du reste, n'étaient pas principalement des prêtres, mais des laïcs [12]. Sur le plan religieux enfin, les Sadducéens ne sont rien d'autre que quelque chose de « purement négatif » [13].

Dans une seconde partie, Hölscher étudie les rapports entre Sadducéens et grands prêtres. A son avis, il y a, chez Josèphe surtout, mais également dans le Nouveau Testament et la littérature rabbinique, une double tradition [14]. La première, la plus ancienne, qui a une valeur historique, se trouverait dans la *Guerre*, les Évangiles et la Mishna : elle est favorable aux grands prêtres et ne les présente pas comme Sadducéens. La seconde tradition par contre, légendaire, se trouverait dans les *Antiquités*, les Actes des apôtres et la littérature talmudique postérieure à la Mishna : elle présente les grands prêtres comme des impies, c'est-à-dire des Sadducéens, car, selon Hölscher, les deux termes seraient synonymes.

Traçant enfin l'histoire du sadducéisme, Hölscher prend le contre-pied de ses prédécesseurs qui, en général, voyaient dans la période asmonéenne l'époque où les Sadducéens furent florissants. Il pense que toutes les données relatives à l'existence de Sadducéens à cette époque ancienne sont des légendes [15]. Les Sadducéens n'apparaissent qu'à l'époque romaine [16] ; le nom de Sadducéen est un sobriquet inventé à ce moment par les Pharisiens pour désigner les gens favorables aux Romains [17]. Il ne peut donc être question d'écrire une histoire proprement dite du sadducéisme [18], car c'est tout simplement une attitude d'esprit [19].

Hölscher a eu le mérite de poser un certain nombre de problèmes critiques relatifs à la valeur historique de nos sources, spécialement celles de Josèphe, et de se demander s'il ne faut pas chercher principalement dans l'aristocratie laïque les principaux représentants des Sadducéens.

Mais, sans parler de son excès de critique, il y a chez lui un postulat fondamental : Sadducéen serait synonyme d'impie.

---

11. *Ibid.*, pp. 35-36, 101.
12. *Ibid.*, p. 107.
13. *Ibid.*, p. 36.
14. *Ibid.*, pp. 53-70.
15. *Ibid.*, pp. 84-91.
16. *Ibid.*, p. 102.
17. *Ibid.*, pp. 104-105 ; voir p. 101.
18. *Ibid.*, p. 107.
19. Même page.

Hölscher pense que c'est là une donnée historique solide qui ressort d'un examen impartial des sources.

Cette longue présentation d'un travail, que l'on n'hésita pas à qualifier de « complètement raté »[20], était nécessaire. En effet, il représente, poussée à l'excès certes, une attitude d'esprit vis-à-vis des Sadducéens qui, depuis un demi siècle, se retrouve chez maints chercheurs.

6. Dans son *Histoire du peuple juif au temps de Jésus-Christ*, dont les différentes éditions s'échelonnèrent sur plus de trente ans, Schürer faisait une présentation complète de notre documentation, en s'en tenant malheureusement, pour la littérature rabbinique, exclusivement à la Mishna[1]. Il traçait, soit dans son volume I consacré à l'histoire proprement dite, doit dans son volume II où il étudie la vie du peuple juif, un portrait beaucoup plus classique des Sadducéens. Il pensait cependant pouvoir noter chez ces gens mondains, cultivés, un « relatif relâchement de l'intérêt religieux »[2], une certaine « façon séculière de penser »[3], où se manifestent des influences rationalistes[4].

En 1892, Chwolson[5], se situant dans le sillage du courant de sympathie pour les Sadducéens que nous avons découvert au XIXᵉ siècle, présentait un point de vue nouveau : à son avis, au Iᵉʳ siècle de notre ère, les Sadducéens continuaient à disposer d'un grand pouvoir à Jérusalem et au Temple.

Cette idée fut reprise et développée par Büchler[6] ; il pense que c'est seulement dans la dernière décade avant la destruction de 70 que les Pharisiens réussirent à s'imposer au Temple. Dans cette ligne, Chwolson, à la fin de sa vie[7], soutint une thèse paradoxale.

---

20. « Völlig verfehlt » (Ed. MEYER, *Ursprung und Anfänge des Christentums*, II, 1921, p. 292, n. 1). On peut voir également le compte rendu très sévère d'E. SCHUERER dans la *TLZ* 32 (1907), col. 200-203.

1. E. SCHUERER, *Geschichte des jüdischen Volkes im Zeitalter Jesu Christi*, tome II (1886², 1898³) 1907⁴, pp. 475-489. La première édition, en 1874, avait pour titre : *Lehrbuch der neutestamentlichen Zeitgeschichte*.

2. *Op. cit.*, II, p. 486.

3. *Ibid.*, p. 485.

4. Même page.

5. D. CHWOLSON, *Das Letzte Passamahl Christi*, Saint-Pétersbourg, 1892. A la fin du gros excursus (pp. 85-125) consacré à l'étude de l'attitude des Pharisiens, des Sadducéens et des juifs en général vis-à-vis de Jésus, il résume ainsi sa position au sujet des Sadducéens (p. 121, n° 7) : « Au temps du Christ, certes il y avait aussi des Pharisiens dans le Sanhédrin ; mais, à cette époque, ils avaient un rôle subordonné. Les présidents et les grands chefs du Sanhédrin étaient à cette époque les Sadducéens, et c'est eux qui avaient la prépondérance dans toutes les affaires importantes. »

6. A BUECHLER, *Die Priester und der Cultus im letzten Jahrhundert des jerusalemischen Tempels*, Vienne, 1895.

7. D. CHWOLSON, *Beiträge zur Entwicklung des Judentums*, Leipzig, 1910 (il avait alors 91 ans).

Avant cette ruine de 70, la masse du peuple suivait les Sadducéens [8]. En effet, les ᶜammé ha'arèṣ seraient les gens qui observaient les ordonnances sadducéennes [9]. Par conséquent, après 70, il y eut encore des centaines de milliers de Sadducéens [10]. En outre, Chwolson réagit contre Hölscher en affirmant que les Sadducéens n'étaient absolument pas des libres penseurs et qu'il y avait chez eux un authentique zèle pour la Tora [11].

La publication par Schechter, en 1910, du texte des deux manuscrits du Document de Damas trouvés par lui, au cours de l'hiver 1896-1897, dans la synagogue qaraïte du Vieux-Caire [12], apporta un élément extrêmement important. Dans la fièvre suscitée par cette découverte, certains affirmèrent que ce texte était purement et simplement un écrit sadducéen (§ 59).

7. C'est peu de temps après cette publication que parut le gros ouvrage de Leszynsky qui, malgré ses déficiences, reste fondamental [1] ; du reste, dans l'esprit de son auteur, ce n'était qu'une étude préparatoire à une présentation systématique du sadducéisme et à son histoire [2]. Malheureusement, du fait qu'il parut peu de temps avant la Grande Guerre, il ne semble pas avoir eu l'influence que l'on aurait pu espérer [3].

Dès la première phrase de son exposé [4], Leszynsky déclare qu'il va à contre-courant de l'opinion générale, soit des savants, soit des vulgarisateurs, considérant les Sadducéens comme des gens non religieux [5].

Prenant le contre-pied de la thèse d'Hölscher, il essaye de montrer que les Sadducéens sont un peu religieux. Il s'efforce de mettre en lumière les aspects positifs fournis à ce sujet par Josèphe, en particulier leur souci d'être fidèles à la Tora. C'est du reste sur cette fidélité à la lettre de la révélation que Leszynsky centre sa présentation. Il est le premier à avoir expliqué en détail

---

8. *Op. cit.*, pp. 22-24.
9. *Ibid.*, p. 9.
10. *Ibid.*, p. 10.
11. *Ibid.*, pp. 46 et 48.
12. S. SCHECHTER, *Documents of Jewish Sectaries*. I : *Fragments of a Zadokite Work*, Cambridge, 1910, University Press.
1. R. LESZYNSKY, *Die Sadduzäer*, Berlin, 1912.
2. *Op. cit.*, p. 4.
3. En France tout au moins, où le volume est extrêmement rare. Dans les bibliothèques de Paris, je n'en connais que deux exemplaires, l'un à l'Alliance israélite universelle, l'autre chez les Pères de Sion, 68, rue Notre-Dame-des-Champs.
4. *Op. cit.*, p. 3.
5. En fait, comme nous l'avons vu, certains, au XIXᵉ siècle, avaient bien senti l'aspect religieux des Sadducéens. Leszynsky pense surtout au livre d'Hölscher de 1906.

que c'est là le principe de différenciation entre Pharisiens et Sadducéens.

« En s'opposant aux coutumes populaires de la tradition orale au sujet desquelles la Tora ne sait rien, les Sadducéens, sans se préoccuper des avantages ou des inconvénients, se sont appuyés, avec conviction et honnêteté, sur la Loi sainte, et l'ont maintenue avec une sévérité consciencieuse. Par principe, ils ont contesté toutes les lois qui ne sont pas clairement contenues dans la Tora ; d'eux-mêmes, ils n'ont élaboré aucune tradition. Dans un gros écrit, que nous avons en partie conservé [le Document de Damas], ils ont défendu leur point de vue ; les premiers, ils ont créé l'étude de la Tora et frayé la voie à son exégèse, tandis que leurs adversaires étaient contraints d'expliquer l'Écriture d'une façon que la tradition orale y soit contenue. Puisque le principe des Sadducéens se développait dans des conséquences qu'ils n'avaient jamais prévues, le parti, en tant que tel, devait disparaître. Leur victoire fut aussi leur disparition » [6].

On voit de quelle façon Leszynsky se représente la formation et l'évolution des Sadducéens. Au temps de la révolte des Maccabées, le zèle pour la Tora amena les prêtres sadocites à considérer les hasidim et leurs enseignements traditionnels comme des novateurs, des transgresseurs de la Loi. Les partisans de ces prêtres sadocites se groupèrent ; le parti sadducéen fut ainsi constitué [7]. Par la suite, c'est pour enlever leurs propres armes aux Sadducéens que les Pharisiens se sont mis à chercher des justifications scripturaires pour leurs pratiques et leurs opinions [8].

Petit-à-petit, le grand parti sadducéen fut donc réduit au rang de secte [9]. « En rejetant la tradition vivante, elle en était arrivé à servir la lettre morte. Au lieu d'avancer avec le temps, elle avait nié toute l'évolution qui avait précédé, elle n'était pas conservatrice, mais réactionnaire. Son point de vue n'était pas ancien, mais archaïque » [10]. Le sadducéisme a été vaincu et il a péri. Mais comme le pharisaïsme s'est développé seulement parce qu'il a été ramené à l'Écriture par le sadducéisme, on peut dire que « le judaïsme rabbinique est, en fait, une synthèse du pharisaïsme et du sadducéisme » [11]. « Sans Sadducéens, pas d'étude de la Tora, pas de Mishna, pas de Talmud, bref pas de judaïsme » [12].

6. *Op. cit.*, p. 14.
7. *Ibid.*, p. 119.
8. Ibid, pp. 120, 137, et *passim*.
9. La belle période, pour les Sadducéens, se termine avec la fin des Asmonéens, car, dans les princes-prêtres asmonéens, ils avaient une preuve visible de la justesse de leur enseignement (*ibid.*, p. 273). Par la suite, pense Leszynsky (même page), les Sadducéens se scindèrent en plusieurs actes, dont celle des Boéthusiens.
10. *Ibid.*, p. 140.
11. *Ibid.*, p. 141.
12. C'est la dernière phrase de son livre, p. 303.

Tel est donc l'essentiel de la présentation de Leszynsky dans la première partie de son livre. Dans le reste de l'ouvrage, il tente de démontrer qu'un certain nombre d'écrits intertestamentaires (Document de Damas, Jubilés Testament dez douze patriarches, Hénoch, Assomption de Moïse) seraient d'origine sadducéenne. Il termine en notant un certain nombre de points communs, à son avis, entre Jésus et les Sadducéens.

Dans son compte rendu [13], Revel remarque que Leszynsky défend le point de vue des rabbins du moyen âge : la caractéristique du sadducéisme est son rejet de la loi orale. Revel semble d'accord sur ce point, et Lauterbach, dans un très important article [14], présente une opinion pour l'essentiel identique.

Par contre, Revel n'a pas de peine à relever, dans l'étude de Leszynsky, un certain nombre d'erreurs de détails, et, surtout, à rejeter son idée de l'origine sadducéenne des écrits intertestamentaires en question.

8. En 1857, Geiger s'était assez largement servi des données qaraïtes pour retrouver les idées sadducéennes, et il avait été amené à la supposition suivante : les Qaraïtes sont d'accord avec les Sadducéens là où ces derniers divergent des Pharisiens. Cette perspective se retrouve, par exemple, chez I. Weiss, Neubauer, Fürst, Harkavy, Poznanski [1].

Dans une étude approfondie de la halaka qaraïte [2], Revel fut amené à rejeter cette idée. A son avis, il n'y a qu'un seul cas d'accord entre Qaraïtes et Sadducéens : le rejet de la libation d'eau à la fête de soukkôt. On peut encore signaler l'accord des Qaraïtes et des Boéthusiens au sujet de la fixation du jour d'offrande de la première gerbe le dimanche, mais, selon Revel, cette halaka boéthusienne n'est pas une halaka sadducéenne ancienne. Partout ailleurs, note Revel, les Qaraïtes ou bien sont d'accord avec les Pharisiens contre les Sadducéens, ou bien présentent un point de vue indéterminé, par suite des divergences des auteurs qaraïtes entre eux [3].

9. Chez Segall [1], nous trouvons le même son de cloche que chez Hölscher : les Sadducéens sont des gens irreligieux ; ils ne

13. B. REVEL, Leszynsky's « Sadduzäer », dans JQR n. s. 7 (1916-1917), pp. 429-438.

14. J. Z. LAUTERBACH, The Sadducees and Pharisees. A Study of their respective Attitude toward the Law, Mélanges K. Kohler, Berlin, 1913, pp. 176-198.

1. Pour ces auteurs, voir les références dans B. REVEL, JQR n. s. 3 (1912-1913), p. 352, n. 69.

2. B. REVEL, Inquiry into the Sources of Karaite Halakah, dans JQR n. s. 2 (1911-1912), pp. 517-544 ; 3 (1912-1913), pp. 337-396.

3. Op. cit., p. 352.

1. M. H. SEGALL, Pharisees and Sadducees, dans the Expositor VIIIe série, 13 (1917), pp. 81-108.

soucient nullement de la Tora et de la religion et poursuivent des buts uniquement politiques.

Par contre, dans le sillage de Leszynsky, il faut noter plusieurs études. Eerdmans[2] insiste tout à la fois sur le caractère religieux des Sadducéens, qui sont des orthodoxes conservateurs, et sur leur organisation en parti.

Box[3] termine un article par ce mot d'ordre : « Soyons justes même envers les Sadducéens ! » Il souligne le caractère hostile des sources qui nous font connaître les Sadducéens ; quant au Nouveau Testament, il contient, pense Box, beaucoup plus de renseignements à leur sujet qu'on ne le croit d'ordinaire.

Eduard Meyer[4] rejette également les accusations d'irreligion et d'impiété portées contre les Sadducéens.

Signalons, pour cette période de la recherche, le dossier assez complet de traductions allemandes que fournit Billerbeck[5], en groupant l'essentiel des données rabbiniques au sujet des Sadducéens et de leurs luttes contre les Pharisiens.

Mais c'est Lauterbach qui, à cette époque, fit faire un pas décisif sur un point important, celui de la controverse entre Pharisiens et Sadducéens au sujet de l'imposition de l'encens par le grand prêtre le Jour de kippour : doit-il l'imposer avant d'entrer dans le Saint des saints, comme l'affirmaient les Sadducéens, ou seulement une fois qu'il y a pénétré, comme le prescrivait la halaka pharisienne ? Lauterbach montre de façon pertinente que la divergence entre Pharisiens et Sadducéens avait pour origine une différence dans la façon de concevoir la présence divine[6].

10. Depuis 1947, les découvertes de Qoumrân ont énormément accru notre connaissance des bené Sadoq qui s'étaient déjà révélés à nous en 1910 dans le Document de Damas. Contentons-nous ici, dans ce bref panorama, de noter l'étude de North, en relevant ses deux aspects principaux[1]. D'une part, il propose une nouvelle étymologie du nom de Sadducéens : c'est, selon lui, un dérivé d'un adjectif ṣaddûq ; cet adjectif, qui n'est pas attesté, signifierait « juste », d'abord dans l'administration de la justice[2] (détails

2. B. D. EERDMANS, *Pharisees and Sadducees*, dans *the Expositor* VIIIᵉ série, 8 (1914), pp. 299-315 ; du même, *Farizeën en Sadducën*, dans *Theologisch Tijdscrift* 48 (1914), pp. 1-26, 223-230.

3. G. H. BOX, *Scribes and Sadducees in the N.T.*, dans *the Expositor* VIIIᵉ série, 15 (1918), pp. 401-411 ; 16 (1918), pp. 55-69.

4. *Ursprung und Anfänge des Christentums*, II, 1921, pp. 292-293.

5. H. L. STRACK et) P. BILLERBECK, *Kommentar zum N.T. aus Talmud und Midrasch*, IV/1, 1928, pp. 339-352. Billerbeck est le seul auteur de ce travail (voir plus bas, p. 408).

6. J. Z. LAUTERBACH, *A Significant Controversy between the Sadducees and Pharisees*, dans *HUCA* 4 (1927), pp. 173-205.

1. R. NORTH, *The Qumrân « Sadducees »*, dans *CBQ* 17 (1955), pp. 164-188.

2. *Op. cit.*, p. 165.

§ 112). D'autre part, North pense que les gens de Qoumrân représentent un « authentique sadducéisme » [3].

La dernière grande synthèse est celle de Rudolph Meyer, en 1960 [4]. Voici comment il se représente l'histoire des Sadducéens. Le dernier aaronide, le grand prêtre Alcime (162-159), attira sur lui la malédiction des « pieux ». « Parmi les aaronides, les 'fils de Sadoq' étaient ancrés de façon particulièrement ferme dans la tradition. L'image historique put donc se modifier : on reporta l'issue malheureuse [des derniers grands prêtres impies], de façon globale, sur les 'fils de Sadoq' et l'on désigna tout simplement les membres des autres classes sacerdotales, grevées par le passé, comme les gens ayant des idées 'sadocites', autrement dit comme les Sadducéens » [5]. La majorité des prêtres restèrent à Jérusalem sous les Maccabées et les Asmonéens ; on les appela de façon polémique « sadocites ».

Les authentiques sadocides prirent la fuite ; ils se réfugièrent soit à Léontopolis avec Onias III (nous disons III et non pas IV ; sur cette divergence à propos du même personnage, voir § 47, note 1), soit à la lisière de la Palestine. C'est là que nous trouvons les Sadocides des textes de Qoumrân [6].

Il y eut réconciliation entre les Sadocides restés à Jérusalem et Jean Hyrkan (134-104) ; désormais, la symbiose se réalisa entre la nouvelle dynastie sacerdotale et l'idéal sadocite ou sadducéen. Cet idéal étant celui d'un état-temple national et particulariste, avec une eschatologie : on attendait la purification du pays, la délivrance de l'emprise des païens ou demi-païens, et la restauration du royaume idéal de David, le tout se réalisant sous la domination des prêtres [7].

11. C'est seulement à cet endroit que nous faisons état du livre de Finkelstein [1]. La première édition parut en 1938 ; mais, dans la troisième édition, en 1962, il y a des compléments très abondants dont une bonne partie concerne les Sadducéens.

La thèse de Finkelstein, formulée dans la première édition et maintenue sans changement dans la troisième [2], est la suivante. Le sadducéisme est le produit de la hiérarchie du Temple et de l'aristocratie provinciale ; le pharisaïsme, par contre, est issu des conditions urbaines de Jérusalem et de son marché.

3. *Ibid.*, p. 188.
4. R. Meyer, Σαδδουκαῖος, dans *TWNT* VII ([1960-]1964), pp. 35-54.
5. *Op. cit.*, p. 43.
6. Même page.
7. *Ibid.*, p. 44.
1. L. Finkelstein, *The Pharisees. The sociological Background of their Faith*, Philadelphie (1938 [1]) 1962 [3].
2. *Introduction*, p. LXIII.

Les controverses entre les deux tendances, pharisienne et sadducéenne, remontent très haut ; il faut en chercher les origines à la période perse et grecque, avant le soulèvement des Maccabées, voire même, pour certains conflits, à la période antérieure à l'Exil[3].

Les Pharisiens s'en tiennent à la lettre de l'Écriture ; les Sadducéens héritent d'une série « d'interprétations déviationistes », et ne se gênent pas, du reste, pour violer la Loi. « Trouvant dans la législation du Pentateuque des parties difficiles à observer, le haut clergé la rejeta, lui substituant des formes plus acceptables, voire même des rites et des notions que la Loi de Moïse s'était efforcée de supprimer »[4]. C'est là « servir soi-même ses intérêts temporels »[5].

Geiger et, à sa suite, Derenbourg avaient entrevu que la position sociale des aristocrates sadducéens pouvait expliquer certaines de leurs idées ou de leurs actions. Mais la thèse de Finkelstein apparut à un bon connaisseur[6] comme « une dangereuse simplification ». Et, en ce qui concerne la lutte entre la ville et la campagne, il pense qu'elle est contredite « par l'absence relative de conflits opposant la ville et la campagne dans la Palestine ancienne »[7].

Du reste, Sundberg[8] réagit contre l'usage de clichés courants, de généralisations sans fondement ou d'oppositions arbitraires.

On dit que les Sadducéens ont été influencés par l'Hellénisme. Or, note Sundberg, après la crise maccabéenne, l'influence en question fut générale chez les Pharisiens, chez les Sadducéens, ainsi que dans l'ensemble du judaïsme. Elle était « largement accidentelle et inconsciente ».

On qualifie volontiers les Sadducéens d'amis des Romains. Or, il faut se rappeler, dit Sundberg, que la domination romaine mit fin au pouvoir du grand prêtre comme chef de la nation.

On parle d'opposition de classes (c'est la thèse de Finkelstein), ou bien de deux façons de concevoir le judaïsme : les Pharisiens représenteraient une religion plus spirituelle, peu soucieuse de nationalisme et de politique ; les Sadducéens se préoccuperaient des intérêts politiques et des affaires de ce monde. Ou bien encore, on parle de deux centres d'intérêt : la synagogue pour les Phari-

---

3. *Ibid.*, p. LXV, et pp. 638-639.
4. *Ibid.*, p. 637.
5. « Materialistic self-serving » (même page). Finkelstein est particulièrement violent quand il parle des Boéthusiens (pp. 652-658) : « cyniques », « corrompus et égoïstes », « ayant vraiment du mépris pour la religion ».
6. BARON, *Histoire d'Israël*, II, p. 1058.
7. *Op. cit.*, p. 1059.
8. A. C. SUNDBERG, *Sadducees*, dans *The Interpreter's Dictionary of the Bible* IV (1962), pp. 160-163.

siens, le Temple et le clergé pour les Sadducéens. Or, dit Sundberg, des distinctions tranchées de ce genre ne semblent pas avoir
existé entre Pharisiens et Sadducéens[9].

12. Eppstein, dans le cours d'une première étude[1], rejeta
l'idée courante selon laquelle la hiérarchie du Temple était sadducéenne, et les Sadducéens avaient dans ce Temple leur quartier
général. Puis, dans un second article[2], il présenta une interprétation toute nouvelle d'un incident raconté dans le Talmud, au sujet
de la cérémonie au cours de laquelle on brûlait la vache rousse
(§ 212). Il y aurait eu à ce moment-là, vers 60-61 de notre ère, une
véritable excommunication des Sadducéens. Les docteurs pharisiens auraient changé la loi relative aux cendres de la vache rousse
pour rendre impossible à tout juif pratiquant la halaka sadducéenne l'entrée dans le Temple, sous peine d' « extermination ».

13. Pour terminer cet aperçu de la recherche et pour insister
sur certains points d'interrogation rencontrés au cours des pages
précédentes à propos de la nature du sadducéisme ou de l'existence du groupe sadducéen en tant que parti organisé, il ne sera
peut-être pas inutile de relever un fait. Plusieurs auteurs récents,
dans leur tableau du judaïsme au temps de Jésus, parlent peu des
Sadducéens, ou même les passent complètement sous silence. Ainsi
Max Weber, en 1921, pouvait consacrer une quarantaine de pages
aux Pharisiens sans rien dire des Sadducéens[1]. Schlatter, en 1932,
dans sa « Théologie du Judaïsme selon l'exposé de Josèphe »,
consacre un chapitre au mouvement pharisien, et un autre au mouvement zélote ; des Sadducéens, il parle uniquement dans son
chapitre sur « le libéralisme »[2]. Jeremias, dans son *Jérusalem au
temps de Jésus*, parle des Pharisiens dans un chapitre de 25 pages[3] ;
quant aux Sadducéens, il n'en traite qu'une fois ou l'autre, brière-
ment (voir son Index), spécialement dans quatre pages au cours
d'un développement sur la noblesse laïque. Stauffer écrit un chapitre sur les scribes et les Pharisiens[4], et ne mentionne les Sad-

9. Tout ce qui précède, *op. cit.*, p. 162 a et b.
1. Consacrée à la scène des vendeurs chassés du Temple, *ZNW* 55 (1964),
ici, pp. 50-54.
2. V. Eppstein, *When and how the Sadducees were excommunicated ?* dans
JBL 85 (1966), pp. 213-224.
1. M. Weber, *Gesammelte Aufsätze zur Religionssoziologie*, III : *Das antike
Judentum*, Tübingen, 1921, pp. 401-422.
2. A. Schlatter, *Die Theologie des Judentums nach dem Bericht des
Josefus*, Gütersloh, 1932.
3. Pp. 331-356.
4. E. Stauffer, *Jerusalem und Rom im Zeitalter Jesu Christi*, Berne, 1957,
pp. 62-66.

ducéens qu'en passant[5]. Un dernier cas est encore plus significatif : Seidensticker, dans une grosse étude consacrée aux groupements religieux du judaïsme au tournant de notre ère[6], ne parle pas du tout des Sadducéens.

5. Deux fois seulement, si je ne me trompe, pp. 69 et 73.
6. Ph. SEIDENSTICKER, *Die Gemeinschaftformen der religiösen Gruppen des Spätjudentums und der Kirche*, dans *Studii Biblici Franciscani Liber annuus*, Jérusalem, 9 (1958-1959), pp. 94-198.

PREMIÈRE PARTIE

EXAMEN CRITIQUE DES SOURCES

CHAPITRE II

LE PHARISIEN JOSÈPHE

I. JOSÈPHE DEVENU PHARISIEN.

14. Josèphe ben Matthias est né à Jérusalem en 37-38 [1] ; c'est un prêtre [2], issu d'une illustre famille de l'aristocratie sacerdotale [3].

Cette famille appartient à la première des vingt-quatre classes sacerdotales [4], celle de Yehoyarib selon 1 Ch. 24, 7. Par les femmes, Josèphe a du sang asmonéen dans les veines. Matthias, le père de son arrière grand-père, épousa en effet une fille du grand prêtre Jonathan, l'Asmonéen [5] (152-143/2), et la mère de Josèphe descend des Asmonéens [6].

Quand il raconte, de façon quelque peu fanfaronne, sa jeunesse, Josèphe nous apprend que, vers l'âge de quatorze ans, venaient souvent le voir « les prêtres en chef et les aristocrates de la ville » [7]. Son père Matthias est un ami de Jésus fils de Gamalas [8] ; ce Jésus est, avec Anan, fils d'Anan, l'un des « plus illustres » parmi les prêtres en chef [9]. Quant à Josèphe, il a comme amis des prêtres « distingués » [10].

---

1. *Vie* 5.
2. *Vie* 1 et 80 ; *Guerre* III 352.
3. *Vie* 2.
4. *Ibid.*
5. *Vie* 4.
6. *Vie* 2.
7. *Vie* 9. Pelletier traduit « grands prêtres » ; il est préférable de dire « prêtres en chef ».
8. *Vie* 204.
9. *Guerre* IV 160 : δοκιμώτατοι τῶν ἀρχιερέων.
10. *Vie* 13 : καλοὺς κἀγαθούς.

Certes, il y avait des aristocrates parmi les Pharisiens ; les disciples de Shammay, en ce milieu du Ier siècle de notre ère, n'acceptaient comme élève qu'un garçon « fils de famille et riche »[11]. Par ailleurs, les Pharisiens comptaient des prêtres dans leurs rangs. Cependant, les différentes données que nous venons de rassembler au sujet de Josèphe et de sa famille permettent, semble-t-il de dire que cette famille était sadducéenne[12].

15. Or, voici ce que nous raconte Josèphe. A l'âge de seize ans environ, donc vers l'an 53, il se décide à « expérimenter »[1] les trois écoles de pensée, les trois groupes[2] existant alors chez les juifs : Pharisiens, Sadducéens, Esséniens. Il passe par les trois, et séjourne, en outre, trois ans avec l'ermite Bannous dans le désert de Judée. Finalement, à l'âge de dix-neuf ans, il devient Pharisien[3].

Mais il faut en quelque sorte interpréter ce texte. C'est dans une lumière grecque, sans doute sous l'influence de la littérature philosophique populaire, que Josèphe présente sa formation juive[4]. Par ailleurs, son récit présente des éléments un peu curieux. Alors que Josèphe parle d'une expérience d'environ trois ans, la fréquentation de l'ermite Bannous, qui n'appartient pas à l'une de ces trois catégories, dure à elle seule trois années. Par ailleurs, alors qu'il donne des détails sur le genre de vie de cet ermite, il ne précise pas la raison pour laquelle, finalement, il choisit de devenir Pharisien ; il se contente de dire[5] qu'il voulait choisir l'orientation jugée « la meilleure », ce qui va de soi quand on se trouve devant une option.

D'autre part, au début de la guerre, en 66, Josèphe reçoit un commandement en Galilée[6] ; cela conduirait peut-être à supposer qu'il était encore Sadducéen à cette époque[7]. En outre, c'était l'ami intime de Jésus fils de Gamalas, prêtre en chef[8] ; quant à Simon fils de Gamaliel, Pharisien, c'était l'ami de Jean de Gischala, le

---

11. *A.R.N.* rec. A, ch. 3 (14 col. a, 32) : *bn 'bwt w°shyr*. Le texte mentionne ensuite que les disciples d'Hillel acceptaient n'importe qui.

12. H. RASP, dans *ZNW* 23 (1924), p. 35 ; A. C. SUNDBERG, dans *the Interpreter's Dictionary of the Bible* IV (1962), p. 161.

1. *Vie* 10 : ἐμπειρίαν λαβεῖν.

2. Sur le sens d'αἵρεσις, voir § 20.

3. *Vie* 10-12.

4. G. MISCH, *Geschichte der Autobiographie* I/1, Francfort-sur-le-Main, 1949[3], p. 339. Il ajoute, p. 340, que nous avons là un thème caractéristique dans les autobiographies des auteurs grecs : le parcours d'un cycle d'expérimentation des différentes formes de pensée et de vie.

5. *Vie* 10. Notons également le caractère très vague de son allusion aux trois groupes, écoles : « Au prix d'une austère application et d'un labeur considérable, je passai par toutes les trois » (*Vie* 11).

6. *Guerre* II 568.

7. « Ce fut sa qualité de Sadducéen qui lui assuma un commandement en Galilée au début de la guerre » (SUNDBERG, *op. cit.*, p. 161 b).

8. *Vie* 204.

grand ennemi de Josèphe[9]. Se basant sur ces dernières données, Hengel pense que Josèphe était encore lié au sadducéisme ; ce n'est donc que par la suite qu'il se serait rallié au groupe pharisien[10]. On ne peut écarter totalement cette hypothèse. Et, comme pour d'autres données auobiographiques de Josèphe, il n'est donc pas possible d'accorder entière confiance au récit de son agrégation aux Pharisiens à l'âge de dix-neuf ans.

16. Les conclusions que l'on peut tirer de ce texte par conséquent affectées d'un coefficient d'incertitude. Dans ce récit, les trois groupes juifs se présentent à nous en quelque sorte sur pied d'égalité. Un jeune homme est libre de choisir celui qui lui plaît, quelque soit l'orientation religieuse de son mlieu d'origine.

Comme nous l'avons dit, Josèphe naquit très vraisemblablement dans une famille sadducéenne. Son choix pour la voie pharisienne représenta donc une rupture avec sa formation première (rupture brutale si la décision fut prise à dix-neuf ans, moins forte si elle n'eut lieu que plus tard, à une époque où les Sadducéens étaient en voie de disparition).

Josèphe ne dit pas qu'il s'affilia aux Pharisiens en tant que groupe constitué ; il note tout simplement qu'il « commença à se conduire en suivant les principes de l'idéal pharisien »[1]. Certes, la nature exacte des communautés pharisiennes au Ier siècle de notre ère reste encore bien peu connue[2]. Toujours est-il que le caractère quelque peu artificiel des données de Josèphe dans ce récit de sa jeunesse est manifeste pour un point. Sous l'influence de l'idéal

---

9. *Vie* 191-192.
10. M. HENGEL, *Die Zeloten*, Leyde et Cologne, 1961, p. 378, n. 3.
1. *Vie* 12 : πολιτεύεσθαι τῇ Φαρισαίων αἱρέσει. Sur cette traduction « idéal », voir notre § 20. Notons que Josèphe ne donne aucune raison de son choix pour les Pharisiens ; c'est curieux. Au cas où ce choix aurait eu lieu à l'âge de 19 ans, faudrait-il voir là de l'opportunisme ? Selon H. RASP, dans *ZNW* 23 (1924), p. 35, il agit non par conviction religieuse, mais pour réussir politiquement ; et Rasp pense, p. 37, que, en fait, Josèphe s'est trompé, car, à cette période, en 56, les Pharisiens n'avaient plus le contact avec l'âme populaire du fait de l'agitation zélote. — Le séjour de Josèphe auprès de l'ermite Bannous semble l'avoir beaucoup marqué ; en effet, il ne se contente pas d'en noter la durée (trois ans), mais détaille un peu le genre de vie de l'ermite, et dit qu'il fut son émule (*Vie* 11), ce qui représenta, provisoirement, pour ce jeune aristocrate mondain, un énorme changement de vie. Il ne semble pas interdit de supposer que cette longue retraite de l'adolescent entraîna chez lui un affermissement définitif de ses convictions religieuses, dont il ne se départit plus par la suite, contrairement à ce qu'ont dit certains historiens modernes. On pourrait donc se représenter les choses de la façon suivante. Rentrant à Jérusalem, il choisit un idéal de vie, celui des Pharisiens, qui lui paraît plus en rapport avec son expérience de retraite au désert que l'idéal sadducéen. Mais il ne s'agrège pas au groupe, et reste dans la mouvance sadducéenne de son milieu familial.
2. Les données historiquement solides sont présentées par JEREMIAS, *Jérusalem*, pp. 333-336.

grec, il présente les trois orientations religieuses des juifs comme des écoles de philosophie [3].

17. On a dit que Josèphe n'avait pas de sympathie pour les Sadducéens, et même qu'ils étaient « ses ennemis irréconciliables » [1]. Nous tenterons de voir ce qu'il en est exactement une fois terminé l'examen de l'ensemble de ses données à leur sujet.

On peut noter tout de suite quelques remarques en sens contraire. Josèphe ne manque pas de sévérité pour les Pharisiens, quand il les appelle des « gens capables de tenir tête aux rois, prévoyants et s'enhardissant ouvertement à les combattre et à leur nuire »[2]. Certes, il recopie là une donnée de Nicolas de Damas. Mais il la prend à son compte [3] ; on pourrait voir là une réaction du Sadducéen qu'il fut autrefois. Ailleurs, il parle favorablement des ennemis des Pharisiens : les grands, Aristobule II et ses partisans, se plaignent à la reine Alexandra (76-67) des violences exercées contre eux par les Pharisiens [4]. Et il ne voit pas d'inconvénient, lui le Pharisien, à louer Jean Hyrkan (134-104) d'avoir été en même temps chef et grand prêtre [5], alors que les Pharisiens étaient opposés à cette réunion du pouvoir sacerdotal et du pouvoir princier dans la même personne.

L'examen de la vie de Josèphe vient ainsi tout naturellement de nous conduire à jeter un coup d'œil sur sa présentation de l'histoire juive. Il nous faut donc examiner en détail les renseignements que ses œuvres nous fournissent au sujet des Saddu-

3. En dehors des Esséniens, on ne trouve pas, dans Josèphe, d'indication sur l'organisation du groupe pharisien et du groupe sadducéen. A propos de Jean Hyrkan (134-104), au terme du récit de sa rupture avec les pharisiens (§ 35), il dit seulement : le roi « se joignit au groupe des Sadducéens, après avoir abandonné les Pharisiens τῇ Σαδδουκαίων ἐποίησε προσθέσθαι μοίρᾳ, τῶν Φαρισαίων ἀποστάντα (*Ant.* XIII 296). De ces Pharisiens, Hyrkan avait été le disciple (μαθητής, *Ant.* XIII 289). Parlant d'Anan le Jeune (grand prêtre en 62), Josèphe dit : αἵρεσιν δὲ μετῄει τὴν Σαδδουκαίων (*Ant.* XX 199). BILLERBECK, II, p. 635, traduit : « il s'affilia au parti des Sadducéens. » Cette traduction du verbe μέτειμι ne semble pas bonne. Avec le latin *(sequebatur)* et d'autres traducteurs modernes (FELDMANN dans « Loeb », REINACH), il est préférable de dire : « il suivait la doctrine des Sadducéens. »
1. H. RASP, *ZNW* 23 (1924), p. 47 : « Les Sadducéens étaient sans doute ses ennemis irréconciliables. A leurs yeux, il restait le renégat, le traître envers son peuple. D'où la contrepartie : Josèphe fait d'eux une petite réalité ; il cherche à couvrir leur voix, et, ainsi, à les réduire au silence. » HOELSCHER, *Sadduzäismus*, p. 39 : alors qu'il loue les Pharisiens et les Esséniens, Josèphe n'a pas de sympathie pour les Sadducéens ; tout en rejetant les idées radicales d'Hölscher, SCHUERER, dans *TLZ* 32 (1907) col. 202, lui concède cela.
2. *Ant.* XVII 41 ; cf. XIII 288.
3. Il paraît faux de dire que Josèphe « copie ici *sans réflexion* », un auteur qui leur était hostile (G. MATHIEU et L. HERMANN, n. 7 dans leur traduction éditée par Reinach ; c'est nous qui soulignons).
4. *Ant.* XIII 411-413.
5. *Ant.* XIII 299.

céens. Nous allons tout d'abord étudier les notices consacrées aux Sadducéens ; ensuite, nous rassemblerons les éléments relatifs à leur histoire.

II. Ses trois notices sur les Sadducéens.

A. *Les Sadducéens à côté des Pharisiens et des Esséniens.*

18. A trois reprises, Josèphe fournit des notices détaillées sur les trois groupes juifs. La première figure dans la *Guerre* II 119-166, au début de l'administration de Coponius (6-8), lors de l'apparition du mouvement zélote. Il insère la deuxième dans les *Antiquités* XIII 171-173, au cours de son récit sur le grand prêtre Jonathan (152-143/2). Quant à la troisième, elle se trouve dans les *Antiquités* XVIII 11-25, également à propos de la formation du mouvement zélote, lors du recensement de Quirinius en l'an 6 de notre ère.

Ces notices fournissent des renseignements sur les idées et les pratiques des trois groupes, non sur leur histoire ou leur formation. Il n'y a pas grand' chose à tirer de leur place dans l'œuvre de Josèphe. On peut seulement remarquer que Jonathan fut le premier grand prêtre asmonéen (en 152, voir 1 M 10, 20) ; cette nouveauté fut sans doute l'occasion de dissidences à Jérusalem. Cela explique-rait peut-être que Josèphe ait fait figurer, à cet endroit de sa narration, une notice sur les trois groupes. Quant aux deux autres, placés dans son récit de l'administration de Coponius, c'est l'apparition du nouveau groupe des Zélotes qui donne occasion à Josèphe de dire et préciser qu'il y en a déjà trois autres dans le peuple juif.

19. Les trois groupes, Pharisiens, Sadducéens, Esséniens, sont désignés par Josèphe à l'aide d'un certain nombre de termes plus ou moins synonymes. Nous avons essayé de donner de ces termes un tableau aussi complet que possible[1] ; il faudrait cependant le compléter[2].

Nous y avons fait figurer les données des Actes des apôtres ; cela nous servira dans notre chapitre 5.

---

1. H. Rasp, dans *ZNW* 23 (1924), p. 28 avait déjà un tableau mais très sommaire.
2. L'absence d'une concordance des œuvres de Josèphe rend le travail difficile.

	Pharisiens	Sadducéens	Esséniens	Zélotes	3 (ou 4) ens.	Chrétiens	varia
1 αἵρεσις	G II 162 A XIII 288 Vie 12.191.197 Ac 15, 5 ; 26,5	A XIII 293 XX 199 Ac 5, 17	G II 122. 137. 142	G II 118	A XIII 171 Vie 10	Ac 24, 5.14 28, 22	A XV 6
2 αἱρετισταί	G II 119	G II 119	G II 124.141				
3 γένος		A XIII 297	G I 78, II 113 A XIII 172.311 XV 371, XVII 346				G I 143
4 μέρος	Ac 23, 6.9	Ac 23, 6					
5 μοῖρα		A XIII 296	(G II 150)				
6 μόριον	A XVII 41						
7 ὅμιλος			G II 138				
8 προαίρεσις	A XIII 293	A XIII 293					
9 στάσις							Vie 193
10 σύνταγμα	G I 110						
11 τάγμα		G II 164	G II 122. 125. 143. 160.161				
12 φιλοσοφία				A XVIII 23	A XVIII 11		
13 φιλοσοφεῖν					G II 119. 166 A XVIII 11.25		

20. Les renseignements qui se trouvent dans la toute dernière colonne, sous le titre *varia*, sont importants. Ils montrent que la terminologie que Josèphe emploie pour les groupes religieux lui sert également pour désigner d'autres partis de la vie profane. Dans *Ant.* XV 6, il est question de l'αἵρεσις, du parti d'Antigone l'Asmonéen, fils d'Aristobule II ; en *Guerre* I 143, du μέρος, du parti d'Aristobule II ; en *Vie* 193, de la στάσις, du parti des prêtres en chef Anan et Jésus fils de Gamalas.

Dans l'ensemble de ce tableau, plusieurs termes sont synonymes. Voici en effet l'équivalence française. Les termes γένος, μέρος, μόριον, στάσις, σύνταγμα signifient groupe, parti ; μοῖρα, parti, classe ; ὅμιλος, communauté, société ; τάγμα, ordre, corporation, classe, communauté ; προαίρεσις, doctrine ; φιλοσοφία, école philosophique, groupe philosophique ; on pourrait traduire par idées, doctrine, idéal.

Cela nous amène au sens de αἵρεσις. La signification fondamentale de ce terme est donnée par Hégésippe quand il présente les différents groupes juifs : αἵρεσις, note-t-il, veut dire γνῶμαι διάφοροι, « opinions différentes »[1]. A partir de ce sens, le terme, dans les différents passages de Josèphe, présente toute une gamme : les idées d'un groupe, son idéal, ses opinions, sa doctrine (sens de προαίρεσις) ; puis l'école philosophique elle-même (au sens de Josèphe) ; enfin le groupe organisé, le parti. Nous rejetons totalement la traduction par secte. En effet, actuellement, l'usage principal[2] de ce mot, en français, évoque tout de suite des gens qui se sont séparés d'un groupe plus large pour constituer une association autonome. Or il ne s'agit nullement de cela pour les Pharisiens, Sadducéens et Esséniens tels qu'ils sont présentés par Josèphe ; ce sont des groupes faisant partie intégrante du peuple juif[3].

Enfin, αἱρετισταί, ce sont « ceux qui suivent les idées de » ou qui sont « membres du groupe des ».

Pour les Esséniens seulement, Josèphe donne des renseignements très détaillés sur leur organisation. Quant au groupe sadducéen, il ne le présente pas de façon plus précise que le groupe pharisien. A la seule lecture de Josèphe, nous ne savons pas si ces deux groupes avaient une organisation poussée, ni ce qu'elle pouvait être. Une seule conclusion se dégage de l'examen de la terminologie de Josèphe : il s'agit là de deux orientations différentes de pensée qui ont donné naissance à deux groupes différents[4].

---

1. Hégésippe, cité par Eusèbe, *Histoire eccl.* IV 22, 7 (SC 31 [1952], p. 201).
2. Nous parlons de l'usage actuellement prédominant, car secte, *secta* vient, en fait, de *sequor*, suivre, et non de *seco*, couper.
3. Traduire par secte, en mettant le terme entre guillemets, ou en précisant en note dans quel sens précis il est employé ne paraît pas une bonne solution.
4. Il faut insister sur ce dernier point. Josèphe emploie, pour parler des

21. Écrivant pour des lecteurs grecs, Josèphe aime à rapprocher les Pharisiens des Stoïciens [1], et les Esséniens des Pythagoriciens [2]. Pour compléter ces deux données, on dit parfois qu'il assimile les Sadducéens aux Épicuriens [3]. Cela est faux. Certes, au début d'une petite notice relative aux Épicuriens [4], il présente leur idée sur la Providence d'une façon quasi identique à celle des Sadducéens (§ 24). Mais la suite de cette notice sur les Épicuriens [5] montre que ces Grecs se distinguaient profondément des Sadducéens tels que nous les montre Josèphe : il y a chez les Épicuriens une négation de l'existence du dieu créateur qui ne se trouve pas chez les Sadducéens.

Les caractéristiques des trois groupes juifs sont formulées du point de vue philosophique. Récemment, on a avancé l'hypothèse que Josèphe, ou plus exactement sa source, Nicolas de Damas, aurait voulu également souligner certaines analogies, du point de vue politico-social, entre la situation de la Palestine juive et celle de la république à Rome : la lutte entre les *optimates,* la noblesse sénatoriale, et les *populares,* comprenant à la fois les nouveaux riches, *equites,* et la parti du peuple. Ces trois classes, à Rome, se retrouvaient d'une certaine manière dans les trois groupes juifs [6]. Cette hypothèse ne paraît guère solide.

Sadducéens, les termes γένος, μοῖρα, τάγμα, figurant aussi pour les Esséniens. C'est donc que, à ses yeux, les Sadducéens sont un groupe, plus ou moins organisé. Mais, bien entendu, cela laisse ouverte la question de la valeur historique des données de Josèphe sur ce point.

1. *Vie* 12.
2. *Ant.* XV 371.
3. Hoelscher, *Sadduzäismus,* p. 3 ; R. Meyer, dans *TWNT* VII, p. 46 ; L. Waechter, *Die unterschiedliche Haltung der Pharisäer, Sadduzäer und Essener zu Heirmamene nach dem Bericht des Josephus,* dans *ZRGG* 21 (1969), p. 104. Au xviiie siècle et au début du xixe, on rapprochait parfois les Sadducéens des Stoïciens, au point que Fr. Koester, dans la revue *Theologische Studien und Kritiken* 10 (1837), p. 164, n. A, voyait dans le nom de Sadducéen une transposition modifiée du terme de Stoïcien. J. M. Jost, *Geschichte des Judentums,* I, Leipzig, 1857, p. 216, n. 1, rejeta résolument ce rapprochement avec les Stoïciens, en faisant remarquer que, pour Josèphe, c'est avec les Pharisiens que cette philosophie grecque présente des analogies.
4. *Ant.* X 278 : Les Épicuriens « rejettent de la vie la providence et ne croient pas que Dieu s'occupe des choses [humaines]. »
5. Ils ne croient pas « que tout soit gouverné par l'Essence bienheureuse et immortelle en vue de la permanence de l'univers mais prétendent que le monde marche de son propre mouvement sans conducteur et sans guide. » Pour justifier l'équivalence qu'il croit pouvoir établir entre Sadducéens et Épicuriens chez Josèphe, Hoelscher, *Sadduzäismus,* p. 3, pense que cette polémique de Josèphe contre les Épicuriens n'aurait pas de sens s'il visait des gens d'un pays étranger (elle figure à propos des prophéties de Daniel) ; par conséquent, elle concerne des juifs de Palestine. Peut-être, mais cela ne veut pas dire qu'il s'agit des Sadducéens. On ne trouve qu'une autre allusion aux Épicuriens chez Josèphe (*Ant.* XIX 32 : le sénateur Pompédius, épicurien, qui menait une vie oisive). Ce dernier trait ne se retrouve pas non plus chez lui à propos des Sadducéens.
6. Bo Reicke, *Neutestamentliche Zeitgeschichte,* Berlin, 1965, p. 115.

22. Josèphe ignore l'origine des trois groupes. A ce sujet, il ne trouve qu'une chose à dire : « ils existent depuis une époque très reculée » [1].

Quant au nombre des adhérents des groupes, il affirme qu'il y eut, en l'an 7 avant J.-C., plus de 6 000 Pharisiens à refuser le serment à Hérode [2], et que les Esséniens sont 4 000 [3]. Il ne donne aucun chiffre pour les Sadducéens. Ainsi que nous l'avons vu (§ 20 fin), il présente les Sadducéens comme un groupe existant au même titre que les Pharisiens et les Esséniens. Il est donc impossible de dire [4] que l'absence de chiffre pour les Sadducéens vient du fait que ces derniers ne constituaient pas un groupe proprement dit.

Si l'on examine de près l'ensemble des textes de Josèphe [5], voici ce qu'il en ressort au sujet de l'ordre de citation ou de présentation des trois groupes. Les Sadducéens viennent toujours après les Pharisiens, sauf dans une seule énumération [6]. Les Pharisiens sont en général en tête, sauf dans une énumération [7] et dans un développement [8].

Cette préférence pour les Pharisiens s'explique à la fois du fait de l'importance du groupe, au dire de Josèphe, dans la vie de la nation [9], et du fait de ses préférences personnelles [10].

Signalons enfin, pour revenir aux trois notices détaillées, que les Sadducéens y sont présentés de façon matériellement aussi longue que les Pharisiens. Quant aux Esséniens, ils ont droit à une présentation beaucoup plus développée [11].

---

1. *Ant.* XVIII 11.
2. *Ant.* XVII 42.
3. *Ant.* XVIII 20.
4. Comme le fait HOELSCHER, *Sadduzäismus*, p. 36.
5. *Vie* 10, énumération : 1° Pharisiens, 2° Sadducéens, 3° Esséniens. — *Guerre* II 119, énumération : 1° Ph., 2° Sad., 3° Es. ; il développe dans l'ordre suivant : 1° Es. (120-161), 2° Ph. (162-163, 166), 3° Sad. (164-165, 166) ; les Es. sont en tête du développement, sans doute en raison de la grande longueur du texte qui les concerne. — *Ant.* XIII 171, énumération : 1° Ph., 2° Sad., 3° Es. ; il développe dans l'ordre : 1° Ph. (172), 2° Es. (172), 3° Sad (173). Ici, les Esséniens arrivent en second dans le développement, sans doute en fonction de la schématisation de Josèphe : Ph., providence et liberté ; Es., tout à la providence ; Sad., tout à la liberté. — *Ant.* XIII 297-298, il a l'ordre : 1° Ph., 2° Sad., 3° Es. — *Ant.* XVIII 11, il énumère : 1° Es., 2° Sad., 3° Ph. Mais, dans le développement, il suit son ordre habituel : 1° Ph. (12-15), 2° Sad. (16-17), 3° Es. (18-22), 4° Zélotes (23-25) ; c'est la seule fois qu'il parle des Zélotes dans ses notices sur les groupes juifs, les ayant écartés dédaigneusement au début de sa notice de *Guerre* II 118.
6. Celle d'*Ant.* XVIII 11.
7. *Ibid.*
8. *Guerre* II 162-163.
9. *Guerre* II 162 : c'est la πρώτη αἵρεσις ; *Ant* XIII 288 : ils sont suivis par la masse.
10. *Vie* 10, cf. 12 : c'est l'αἵρεσις « la meilleure », à son avis.
11. Où l'on sent tout à la fois des souvenirs personnels de Josèphe, datant, sans doute, de l'époque de son séjour comme adolescent dans le désert de Judée, et une admiration pour leur genre de vie.

B. *Caractéristiques des Sadducéens.*

23. Voici tout d'abord la traduction des passages concernant les Sadducéens dans ces trois notices.

Guerre II 164-166 :

> « Quant au second groupe, celui des Sadducéens, ils suppriment absolument le destin et prétendent que Dieu ne peut ni faire ni prévoir le mal ; ils disent que l'homme a le libre choix du bien et du mal et que chacun, suivant sa volonté, se porte d'un côté ou de l'autre. Ils nient la persistance de l'âme après la mort, les châtiments et les récompenses de l'autre monde. Les Pharisiens se montrent très dévoués les uns aux autres et cherchent à rester en communion avec la nation entière. Les Sadducéens, au contraire, sont, même entre eux, peu accueillants, et aussi rudes dans leurs relations avec les compatriotes qu'avec les étrangers. »

Antiquités XIII 173 :

> « Les Sadducéens mettent de côté le destin, estimant qu'il n'existe pas et qu'il ne joue aucun rôle dans les affaires humaines, que tout dépend de nous-mêmes, en sorte que nous sommes la cause du bien qui nous arrive, et que, pour les maux, notre seule imprudence les attire. »

Antiquités XVIII 16-17 :

> « La doctrine des Sadducéens fait mourir les âmes en même temps que les corps, et leur souci consiste à n'observer rien d'autre que les lois. Disputer contre les maîtres de la sagesse qu'ils suivent passe à leurs yeux pour une vertu. Leur doctrine n'est adoptée que par un petit nombre, mais qui sont les premiers en dignité. Ils n'ont pour ainsi dire aucune action ; car lorsqu'ils arrivent aux magistratures, contre leur gré et par nécessité ils se conforment aux propositions des Pharisiens parce qu'autrement le peuple ne les supporterait pas. »

Nous ajoutons deux autres passages, consacrés à l'opposition entre Sadducéens et Pharisiens.

Antiquités XIII 297-298 :

> « Je veux maintenant dire simplement que les Pharisiens avaient introduit dans le peuple beaucoup de coutumes qu'ils tenaient des anciens, mais qui n'étaient pas inscrites dans les lois de Moïse, et que, pour cette raison, le groupe des Sadducéens rejetait, soutenant qu'on devait ne considérer comme des lois que ce qui était écrit, et ne pas observer ce qui était transmis seulement par la tradition. Sur cette question s'élevèrent des controverses et de grandes disputes, les Sadducéens ne parvenant à convaincre que les riches et n'étant pas suivis par le peuple, les Pharisiens, au contraire, ayant la multitude avec eux. »

Antiquités **XX** 199 :

Anan le Jeune (grand prêtre en 62 après J.-C.) « suivait la doctrine des Sadducéens qui sont, dans leurs sentences au tribunal les plus sévères de tous les juifs, ainsi que nous l'avons montré ».

Entre les données de la *Guerre* et celles des *Antiquités,* il n'y a pas divergence mais complémentarité. Dans les deux ouvrages, nous trouvons au sujet des Sadducéens les indications suivantes. Ils ne croient pas au destin et affirment la liberté humaine ; ils pensent que l'âme disparaît à la mort et n'acceptent pas l'idée d'une rétribution d'outre tombe (cette dernière précision n'est pas dans les *Antiquités,* mais se trouve appelée par la négation de la survie de l'âme).

Dans les *Antiquités,* on trouve les précisions suivantes. Les Sadducéens acceptent seulement les lois écrites en rejetant les traditions orales ; ils jugent que c'est une vertu de discuter avec les maîtres ; ils sont obligés d'obéir aux Pharisiens, et se montrent sévères quand ils siègent au tribunal.

Quant aux caractéristiques sociologiques, la *Guerre* dit que les Sadducéens sont de relations peu faciles ; les *Antiquités* affirment que ce sont des aristocrates, peu nombreux.

24. A propos des traditions, Josèphe affirme qu'il y a entre Pharisiens et Sadducéens « des controverses et de grandes divergences »[1]. Et il va même jusqu'à dire une fois que les opinions sadducéennes sont l'opposé de celles des Pharisiens[2]. Cette généralisation va de pair avec une schématisation que nous rencontrons tout d'abord à propos de la providence. Les Pharisiens accordent une part à la providence et une part à la liberté. Les Esséniens attribuent tout à la providence. Les Sadducéens attribuent tout à la liberté[3].

Cette négation de la providence, notons-le tout de suite, est mise directement en rapport avec le problème du mal. Les Sadducéens, dit Josèphe, pensent que Dieu « ne peut ni faire ni prévoir, ἐφορᾶν, le mal »[4].

Ce verbe est un terme technique dans toute la grécité profane pour parler de la providence divine sur le monde[5] ; il signifie non seulement regarder, mais observer en approuvant ou en tolérant[6], et prévoir[7].

---

1. *Ant.* XIII 298 : ζητήσεις... καὶ διαφορὰς... μεγάλας.
2. *Ant.* XIII 293 : τὴν ἐναντίαν τοῖς Φαρισαίοις προαίρεσιν.
3. *Ant.* XIII 172-173.
4. *Guerre* II 164.
5. SCHUERER, II, p. 460, n. 33.
6. T. W. MANSON, dans BJRL 22 (1938), p. 155, n. 3, qui souligne que c'est le sens biblique.
7. Le correspondant d'hébreu est *ṣph ;* voir son emploi dans le dire d'Aqiba cité § 25, n. 1.

La compréhension du texte de Josèphe [8] relatif à la négation de la providence par les Sadducéens est difficile pour deux raisons surtout. D'une part, nous n'avons pas, en dehors de Josèphe, de données qui nous permettraient de corriger ou de compléter ce qu'il nous dit [9] ; d'autre part, ils présentent les idées des trois groupes en fonction d'une perspective grecque [10].

Cela s'aperçoit tout d'abord dans l'emploi du terme εἱμαρμένη : ni le mot ni le concept n'ont d'équivalent en hébreu [11]. La classification des trois groupes d'après leur attitude envers le destin vient, sans doute, d'une source non juive, probablement Nicolas de Damas [12]. Une bonne illustration de la conception juive de ce qui est inévitable et de son expression en fonction des idées du judaïsme se trouve ailleurs chez Josèphe [13], en une page que l'on peut résumer ainsi : « Ce qui ' doit être ' (τὸ χρεών), ce n'est ni la Fortune (τύχη) avec son arrangement de chances aléatoires, ni le Destin (εἱμαρμένη) avec son éternel et inévitable enchaînement de causes, mais la volonté de Dieu révélé par ses prophètes. » [14]

25. La conception pharisienne, qui essaye de concilier la providence et la liberté, est bien illustré par un dire de Rabbi Aqiba († après 135) : « Tout est [pré]vu [par Dieu], cependant la liberté de choix est donnée [aux hommes]. » [1]

Pour les Esséniens, il faut quelque peu nuancer l'affirmation catégorique de Josèphe disant qu'ils attribuent tout à la providence. « Peut-être serait-il préférable, à propos de Qumrân, d'éviter le terme de ' prédestination ' et de parler tout simplement de grâce [2] ! »

Au dire de Josèphe, les Sadducéens nient la providence. En prenant ce texte à la lettre, on parle d'athéisme pratique [3] ; les

---

8. *Guerre* II 164-165 ; *Ant.* XIII 173. Il n'y a rien à ce sujet dans la troisième notice, *Ant.* XVIII 16.

9. J. HALÉVY, *Traces d'aggadot saducéennes dans le Talmud*, dans *REJ* 8 (1884), p. 43, voyait dans le récit de b. *Taan.* 25ᵃ relatif à Rabbi Eléazar ben Pedat (vers 270) une trace d'aggada sadducéenne au sujet de la divinité ; c'est inexact.

10. Étude importante de G. Foot MOORE, *Fate and Free Will in Jewish Philosophies according to Josephus*, dans *HTR* 22 (1929), pp. 371-389. Voir aussi L. WAECHTER, article cité plus haut § 21, n. 3.

11. MOORE, *op. cit.*, p. 379.

12. *Ibid.*, pp. 383-384.

13. *Ant.* VIII 401-420.

14. MOORE, *op. cit.*, p. 388.

1. *Abot* III 15 : *hkl ṣpwy whrshwt ntwnh*. Le terme *ṣpwy* signifie mot à mot « vu » ; toute la question est de savoir s'il s'agit ici, de la part de Dieu, d'une connaissance par prescience ou par omniscience. Sur ἐφορᾶν, correspondant grec de *Ṣph*, voir § 24 et n. 7.

2. Phrase finale de l'article d'A. MARX, *Y a-t-il une prédestination à Qumrân ?*, dans *RQ* 6 (1967-1969), n° 22, pp. 163-181. Voir également J. O'DELL, dans *RQ* 3 (1961-1962), n° 10, p. 244 et n. 13.

3. HOELSCHER, *Sadduzäismus*, pp. 4-5, 7 ; R. MEYER, *TWNT* VII, p. 46. Selon

Sadducéens auraient une attitude identique à celle de l'impie dont il est question, par exemple, en Ps 14, 1 et 53, 2. Mais une telle assimilation de Sadducéens aux « athées » de l'Ancien Testament n'est pas faite par Josèphe.

Aussi cherche-t-on à expliquer autrement son texte. Selon certains historiens les Sadducéens niaient la providence en ce qui concerne l'individu, mais admettaient la providence qui dirige le monde et son peuple d'Israël [4]. Kohler a émis l'idée que la négation Sadducéens viserait non pas tant la providence que l'annonce des événements futurs [5]. Les Esséniens prophétisaient [6] ; les Pharisiens étaient plus discrets en ce domaine [7]. Les Sadducéens, en niant qu'il y ait encore des prophètes, auraient signifié que l'homme peut, par décision libre, changer le futur.

Cette explication est acceptée par Leszynsky qui complète et précise ainsi les choses [8]. Il est tout à fait possible qu'il y ait eu des discussions sur ce problème philosophique de la liberté. Vraisemblablement, l'hellénisme avait éveillé chez les juifs l'intérêt pour la discussion philosophique. On peut voir la façon dont le Siracide (15, 11-20), prend position pour la liberté. Mais cette discussion ne dut jamais être au centre des préoccupations ; dans la mesure où nous connaissons le judaïsme de cette époque, ce sont des questions de pratique, et non des divergences d'opinions philosophiques, qui conduisirent à des ruptures.

Leszynsky a raison de souligner que le désir de placer Dieu en dehors du monde mauvais, de ne pas lui attribuer la responsabilité du mal existant, « correspond certainement à un sentiment de religion » et non d'impiété [9]. Il ajoute enfin que la négation de

Hölscher, p. 7, l'attitude sadducéenne est « condamnable et irreligieuse ». Schuerer, II, pp. 485-486 : si nous devons ajouter foi aux dires de Josèphe, cette insistance sur la liberté humaine ne peut être considérée que comme un abandon des motifs religieux et un rejet de la « coopération de Dieu ».

4. Ainsi J. Klausner, *Jésus de Nazareth*, traduction française, Paris, 1933, p. 322. On peut rappeler ici la déclaration du grand prêtre Caïphe au moment où Jésus va être arrêté : « Il vaut mieux qu'un seul homme meure pour le peuple et que la nation ne périsse pas tout entière » (Jn 11, 50).

5. K. Kohler, *JE* V (1904), p. 228 b.

6. *Ant.* XV 373, XIII 311.

7. Il n'y a, me semble-t-il, qu'une seule allusion dans Josèphe au don de prophétie des Pharisiens (*Ant.* XVII 43).

8. Leszynsky, *Sadduzäer*, p. 19.

9. *Op. cit.*, p. 22. Pour ce problème du mal, T. W. Manson, dans *BJRL* 22 (1938), pp. 155-156, présente ainsi les choses. Il ne semble pas que les Sadducéens niaient toute providence et tout contact de Dieu avec le monde, à la manière des Épicuriens. Ce qui les préoccupait, c'était le problème du mal. Ils ne pouvaient pas ne pas dire que Dieu n'était pas l'auteur du bien dans le monde, car cela, l'Écriture l'affirmait. Mais ce qu'ils ne voulaient pas dire, c'est que Dieu soit la cause du mal, par action directe ou en le tolérant. Ils maintenaient que le bien et le mal sont affaire de choix libre de la part de l'homme, et que — nous pouvons le supposer — en choisissant, l'homme choisit ce qui découlera de sa décision. Autrement dit, pour le pro-

la providence est peut-être aussi en rapport, chez les Sadducéens, avec leur négation de la prière [10]. Les prières ne sont pas prescrites dans la Tora ; c'est une situation postexilienne non reconnue par les Sadducéens. Ils la rejetaient pour ne pas introduire de nouveaux commandements, et en arrivaient donc à nier le but et l'utilité de la prière.

Les diverses explications partielles que nous venons de donner semblent intéressantes. Mais l'essentiel est de dépasser la schématisation de Josèphe, de voir que là où il parle de négation, il y a seulement moindre insistance sur un aspect de la réalité. Dans toute la Bible, les deux notions de prédestination divine et de liberté humaine cheminent côte à côte, sans que les auteurs inspirés se soient préoccupés de leur opposition apparente. Le Siracide, qui résume la tradition scripturaire, les expose parallèlement sans penser le moins du monde à les concilier [11].

Les Sadducéens, plus occupés d'action que de spéculation, ont mis l'accent sur la liberté, en pensant que l'homme est maître de sa destinée. Dans le premier Livre des Maccabées, de tendance sadducéenne (§ 52), les faits se déroulent d'après l'action humaine ; par contre, dans le second Livre, de tendance pharisienne, l'auteur fait intervenir Dieu de façon plus directement visible, avec le merveilleux qui accompagne cette action.

26. Le second aspect de la pensée sadducéenne est également présenté par Josèphe comme une négation : les Sadducéens nient la persistance de l'âme après la mort [1], et par conséquent les châtiments et les récompenses de l'autre monde [2].

Quand Josèphe présente les idées pharisiennes sur l'au-delà, il parle de subsistance de l'âme, et, pour les justes, de résurrection. Il n'emploie cependant jamais ce dernier terme, mais désigne la réalité de la résurrection de façon voilée, plus nette cependant dans les *Antiquités* que dans la *Guerre* [3].

Aussi certains pensent-ils que, dans le texte de Josèphe sur les

---

blème du mal, les Sadducéens maintenaient la position des amis de Job. En même temps, ils rejetaient toute autre explication par les démons ou leur prince.

10. Leszynsky, *Sadduzäer*, p. 20.

11. Comparer Si 15, 11-20 (liberté) et 33, 7-15 (prédestination).

1. *Guerre* II 165 et *Ant.* XVIII 16, traduits plus haut § 23.

2. *Guerre* II 165. Cette négation de la rétribution d'outre-tombe ne figure pas dans *Ant.* XVIII 16, mais se trouve incluse dans celle de la persistance de l'âme après la mort.

3. *Guerre* II 163 ; *Ant.* XVIII 14 (ἀναβιοῦν). A propos du texte de la *Guerre*, on dit parfois que Josèphe affirme la métempsychose (ainsi Leszynsky, *Sadduzäer*, pp. 17-18), idée qu'il aurait ensuite abandonnée dans les *Ant.* A notre avis, on ne peut pas parler de métempsychose ici, car c'est dans l'autre monde, selon Josèphe, que les âmes des justes retrouvent un corps. C'est là une manière discrète pour ses lecteurs grecs de parler de la résurrection.

Sadducéens, la négation, de la part de ceux-ci, serait la négation de la résurrection[4]. Certes, ils n'admettaient pas l'idée de résurrection (ch. 8). Mais il nous semble que Josèphe leur attribue aussi la négation de l'immortalité de l'âme[5].

Cependant, là non plus, il ne faut pas être trompé par la schématisation de Josèphe. Les Sadducéens s'en tenaient à l'ancienne conception hébraïque du shéol où les hommes, après leur mort, continuent une existence diminuée[6]. Par suite des développements de la pensée juive dans le sens d'un dualisme corps-âme, cette ancienne conception put apparaître comme la négation de l'immortalité de l'âme[7].

C'est également en fonction de l'ancienne révélation biblique que les Sadducéens n'acceptèrent pas l'idée de la rétribution après la mort. On trouve chez Qohélet pareille absence de rétribution (Qo 9, 10). Certes, le fait que les Sadducéens étaient des aristocrates put avoir une certaine influence dans leur insistance sur les conséquences du péché dans la vie terrestre ici-bas[8], mais leur attitude fondamentale, sur ce point, s'explique essentiellement par leur fidélité à la Tora[9].

Les Sadducéens n'acceptèrent jamais les idées nouvelles sur l'au-delà et les récompenses ; de ce fait, ils apparaissaient à Josèphe comme des négateurs. En cela, il rejoint directement le Nouveau Testament, spécialement les Actes des Apôtres (§ 92).

27. C'est en termes philosophiques que Josèphe exposait les idées des Sadducéens sur la liberté et l'au-delà. Par contre, c'est dans une perspective juive qu'il présente leur position au sujet de l'Écriture et de la tradition.

Dans un premier texte[1], il dit, de façon assez elliptique, qu'ils « n'observent rien d'autre que les lois ». C'est dans doute pour plaire à ses lecteurs grecs qu'il parle ainsi des « lois », et non des lois de Moïse. Mais, il n'y a pas à se tromper : il s'agit de la Tora[2].

4. HOELSCHER, *Sadduzäismus*, p. 8 ; G. H. BOX, *dans the Expositor* VIIIᵉ série, 15 (1918), p. 24.
5. Selon BARON, *Histoire d'Israël*, II, p. 1062, n. 48, cette doctrine de l'immortalité de l'âme « en tant que legs hellénistique sans support scripturaire, devait probablement leur paraître répréhensible elle aussi ».
6. LESZYNSKY, *Sadduzäer*, p. 19.
7. Mais, en fait, il n'y avait chez les Sadducéens ni négation ni affirmation de cette immortalité.
8. FINKELSTEIN, *Pharisees*, II, pp. 772-773, attache beaucoup d'importance à ce facteur, en notant, en particulier, le rôle qu'il aurait eu dans le système d'éducation des jeunes aristocrates formés par les Sadducéens.
9. MOORE, *Judaism*, II, p. 317, ne parle pas explicitement de fidélité sadducéenne à la Tora, mais montre bien que les idées nouvelles sur l'au-delà et les rétributions se sont diffusées, non sans opposition, parmi les scribes et devinrent la marque distinctive des Pharisiens.
1. *Ant.* XVIII 16.
2. Dans la traduction latine, on a *legem*.

Le second texte donne des résultats précieux. L'opposition entre Pharisiens et Sadducéens y apparaît avec son enjeu fondamental. Les Pharisiens ont des lois orales non contenues dans le Pentateuque. Les Sadducéens les rejettent, n'acceptant pas la tradition ; ils s'en tiennent strictement aux lois écrites [3].

Les Sadducéens sont donc les gens de l'Écriture [4]. Mais Josèphe parle ici uniquement des lois et non des doctrines, uniquement de halaka et non d'aggada.

En corollaire, Josèphe signale que les Sadducéens considèrent comme une vertu de « disputer contre les maîtres de la sagesse qu'ils suivent » [5]. Ces maîtres (διδάσκαλοι), ce ne sont pas les docteurs pharisiens [6], mais les docteurs sadducéens [7]. Ces disputes [8] ne sont pas des discussions philosophiques, mais des discussions à propos de la Bible. C'est parce qu'ils rejettent la tradition que les Sadducéens peuvent ainsi discuter ; il n'y a pas là marque de scepticisme [9], ni trace d'influence hellénistique [10]. Notons enfin que Josèphe n'hésite pas à parler de la sagesse suivie, recherchée par les Sadducéens, ce qui est un éloge sous sa plume.

28. Josèphe fournit enfin quelques indications sociologiques sur les Sadducéens.

Ce sont des aristocrates, peu nombreux [1] ; ils ne sont pas suivis par le peuple [2].

Le texte de la *Guerre* est difficile à comprendre [3]. Les Sadducéens, dit Josèphe, sont « même entre eux, peu accueillants » ; il

---

3. *Ant.* XIII 297. Pharisiens : νόμιμά τινα... ἐκ πατέρων διαδοχῆς, ἅπερ οὐκ ἀναγέγραπται ἐν τοῖς Μωυσέος νόμοις. — Sadducéens : νόμιμα τὰ γεγραμμένα ; rejet de tout ce qui est ἐκ παραδόσεως τῶν πατέρων.

4. Et Josèphe, dans ces deux textes, affirme implicitement la volonté des Sadducéens d'observer la Tora. Il n'y a chez lui aucune allusion à un relâchement des Sadducéens dans le sens d'un laxisme ou d'un libertinage.

5. *Ant.* XVIII 16. Le verbe μέτειμι que l'on traduit ordinairement par « suivre », pourrait aussi être rendu par « rechercher ».

6. Comme le voulait HOELSCHER, *Sadduzäismus*, p. 10, n. 1.

7. JEREMIAS, *Jérusalem*, p. 312, n. 81.

8. MOORE, *Judaism*, II, p. 67, n. 4 : « Josèphe décrit probablement les choses telles qu'elles étaient dans sa propre jeunesse. »

9. LAGRANGE, *Judaïsme*, p. 270, traduit « être en désaccord avec les maîtres de la sagesse... » Et il commente dans sa n. 1 : « C'est-à-dire que chacun pense à sa façon. Ce sont des sceptiques. »

10. D. DAUBE, dans *HUCA* 22 (1949), p. 243 : c'est sous l'influence des écoles hellénistiques que les Sadducéens ont pris l'habitude d'étudier les problèmes par arguments et contre-arguments. A notre avis, cette hypothèse introduit dans le texte de Josèphe une idée qui lui est étrangère ; Josèphe, par le γάρ qui introduit cette remarque sur les discussions, établit clairement le lien entre elle et le rejet de la tradition orale. Nous sommes dans une problématique juive, et non dans un domaine de discussions philosophiques.

1. *Ant.* XVIII 17.

2. *Ant.* XIII 298.

3. *Guerre* II 166.

continue : « ils sont aussi rudes dans leurs relations avec les ὁμοίους qu'avec les étrangers ». Quels sont ces « semblables » ? S'agit-il des membres de leur parti, ou de ceux des autres groupes et, en général, de leurs compatriotes ?

Cette rudesse est étonnante, de la part de gens que Josèphe mentionne comme des aristocrates ; il est vrai que ces deux indications (rudesse, aristocrates) figurent dans deux ouvrages différents. Il n'est pas possible de dire que cette rudesse viendrait de leur origine provinciale, par opposition à l'urbanité des Pharisiens, gens des villes [4]. Par contre, il faut peut-être voir dans la mention de leur rudesse un trait de ressentiment personnel chez Josèphe ; il se pourrait qu'il ait attribué aux Sadducéens en particulier le défaut qui, selon les Grecs, était le propre de tous les Juifs [5].

Quelle que soit la valeur de cette indication de Josèphe, et l'éventuelle origine de ce manque d'amabilité des Sadducéens, il n'y a pas à y chercher de lien avec un autre renseignement : les Sadducéens sont, de tous les juifs, les plus sévères, les plus cruels quand ils rendent la justice [6]. En effet, cette sévérité a son origine dans la volonté des Sadducéens d'appliquer à la lettre les lois bibliques, et la modération des Pharisiens dans les châtiments [7] s'explique par un adoucissement de certaines sévérités de la législation mosaïque (§ 183-186).

Enfin, Josèphe note [8] que les Sadducéens, quand ils parviennent aux magistratures, doivent se soumettre aux règles pharisiennes [9] « contre leur gré et par nécessité ». La littérature rabbinique fournit, à ce sujet, plusieurs exemples qui illustrent l'affirmation de Josèphe. On peut seulement se demander si sa généralisation n'est pas indue. La même interrogation surgit quand nous l'entendons dire que, au Temple, « toutes les prières à Dieu et tous les sacrifices » sont réglés selon les prescriptions pharisiennes [10].

4. A. C. SUNDBERG, dans the Interpreter's Dictionary of the Bible IV (1962), p. 162 a, rejette cette schématisation.

5. Explication d'H. RASP, dans ZNW 23 (1924), p. 45. Il cite le texte d'HÉCATÉE d'Abdère, fragment 13, connu par DIODORE XL 3 (REINACH, Textes, p. 17, § 5) : Moïse « institua un genre de vie contraire à l'humanité et à l'hospitalité. »

6. Ant. XX 199 : περὶ τὰς κρίσεις ὠμοί. G. MATHIEU et L. HERMANN, dans l'édition Reinach, traduisent : « inflexibles dans leurs manières de voir. » Cela paraît un contresens.

7. Ant. XIII 294 .

8. Ant. XVIII 17.

9. Le texte de Josèphe (Ant. XVIII 17) porte : οἷς ὁ Φαρισαῖος λέγει, « dit », c'est-à-dire « commande ». Josèphe vise les prescriptions pharisiennes. Pour ce sens sémitique du verbe dire, on peut citer la réplique d'un père à son fils, grand prêtre boéthusien (voir plus bas § 77) : « ... nous écoutons les [= nous obéissons aux] paroles, dᵉbarîm des sages [pharisiens] » (Tos. Yoma I [8], [181 [8]]), c'est-à-dire leur réglementation.

10. Ant. XVIII 15.

29. Dans ses notices générales sur les Sadducéens, Josèphe ne parle jamais des prêtres ; une seule fois (§ 33), il sera question chez lui d'un grand prêtre sadducéen. Cette absence de toute mention des prêtres parmi les aspects essentiels du groupe sadducéen est étonnante. Mais, sur ce point, nous avons un moyen d'éviter une inférence fausse à partir d'un argument du silence. En effet, Josèphe décrit très en détail et fort longuement l'organisation des Esséniens. Or, là non plus, il ne parle jamais de prêtres. Cependant, les documents de Qoumrân ont montré depuis vingt ans le rôle que les prêtres jouaient dans la communauté.

Le fait que Josèphe ne parle pas des prêtres, ni pour les Sadducéens, ni pour les Esséniens, s'explique peut-être d'une double manière. Écrivant bien après la ruine de 70 qui entraîna la fin du culte au Temple et celle de l'état juif, donc la fin du rôle des prêtres, il n'éprouvait pas le besoin d'insister sur leur place au sein des groupes antérieurement à cette ruine. Par ailleurs, Josèphe, prêtre lui-même (§ 14 début), ne semble jamais avoir exercé de fonction proprement sacerdotale [1].

**

Au terme de cet examen des notices de Josèphe sur les Sadducéens, ils nous apparaissent comme un groupe de gens authentiquement juifs, insérés dans la vie de la nation. Jamais on n'entend Josèphe les accuser d'être de mauvais juifs, des impies, et nous avons cru devoir rejeter l'identification que l'on a cru trouver chez lui entre Sadducéens et Épicuriens [2].

III. AUTRES MENTIONS TRÈS RARES.

30. En dehors des textes que nous venons d'étudier, les renseignements de Josèphe sur les Sadducéens, quand il raconte l'histoire juive, sont extrêmement rares.

Trois personnages seulement apparaissent comme Sadducéens. Un certain Jonathan, Sadducéen, ami de Jean Hyrkan (134-104), accuse les Pharisiens auprès de lui [1], excite sa colère contre eux, jouant ainsi un rôle déterminant dans son abandon des Pharisiens

1. Ce cas ne semble pas avoir été unique.
2. Ce n'est que dans notre troisième partie, après l'examen des sources rabbiniques, que nous pourrons voir ce qu'il faut retenir d'historique des données de Josèphe. H. J. SCHOEPS, dans *TLZ* 81 (1956), col. 663, n. 3, adopte à ce sujet une position extrême : « Ce que Josèphe, fils de prêtre, dit des Sadducéens comme parti et comme conception du monde n'est pas historique. En identifiant des groupes formés en différents siècles et en mêlant des motifs hétérogènes, Josèphe, consciemment peut-être, a recouvert d'obscurité les faits et les développements historiques. »
1. *Ant.* XIII 293.

et son passage au groupe sadducéen[2]. Mais nous verrons (§ 39) si cet événement ne concerne pas plutôt Alexandre Jannée (103-76).

Le troisième Sadducéen dont parle Josèphe[3] est le grand prêtre Anan le Jeune (en fonction en 62 après J.-C.) ; c'est à propos de la mise à mort de Jacques, frère de Jésus, et de certains autres que Josèphe est amené à dire que ce grand prêtre était Sadducéen (détails § 33). Est-ce par hasard que ces trois personnes, Jonathan, Hyrkan et Anan le Jeune, les trois seuls Sadducéens dont parle Josèphe, apparaissent sous un jour peu favorable ?

Il faudrait peut-être ajouter ici « Ananias Σαδούκι». On traduit ce nom : « Ananias, fils de Sadoq[4]. » Mais ne s'agirait-il pas d'Ananias *le Sadducéen* ?

Quant au groupe sadducéen comme tel, il n'en est jamais question dans les récits historiques de Josèphe. Par contre, les Pharisiens, en tant que groupe organisé, apparaissent à plusieurs reprises, sous Alexandra (76-67) principalement[5], mais aussi pendant le règne d'Hérode[6] (37-4 av. J.-C.). Il est vrai qu'il ne parle qu'une fois des Esséniens, au pluriel, dans un récit historique[7].

En ce qui concerne la mention de personnages déterminés qui sont présentés nommément comme Pharisiens[8] ou Esséniens[9], sans être très fréquente, elle l'est quand même un peu plus qu'à propos des Sadducéens.

Nous allons voir dans quelle mesure on peut assimiler les partisans d'Aristobule II aux Sadducéens. Dans le récit de la guerre juive (66-70), les Sadducéens n'apparaissent jamais. Josèphe y parle de Pharisiens qui sont en compagnie de prêtres en chef[10], parfois accompagnés de notables laïcs[11].

---

2. *Ant.* XIII 296.

3. *Ant.* XX 199.

4. *Guerre* II 451, II 628. Plus prudemment, A. SCHALIT, *Namenwörterbuch zu Flavius Josephus*, Leyde, 1968, p. 104, colonne b, pense que c'est ici un surnom.

5. Dans *Ant.* XIII 400-432, huit fois « les Pharisiens » pour la fin du règne d'Alexandre Jannée et le règne d'Alexandra ; dans *Guerre* I 110-119, deux fois pour le règne d'Alexandra.

6. *Ant.* XVII 42 ; *Guerre* I 571.

7. *Ant.* XV 372.

8. Des personnages pharisiens : Josèphe lui-même (voir plus bas, *Vie* 12 ; Jean Hyrkan avant sa rupture § 35), *Ant.* XIII 296 ; sous Hérode, Pollion et Saméas, *Ant.* XV 3 et 370 ; Saddoq, cofondateur, avec Judas, des Zélotes, *Ant.* XVIII 4 ; lors de la révolte de 66, Simon, fils de Gamaliel, *Vie* 191 ; Jonathas, Ananias et Josar, *Vie* 197 ; des chefs pharisiens, *Guerre* II 411, *Vie* 197.

9. Des personnages esséniens ; sous Aristobule Ier (104-103), Judas, *Guerre* I 78 = *Ant.* XIII 311 ; sous Hérode (37-4 avant J.-C.), Menahem, *Ant.* 373-379 ; sous Coponius (6-8), Simon, *Ant.* XVII 346 ; pendant la révolte de 66, Jean, *Guerre* II 567, III 11 et 19.

10. *Vie* 21 ; dans sa traduction, Pelletier a, par mégarde, omis la mention des ἀρχιερεῖς qui se trouve bien dans son texte grec.

11. *Guerre* II 411.

A notre avis, la rareté des mentions de Josèphe relatives à l'histoire du groupe sadducéen ou à des Sadducéens pris isolément doit avoir, en partie, pour cause sa méfiance, voire son hostilité envers ces Sadducéens.

IV. Aristobule II et ses partisans.

31. La lutte fraternelle qui, à la mort de leur mère, la reine Alexandra, en 67, opposa Hyrkan II à son cadet, Aristobule II, fut une véritable guerre civile ; pendant quatre ans, elle déchira le peuple juif.

En général, on identifie Pharisiens et partisans d'Hyrkan II d'une part, Sadducéens et partisans d'Aristobule II d'autre part. L'examen détaillé des données de Josèphe permet-elle pareille identification ?

Rappelons tout d'abord la suite des chefs politiques et religieux de 76 à 40 ; elle va déjà nous fournir un élément de base.

pouvoir princier (reine, roi ou ethnarque)		grand prêtre	
76-67	Alexandra	76-67	Hyrkan II
67-63	Aristobule II	67-63	Aristobule II
63-40	Hyrkan II	63-40	Hyrkan II

Dans ce tableau sommaire, nous avons omis le très bref espace de temps pendant lequel, à la mort d'Alexandra, Hyrkan II fut roi, avant d'être évincé par son frère.

Sous Alexandra, Hyrkan II fut grand prêtre ; à ce titre, les milieux sacerdotaux durent lui être favorables, mais nous n'avons sur ce point aucun renseignement dans Josèphe.

Après 67, Hyrkan II, poussé par Antipater, père d'Hérode, s'allia avec les Arabes nabatéens et leur roi, Arétas III. Le fait de cette aide étrangère troubla sans doute beaucoup de partisans juifs d'Hyrkan II.

Pendant le règne d'Alexandra, Josèphe parle assez longuement de la puissance des Pharisiens, en faisant plusieurs fois mention de ce groupe comme tel [1]. Par contre, il ne parle pas des Sadducéens. Nous voyons seulement apparaître, pendant ce règne, des aristocrates laïcs. L'un d'eux, Diogène, est mis à mort, avec d'autres, par les Pharisiens [2]. Aristobule II prend la défense des notables menacés par les Pharisiens [3].

1. Puissance des Pharisiens dans le gouvernement, *Guerre* I 110-112 (deux fois « les Pharisiens) = *Ant.* XIII 408-410 (quatre fois « les Ph. »).
2. *Guerre* I 113 = *Ant.* XIII 410-411.
3. *Guerre* I 114 = *Ant.* XIII 412-415.

32. Dans le récit des quatre années de luttes fraternelles (67-63), Josèphe ne parle plus jamais des Pharisiens.

En 67, avant la bataille entre les deux frères à Jéricho, Hyrkan II est abandonné par la plupart des soldats qui rallient Aristobule II [1].

Ensuite, à Jérusalem, Hyrkan II attaque « ceux de la faction adverse », les partisans d'Aristobule II, réfugiés dans le Temple [2]. Aristobule était alors grand prêtre ; les gens de son parti se trouvaient donc en quelque sorte chez eux au Temple. Mais, ainsi que le dit clairement Josèphe dans un texte que nous examinerons un peu plus bas, le Temple constituait la partie la plus invincible de la ville ; celui qui voulait résister à un siège devait donc être maître du Temple.

En 65, après la victoire d'Arétas III sur Aristobule II, beaucoup de juifs abandonnent le vaincu et se joignent à Hyrkan II [3] ; c'est un nouvel exemple de passage d'un camp à un autre. Aristobule se réfugie au Temple de Jérusalem. Le peuple se joint à Hyrkan [4] ; seuls les prêtres restent fidèles à Aristobule [5]. Onias est prié de maudire Aristobule et les gens qui combattent avec lui [6]. Il refuse de prendre parti pour « le peuple » ou pour « les prêtres » [7] ; il est alors assassiné par des juifs excités.

En 63, une ambassade juive se rend auprès de Pompée à Damas. Pompée entend successivement les trois partis. Il y a tout d'abord « le peuple » [8] ; il est opposé à la fois à Hyrkan II et à Aristobule II; car les deux Asmonéens veulent faire de lui une nation d'esclaves. Il veut le rétablissement de la constitution hiérocratique ; il reconnaît donc le pouvoir du grand prêtre et des prêtres.

Par qui était dirigé ce parti « du peuple » ? Cette revendication populaire rejette le pouvoir royal des Asmonéens. On pourrait donc supposer qu'elle était appuyée par les Pharisiens [9]. Mais cette hypothèse n'est pas certaine.

Hyrkan II, lui, apparaît devant Pompée avec plus d'un millier de notables ; ici, ce sont donc des aristocrates qui entourent

1. *Guerre* 5 120 = *Ant.* XIV 4.
2. *Ant.* XIV 5 : ἀντιστασιῶται.
3. *Ant.* XIV 19.
4. *Ant.* XIV 20.
5. *Ibid.* En XIV 25 et 26, deux fois « Aristobule et les prêtres » (« les prêtres et Aristobule »).
6. *Ant.* XIV 22 : συστασιασταί.
7. *Ant.* XIV 24.
8. *Ant.* XIV 41.
9. Serait-ce pour cela que le Pharisien Josèphe, dans son récit, place en tête ce parti du peuple ? Dans *Guerre* I 131-132, il n'est pas question de ce parti du peuple dans l'ambassade auprès de Pompée.

Hyrkan [10]. Quant à la délégation d'Aristobule II, rien, dans le texte de Josèphe, ne permet d'en préciser la composition.

En 63, quand Pompée arrive devant Jérusalem, il y a dans la ville « ceux d'Aristobule », partisans de la lutte, et « ceux d'Hyrkan », partisans de la reddition [11]. Le « parti [12] d'Aristobule » a le dessous ; il se retire dans le Temple. C'est là que le texte des *Antiquités* donne une précision importante : les partisans d'Aristobule se dépêchent pour être les premiers (φθάσαντες) à occuper le Temple où ils se renferment [13]. Cette occupation du Temple est donc indépendante de la composition, à ce moment, du parti d'Aristobule et de celui d'Hyrkan.

Du reste, pendant le siège, Hyrkan réussit à gagner à sa cause beaucoup d'habitants de la campagne, après les avoir détachés d'Aristobule [14]. Et au moment des combats à Jérusalem, Josèphe parle d'Hyrkan et de ses partisans [15] ; lors de la prise du Temple, beaucoup de prêtres furent massacrés « par leurs concitoyens de la faction adverse » [16].

Cet examen des termes et expressions utilisés par Josèphe dans les récits de la lutte fraternelle conduit à la conclusion suivante. A notre avis, rien, dans son texte, ne permet de faire l'équivalence entre Pharisiens et partisans d'Hyrkan II d'une part, Sadducéens et partisans d'Aristobule II d'autre part [17].

Le peuple devait être las de la lutte entre les deux frères. Chacun des deux avait autour de lui ses partisans, dont un certain nombre, du reste, changeaient de temps en temps de camp, ainsi que nous l'avons vu. Quant à l'aristocratie, elle paraît, elle aussi, avoir été divisée.

V. LES GRANDS PRÊTRES.

33. Au dire d'Hölscher [1], il y aurait, chez Josèphe, deux traditions au sujet des grands prêtres du Ier siècle de notre ère. Celle

---

10. *Ant.* XIV 43, voir XIV 11. Pendant le règne d'Alexandra, mention des aristocrates partisans d'Aristobule, *Guerre* I 113, 114 ; *Ant.* XIII 411.
11. *Guerre* I 142 : οἱ Ἀριστοβούλου, - - - οἱ τὰ Ὑρκανοῦ φρονοῦντες. *Ant.* XIV 58 : οἱ τα Ἀριστοβουλου φρονοῦντες.
12. *Guerre* I 143 : μέρος (pour le sens de ce terme, § 19-20).
13. *Ant.* XIV 58.
14. *Guerre* I 153 = *Ant.* XIV 73.
15. *Guerre* I 144 : οἱ περὶ τὸν Ὑρκανόν.
16. *Ibid.*, 150 : ὑπὸ τῶν ὁμοφύλων ἀντιστασιαστῶν. Après la prise de Jérusalem, Pompée fait exécuter « les responsables de la guerre », c'est-à-dire les principaux partisans d'Aristobule II, *Ant.* XIV 73.
17. Contre l'opinion commune faisant cette équivalence, on ne trouve que quelques voix isolées, par exemple J.-B. FREY, dans *DBS* I (1928) col. 393-394 ; LAGRANGE, *Judaïsme*, p. 159 ; A. MICHEL et J. LE MOYNE, dans *DBS* VII (1966), col. 1046.
1. *Sadduzäismus*, pp. 38 et 54.

de la *Guerre,* les présentant sous un jour favorable, ne sachant rien d'une opposition entre eux et les Pharisiens, serait historiquement solide. Par contre, celle des *Antiquités,* s'opposant violemment aux grands prêtres, les considérant comme impies, ce qui revient à dire Sadducéens selon Hölscher, serait légendaire.

Le point de départ de l'hypothèse d'Hölscher, et en même temps son argument majeur, est la double présentation que fait Josèphe du grand prêtre Anan le Jeune (en fonction en 62 de notre ère). Mais Hölscher majore la portée de la différence des deux présentations.

Dans la *Guerre,* Josèphe écrit un long éloge de ce grand prêtre, et il ne fait aucune réserve dans sa louange [2]. Anan apparaît en quelque sorte comme une réplique de Périclès [3]. Par contre, dans les *Antiquités,* la notice, beaucoup plus brève, donne un son de cloche totalement différent [4]. Elle se réduit au récit de la condamnation par Anan de Jacques, frère de Jésus, et de certains autres, événement qui n'est pas mentionné dans la *Guerre.*

En tête du récit des *Antiquités,* pour expliquer l'attitude d'Anan vis-à-vis de Jacques et des autres condamnés, Josèphe s'exprime ainsi : Anan « était d'un caractère résolu et d'un courage remarquable [5] ; il suivait la doctrine des Sadducéens qui sont dans leurs sentences au tribunal les plus sévères de tous les juifs [6], ainsi que nous l'avons déjà montré. »

La première partie (caractère résolu, courage remarquable) semble bien être un éloge ; on pourrait cependant prendre le premier terme dans un sens péjoratif, en traduisant « caractère emporté », ou « téméraire » [7]. Par ailleurs ,il ne semble pas qu'il y ait de lien direct entre cette description du tempérament d'Anan et la mention de sa qualité de Sadducéen [8]. Cette qualification de Sadducéen avec l'indication de la sévérité, de la cruauté de ces gens au tribunal, est destinée à expliquer le comportement d'Anan vis-à-vis de Jacques et de ses compagnons.

La notice des *Antiquités* n'apparaît pas légendaire. Anan n'est pas présenté comme un impie, mais seulement comme un grand prêtre outrepassant ses droits [9] et cruel. Il n'en reste pas moins

---

2. *Guerre* IV 319-321.
3. Thucydide II, 65, dont le texte est sans doute présent à la pensée de Josèphe.
4. *Ant.* XX 199-201.
5. *Ant.* XX 199 : θρασὺς ἦν τὸν τρόπον καὶ τολμητὴς διαφερόντως.
6. Sur cette traduction, voir plus haut § 28 et n. 6.
7. Latin : *ferax ingenio et insigniter audax.*
8. Josèphe écrit : θρασύς... διαφερόντως, αἵρεσιν δὲ μετῄει τὴν Σαδδου-καίων. G. Mathieu et L. Hermann, dans la traduction Reinach, traduisent ce δέ par « en effet ». La particule ne semble pas avoir ce sens ici.
9. Il avait profité de ce que le nouveau procurateur, Albinus, n'était pas encore arrivé à son poste pour convoquer le Sanhédrin. Au dire de Josèphe, *Ant.* XX 202, il lui aurait fallu pour cela l'autorisation du procurateur.

vrai que la notice de la *Guerre*, si louangeuse, ne mentionne pas la qualité de Sadducéen du grand prêtre Anan. Cette absence est délibérée de la part de Josèphe.

34. Josèphe nous raconte [1], pour l'année 62, la cupidité d'Ananie, ancien grand prêtre qui avait été en fonction de 47 jusqu'en 55 au moins. Il envoyait ses serviteurs voler, sur les aires, la dîme qui revenait aux prêtres. Mais il faut soigneusement distinguer entre les vices de tel grand prêtre et ce qui pourrait lui être reproché à titre de membre du groupe des Sadducéens.

Au sujet du pillage des aires, Josèphe rapporte la même chose à propos des prêtres en chef [2], et non plus d'un grand prêtre, pour une période un peu antérieure, sous le pontificat d'Ishmaël ben Phiabi II (grand prêtre jusqu'en 61). Ces actes de cupidité, commis par des prêtres aristocrates, et, éventuellement, par un grand prêtre, ont toute chance d'être historiques.

En 41, Jonathan, fils d'Anne, qui avait été grand prêtre une première fois en 37, refusa d'être nommé une seconde fois grand prêtre par Agrippa Ier. Josèphe donne le texte du billet que Jonathan aurait envoyé au roi pour décliner cette offre [3]. Il déclare qu'il avait, la première fois, reçu le souverain pontificat « de façon plus sainte » qu'il ne le ferait maintenant, et que son frère, Matthias, est « plus digne » que lui.

On a pu, à propos de ce billet, parler de l'ambition des grands prêtres qui consentaient à se soumettre, mais pas pour trop longtemps, aux devoirs du pontificat [4]. Cependant il faut également souligner le sens aigu de la sainteté de cette charge qui nous est ainsi révélé par l'événement. Du reste, un cas très semblable va nous permettre de préciser en quoi consiste cette sainteté exigée du grand prêtre, et, peut-être, de nous fournir quelque élément plus directement sadducéen.

Il s'agit de Yoazar, fils de Boéthos, qui avait été nommé grand prêtre en 4 avant J.-C. Peu de temps après sa nomination, le peuple demanda à Archélaüs sa destitution, en réclamant un grand prêtre plus honorable. Dans la *Guerre*, Josèphe dit : un grand

1. *Ant.* XX 206.
2. *Ant.* XX 181.
3. *Ant.* XIX 314-315.
4. DERENBOURG, *Essai*, p. 215, n. 1 : « En lisant avec attention le petit billet de Jonathan à Agrippa, on verra que ces prêtres mondains se soumettaient volontiers, par ambition, pendant une année, aux devoirs austères et à la vie rigide du pontificat, mais qu'au bout de ce temps, ils étaient pressés de se débarasser de ce frein gênant et de reprendre une existence plus libre et plus conforme à leurs goûts. On a bien gratuitement cherché des causes politiques ou religieuses à cette succession continuelle de grands prêtres. » — Cette dernière phrase est inexacte ; la nomination des grands prêtres *ad tempus* a été voulue par Hérode (JEREMIAS, Jérusalem, p. 223).

prêtre « plus pieux et plus pur »[5]. Le texte des *Antiquités* permet de préciser les choses : le peuple, note Josèphe, désire un grand prêtre qui exerce sa charge « de façon plus en accord avec la loi et de manière pure »[6]. Il est très possible que cette pureté dont il est question ici soit la pureté rituelle[7] au sujet de laquelle les Pharisiens avaient une réglementation plus sévère que les Sadducéens (§ 207). « De manière pure » serait donc synonyme du premier terme, « plus en accord avec la loi », loi interprétée dans le sens pharisien.

A en croire Josèphe, le peuple suivait largement les Pharisiens. La réclamation entre Yoazar, fils de Boéthos, serait donc l'expression de son désir d'avoir un grand prêtre plus docile aux prescriptions pharisiennes.

On le voit, les données de Josèphe relatives à l'appartenance des grands prêtres au groupe sadducéen sont maigres. Il nous reste cependant à examiner un récit de Josèphe sur la rupture du grand prêtre Jean Hyrkan (134-104) avec les Pharisiens et son adhésion au groupe sadducéen.

VI. Rupture de Jean Hyrkan (134-104) avec les Pharisiens.

35. Dans la *Guerre*, Josèphe raconte très brièvement la fin du règne de Jean Hyrkan[1]. Ses données viennent très probablement de Nicolas de Damas, source favorable à l'Asmonéen. Les succès d'Hyrkan et de ses fils, dit Josèphe, provoquent la jalousie des juifs et amènent une sédition parmi eux. Hyrkan est contraint de leur faire la guerre ; il est victorieux et achève tranquillement sa vie. Josèphe, après avoir indiqué sa mort, fait son éloge.

Dans les *Antiquités*, il présente les choses de façon assez différente[2]. Au début, figure la même mention de la jalousie des juifs envers Hyrkan et ses fils. Mais ici, une explication partielle est donnée de cette jalousie : les Pharisiens étaient particulièrement hostiles à Hyrkan[3] ; cependant, Josèphe ne parle pas de sédition.

5. *Guerre* II 7 : εὐσεβέστερον καὶ καθαρώτερον.
6. *Ant.* XVII 207 : νομιμώτερον τε ἅμα καὶ καθαρὸν. Notons qu'il n'y a pas ici, le comparatif, mais seulement καθαρόν — Selon un autre récit (*Ant.* XVII 339), Archélaüs destitua Yoazar parce qu'il avait conspiré avec les agitateurs anti-romains dont il est question dans *Ant.* XVII 250-298.
7. R. MARCUS, dans « Loeb », traduit : « more in accordance with the law and the ritual purity. »
1. *Guerre* I 66-69.
2. *Ant.* XIII 288-300.
3. Le texte de la *Guerre* est énigmatique ; on ne comprend pas pourquoi les succès d'Hyrkan peuvent provoquer la jalousie des juifs, car la réussite de l'Asmonéen fut bénéfique pour le peuple. La mention des Pharisiens, dans les *Ant.*, fait entrevoir la vraie situation ; en effet, ils étaient opposés à la réunion, sur la même tête, du pouvoir sacerdotal et du pouvoir princier. Selon APTOWITZER, *Parteipolitik*, p. 16, l'hostilité des Pharisiens contre Hyrkan

Cette mention des Pharisiens amène un long récit sur la rupture d'Hyrkan avec eux[4] ; ce récit remplace l'éloge qui figurait dans la *Guerre*. Voici la traduction de ce texte[5].

« Hyrkan avait cependant été leur disciple [disciple des Pharisien] et était très aimé d'eux. Un jour, il les invita à un banquet et les festoya magnifiquement ; quand il les vit dans de bonnes dispositions, il se mit à leur parler, disant qu'ils connaissaient sa volonté d'être juste et ses efforts pour être agréable à Dieu et à eux-mêmes : les Pharisiens, en effet, se piquent de philosophie. Il les priait donc, s'ils voyaient quelque chose à reprendre dans sa conduite et qui fût hors de la bonne voie, de l'y ramener et de le redresser. L'assemblée le proclama vertueux en tout point, et il se réjouit de leurs louanges ; mais l'un des convives, nommé Éléazar, homme d'un naturel méchant et séditieux, prit la parole en ces termes : ' Puisque tu désires connaître la vérité, renonce, si tu veux être juste, à la grande prêtrise et contente-toi de gouverner le peuple. ' Hyrkan lui demanda pourquoi il devait déposer la grande prêtrise. ' Parce que, dit l'autre, nous avons appris de nos anciens que ta mère fut esclave sous le règne d'Antiochus Épiphane. ' C'était un mensonge. Hyrkan fut vivement irrité contre lui, et tous les Pharisiens fort indignés.

« Mais un homme du groupe des Sadducéens, qui ont des idées opposées à celles des Pharisiens, un certain Jonathan, qui était des meilleurs amis d'Hyrkan, prétendit qu'Éléazar n'avait insulté celui-ci que de l'assentiment général des Pharisiens : Hyrkan s'en convaincrait facilement s'il leur demandait quel châtiment Éléazar avait mérité par ses paroles. Hyrkan invita donc les Pharisiens à lui dire quelle punition avait mérité Éléazar ; il reconnaîtrait que cette injure ne lui avait pas été faite de leur aveu, s'il fixaient la peine dans la mesure de l'offense. Ceux-ci répondirent : ' les coups et les chaînes ', car une insulte ne leur paraissait pas mériter la mort ; et d'ailleurs les Pharisiens sont par caractère indulgents dans l'application des peines.

« Hyrkan fut très irrité de leur sentence et conclut que le coupable l'avait insulté d'accord avec eux. Jonathan surtout l'excita vivement et l'amena à se joindre au groupe des Saddu-

fut déclanchée parce qu'il se déclara roi. Mais Aptowitzer échoue dans sa tentative pour démontrer qu'Hyrkan prit le titre de roi. Le premier à porter ce titre fut Aristobule Ier (104-103), selon Josèphe (*Ant.* XIII 301 = *Guerre* I 70), Alexandre Jannée (103-76), selon le témoignage des monnaies et de STRABON XVI 2, 40 (REINACH, *Textes*, p. 103). « Ces deux données ne sont pas contradictoires : un emploi interne du titre de roi a pu précéder la proclamation officielle » (JEREMIAS, *Jérusalem*, p. 259, n. 276).
   4. Sur cette rupture, voir entre autres DERENBOURG, *Essai*, pp. 79-80 ; GRAETZ, *Geschichte*, III, 1878, pp. 645-646 ; Ed. MONTET, *Le premier conflit entre Pharisiens et Sadducéens d'après trois documents originaux*, dans *Journal asiatique* VIIIe série, 9 (1887), pp. 415-423 ; Israël LÉVI, *Les sources talmudiques de l'histoire juive. II : la rupture de Jannée avec les Pharisiens*, dans *REJ* 35 (1897), pp. 218-233 ; I. FRIEDLAENDER, *The Rupture between Alexander Jannai and the Pharisees*, dans *JQR* n. s. 4 (1913-1914), pp. 443-448 ; D. BARTHÉLEMY, dans *RB* 59 (1952), pp. 213-216 ; A. MICHEL, *Le Maître de Justice*, Avignon, pp. 218-222.
   5. *Ant.* XIII 289-296.

céens, après avoir abandonné les Pharisiens ; il abrogea les pratiques imposées au peuple par ceux-ci et punit ceux qui les observaient ».

36. Avant d'examiner les données de ce récit, il est nécessaire de regarder la façon dont la tradition rabbinique parle du roi Alexandre Jannée (103-76) à propos de sa persécution contre les docteurs pharisiens.

Il s'agit d'une baraïta anonyme, rapporté par Abayé[1] (babylonien, † 338/9). Voici la traduction du récit.

« Un jour, le roi Jannée alla à Kohlit[2] dans le désert, et là, il s'empara de soixante villes. A son retour, il était excessivement joyeux et il fit appeler tous les sages d'Israël [= les docteurs pharisiens].

« Il leur dit ' Nos pères mangèrent des herbes salées quand ils travaillèrent à la construction du temple ; nous aussi, nous voulons manger des herbes salées en souvenir de nos pères.' On servit donc des herbes salées sur des tables d'or et ils mangèrent.

« Il y avait là un homme railleur, au cœur mauvais et vaurien[3] qui s'appelait Éléazar ben Poïra. Alors Éléazar ben Poïra dit au roi Jannée : ' Roi Jannée, le cœur des Pharisiens est contre toi.' - ' Que dois-je faire [pour m'assurer de la chose] ?' - ' Éprouve-les avec la lame frontale qui est entre tes yeux[4]. ' Alors, il les éprouva avec la lame frontale qui est entre ses yeux.

« Il y avait là un *zaqén* [ancien ou vieillard] qui s'appelait Yehuda ben Guedidya. Juda ben Guedidya dit au roi Jannée : ' Roi Jannée, contente-toi de la couronne royale et laisse la couronne sacerdotale aux descendants d'Aaron[5].' On racontait en effet que sa mère avait été prisonnière de guerre à Modîn. Le fait fut examiné et ne fut pas trouvé [exact]. Et les sages se séparèrent en colère.

1. b. *Qid.* 66[a].
2. *Kwḥlyt*, lieu inconnu. Dans le Rouleau de cuivre trouvé à Qoumrân, le même nom figure quatre fois (3 Q *Rouleau de cuivre* I 9 ; II 13 ; IV 11-12 ; XII 10 ; texte dans *DJD* III [1962], pp. 284, 286, 288, 298). Mais, en dépit de l'identité de graphie, J. T. MILIK, *op. cit.*, pp. 274-275, le considère comme un lieu différent.
3. *'ysh lṣ lb r* wbly*l.
4. C'est la lame d'or portée par le grand prêtre, Ex 28, 36 (sur la lame frontale comme moyen de trouver la vérité, voir E. BAMMEL, dans *TLZ* 79 [1954], col. 354) « Éprouve-les, *hqm lhm* ». Ce verbe (mot à mot « fais-les se lever », verbe *qwm*) est énigmatique. Notre traduction est celle de GRAETZ (cité § 35, n. 4), de GOLDSCHMIDT, d'H. FREEDMAN dans « Soncino ». GOLDSCHMIDT, *Der bab. Talmud* (trad. allemande seule), VI, 1932, p. 734, n. 265, suppose un verbe *qym*, « faire jurer ». I. FRIEDLAENDER (art. cité § 35, n. 4), p. 446, suit celle de RASHI : « making them rise. » BARTHÉLEMY, dans *RB* 59 (1952), p. 215, n. 2, pense que l'apparition du grand prêtre avec ses ornements pontificaux n'eut pas lieu au cours d'un repas, mais dans une cérémonie solennelle ; et il suggère, pp. 214-215, qu'il pourrait s'agir du même événement que la « manifestation » du Prêtre impie, lors de la fête de kippour, dont parle 1 Q$_p$ *Hab* XI 7.
5. Noter que le texte ne dit pas : « aux descendants de Sadoq. » Cela laisserait entendre que, pour la tradition rabbinique, les Asmonéens n'étaient pas prêtres aaronides ; or, en fait, ils l'étaient.

> « Alors Éléazar ben Poïra dit au roi Jannée : ' Roi Jannée, un simple Israélite aurait le droit [de punir pareille calomnie], et toi, roi et grand prêtre, tu ne l'aurais pas ce droit ! ' - ' Que dois-je faire ? ' - ' Si tu veux suivre mon conseil, écrase-les. ' - ' Mais de la Tora, qu'en adviendra-t-il ? ' - ' Vois, elle est enroulée et déposée dans le coin. Quiconque veut étudier, qu'il vienne et étudie. '
>
> « Rab Nahman bar Isaac [babylonien, + 356] dit : ' Aussitôt, l'hérésie *(mînût)* entra en lui, car il aurait dû dire : ' Cela est vrai de la Tora écrite ; [mais] de la Tora orale, quoi [va-t-il en advenir] ? '.
>
> « Alors le malheur se répandit à cause d'Éléazar ben Poïra et tous les sages d'Israël furent mis à mort. Et le monde fut dévasté jusqu'à la venue de Shiméon ben Shatah qui rétablie la Tora dans son ancien état. »

Ce récit présente des caractéristiques propres qui en font un texte très spécial au milieu de la littérature rabbinique[6].

Les baraïtas se rapportant à cette période ancienne sont, en général, dépourvues de précisions. Ici, il y a mention de noms de lieu (Kohlit) et de personnes (Éléazar, *fils de Poïra* ; Juda, *fils de Guedidya*).

Le style et la langue sont très particuliers. Un certain nombre d'expression ne se rencontrent qu'ici[7]. L'auteur, comme le Siracide, ne répugne pas au pastiche : il imite Esther[8]. Mais le plus caractéristique est l'emploi du passé historique, avec le waw conversif, usage qui a presque totalement disparu de la langue néo-hébraïque de la période talmudique. Il est presque constant dans ce récit.

Ces différentes constatations permettent de dire que nous n'avons pas seulement là une tradition orale ; il s'agit d'un « *extrait d'une chronique* rédigée en hébreu sur le modèle des livres historiques de la Bible »[9], chronique qui aurait raconté l'histoire des Asmonéens, envisagée, bien entendu, du point de vue pharisien.

37. Nous avons enfin une troisième présentation, celle d'Aboul Fath, annaliste samaritain du XIVe siècle[1]. Le texte d'Aboul Fath

---

6. Nous reprenons ici l'essentiel de l'étude d'I. Lévi (cité § 35, n. 4), pp. 221-222. Graetz, *Geschichte*, III, 1878, p. 645, avait déjà attiré l'attention sur ce texte ; il y voyait un fragment d'un grand ouvrage historique perdu.

7. « Et ils se séparèrent, *wybdlw* » ; « un homme railleur, au cœur railleur, et vaurien, *'ysh lṣ lb r[c] wbly[c]l* », « éprouve-les par la lame frontale, *hqm lhm bṣyṣ* » ; « le cœur des Pharisiens est contre toi, *lbm .. [c]lk* » ; « et le mal se répandit, *wtwṣṣ hr[c]h* » ; « en colère, *bz[c]m* ».

8. « Le fait fut examiné et ne fut pas trouvé [exact], *wybwqsh hdbr wl' nmṣ'* », imite Est 2, 23 : « le fait fut examiné et fut trouvé [exact], *wybqsh hdbr wymṣ'*. »

9. Lévi, *op. cit.*, p 222 (c'est lui qui souligne).

1. Texte arabe dans *Abulfathi annales samaritani*, édition Vilmar, Gotha 1865, pp. 102-104. Il n'y a pas de traduction de cette chronique. Je dois celle qui suis à M. Maurice Baillet, qui la considère comme un essai. « (p. 102) Il [Jean Hyrcan] interdit donc aux Juifs le pèlerinage au Mont Béni ; et

repose sur celui de Josèphe ; cependant, il présente la scène sous un jour plus naturel. Il est difficile de dire s'il a corrigé Josèphe ou a eu en main quelque rédaction différente du même événement [2].

38. Si l'on compare le récit de Josèphe et celui de Talmud, on voit tout de suite que le fond est le même. L'Asmonéen [1] donne un grand repas auquel il invite les Pharisiens. Quelqu'un adresse un reproche et une demande à l'Asmonéen : sa mère a été prisonnière de guerre ; qu'il renonce donc à être grand prêtre, et se contente de gouverner. Le reproche est sans fondement. Un autre homme prend prétexte de cela pour exciter l'Asmonéen contre les Pharisiens ; c'est désormais l'hostilité entre eux et lui.

Vu cette similitude dans les éléments essentiels, « il est hautement improbable qu'il s'agisse de deux événements différents. » [2]

lorsqu'il le leur interdit, ils se divisèrent en trois partis. L'un s'appelle les Pharisiens, ce qui veut dire les Séparés (ce prêtre était de ce parti). L'autre s'appelle les Sadducéens. Ils furent appelés ainsi parce qu'ils avaient horreur de commettre l'injustice ; ils ne fondaient leur croyance que sur la Loi et sur ce que, avec l'aide de l'analogie, on peut tirer du texte écrit, mais ne professaient rien de ce que la secte des Séparés revendique en fait de livres par désir de rester dans la voie des ancêtres. Ils habitaient dans les villages des environs d'Aelia... Or il y avait entre les Sadducéens et les Séparés une inimitié tenace, et il était licite à leurs yeux de s'entretuer. La cause était que les chefs des Séparés étaient impatients d'attirer sur eux l'attention de Jean [Hyrkan]. Or il arriva qu'il leur fit un banquet. Il fit venir ses généraux et ses notables ; les chefs des Séparés étaient là avec lui, acquiesçaient (p. 103) à ses paroles et prenaient de l'ascendant sur lui. Mais, une fois qu'ils eurent mangé et bu ce qui leur avait été servi, il leur dit, histoire de se divertir : ' Je suis votre disciple et, dans ce que je ferai, je m'en remets à votre parole et à votre avis. J'accepte ce que vous dites, mais moi, je vous demande, si vous apprenez que je commets un péché ou une faute, de m'en détourner et de m'en empêcher. ' — ' Dieu, lui dirent-ils, t'a évité tout faux pas et tout péché. Tu es droit et vertueux dans tous tes actes. '

« Mais il y avait parmi eux un homme du nom d'Eléazar, qui chez eux était un personnage. Il voulut le dissuader d'offrir, comme les prêtres, des sacrifices. Il lui dit donc : ' Si tu veux être bon et exempt de péché, comme tu l'as dit, il faut, te contentant de la royauté, que tu te démettes du sacerdoce, car tu n'y es pas apte. D'ailleurs, sous Antiochus, ta mère a été prisonnière. » — ' Lorsque ma mère était captive, répondit-il, elle s'est évadée avec mon père, et ils se sont cachés dans une grotte de la montagne. Y a-t-il quelque chose qui me prive de la dignité sacerdotale ? ' — Alors il envoya des gens à son service chercher les chefs des Séparés et, lorsqu'ils furent là, il leur dit : ' Que pensez-vous de celui qui porte contre quelqu'un une fausse accusation ? ' — ' Nous, répondirent-ils, nous désirons savoir exactement de quoi il s'agit. ' Quand il leur eut expliqué l'affaire, ils dirent : ' Il faut que cet homme offre un sacrifice pour obtenir son pardon, ou bien qu'il reçoive quarante coups. ' [Eléazar] refusa d'offrir le sacrifice et reçut les quarante coups. [Quant à Jean], depuis ce moment-là, il se tourna vers la doctrine des Sadducéens et quitta le parti des Pharisiens, dont il devint l'ennemi. Il disait : ' En vérité, ces gens-là, Pharisiens ou Séparés, sont opposés à la Loi de Dieu. ' Il en tua un grand nombre, fit brûler leurs livres, interdit aux Séparés d'instruire le peuple de son royaume, tua un grand nombre (p. 104) de ses opposants et permit aux Sadducéens et aux Samaritains de les tuer. »

2. Ed. MONTET (article cité § 35, n. 4), pp. 421-422.

Les divergences de détail sont nombreuses. Nous réservons pour la fin la question de savoir si le fait concerne Hyrkan ou Jannée. Le récit de Josèphe est plus complet et sert à combler une lacune du Talmud [3]. Par contre, le massacre général des docteurs ne se trouve pas dans Josèphe ; mais l'historien juif raconte ailleurs un massacre quelque peu identique [4].

Dans Josèphe, il est question des Sadducéens et des Pharisiens, alors que le Talmud ne parle que des Pharisiens.

En ce qui concerne les deux personnages qui, outre l'Asmonéen, sont en scène, on constate entre Josèphe et le Talmud un curieux mélange de ressemblances et de différences.

Josèphe	Talmud
— ÉLÉAZAR	Juda ben Guedidya
— *méchant homme*	
— « cesse d'être grand prêtre »	— « cesse d'être grand prêtre »
— Jonathan, Sadducéen	— ÉLÉAZAR ben Poïra
— ami d'Hyrkan	— *méchant homme*
— dit à Hyrkan que les Pharisiens sont d'accord avec Éléazar	— dit à Jannée que les Pharisiens lui sont hostiles
— a un grand rôle pour détacher Hyrkan des Pharisiens. et l'agréger aux Sadducéens	— le pousse à massacrer les docteurs pharisiens.

Ce qui nous intéresse surtout ici, c'est la déclaration d'Éléazar ben Poïra à Jannée : « Vois, elle [la Tora] est enroulée et déposée dans le coin. Quinconque veut étudier, qu'il vienne et étudie. » [5]

De cette déclaration, on a proposé deux explications. Selon Leszynsky, il s'agirait de paroles « authentiquement sadducéennes » [6]. L'étude de la Tora ne nécessite aucune tradition ni aucune explication de la part d'un maître ; tout le monde peut l'étudier. Éléazar ben Poïra est donc en quelque sorte un Saddu-

---

1. Jean Hyrkan dans Josèphe ; Alexandre Jannée dans le Talmud.
2. A. MICHEL, *Le Maître de justice*, p. 219.
3. Dans le récit du Talmud, vers la fin, quand Eléazar ben Poïra prend la parole, nous ne savons pas ce qu'il advint pour Juda ben Guedidya du fait que son reproche s'était révélé faux. La mention du châtiment mérité par le calomniateur est indiqué dans Josèphe. Cette lacune du Talmud a-t-elle pour origine le changement des noms de personnages par rapport à Josèphe, avec le chassé-croisé du nom d'Eléazar, comme nous l'expliquons à l'instant dans le développement.
4. *Ant.* XIII 373 ; nous allons en parler un peu plus loin.
5. *Hry krwkh wmwnḥt bqrn zwyt kl hrwṣh llmwd ybw' wylmwd.*
6. LESZYNSKY, *Sadduzäer*, p. 104.

céen [7] ; dans Josèphe, Jonathan, qui joue le même rôle qu'Éléazar ben Poïra, est présenté explicitement comme Sadducéen [8].

Mais une autre explication est peut-être meilleure [9]. Éléazar voudrait dire non pas que toute le monde peut étudier la Tora, mais qu'il n'y a plus à s'en occuper. Ce serait une phrase ironique prêtée à l'impie.

39. Les ressemblances, dans le fond et pour certains détails, permettent de dire que les deux formes du récit proviennent d'une source commune. La question est donc de savoir si cette source parlait de Jean Hyrkan [1] ou d'Alexandre Jannée [2].

Pour y répondre, il faut rechercher quelle est la valeur historique du fond de cette tradition. Il se peut que le reproche d'illégitimité adressé au grand prêtre asmonéen soit, dans le récit, plus ou moins légendaire ; en effet, comme ce reproche est sans fondement, on ne comprend pas très bien comment il aurait pu être la cause de la rupture [3].

La vraie raison de l'hostilité des Pharisiens envers l'Asmonéen venait de ce qu'il en était à la fois grand prêtre et chef politique. Jean Hyrkan n'était pas roi, mais il gouvernait la nation. Le reproche de cumuler le pouvoir religieux et le pouvoir princier a donc pu lui être fait.

Mais toute la question est de savoir à quel moment un Asmonéen commença à entrer en lutte ouverte avec les Pharisiens. Dans Josèphe, en dehors du récit de la rupture d'Hyrkan avec eux [4], il n'est jamais question des Pharisiens sous son règne. Certes, il

7. Le Talmud dit que « l'hérésie, *mînût* » entra en lui ; sur *mîn*, voir plus bas § 66.
8. LESZYNSKY, *Sadduzäer*, p. 105, reprenant l'explication de NEUWIRTH dans *Israel. Monatschrift*, Beilage zur jüdischen Presse, 1910, p. 18 (nous n'avons pas pu avoir cette étude en mains), pense que le souvenir de cet événement est conservé dans le dire de Rabbi Yoshua ben Hananya (vers 90 de notre ère) en *Sota* III 4 : « Un homme pieux stupide [le pharisien Juda ben Guedidya, calomniateur], un scélérat rusé [Eléazar ben Poïra, le Sadducéen Jonathan dans Josèphe], une femme séparée [la mère du roi, prisonnière] et les coups des Pharisiens dévastant le monde. »
9. Solution d'I. BAER, dans *Zion* 27 (1962), p. 124.
1. C'est l'opinion courante ; elle donne la préférence à Josèphe.
2. De rares historiens donnent ainsi la préférence au Talmud. Nous avons relevé I. FRIEDLAENDER (article cité § 35, n. 4), D. BARTHÉLEMY, dans *RB* 59 (1952), pp. 214-215, A. MICHEL, *Le Maître de justice*, pp. 220-221 (ces deux derniers *semblent* pencher pour la solution Jannée).
3. La mention du reproche d'illégitimité dans notre récit est considéré comme historique par A. SCHLATTER, *Geschichte Israels*, 1925², p. 139, et par JEREMIAS, *Jérusalem*, pp. 219-220 (p. 218), détails au sujet de la législation rabbinique pour la femme du grand prêtre). Par contre, E. BAMMEL, dans *TLZ* 79 (1954), col. 354, y voit un motif surajouté ; de même, R. MEYER, dans *TWNT* VII, p. 44, n. 56, pense que cet élément trahit une période postérieure de la tradition pharisienne.
4. La répétition très fréquente (une dizaine de fois) de l'expression « les Pharisiens » est caractéristique dans ce récit.

n'en parle pas non plus de façon explicite pendant le règne de Jannée. Mais ce dernier, au moment de sa mort, recommanda à sa femme, Alexandra, de faire la paix avec eux [5]. Sous le règne d'Alexandra (76-67), Josèphe nous les montre tout puissants [6]. Par ailleurs, Jannée, lors d'une fête des Tentes, entendit le reproche d'illégitimité à la fonction de grand prêtre ; le peuple manifesta sa colère contre lui, et il fit périr plus de 6 000 personnes [7].

Nous avons peut-être, dans ce dernier récit et dans celui du Talmud relatif au repas suivi du meurtre des docteurs pharisiens, deux doublets.

La puissance grandissante des Pharisiens sous le règne de Jannée aurait entraîné l'hostilité du roi à leur égard. La rupture est donc tout à fait vraisemblable de sa part.

Mais il n'est pas sûr que le récit du Talmud parle réellement de Jannée [8]. D'autre part, la littérature rabbinique connaît aussi une tradition selon laquelle Jean Hyrkan, à la fin de sa vie, abandonna les Pharisiens et devint Sadducéen [9]. Cependant, cette tradition n'est peut-être pas très ancienne [10], et ne concerne peut-être pas personnellement Jean Hyrkan, mais collectivement les Asmonéens [11].

Par ailleurs, les Sadducéens gardèrent beaucoup de vénération pour Hyrkan grand prêtre, s'il faut en croire une donnée de la Mishna [12]. Enfin, certains ont voulu trouver une origine sadducéenne à un texte du Targoum parlant des « ennemis de Jean » Hyrkan, qui seraient les Pharisiens ; mais cette explication n'est pas certaine [13].

---

5. *Ant.* XIII 401.

6. *Ant.* XIII 408-411 : quatre fois la mention des « Pharisiens ».

7. *Ant.* XIII 372-373.

8. Abayé († 338/9), qui nous raconte l'événement en b. *Qid.* 66ᵃ, note ailleurs, b. *Ber.* 29ᵃ, qu'Alexandre « Jannée et Jean [Hyrkan] ne font qu'un ». DERENBOURG, Essai, p. 80, n. 1, remarque, à propos de ce nom de Jannée, qu'il « est donné indistinctement à tous les princes de la famille asmonéenne » dans le Talmud.

9. b. *Ber.* 29ᵃ C'est une baraïta citée par Abayé († 338/339) : « Le grand prêtre Jean [Hyrkan] fut 80 ans grand prêtre, mais, à la fin, il devint Sadducéen *wlbswp nᶜšh ṣdwqy* » (la bonne leçon est bien ṣdwqy, et non pas *mîn*, voir l'édition bilingue in-folio de GOLDSCHMIDT, tome I, *in loco*). Il s'agit là d'un abandon dont le modèle est l'idolâtrie de Salomon dans sa vieillesse, 1 R 11, 1-8. Il se pourrait que, dans ce texte, « Sadducéen » soit synonyme d' « hérétique ».

10. Le texte que nous venons de citer est destiné à expliquer la sentence d'Hillel, *Abot* II 5 : « Ne te confie pas en toi-même jusqu'au jour de ta mort. » Or, dans le Talmud de Jérusalem, j. *Shab.* I, 3, 3ᵇ 64 (III/1, 15), il n'est pas question d'Hyrkan ; la sentence d'Hillel est illustrée par l'histoire d'un pieux rabbin conduit à la transgression par la séduction d'un démon.

11. Voir plus haut, n. 8.

12. *Yad.* IV 6 : pour les Sadducéens, « les os de Jean [Hyrkan] le grand prêtre sont impurs », ce qui est signe de vénération (§ 153).

13. Il s'agit du Targoum Yerushalmi I sur Dt 33, 11 (rien dans les autres

On voit qu'une rupture de Jean Hyrcan avec les Pharisiens est possible. Mais, à notre avis, elle est moins vraisemblable que de la part d'Alexandre Jannée.

40. Le récit du Talmud, nous l'avons vu, ne mentionne pas explicitement les Sadducéens. Éléazar ben Poïra fait une déclaration qui est peut-être sadducéenne (§ 38) ; mais la tradition rabbinique a très bien pu, tardivement, introduire cet élément dans le récit, sous cette forme précise [1].

Chez Josèphe, Jonathan est présenté comme Sadducéen [2]. L'homme méchant, dans son récit, c'est Éléazar ; mais il n'est pas appelé Sadducéen.

En finale, Josèphe dit qu'Hyrcan, sous l'influence de Jonathan, abandonna les Pharisiens et s'agréga au groupe (μοῖρα) des Sadducéens [3]. C'est la seule mention de ce groupe dans la narration des événements du temps des Asmonéens.

*
**

41. Trois conclusions principales se dégagent du long examen des données relatives aux Sadducéens fournies par Josèphe. Tout d'abord, Josèphe ne semble pas avoir beaucoup de sympathie pour eux. Secondement, les renseignements qu'il nous donne sur leur histoire sont extrêmement peu nombreux. Sous les Asmonéens, nous ne le saisissons que par quelques allusions ; il n'est pas

---

Targoums sur ce verset). Après avoir parlé du prophète Élie, le texte dit : « Brise les reins d'Achab, son ennemi, et qu'il n'y ait plus pour les ennemis de Jean [Hykan] un pied pour se tenir. » Depuis un siècle, ce texte a été l'objet de très nombreuses recherches ; on en trouvera l'indication dans les études que nous allons signaler. GEIGER, *Urschrift*, p. 479, semble avoir été le premier à attirer l'attention sur ce texte ; à son avis, les ennemis d'Hyrkan sont des juifs. R. MEYER, « *Elia* » *und* « *Achab* » (*Tg Ps.-Jon. zu Dt 33, 11*), dans *Abraham unser Vater* (Mélange O. Michel), Leyde, 1963, pp. 355-368, voit dans ses ennemis les Pharisiens. P. KAHLE, *The Cairo Geniza*, Oxford, 1959[2], p. 202, admet que ce passage a été écrit sous Jean Hyrkan (ce qui reste discuté), mais ne soulève pas la question de savoir qui sont les ennemis, des juifs ou des païens. Par contre, DALMAN, *Grammatik*, 1905, p. 31, est d'avis que les ennemis en question sont les Grecs (Syriens) lors des luttes maccabéennes pour la liberté où Hyrkan joua un rôle déterminant (même chose dans ses *Worte Jesu*, 1930, p. 68).

1. Il est intéressant de noter que les Sadducéens ne sont pas non plus nommés dans la version rabbinique des dernières paroles de Jannée à sa femme, b. *Sota* 22[b]. Le roi dit à Alexandra : « Ne crains ni les Pharisiens, ni les non Pharisiens, *wsh'ynn prwshyn*, mais [crains] les hypocrites qui affectent une ressemblance avec les Pharisiens. »

2. *Ant.* XIII 293 : il est l'un « de ceux du groupe, αἵρεσις, des Sadducéens. »

3. *Ant.* XIII 296. Pour le sens de ce terme, voir plus haut § 19-20.

4. Dans *Ant.* XIII 293, 297, Josèphe parle, à deux reprises, de l'ensemble des Sadducéens, mais c'est pour donner des renseignements sur leurs idées.

possible de considérer les partisans d'Aristobule II (67-63) comme Sadducéens. Même pour le Iᵉʳ siècle de notre ère, Josèphe ne nous apprend que bien peu de choses au sujet du comportement des grands prêtres en tant que Sadducéens.

Par contre, ses données sur les idées sadducéennes sont fort importantes. Dans la présentation qu'il nous en donne, les Sadducéens apparaissent comme des juifs fidèles à la Tora, rejetant, au nom de cette fidélité, la résurrection et l'immortalité de l'âme, insistant, pour la même raison, de façon unilatérale sur la liberté humaine. Les Sadducéens sont des gens de l'Écriture ; ils rejettent la tradition orale des Pharisiens. Du fait de leurs conceptions, il ne sont suivis que par un très petit nombre de juifs, des aristocrates.

Telle est l'image que Josèphe nous donne des Sadducéens. Ce sont les Sadducéens qu'il a dû connaître dans sa famille et dans la Jérusalem du Iᵉʳ siècle de notre ère.

APPENDICE : PHILON D'ALEXANDRIE.

42. Il faut dire ici quelques mots du juif Philon, mort vers le milieu du Iᵉʳ siècle de notre ère.

Selon certains, ce juif d'Alexandrie était pharisien [1]. Personne, semble-t-il, n'a affirmé purement et simplement qu'il était Sadducéen. Mais selon Goodenough, « son approche générale du judaïsme semble avoir été colorée par les Sadducéens » [2]. Heinemann, par contre, tout en refusant de faire de Philon un Pharisien, dit qu'il est impossible de le considérer comme proche d'une orientation non pharisienne [3]. D'autres, enfin, renoncent à se prononcer sur l'appartenance de Philon au courant pharisien ou sadducéen [4].

Mais, peut-être, la question de savoir si Philon était Pharisien ou Sadducéen est mal posée. On le constate, semble-t-il, par la remarque suivante. Philon appelle σοφισταί des gens qui étudient l'interprétation littérale de l'Écriture [5]. Or, les exemples qu'il donne de ces littéralistes montrent une grande ressemblance entre eux et les Pharisiens [6]. Et ces Pharisiens se regardaient eux-mêmes comme opposés au littéralisme attribué aux Sadducéens. Philon,

1. Ainsi M. SIMON, dans M. SIMON et A. BENOIT, *Le judaïsme et le christianisme antique*, Paris, 1968, p. 205 : « Il apparaît bien plutôt comme une sorte de Pharisien de la Diaspora. »
2. E. R. GOODENOUGH, *By Light Light*, New Haven, 1935, p. 80.
3. I. HEINEMANN, *Philons griechische und jüdische Bildung*, Breslau, 1932 = Hildesheim, 1962, p. 540.
4. Par exemple R. ARNALDEZ, dans son *Introduction générale* aux *Œuvres de Philon*, I, Paris, 1961, pp. 57-58, qui présente les deux points de vue sans donner d'opinion personnelle.
5. Ainsi *de Somniis* I 102.
6. H. A. WOLFSON, *Philo*, Cambridge Mass., 1948², I, p. 59.

lui, présente l'interprétation allégorique, ce qui le situe en dehors de ces deux courants, pharisien et sadducéen.

43. Signalons rapidement les principaux éléments qui ont été mis en avant en faveur de la désignation pharisienne ou pro-sadducéenne de Philon. Ils concernent la halaka et la aggada.

Ritter avait cru pouvoir affirmer que Philon considérait la tradition orale comme ayant force obligatoire, au même titre que la Tora[1] ; cela le mettrait à l'antipode de la position sadducéenne. Mais on a fait remarquer que Philon ne connaissait pas cette expression « tradition orale »[2]. Et il faut souligner qu'il a commenté seulement le Pentateuque ; il ne s'attache à aucun autre écrit ni à la tradition orale.

Pour le détail de la halaka, les études sur Philon sont encore partielles, et un exemple récent montre tout le parti que l'on peut tirer d'un examen approfondi de son œuvre[3]. Dans une étude du Premier livre des « Lois spéciales », S. Daniel a relevé quatre cas où le commentaire de Philon est conforme à la lettre de la Loi, alors que la halaka rabbinique s'en écarte[4]. Malheureusement pour nous, dans aucun de ces quatre cas, nous ne savons quelle était la position sadducéenne.

On peut noter que, sur trois points, Philon a une position identique à celle des Pharisiens[5] : fixation du jour de l'offrande de la première gerbe (§ 125, n. 4), conditions pour mettre à mort un faux témoin (§ 173, n. 7), heure de l'immolation de la victime pascale (§ 159, n. 2).

Par contre, on peut relever que, pour l'application de la loi du talion (§ 167, n. 3 et 4) et pour la cérémonie de l'encens par le grand prêtre, le Jour de kippour (§ 192, n. 1), il a un point de vue identique à celui des Sadducéens. Mais cela peut venir tout simplement du fait qu'il s'en tenait au sens littéral du texte de la Tora.

Pour la aggada, il y a un certain nombre de points, importants, où Philon a des idées parallèles à celles des Sadducéens[6]. Les Sadducéens rejetaient la doctrine pharisienne de la prédestination ; Philon rejette le déterminisme et fait de l'homme libre l'agent de son action. Les Sadducéens n'acceptent pas la résurrection ; or Philon n'en parle jamais. A la différence des Sadducéens, il ne

---

1. B. RITTER, *Philo und die Halaka*, Leipzig, 1879, pp. 114-115.
2. HEINEMANN, *op. cit.*, p. 540.
3. S DANIEL, *La halacha de Philon selon le Premier livre des « Lois spéciales »*, dans le volume collectif *Philon d'Alexandrie* (colloque de Lyon 1966), Paris, 1967, pp. 221-240.
4. DANIEL, *op. cit.*, pp. 228-230.
5. Voir les textes de Philon dans les paragraphes respectifs de notre développement, signalés ici entre parenthèses.
6. Nous reprenons la présentation de GOODENOUGH, *op. cit.*, p. 79.

pense pas que l'âme périt avec le corps, mais sa notion grecque de l'immortalité et tout son enseignement moral montrent qu'il n'a nullement l'idée de sanctions d'outre-tombe par un tribunal divin qui punirait ou récompenserait. Quelle que soit la position exacte des Sadducéens au sujet des anges, il faut noter que Philon ne partage pas l'angélologie pharisienne ; pour lui, les anges sont des « puissances » de Dieu.

Cependant, après avoir fait état de ces ressemblances entre Philon et les Sadducéens, Goodenough conclut en disant que l'on ne peut pas songer à une influence des Sadducéens sur sa pensée [7].

Philon nous apparaît comme situé en dehors du domaine où avaient lieu les divergences entre Pharisiens et Sadducéens. Il n'apporte donc pratiquement rien pour l'étude de ces derniers.

7. *Ibid.*, p. 80.

CHAPITRE III

DEUTÉROCANONIQUES ET ÉCRITS INTERTESTAMENTAIRES

I. Sadoq et les Sadocides.

44. Avant d'examiner les deutérocanoniques et la littérature intertestamentaire, il faut jeter un coup d'œil sur les traditions relatives au prêtre Sadoq et aux Sadocides. Nous ne traiterons que plus loin, au chapitre VII, la question de l'origine du nom de Sadducéen et son rapport éventuel avec ce prêtre Sadoq. Ici, nous voulons seulement rassembler les données principales sur Sadoq et sa descendance.

Sadoq était l'un des prêtres les plus influents de l'entourage de David (2 S 15, 24-36 ; 17, 15 ; 19, 12). Pendant les rivalités qui agitèrent l'entourage du roi au moment de sa succession, il fut l'un des partisans les plus fermes de Salomon (1 R 1, 32-53) ; avec la victoire de ce dernier, il devint prêtre en chef, à la place d'Abiatar destitué (1 R 2, 35).

La maison du prêtre Éli avait été choisie en Égypte pour un sacerdoce à perpétuité (1 S 2, 28. 30). Mais Éli se rendit coupable du châtiment (2, 31-35) ; le sacerdoce passe à un prêtre fidèle (2, 35), Sadoq (voir 1 R 2, 27). Selon les données du livre de Samuel, Sadoq n'est ni de près ni de loin apparenté à Éli, dont toute la maison doit périr. Le sacerdoce de Sadoq et les droits sacerdotaux de sa maison ne remontent qu'au temps de la royauté ; Sadoq est le début d'une lignée sacerdotale nouvelle, le fondateur et l'ancêtre du sacerdoce du Temple de Jérusalem. Et le texte hébreu primitif de 2 S 8, 17 ne mentionnait sans doute aucun élément généalogique sur Sadoq [1]. Nous allons voir bientôt comment, après l'Exil, on pourvut Sadoq d'une généalogie complète à partir d'Aaron ;

---

1. Le texte hébreu actuel de 2 S 8, 17 présente Sadoq comme fils d'Ahitub, et semble ainsi le rattacher à la famille d'Éli qui était d'origine lévitique. Mais le texte primitif serait : « Sadoq et Ébyatar, fils d'Ahimélek, fils d'Ahitub » (de Vaux, *Institutions*, II, 1960, p. 235) .

mais, si l'on s'en tient aux éléments historiquement sûrs, on ne sait pas d'où vient Sadoq. Cependant, « il reste possible qu'il ait été vraiment d'origine lévitique »[2].

45. Dans le cadre de la réforme de Josias en 622, les descendants de Sadoq réussirent à évincer les prêtres des sanctuaires de campagne qui, plus tard, furent groupés dans la catégorie des lévites. C'est là, sans doute, qu'il faut chercher le point d'accrochage historique de l'esquisse théorique du prophète Ézéchiel[1]. Les prêtres de la campagne sont dégradés au rang de lévites, en raison d'une faute qu'ils auraient, dit-on, commise contre Yahvé (Ez 44, 10-14). Seuls, les bené Sadoq ont le droit d'officier au Temple de Jérusalem (Éz 40, 46 ; 43, 19 ; 44, 15 ; 48, 11).

Dans son plan idéal, Ézéchiel ne donnait droit qu'aux bené Sadoq. Mais cette prescription théorique n'a pas été totalement appliquée ; une partie des autres familles sacerdotales ont dû faire valoir leurs anciens droits. La tradition sacerdotale dans le Pentateuque (document P) insiste pour dire que tous les fils d'Aaron sont prêtres.

46. C'est au retour de l'exil que la fonction de grand prêtre commence à s'organiser. Josué, fils de Yehoçadaq, vers 520, reçut cette charge (Ag 1, 1). Il était Sadocide[1]. Le fait qu'il revint de l'Exil dès les débuts et contribua au relèvement du Temple fut pour beaucoup dans la reconnaissance de l'autorité des Sadocides. Dans la littérature rabbinique, Josué apparaît comme un juste[2] ; nous avons peut-être dans cette légende une invention « sadocite ou sadducéenne » à la glorification de Josué contre Esdras[3].

Dans les livres d'Esdras et de Néhémie, il n'y a aucune mention de la famille de Sadoq. Mais Esdras, le prêtre-scribe, est présenté comme un ben Sadoq[4]. Il dut y avoir des rivalités entre les partisans d'Esdras et ceux de la famille de Josué[5].

---

2. Conclusion de R. de VAUX, *op. cit.*, p. 236, après l'examen des différentes hypothèses modernes sur l'origine de Sadoq.

1. R. MEYER, dans *TWNT* VII, p. 37.

1. Tout au moins, son père, Yehoçadaq, est présenté comme Sadocide en 1 Ch 5, 35-41.

2. b. *Sanh.* 93[a] ; Pesiqta XXIV 16 (374, 3).

3. APTOWITZER, *Parteipolitik*, p. 187.

4. Esd 7, 1-2. Peut-on se fier à cette généalogie ? Seraya, dont il est question ici comme premier ancêtre d'Esdras, est le père de Yehoçadaq, prêtre en chef au moment de l'Exil (1 Ch 5, 40). Selon cette généalogie, il est donc de la famille des grands prêtres (selon *Para* III 5, il brûla une vache rousse ; donc, d'après cette tradition, il était grand prêtre). D'après une tradition rabbinique tardive (Resh Laqish, vers 250), il aurait mieux valu qu'Esdras soit grand prêtre, mais il avait seulement sa piété, alors que Josué, lui, était fils de grand prêtre (*Cant. R.* sur Ct 5, 5 ; 26[b] 9).

5. APTOWITZER, *Parteipolitik*, pp. XXIV-XXV ; certaines des données qu'il met en avant sont sujettes à caution.

La prédominance de la famille de Sadoq, autrefois et maintenant, est l'un des thèmes dominants des livres des Chroniques. Sadoq est un jeune preux valeureux, aide de David (1 Ch 12, 28). En 1 Ch 16, 39, le Chroniqueur mentionne seulement Sadoq, sans parler d'Abiatar. Et jamais ailleurs dans son œuvre il n'est question d'Abiatar ; pourtant, selon les livres de Samuel et des Rois, ce dernier avait joué un grand rôle au temps de David.

Sadoq est présenté expressément comme chef de la tribu d'Aaron (1 Ch 27, 17) ; au moment de l'intronisation effective de Salomon, le Chroniqueur dit que Sadoq fut à nouveau oint grand prêtre (29, 22). Sous Ézéchias, le prêtre en chef Azarias est « de la maison de Sadoq » (2 Ch 31, 10), et, à deux reprises (1 Ch 5, 31-41 ; 6, 35-38), l'auteur donne la liste des grands prêtres qui, en une suite ininterrompue, se sont succédés depuis Éléazar[6].

Ces deux derniers textes, auquel il faut ajouter 1 Ch 24, 3, fournissent la généalogie complète de Sadoq à partir d'Aaron et de son fils aîné Éléazar ; mais ces généalogies sont artificielles.

Le Chroniqueur connaît aussi une descendance sacerdotale par l'autre fils d'Aaron, Itamar. Nous avons donc les données suivantes, d'après 1 Ch 24, 1-6 et 5, 29-34 :

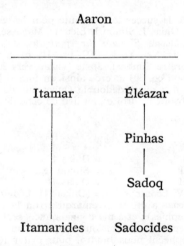

Contrairement à la législation historique d'Ézéchiel, qui n'admettaient que les bené Sadoq, les Itamarides purent donc se faire reconnaître comme prêtres légitimes. Mais il furent dominés par les descendants d'Éléazar ; il est caractéristique que, dans 1 Ch 24, 4, il y a 16 chefs de famille pour les descendants d'Éléazar, alors

6. Pour le Chroniqueur « la maison de Sadoq était primitivement la famille des grands prêtres » (J. LIVER, *The « Sons of Zadok the Priests »* in *the Dead Sea Sect*, dans *RQ* 6 [1967-1969], n° 21, p. 22).

que ceux d'Itamar n'en ont que 8. Quant aux descendants d'Éléazar, ils n'étaient sans doute pas tous Sadocides ; seuls devaient l'être les membres de la famille pontificale qui, depuis Sadoq, avaient été, sans interruption, grands prêtres (1 Ch 5, 35-41).

47. Il est possible que les bené Sadoq dont il est question en Si 51, 12 verset i, soient les grands prêtres (voir § 51). On voit donc que, entre l'exil et la période grecque, cette expression de bené Sadoq a subi une grande transformation de sens. Désignant à l'origine, chez Ézéchiel, une catégorie de prêtres, elle en vint à désigner uniquement la famille des grands prêtres. C'est ce qui explique peut-être qu'elle ne se retrouve plus à la suite, sinon dans les textes de Qoumrân (§ 60-61).

En effet, le dernier Sadocide légitime fut Onias II (grand prêtre jusqu'en 175), que l'on appelle ordinairement, à la suite de Josèphe, Onias III [1]. Son fils, Onias III (= IV), s'enfuit en Égypte où il construisit le temple de Léontopolis [2]. Ce temple devint donc le centre de traditions sadocites, mais les renseignements à leur sujet manquent. Les Pharisiens considéraient le temple de Léontopolis comme illégal, mais pas comme hérétique [3].

1. Josèphe présente la succession suivante pour les grands prêtres depuis l'époque d'Alexandre : Onias I, Simon I, Éléazar, Manassé, Onias II, Simon II, Onias III. Mais G. F. Moore, *Simeon the righteous*, dans *Jewish Studies in Memory of I. Abrahams*, New-York, 1927, pp. 348-364, a montré que Josèphe a dédoublé le grand prêtre Simon le Juste (vivant vers 200, celui qui est loué par le Siracide dans son ch. 50) et créé ainsi un Simon Ier grand prêtre vers 300. En conséquence, il a aussi dédoublé Onias, fils de Simon. Nous avons donc la succession suivante (à droite), au lieu de celle de Josèphe (à gauche) :

Onias Ier	
Simon Ier	
Éléazar	
Manassé	
Onias II	= Onias Ier
Simon II	= Simon le Juste
Onias III	= Onias II
(Onias IV, Léontopolis)	= (Onias III, Léontopolis)

Cette étude de Moore a été peu remarquée (on la trouve très rarement citée dans les bibliographies) ; et à ma connaissance, seul Jeremias, *Jérusalem*, p. 212, n. 4, en a accepté les conclusions. Comme l'on continue à utiliser la numérotation de Josèphe, il nous faudra, pour éviter toute confusion, indiquer chaque fois, entre parenthèses, cette numérotation de Josèphe.

2. Bibliographie et données dans M. Delcor, *Le temple d'Onias en Égypte ; réexamen d'un vieux problème*, dans *RB* 75 (1968), pp. 188-205. Y ajouter, pour la bibliographie, Geiger, *Urschrift*, pp. 77-80 (pour la Septante) et 36-37 (pour la tradition rabbinique) ; Jeremias, *Jérusalem* (voir son Index à Léontopolis).

3. Il était à leurs yeux à mi-chemin entre le culte de Yahvé et l'idolâtrie (b. *Men.* 109[b] ; Tos. *Men.* XIII 12-14 [533, 9]). Les prêtres de Léontopolis ne pouvaient pas officier au Temple de Jérusalem, mais ils avaient le droit d'y manger le prélèvement sacerdotal ; un holocauste promis pour le temple d'Onias et offert là-bas était valable, mais il ne l'était pas s'il avait été promis pour le temple d'Onias et offert à Jérusalem ; il en allait de même pour les vœux (*Men.* XIII 10 = Tos. *Men.* XIII 14-15 [533, 11]). Pour la permission du culte sacrificiel au temple d'Onias, voir aussi b. *Meg.* 10[a].

L'établissement du pontificat asmonéen écarta les descendants sadocides pendant plus de cent ans. Ce n'est qu'avec Ananel le babylonien, premier grand prêtre nommé par Hérode en 37 avant J.-C. que l'on voit réapparaître un Sadocide [4]. Et le dernier grand prêtre avant la ruine de 70, Pinhas de Habta, que les Zélotes choisirent par tirage au sort en 67 ou 68, était, lui aussi, probablement sadocide [5]. Signalons enfin que l'on rencontre à Jérusalem, dans le courant du Iᵉʳ siècle de notre ère, un Rabbi pharisien, Sadoq l'Ancien, qui était vraisemblablement sadocide [6].

II. Deutérocanoniques.

Parmi les Deutérocananiques, deux écrits retiendront notre attention : le Siracide et I Maccabées.

A. Le Siracide, pré-sadducéen.

48. Le livre de l'Ecclésiastique fut composé à Jérusalem, vers 190. Nous possédons la traduction faite en grec par le petit-fils de l'auteur, dans le dernier tiers du IIᵉ siècle avant notre ère. Quant au texte hébreu original, inconnu jusqu'au XIXᵉ siècle, il nous a été en partie révélé par les découvertes de la gueniza du Caire [1], de Masada [2] et de Qumrân [3].

Le livre de ben Sira fut rejeté par la tradition pharisienne. Il figure, à côté des « livres des *mînîm* » parmi les écrits rejetés [4]. Selon Rabbi Aqiba († après 135), « les livres de ben Sira » font parti de ceux « dont la lecture exclut du monde futur » [5]. On ne

4. *Ant.* XV 40 : ἀρχιερατικοῦ γένους, « de la race des grands prêtres, c'est-à-dire Sadocide. Selon la Mishna, *Para* III 5, il était égyptien. Aurait-il séjourné à Léontopolis ?

5. *Guerre* IV 155 : il était « de la tribu, φυλή, pontificale d'Éniachin ». Jeremias, *Jérusalem*, p. 263 : « un ' tribu pontificale ', cela ne peut être qu'une famille issue de la famille pontificale sadocite légitime qui avait fourni les grands prêtres, à Jérusalem, jusqu'en 172 avant J.-C., et, depuis, à Léontopolis. »

6. Dans *A.R.N.* rec. A, ch. 16 (63 col. a, 27), on le fait s'exprimer ainsi : « Je suis d'une famille de grands prêtres, *mkhwnh gdwlh* ». Noter qu'il s'appelle Sadoq.

1. Israël Lévi, *The Hebrew Text of the Book of Ecclesiasticus*, Leyde, 1904 = 1968, Brill.

2. Y. Yadin, *The Ben Sira Scroll from Masada*, Jérusalem, 1965, Israel Exploration Society.

3. *DJD* III, 1962, pp. 75-77 : 2 Q 18.

4. b. *Sanh.* 100ᵇ ; sur le sens de *mînîm*, voir § 66. La question de la canonicité de l'Ecclésiastique ne fut jamais abordée par le judaïsme pharisien, à la différence de ce qui se passa pour les Proverbes, le Cantique et Qohélet, qui furent discutés avant d'entrer au canon (*A.R.N.* rec. A ch. 1 [2 col. a, 17]).

5. j. *Sanh.* X 1 28ᵃ 17 (VI 2, 43).

doit pas en faire usage pour la lecture publique, mais, selon Rab Joseph († 333), on peut utiliser en privé les « bonnes paroles » de cet écrit [6], c'est-à-dire des phrases ou des passages. Et l'on constate, en effet, qu'il fut utilisé par le judaïsme pharisien [7].

De cette attitude des Pharisiens nous avons une contre-épreuve. Dans le texte grec « secondaire », donné par des manuscrits en minuscule et attesté, en partie, par la Vetus latina, le Syriaque et la Syro-hexaplaire, il y a pas mal d'additions qui sont sûrement d'origine pharisienne ; on peut parler d'une « recension pharisienne » du livre [8].

49. Ben Sira était peut-être prêtre [1]. Aristocrate, il avait du dédain pour les classes laborieuses et le travail manuel [2] (Si 38, 24-34). Cela est opposé à l'idéal pharisien selon lequel le scribe se recrute dans toutes les classes de la société ; beaucoup de scribes pharisiens ont exercé un métier manuel [3].

Pour la question du calendrier, la découverte du texte de Masada a été fort importante. En effet, dans le texte de la gueniza du Caire, en 43, 6-7, il semble bien, quoique la chose ne soit pas absolument certaine, que l'hébreu parle de la lune et du soleil [4]. Par contre, dans le texte de Masada, ainsi que dans la Septante du reste, il est question uniquement de la lune [5]. On peut donc affirmer que ben Sira parlait seulement de la lune [6], et donc n'envisageait pas d'autre calendrier que le calendrier lunaire ; cela le rapproche par conséquent des Pharisiens (§ 133).

6. b. *Sanh.* 100[b].
7. *JE* XI (1905), p. 390 b.
8. G. H. Box et W. O. Oesterley, dans Charles, *Apocrypha*, I, pp. 284-287.
1. Cette supposition est faite à partir de toute l'ambiance de son œuvre, plutôt qu'à partir de l'attestation d'un seul manuscrit.
2. Mais il s'agit là d'un poncif de la satire des métiers dans la littérature de sagesse.
3. Jeremias, *Jérusalem*, p. 317, a rassemblé les principaux exemples connus pour la période antérieure à la ruine de 70.
4. Si la dittographie du verset 6, *yrḥ yrḥ*, est pour *yzrḥ*, 6 et 7 parlent du soleil, et c'est seulement à partir de 8 qu'il est question de la lune ; en 7, *tqwph* désigne alors le soleil. Mais le *bm* de 7 semble bien viser le soleil et la lune.
5. Texte de Masada (Yadin, *The Ben Sira Scroll*, p. 29) :
      6 *wgm* [y]*rḥ y'ryḥ* ᶜ*twt m*[............]
      7 *lw mw*[ᶜ]*d wmmnw ḥg* [..............].
    « 6 De plus, la lune prescrit les saisons, [......]
      7 à elle le temps marqué et d'elle la fête, [........]. »
6. Le *bm* du ms. du Caire (au lieu de *lw* à Masada) est donc, dans notre documentation actuelle, une leçon unique. Yadin, *op. cit.*, p. 30 a, propose l'hypothèse suivante : cette leçon du Caire a été influencée par la recension du Siracide venant de Qoumrân, où un effort conscient aurait été fait pour introduire le soleil comme facteur dans la détermination du calendrier. Il ajoute (p. 8, n. 28) : si cette hypothèse est exacte, il faudrait alors supposer que le rouleau de Masada n'appartient pas à la même secte que celui de Qoumrân.

Le Siracide ne mentionne pas Mardochée dans l'éloge des Pères (ch. 44-50) ; cela est peut-être dû à son caractère présadducéen (§ 276). Mais l'absence d'Esdras dans cet éloge est beaucoup plus important et très caractéristique. La tradition pharisienne insista beaucoup sur le rôle qu'Esdras avait eu comme scribe. Pour le Siracide par contre, il y a continuité entre la prophétie et le culte du Temple. Cela explique la part considérable qu'il accorde à Aaron (Si 45, 6-22) ; elle est plus importante, matériellement, que celle faite à Moïse (45, 1-5). Aaron est non seulement prêtre, mais législateur (45, 17), et le Siracide parle à plusieurs reprises du sacerdoce (§ 50). L'omission d'Esdras est donc compréhensible de sa part ; le grand homme de la restauration fut Néhémie, qui s'est occupé du culte.

Ben Sira ne parle pas de la résurrection (voir 17, 22-27) ; cela n'est pas étonnant, puisqu'il écrit avant la crise maccabéenne qui permit l'apparition de cette croyance chez les juifs. Notons qu'il ne mentionne pas les anges.

La mort lui inspire une véritable terreur (40, 1-2). Cependant, elle n'est pas le grand mal ; parfois elle est préférable à la vie (41, 2). C'est pour les pécheurs qu'elle est terrible (40, 8), car elle est pour eux un châtiment (40, 9-16). Qohêlet acceptait l'égalité du sort des justes et des impies ; ben Sira rejette cette conception, mais si le sort des impies est différent, ce ne peut être qu'après la mort.

Le jour de malheur (5, 8) peut signifier la destruction immédiate du méchant, mais aussi le début de sa punition. Le gouffre du shéol (21, 10 ; cf. Pr 14, 12 = Pr 16, 25) implique, semble-t-il, le caractère pénal du shéol [7]. Cependant, on ne trouve rien de clair chez le Siracide sur la rétribution d'outre-tombe. On comprend que la traduction grecque ait éprouvé le besoin de parler du châtiment des impies [8].

Sur le plan collectif, ben Sira attend la récompense de ceux qui espèrent en Dieu (36, 1-17), au milieu du peuple de Dieu revêtu de gloire (36, 13) ; sur Jérusalem rénové et sur Sion, Dieu se reposera (36, 12).

7. R. H. CHARLES, *Eschatology*, 1913 [2] = New-York, 1963, p. 169, n. 1, qui ajoute : « mais cette idée n'est pas en harmonie avec le système doctrinal de l'auteur. »

8. En 7, 17, l'hébreu (uniquement Caire) disait : « ce qui attend l'homme, [ce sont] les vers. » Il s'agissait du sort de tous les hommes, bons ou méchants, soumis à la corruption du tombeau (voir Jb 25, 6). La Septante envisage uniquement le sort des impies et parle de leur châtiment : « le feu et les vers sont le châtiment des impies. »

50. Dans le Siracide, il n'y a pas de messianisme davidique [1]. Ce qui l'intéresse, pour le présent et le futur, c'est le sacerdoce. Après l'exil, on voit apparaître l'idée d'une alliance sacerdotale. Ml 2, 4-5 affirme que l'alliance avec Lévi demeure malgré les fautes des prêtres. Il y avait eu autrefois l'alliance de Yahvé avec David (2 S 7, 12-16 ; le terme « alliance » figure à ce propos en Ps 89, 29) : il ne s'agissait pas là d'une alliance de type contrat, comme l'alliance sinaïtique, mais d'un engagement unilatéral de Dieu promettant la perpétuité de la royauté. C'est une telle alliance-promesse que le Document sacerdotal, en Nb 25, 12-13, présente au sujet des prêtres. Dieu donne à Pinhas, petit-fils d'Aaron, la promesse d'un sacerdoce à perpétuité, « une alliance de sacerdoce éternel ». Ces deux alliances, avec Lévi et avec Pinhas, « paraissent concentriques et non exclusives l'une de l'autre » [2].

Ben Sira reprend et développe ce thème de l'alliance sacerdotale. Dans le très long passage (Si 45, 6-22) où il fait l'éloge d'Aaron et le présente comme grand prêtre (le terme ne figure pas sous sa plume), il mentionne que Dieu établit Aaron « en décret éternel » (45, 7). Cette expression évoque l'alliance, dont il est fait mention expresse en 45, 15.

En 45, 24, il reprend très directement le texte de Nb 25, 12-13 : Dieu a établi pour Pinhas « un décret, une alliance de paix pour gérer le sanctuaire, afin qu'appartienne, à lui et à sa descendance, le souverain pontificat pour toujours ». Cette mention du « souverain pontificat » [3] à propos de Pinhas montre que le Siracide, par cette évocation de l'alliance avec Pinhas, pense à la subsistance, au cours des siècles, des Sadocides dans la charge de grands prêtres. Dans son chapitre 50, il fait l'éloge du grand prêtre Simon [4], qu'il voit sous ses yeux.

Mais, après avoir évoqué Pinhas, il revient de nouveau à Aaron (Si 45, 25). Le texte [5] est très difficile. Voici comment on peut le traduire :

---

1. Sur ce point, idée identique chez LESZYNSKY, *Sadduzäer*, p. 172, n. 1 (continuée, p. 173), A. MICHEL et J. LE MOYNE, dans DBS VII, col. 1032, A. CAQUOT, *Ben Sira et le messianisme*, dans *Semitica* 16 (1966), p. 43-68.
2. A. JAUBERT, *La notion d'alliance dans le judaïsme*, Paris, 1963, p. 39. L'idée de l'alliance avec Pinhas sera reprise par 1 M 2, 54 (auteur de tendance sadducéenne, § 52), écrit vers 100 avant J.-C. Quant à *Jubilés* 32, 1 (écrit probablement entre 100 et 50), sans employer le terme d'alliance à propos de Lévi, il en exprime l'idée : Lévi sera prêtre du Dieu très haut, lui et ses fils pour toujours. »
3. *Khwnh gdwlh* (dans Caire seulement).
4. Il s'agit de Simon le Juste ; il n'y a qu'un grand prêtre portant le nom de Simon (§ 47, n. 1).
5. Caire seulement :

wgm brytw ʿm dwd	bn ysy lmṭh yhwdh,
nḥlt 'sh lpny kbwdw	nḥlt 'hrn lkl zrʿw.

« Il y a aussi une alliance avec David, fils de Jessé, de la tribu de Juda. [Mais] l'héritage d'un homme [passe] à son fils seulement[6], [alors que] l'héritage d'Aaron [passe] à toute sa descendance. »

La question majeure est de savoir ce que désigne la « descendance » d'Aaron. S'agit-il de tous les prêtres[7] ? Ou seulement de la lignée des grands prêtres[8] ? La première solution semblerait mieux rendre compte de l'opposition que ben Sira établit entre David et Aaron. Quant à la seconde solution, c'est plutôt en faisant appel aux autres textes de ben Sira sur la dynastie sadocide que l'on pourrait, semble-t-il, la justifier[9].

Quoi qu'il en soit, dans son éloge du grand prêtre Simon, le Siracide fait de nouveau, comme en 45, 24, mention de l'alliance avec Pinhas qui se continue en Simon, et il prie pour que cette promesse de la succession des grands prêtres sadocides continue à se réaliser (50, 24)[10]. Le traducteur grec, à la fin du second siècle, a supprimé cette mention de Simon et de Pinhas, et appliqué le texte à l'ensemble du peuple[11], car il n'y avait plus, de son temps, de grand prêtre sadocide.

51. Le dernier texte à examiner figure dans le psaume hébreu intercalé en Si 51, 12. Au verset i de ce psaume, on loue Dieu « qui a choisi les bené Sadoq pour le sacerdoce »[1].

Le texte de ce psaume, absent du grec, nous est, pour le

---

6. Le texte, *lpny kbwdw*, est sûrement corrompu. Nous corrigeons en *lbnw lbdw*. La correction *lbnw*, qui s'appuie sur le Grec et le Syriaque, est généralement acceptée. La seconde, *lbdw*, est plus discutée, bien qu'elle s'appuie également sur les deux mêmes traductions. CAQUOT, *op. cit.*, p. 60, préfère *bkwrw*, « aîné » ; il s'agit de Salomon (pp. 62-63). Certes, les deux termes *lbnw bkwrw* vont bien ensemble ; mais justement, on ne voit guère la nécessité de préciser que l'héritage passe au fils *aîné*, puisque c'était la règle générale.

7. Solution de G. Box et W. OESTERLEY, dans CHARLES, *Apocrypha*, I, p. 489 : les pouvoirs et les privilèges royaux sont transmis seulement au fils du roi, par succession directe ; par contre, le pouvoir sacerdotal, en un sens, appartient à tous les membres de la tribu sacerdotale d'Aaron, car tous en héritent à égalité.

8. Solution de CAQUOT, *op. cit.*, p. 61-62.

9. A notre avis, le fait que nous ne connaissions pas avec certitude le texte hébreu original ne permet pas de trancher la question.

10. Ben Sira mentionne donc à plusieurs reprises l'alliance avec Aaron et l'alliance avec Pinhas. Cela conduit A. JAUBERT, *La notion d'alliance*, 1963, p. 39, à dire à propos de descendants d'Aaron : « Le Siracide ne paraît pas se poser la question de descendants d'Aaron qui ne passeraient pas par Pinhas », donc de descendants par Itamar (sur Itamar, voir § 46).

11. Hébreu (Caire seulement) de 50, 24 (il s'agit de Dieu) : « Que sa fidélité soit ferme avec Simon et qu'il lui confirme l'alliance de Pinhas, afin qu'elle ne soit pas détruite pour lui ni pour sa descendance tant que dureront les jours du ciel. » Grec : « Que sa miséricorde reste fidèlement avec nous et qu'en nos jours il nous délivre. »

1. *Hwdh lbwḥr bbny ṣdwq lkhn.*

moment, connu seulement par le manuscrit du Caire [2]. Il y a donc une première incertitude : nous ne savons pas si, depuis sa composition, il n'a pas été surchargé par des ajouts [3], ce qui serait facilement compréhensible dans cette suite d'invocations liturgiques.

L'origine elle-même de ce psaume reste discutée. Faisait-il partie de l'œuvre primitive du Siracide [4] ? Dans ce cas, a-t-il été rédigé par lui ? Ou bien s'est-il contenté de prendre une pièce liturgique en usage de son temps [5] ? Mais son absence dans le grec ne s'explique-t-elle pas au mieux si on pense que le psaume a été ajouté postérieurement à la rédaction de l'ouvrage [6] ? En effet, supposons que le traducteur grec ait eu sous les yeux ce psaume. Il lui aurait été facile, comme il l'a fait dans d'autres cas, de modifier cette mention des bené Sadoq, ou de la laisser purement et simplement de côté. Nous penchons donc pour l'hypothèse d'une addition postérieure. Mais il n'est pas sûr, dans ce cas, que le psaume soit d'origine qoumranienne [7].

2. Le morceau de 11 Q *Ps*ᵃ *Sirach*, publié par J. A. SANDERS dans DJD, IV 1965, p. 80, commence à Si 51, 13. — Sur l'ensemble des problèmes posés par le psaume intercalé à 51, 12, voir A. di LELLA, *The Hebrew Text of Sirach*, La Haye, 1966, Mouton, pp. 101-105.

3. SCHUERER, II, p. 542, n. 156, considère comme ajouts le verset g (Dieu qui bâtit ou rebâtit Jérusalem et le Temple) et « peut-être encore quelques autres bénédictions » (il ne précise pas davantage). LESZYNSKY, *Sadduzäer*, p. 173 n., pense que le verset h (corne de la maison de David) est un ajout pharisien).

4. Opinion de SMEND, SCHECHTER, TOUZARD, SCHUERER (pour l'essentiel, sauf quelques gloses, voir n. précédente) ; di LELLA, *op. cit.* (voir plus haut n. 2), paraît se rallier à cette opinion.

5. Comme le pense P. KAHLE, *Zu den Handschriften in Höhlen beim Toten Meer*, dans *das Altertum* 3 (1957), p. 39 (cet article de Kahle devait paraître également, en français, dans le Mémorial Renée Bloch [† 1955] qui n'a jamais vu le jour) ; même opinion chez R. MEYER, dans *TWNT* VII, p. 38, et J. LIVER, dans *RQ* 6 (1967-1969), n° 21, p. 23, n. 47 (selon Liver, ajouté soit par Ben Sira lui-même, soit par un copiste dans la période qui suivit immédiatement).

6. Ainsi PETERS, FUCHS, J. TRINQUET, *Les liens 'sadocites 'de l'Écrit de Damas, des manuscrits de la Mer morte et de l'Ecclésiastique, dans* VT 1 (1951), pp. 287-292 (Trinquet semble être favorable à cette hypothèse de l'inauthenticité), F. DREYFUS, dans *RB* 66 (1959), p. 217, n. 1, A. CAQUOT, dans *Semitica* 16 (1966), p. 50.

7. Pensent à une origine qoumranienne : TRINQUET, DREYFUS, CAQUOT, cités à la n. précédente. C'est bien entendu la mention des bené Sadoq qui conduit à cette hypothèse (pour les bené Sadoq à Qoumrân, voir § 59-62), car le reste de ce psaume n'a rien de spécifiquement qoumranien. Par contre, on y trouve de nombreux parallélismes, frappants, avec le Shemoné Esré, ce qui permet, justement de songer, comme milieu d'origine, à d'autres cercles que les gens de Qoumrân. En faveur de Qoumrân, Carmignac a, indirectement (car il ne parle pas de ce psaume) fait rebondir le problème. M. R. LEHMANN, *Ben Sira and the Qumran Literature*, dans *RQ* 3 (1961-1962), n° 9, pp. 103-116, avait relevé des parallèles étroits, dans la terminologie et la phraséologie, entre le Siracide et les textes de Qoumrân, malgré les « différences évidentes » de pensée et de vie (p. 104). Dans le sillage de cette recherche, J. CARMIGNAC, *Les rapports entre l'Ecclésiastique et Qumrân*, dans *RQ* 3 (1961-1962), n° 10, pp. 209-218, pense que le ch. 51 du Siracide (celui-là même où

Qui sont ces bené Sadoq dont il est question ici ? S'agit-il de tous les prêtres ? ou seulement des grands prêtres ? Notre incertitude sur l'origine du psaume rend la réponse difficile. En faveur de la première explication, on pourrait invoquer le fait qu'il est question seulement du « sacerdoce », sans autre précision[8]. En faveur de la seconde, il faut souligner la présence de ces bené Sadoq immédiatement après la mention de la « corne de la maison de David » au verset précédent[9]. Mais ces remarques ne paraissent pas de nature à faire nettement pencher la balance dans un sens ou dans l'autre.

L'ensemble des éléments que nous venons de rassembler permet de considérer le livre de ben Sira comme une œuvre présadducéenne[10].

B. *Le premier livre des Maccabées, de tendance sadducéenne.*

52. Ce livre a été composé en hébreu, vraisemblablement à Jérusalem, vers l'an 100. Cela nous situe à une date où la divergence entre les différents courants religieux est déjà accentuée. Il est facile de voir de quel côté penche l'auteur de ce livre[1].

Il n'est nullement question de relever les nazirs de leur vœu (1 M 3, 49-50) ; or les Pharisiens permettaient l'annulation du vœu de naziréat (§ 148).

L'auteur montre clairement ses idées sur le repos sabbatique. Des gens pieux se font massacrer pour ne pas avoir voulu violer le repos de sabbat (2, 32-38) ; Mattathias et les siens décident donc de combattre s'ils sont attaqués le jour du sabbat (2, 41). Jonathan, lui aussi, combat ce jour-là (9, 34. 43-46). Notre auteur se trouve donc en opposition avec la coutume pharisienne d'observer le sabbat même pendant le combat, car Dieu peut miraculeusement délivrer du danger sans aide humaine. Il faut noter également qu'il semble critiquer l'observance de l'année sabbatique (6, 49. 53).

Il présente les prêtres toujours de façon favorable. Il ne parle

---

est inséré le psaume que nous étudions) est très indépendant du reste de l'ouvrage, et il envisage sérieusement l'hypothèse de la composition de ce ch. 51 à Qoumrân (p. 218, n. 29).

8. Dieu a choisi les bené Sadoq « pour le sacerdoce, *lkhn* ». En Si 45, 24 (voir plus haut § 50), il est question du « souverain pontificat, *khwnh gdwlh* ». Mais, si ce psaume inséré au ch. 51 est une pièce liturgique en usage à à Jérusalem, « prêtre » peut très bien désigner ici le grand prêtre.

9. Raisonnement de LIVER, *RQ* 6 (1967-1969), n° 21, p. 22.

10. Le point de vue de P. GEOLTRAIN, dans le *Biblisch-hist. Handwörterbuch* de Bo REICKE et L. ROST, III (1966), col. 1639, paraît trop absolu : « Seul le livre du Siracide pourrait être considéré comme *ouvrage sadducéen* » (c'est nous qui soulignons). Nous n'avons pu avoir sous la main L. LEVY, *Das Buch Qohelet. Ein Beitrag zur Geschichte des Sadduzäismus*, 1912.

1. Voir, entre autres, GEIGER, *Urschrift*, pp. 215-218, repris par W. O. OESTERLEY, dans CHARLES, *Apocrypha*, I, p. 59 ; LESZYNSKY, *Sadduzäer*, pp. 175-176.

jamais des deux grands prêtres Jason et Ménélas, amis des Syriens, sur lesquels 2 M raconte de si vilaines choses.

Pour purifier le Temple, Judas choisit « des prêtres sans tache et observateurs de la Loi » (1 M 4, 42) ; cela laisse entendre qu'il y avait d'autres prêtres moins honorables, mais l'auteur n'en parle pas [2].

Les prêtres apparaissent partout comme la classe dominante du peuple ; ils participent au gouvernement (12, 6 ; 14, 20. 41. 47). L'auteur fait dire à Mattathias : Pinhas « notre père » (2, 54) ; il parle à ce propos de « l'alliance d'un sacerdoce éternel » [3]. Il n'y a donc pas de doute que, pour lui, le sacerdoce asmonéen est légitime.

Le premier grand prêtre asmonéen fut, en 152, Jonathan ; mais il fut institué par Alexandre Balas (1 M 10, 20). C'est seulement avec Simon, en 142/1, que cette affaire du souverain pontificat fut décidée par les juifs. « Les juifs, avec les prêtres, avaient trouvé bon que Simon fut prince et grand prêtre pour toujours jusqu'à ce que paraisse un prophète accrédité » (14, 41) [4]. Cette dernière expression, relative au prophète, est « vraisemblablement la formule par laquelle les Pharisiens durent être satisfaits » [5].

En 1 M 7, 12, nous voyons une troupe de scribes venir auprès d'Alcime et de Bacchidès pour chercher le droit ; cela indique peu de compétence de la part de ces scribes. Par contre, en 2 M 6, 18, Éléazar, qui va mourir martyr, est « un des premiers docteurs de la Loi ».

L'auteur de 1 M n'attend pas le retour de la dynastie davidique [6]. Son éloge de Simon (1 M 14, 4-15) a une certaine résonnance messianique (voir surtout le v. 14).

---

2. Pour cette purification du Temple, la comparaison entre 1 M et 2 M est particulièrement éclairante. En 2 M 10, 3, il n'y a qu'une mention extrêmement rapide de l'événement. En 1 M 4, 42-53, le récit est très développé. Voici comment APTOWITZER, *Parteipolitik*, pp. 300-301, explique les choses. En 1 M, cette purification est accompli non par Judas Maccabée, mais par des « prêtres sans défaut », car il y avait incompatibilité entre la guerre (Judas est chef de guerre) et le service du Temple. Par contre, en 2 M 10, 3, Judas et ses compagnons font cette purification (le « ils » désigne « Judas et ses compagnons » du v. 1). L'auteur de 2 M est gêné de voir ainsi des guerriers officier au Temple ; c'est pourquoi il passe très rapidement sur cet événement, pourtant capital.

3. Ce texte de 1 M 2, 54 reprend Nb 25, 13.

4. Même attente d'un prophète (ou du Prophète) en 1 M 4, 46 et 1 Q S IX 11, sur la base de Dt 18, 18.

5. LESZYNSKY, *Sadduzäer*, p. 175.

6. La formule de 1 M 2, 57 est difficile ; il y est dit que David obtint la royauté εἰς αἰῶνας, « pour des siècles ». Cette royauté a sombré avec la ruine de 587. Faut-il accepter l'explication de W. GRIMM en 1853 (reprise par LESZYNSKY, *Sadduzäer*, p. 176) : cela ne vise pas la durée de la dynastie pour toujours, mais sa durée relativement longue, vraisemblablement jusqu'à la fin de sa propre vie seulement.

Il ne parle jamais des anges, et ne mentionne pas de délivrances surnaturelles ; il loue le courage humain à qui Dieu donne assistance. Le merveilleux de 2 M est totalement différent.

Dans 1 M, on ne voit pas apparaître la croyance à la résurrection. Cela est caractéristique dans la recommandation de Mattathias à ses fils au moment de sa mort : il leur promet qu'ils vont gagner « une grande gloire et un nom immortel » (1 M 2, 51) ; de même, dans le récit de la mort de Judas Maccabée (9, 20-22), il n'y a pas la moindre allusion à cette croyance. Or, en 2, 59-60, nous voyons que l'auteur connaissait le livre de Daniel ; il ne reprend pas l'idée de résurrection. Notons que, parallèlement, il ne parle pas du martyre.

Relevant ces différents traits de l'attitude et de la pensée religieuse de l'auteur de 1 M, certains n'ont pas hésité à le qualifier de Sadducéen[7]. D'autres, cependant, le mettent en dehors des partis[8] ; on a même voulu voir en lui un Asidéen proche des Pharisiens, ce qui paraît impossible[9].

Les éléments nous manquent pour dire purement et simplement qu'il était Sadducéen[10]. Disons qu'il est de tendance sadducéenne[11], qu'il se situe très proche des cercles sadducéens[12].

III. ÉCRITS INTERTESTAMENTAIRES.

A. *Textes connus avant 1947, sauf le Document de Damas.*

53. En 1912, Leszynski s'efforçait de prouver que les Jubilés, le Testament des douze patriarches (le fond primitif), Hénoch (sauf les Paraboles et la finale à partir du ch. 91), et l'Assomption de Moïse étaient des écrits sadducéens[1]. Cette thèse extraordinaire n'eut aucun écho. Dès 1855, Jellinek avait l'idée de l'origine essénienne des Jubilés. En 1928, Riessler, suivi en partie par Lagrange en 1931, cherchait dans les cercles esséniens la composition des quatre écrits en question[2]. Depuis 1947, la découverte, à Qoumrân,

7. Geiger, 1857 ; Kautzch, 1900 ; Torrey, 1902 ; Oesterley, 1913.
8. Ainsi F.-M. Abel, *Les Livres des Maccabées*, 1949[2], p. XXI.
9. Momigliano, 1930, cité par Abel, même page.
10. Cependant E. L. Dietrich, *RGG*[3] V (1961), col. 1278, affirme au sujet des Sadducéens : « Le seul document conservé venant de leurs cercles pourrait être 1 M. »
11. H. Cazelles, *Naissance de l'Église. Secte juive rejetée ?* Paris, 1968, p. 51 : il y a lien entre lui les Sadducéens.
12. Cazelles, même page : on ne peut pas dire qu'il est Sadducéen, car « il arrête son histoire au moment où les Asmonéens prennent l'allure de monarques orientaux ou hellénistiques. »
1. Leszynsky, *Sadduzäer*, pp. 179-273.
2. P. Riessler, *Altjüdisches Schrifttum ausserhalb der Bibel*, Augsbourg, 1928 ; Lagrange, dans son *Judaïsme*, 1931.

de manuscrits des Jubilés, du Testament araméen de Lévi, du Testament de Nephtali et du livre d'Hénoch en araméen[3] a confirmé partiellement la justesse de ces vues. Pour chacun des quatre textes signalés plus haut, auxquels nous ajoutons les Psaumes de Salomon, il faut voir ce qu'il en est de leur origine, et rechercher les données qu'ils peuvent fournir sur les Sadducéens.

54. Le livre des Jubilés fut composé probablement entre 100 et 50 ; son auteur était sans doute prêtre. Contrairement à beaucoup d'autres textes intertestamentaires, son œuvre ne contient aucune attaque contre les riches et les puissants[1].

Certains éléments de sa halaka le rapprochent des Sadducéens. L'auteur utilise un calendrier solaire[2]. Mais pour la fixation du jour de l'offrande de la première gerbe, qui détermine la date de la fête des semaines, il n'est cependant pas en accord avec les Boéthusiens ; il place cette offrande le dimanche après la semaine des azymes[3], alors que les Boethusiens la mettaient le dimanche après le jour de la Pâque ; cela rapproche les Jubilés de Qoumrân (§ 130).

L'auteur maintient l'application du talion à la lettre, sans admettre de compensation pécuniaire[4] ; les Sadducéens ont la même attitude (§ 167). Adam fut au paradis pendant 40 jours après sa création ; Ève y fut pendant 80 jours[5]. Cela est contraire à la halaka pharisienne au sujet des relations conjugales (§ 239). Et quand l'auteur des Jubilés dit[6] que la femme qui a enfanté doit rester dans « le sang de sa purification », il dit le contraire du Texte massorétique, en Lv 12, 4, qui parle du « sang de pureté » (détails § 239, n. 9).

Les Jubilés ne connaissent pas la résurrection des corps ; il y

---

3. Tous les manuscrits de Qoumrân publiés ou repérés jusqu'en 1962 sont indiqués, avec références complètes, dans C. Burchard, *Bibliographie zu den Handschriften vom Toten Meer*, II, 1965, pp. 333-334. Y. ajouter 3 Q 5 (signalé dans Burchard, p. 336) qui est, en fait un ms. des Jubilés (M. Baillet, dans *RQ* 5[1964-1966] n° 19, pp. 423-433), et IV Q 221 *Jub*ᵗ 1 (J. T. Milik, dans *RB* 73 [1966], p. 104. Notons tout de suite que, pour Hénoch, on n'a pas encore trouvé à Qoumrân de ms. de la section des Paraboles (ch. 37-71).

1. Leszynsky, *Sadduzäer*, p. 229, notait que le fait restait, jusqu'à présent inexpliqué, et voyait là un argument en faveur de l'origine sadducéenne de l'ouvrage.

2. A. Jaubert, *La date de la Cène. Calendrier biblique et liturgie chrétienne*, Paris, 1957, ch. I ; M. Testuz, *Les idées religieuses du livre des Jubilés*, Genève et Paris, 1960, ch. VI ; Van Goudoever, *Fêtes*, ch. VIII.

3. Van Goudoever, *Fêtes*, p. 43.

4. *Jubilés* 4, 32 ; cf. 21, 20.

5. *Jubilés* 3, 8-10.

6. En 3, 11.

est question de la vie éternelle de l'âme [7]. L'auteur insiste sur le rôle des prêtres [8].

Mais, à côté de ces éléments, dont certains rapprochent cet auteur des Sadducéens, d'autres empêchent de le chercher dans les cercles sadducéens. La Tora n'est pas pour lui la norme prépondérante ; il met en scène les patriarches comme modèles vivants [9]. Les tablettes célestes dont il parle [10] supposent une croyance à la prédestination divine. Son exégèse d'Ex 19, 6, par la séparation du royaume et des prêtres [11], représente ce que l'on peut appeler l'exégèse pharisienne (§ 284). Il évoque souvent les anges et les démons [12].

Devant ces deux groupes de données, qui empêchent, chacun à leur tour, de faire de l'auteur un Pharisien [13] ou un Sadducéen [14], Finkelstein a proposé la solution suivante [15]. Les Jubilés seraient l'une des tentatives majeures pour restaurer l'unité de la loi juive. Angoissé de voir l'hostilité s'accroître entre les grands prêtres et les sages, les scribes pharisiens, l'auteur aurait entrepris de résou-

---

7. *Jubilés* 23, 31. En 23, 30, il est question des morts qui « se lèvent » ; ce verbe pourrait faire songer à une résurrection, mais, en 23, 11, l'auteur insiste pour dire que leurs ossements resteront en terre.

8. Voir surtout 31, 13-17 ; 32, 1 ; 45, 16. E. STAUFFER, *Probleme der Priestertradition, dans TLZ* 81 (1956), col. 135-150, rappelle (col. 135) que, en 1941, dans sa *Theologie des N.T.*, il avait proposé de grouper ensemble, du point de vue de l'histoire des traditions, les écrits suivants : Ezéchiel, document P, Jubilés, Siracide, Document de Damas, Testament des douze patriarches, écrits des cercles esséniens, Assomption de Moïse, Martyre d'Isaïe, traditions esséniennes. Dans tous ces textes, dit-il, le rôle dominant est joué par les prêtres et les lévites ; dans quelques-uns surtout par les Aaronides et les Sadocides. Il appelle cette tradition « tradition sacerdotale », et y voit les caractéristiques suivantes : couples de termes opposés (lumière-ténèbres ; vie-mort ; vérité-mensonge) ; purifications rituelles ; espérance d'un messie aaronide. Les découvertes de Qoumrân lui semblent avoir confirmé la justesse de ce point de vue.

9. Sur les libertés que l'auteur se permet avec le texte de la Genèse, voir F. MARTIN, dans *RB* 1912, pp. 321-344.

10. 30, 9. 20. 22.

11. *Jubilés* 16, 18.

12. TESTUZ, *Idées religieuses des Jubilés*, ch. III.

13. Comme le note LESZYNSKY, *Sadduzäer*, p. 179, il y avait eu une rare unanimité chez les savants juifs pour dire que l'auteur des Jubilés n'étaient pas un pharisien : JELLINEK, 1855 (Essénien) ; BEER, 1856 et 1857 (Samaritain) ; FRANKEL, 1836 (un juif helléniste d'Égypte) ; SINGER, 1898 (un judéo-chrétien). ALBECK, *Buch der Jubiläen*, 1930, dans le sillage de ses prédécesseurs que nous venons de citer, a définitivement montré que les Jubilés ne pouvaient pas être une œuvre pharisienne. Cependant, cette opinion fut très largement répandue pendant des décades.

14. LESZYNSKY, *Sadduzäer*, consacrait une soixantaine de pages (pp. 179-236) à démontrer la thèse de l'origine sadducéenne. C'était une gageure.

15. FINKELSTEIN, *Pharisees*, pp. CII-CXV, 600-601. Notons qu'il place la composition dans la période pré-asmonéenne (p. CII) ; l'auteur est un prêtre (p. 600 ; p. 178, il dit : un Sadducéen).

dre les controverses par des compromis et des suggestions destinées à rendre ces controverses sans raison [16].

Mais il est beaucoup plus satisfaisant de chercher l'origine
des Jubilés du côté des Esséniens [17].

55. Le Testament des douze patriarches fut composé entre
la fin du IIe siècle et le milieu du Ier siècle avant notre ère ; des
gloses chrétiennes y furent ajoutées [1]. Dans tout le livre, une vertu,
principalement, est objet de recommandation et de louange :
l'unité, l'entente. Négativement, il ne faut pas haïr ni jalouser son
frère ; positivement, il faut l'aimer et obéir à celui qui est au-
dessus des autres, Lévi.

Il y est question de « divisions » et de guerres en Israël [2] ;
mais il s'agit là du schisme des dix tribus, et non des luttes fraternelles entre Hyrkan II et Aristobule II.

Dans les Testaments, le développement consacré à Lévi, dans
son Testament, l'emporte de loin en longueur sur les textes consacrés aux autres patriarches, Joseph excepté. L'auteur exalte les
mérites et les privilèges de Lévi et des prêtres [3]. Lévi est présenté
revêtu du pouvoir civil et religieux ; il apparaît en quelque sorte
comme grand prêtre [4].

A côté des louanges adressées aux prêtres, on trouve des blâ-
mes sévères. Mais, à ce sujet, il nous est difficile de voir ce que
visaient exactement ces reproches ; en effet, il s'agit de clichés de
polémique comme nous en trouvons souvent dans les autres écrits
de ce genre. Par exemple, l'auteur accuse les prêtres d'être « ido-
lâtres, querelleurs, aimant l'argent, orgueilleux, impies, voluptueux,
abusant des enfants et des bêtes » [5]. Quand il parle de déviation

---

16. BARON, *Histoire d'Israël*, II, p. 1061, a une position analogue : l'auteur
« semble avoir essayé de concilier l'insistance des Sadducéens sur la loi
écrite et l'accent que les Pharisiens mettaient sur les commandements oraux ;
il assura une documentation révélée à une grande partie de la loi pharisienne. »

17. DUPONT-SOMMER, *Écrits esséniens*, p. 308 ; EISSFELDT, *Einleitung*, 1964,
p. 823.

1. PHILONENKO, *Les interpolations chrétiennes des Testaments des douze
patriaches et les manuscrits de Qoumrân*, Paris 1960, semble trop réduire
l'étendue de ces gloses. Mais son étude est commode pour se rendre compte
des questions critiques posées par les Testaments.

2. *Test. Juda* 22, 1 ; *Test. Zabulon* 9, 1-5.

3. Rassemblement des principaux passages des Testaments à ce sujet dans
CHARLES, *Apocrypha*, II, pp. 299-300, note sur *Test. Ruben* 6, 5-12 ; voir aussi
l'exposé de JAUBERT, *Notion d'alliance*, pp. 272-273.

4. *Test. Ruben* 6, 7-8.

5. *Test. Lévi* 17, 11 ; voir aussi 14, 1-8. PHILONENKO, *Interpolations chrétiennes*, p. 6, à la suite de Bousset, voit dans les prêtres impies « les Sadducéens débauchés de la fin de l'époque asmonéenne ». — C'est seulement en
ne tenant pas compte de l'aspect polémique de ces textes des Testaments
que l'on peut parler, de façon générale, de « Sadducéens débauchés ». Quant
à l'équivalence entre ces prêtres et les Sadducéens, elle ne nous paraît pas
ici exacte.

dans l'enseignement de la Tora, il se contente d'un reproche très général : enseigner « des commandements opposés aux ordonnances de Dieu »[6].

L'auteur reproche aux femmes de se purifier d'une façon qui n'est pas conforme à la Tora[7]. Pour la loi du lévirat, il laisse entendre que la belle-sœur crachait encore effectivement à la face du frère qui ne voulait pas l'épouser[8], alors que les Pharisiens se contentaient d'exiger qu'elle crache « devant lui » (§ 170). Du reste, selon les Testaments, cette loi du lévirat ne jouait que si le frère du défunt était seulement fiancé[9]. Enfin l'auteur parle des anges.

Selon toute probabilité, cet auteur était essénien[10].

56. Le livre d'Hénoch éthiopien est constitué par la réunion de différents écrits dont la rédaction s'est échelonnée depuis la période de peu antérieure au soulèvement maccabéen jusqu'en 40 avant J.-C.

Dans la section des Paraboles (ch. 37-71), nous trouvons une catégorie de personnes qui est l'objet principal des attaques de l'auteur. Il s'agit de ceux qui exercent le pouvoir, rois et grands[1].

Qui vise l'auteur ? Voici ce qu'il leur reproche. Ils ne reconnaissent pas que leur pouvoir vient de Dieu[2] ; ils s'appuient sur leurs richesses et leur puissance[3]. Ils sont voluptueux[4] ; toutes leurs actions ne sont qu'injustices[5]. « Ils foulent la terre » et

---

6. *Test. Lévi* 14, 4.
7. *Test. Lévi* 14, 6 (voir § 239).
8. *Test. Zabulon* 3, 4.
9. *Test. Juda* 13, 3 ; voir *Jubilés* 41, 2 (§ 240).
10. DUPONT-SOMMER, *Écrits esséniens*, p. 308 ; EISSFELDT, *Einleitung*, 1964, p. 861. — JAUBERT, *Notion d'Alliance*, p. 272 : « affinité essénienne. »
1. En dehors des Paraboles, une seule fois (96, 8 : les puissants). Il n'est presque jamais question des rois tout seuls : 55, 4 : « rois puissants » ; 46, 5 : « rois » (mais « rois et puissants » en 46, 4) ; 67, 13 : « rois » (mais « rois et puissants » en 67, 12). Nous avons des groupements à deux, trois ou quatre termes (nous prenons le texte éthiopien choisi par MARTIN dans sa traduction ; voir les nombreuses variantes textuelles dans son apparat critique).
Groupement à deux termes. « Les rois et les puissants » (38, 5 ; 46, 4 ; 54, 2 ; 53, 5 ajoute : « de cette terre »). « Les puissants et les rois qui possèdent la terre » (63, 1) ; c'est la seule fois, avec 63, 12 (groupement à 4 termes) où « puissants » est en tête. « Les rois de la terre et les puissants qui possèdent l'aride » (48, 8).
Groupement à trois termes. « Tous les rois et les puissants et ceux (ou : tous ceux, 62, 6) qui possèdent la terre » (62, 3. 6).
Groupement à quatre termes. « Les rois, les puissants et les grands et ceux qui habitent la terre (ou : sur l'aride, 67, 8) » (62, 1 ; 67, 8). « Tous les rois et les puissants et les grands et ceux qui dominent l'aride » (62, 9). « Les puissants et les rois et les grands et ceux qui possèdent l'aride » (63, 12 ; « puissants » en tête, comme en 63, 1, groupement à deux termes).
2. 46, 5.
3. 46, 7 ; 63, 7.
4. 67, 8. 10.
5. 46, 7.

jugent « les étoiles du ciel »[6], c'est-à-dire les fidèles. Ils persécutent les juifs fidèles[7], se confient dans les idoles[8], renient Dieu[9] et l'oint de Dieu[10].

Certains ont voulu voir dans ces rois et ces grands les chefs juifs et les Sadducéens[11]. Mais cette opinion n'est que l'expression de l'idée d'ensemble selon laquelle plusieurs écrits intertestamentaires étaient des manifestes pharisiens à l'adresse des Sadducéens[12]. Or cette idée est fausse.

En ce qui concerne les attaques des Paraboles d'Hénoch contre les rois et les puissants, rien ne permet d'y reconnaître les Sadducéens en tant que tels. Ce pourrait être aussi bien des chefs païens que des chefs juifs[13] ; cependant « ce qui est reproché aux ennemis représente des choses dont peuvent plus facilement être coupables des juifs que des non juifs »[14].

Dans cette même section des Paraboles, il est question des pécheurs[15], présentés comme l'opposé des justes. Leur faute majeure est de nier Dieu : ils nient « le nom du Seigneur des esprits »[16], « le nom du séjour des saints »[17], le juste jugement[18] ; ils oppriment les justes[19]. Certains reproches adressés aux rois et aux grands se retrouvent donc ici.

L'auteur considère ces pécheurs comme des juifs apostats ; mais, là aussi, il faut faire la part, qui est grande, à la polémique. Heureusement, quelques textes de la fin du livre, dans la section des parénèses, permettent de voir de façon plus précise de quoi il s'agit.

Dans des paroles attribuées aux pécheurs, on voit figurer la négation de la rétribution après la mort, et celle de la résurrection[20]. Ces juifs ne croyaient pas à la rétribution d'outre-tombe ; c'était l'ancienne position israélite, que l'on trouve encore, par exemple, dans Qo 9, 10[21]. Ils gardaient la croyance d'autrefois sur

---

6. 46, 7.
7. 46, 8 ; 62, 11.
8. 46, 7.
9. 48, 10 ; 46, 7 ; 67, 8.
10. 48, 10.
11. Ainsi CHARLES, *Apocrypha*, II, p. 210, n. à 38, 5.
12. C'était en quelque sorte un postulat chez des auteurs comme CHARLES, G. BEER, Fr. MARTIN.
13. VOLZ, *Eschatologie*, p. 22 ; pour les païens, il songeait aux procurateurs romains.
14. VOLZ, même page.
15. 38, 1. 3 ; 41, 2 ; 45, 2. 5. 6 ; 50, 2 ; 53, 2. 7 ; 62, 2 ; 69, 27.
16. 41, 2 ; 45, 1-2.
17. 45, 1.
18. 60, 6.
19. 53, 7.
20. 102, 6-8. 11.
21. En Sg 2, 22, la négation de la rétribution dans l'au-delà est, comme dans Hénoch, le fait des « impies » (Sg 1, 16) ; avec la Sagesse, nous sommes en milieu alexandrin, au Ier siècle avant notre ère.

le shéol, sans accepter l'idée, nouvelle, de la résurrection. De ce fait, ils apparaissent à l'auteur d'Hénoch comme des mécréants.

Sur ces deux points de la rétribution et de la résurrection, les Sadducéens avaient une position identique à celle de ces juifs attaqués par Hénoch. Mais les juifs qui, au IIe ou au Ier siècle avant J.-C., s'en tenaient à l'ancienne révélation d'Israël n'étaient pas tous des Sadducéens.

Dans cette dernière section des parénèses, les pécheurs, qui ont abandonné la Tora et adopté des mœurs païennes, sont également des gens qui composent des écrits [22]. S'agirait-il de scribes sadducéens [23] ?

La section des Songes présente un tableau de la révolte maccabéenne et des luttes des Asmonéens [24]. On y reconnaît facilement les Asidéens : ce sont les agneaux qui naissent des brebis blanches, les juifs fidèles. Les corbeaux sont les ennemis syriens. Mais on ne peut y découvrir d'allusion aux Sadducéens. Il faut seulement noter que l'auteur, en parlant de la grande corne, qui est Judas Maccabée ou Jean Hyrkan, se montre favorable aux Asmonéens.

Une partie du livre d'Hénoch, voire l'ensemble de l'œuvre, est d'origine essénienne [25].

57.   L'Assomption de Moïse a été composée vers le tournant de notre ère. Il nous faut surtout examiner les ch. 5-7.

Le ch. 5 décrit, semble-t-il, la période antérieure à la révolte maccabéenne. Le verset 5, dont le texte est sans doute assez corrompu [1], a un sens général qui semble clair : des juges sont accusés de vénalité. Dans les Testaments des douze patriarches, les prêtres sont accusés de cupidité [2], mais il n'est pas fait mention, dans ce reproche, de leur rôle de juges. Certains [3] ont pensé qu'*Assomption de Moïse* 5, 5 reprochait aux juges d'accepter des compensations pécuniaires pour certains fautes. Cela ferait alors penser aux Pharisiens qui acceptaient de telles compensations (§ 167). Mais le texte du verset est trop corrompu pour que l'on puisse affirmer

---

22. 98, 15 ; 104, 11.
23. Cela paraît peu probable. JAUBERT, *Notion d'Alliance*, p. 293 : ces scribes (dont il est question dans Hénoch) « que nous ne savons exactement où situer » dans la vie religieuse de l'époque.
24. 90, 6-13.
25. Rappelons que, jusqu'à présent, pour la section des Paraboles, on n'a pas repéré de manuscrit à Qoumrân. Affirmation globale de l'origine essénienne d'Hénoch : DUPONT-SOMMER, *Écrits esséniens*, p. 308 ; ESSFELDT, *Einleitung*, p. 842. JAUBERT, *Notion d'alliance*, p. 267, est plus nuancée ; elle parle de « milieux... présentant une large surface ».
1. Voir des essais de restauration dans CHARLES, *Apocrypha*, II, p. 418.
2. Voir par exemple *Test. de Lévi* 17, 11 ; 14, 6 (à propos de l'enseignement de la Tora).
3. Ainsi LESZYNSKY, *Sadduzäer*, p. 269, R. MEYER, dans *TWNT*, p. 40, n. 36.

que l'auteur visait effectivement cette pratique de la compensation pécuniaire.

En 6, 1, il critique l'impiété des Asmonéens. Mais, immédiatement après, en 6, 2, il dit du roi Hérode qu'il n'est pas un prêtre. Cependant, on ne peut inférer de cette dernière indication que l'auteur est partisan de la réunion sur la même tête du sacerdoce et de la royauté, donc qu'il est favorable, par principe, à la royauté des grands prêtres asmonéens.

C'est surtout le ch. 7 qui présente pour nous un intérêt particulier, mais aussi de grandes difficultés d'interprétation. Schürer proposait de voir dans 7, 3-10 une interpolation chrétienne [4] ; cette solution ne peut invoquer en sa faveur que la grande ressemblance entre ce texte et les attaques de l'Évangile contre les Pharisiens. Cela ne paraît pas un argument suffisant.

Selon toute probabilité, le texte est donc authentique. Mais quels sont les pécheurs ici en scène ? Selon les uns, il s'agit des Pharisiens [5] ; selon d'autres, des Sadducéens [6]. Certains pensent que les Pharisiens sont visés dans une partie de ce ch. 7, et les Sadducéens dans l'autre partie de ce même chapitre [7].

Cette dernière solution paraît difficilement acceptable. Ceux qui, par contre, voient dans tout ce ch. 7 la description des Sadducéens invoquent surtout la mention du verset 3 : « ils se disent justes », en faisant remarquer que nous aurions là une allusion à l'origine du nom de Sadducéen. Mais le rapport entre ṣaddîq, juste, et Sadducéen n'est pas, philologiquement, à retenir (§ 111). Par ailleurs, les Pharisiens, plus que tout autres juifs, prétendaient bien être les « justes ». Nous pensons donc que l'ensemble de ce chapitre critique les Pharisiens ; chacun des détails leur convient [8], une fois que l'on a fait la part de l'exagération polémique.

Mais l'auteur, qui critique ainsi les Pharisiens aux chapitres 5 et 7, n'est pas nécessairement un sadducéen. Le ch. 10, où on le voit attendre avec un grand désir le royaume de Dieu transcen-

---

4. SCHUERER, III, p. 300. LESZYNSKY, *Sadduzäer*, p. 268 : il se pourrait que les versets 9-10 soient une glose chrétienne.

5. SCHUERER, III, 300 ; LAGRANGE, *Judaïsme*, p. 239 ; JAUBERT, *Notion d'alliance*, p. 259 (« très probablement ») ; A. MICHEL et J. LE MOYNE, dans DBS VII, col. 1080.

6. VOLKMAR, 1887 ; GEIGER, 1868 ; LUCIUS, 1881 (voir les références, pour ces trois auteurs, dans SCHUERER, III, 300) ; CHARLES, *Apocrypha*, II, p. 419 ; BOUSSET-GRESSMANN, *Die religion des Judentums*, 1926³, pp. 115, n. 3 ; RIESSLER, *Altjüdisches Schrifttum*, p. 1302.

7. WIESELER, cité par SCHUERER, III, p. 300 : 3-4 vise les Sadducéens ; 6-10, les Pharisiens. R. MEYER, *TWNT* VII, p. 40, n. 36 : 3-6 vise les Pharisiens ; 7-8, les prêtres ; pour Meyer, même note, l'Assomption de Moïse est d'origine qoumranienne.

8. SCHUERER, III, p. 300.

dant, ne semble guère favorable à cette hypothèse. Il faut plutôt
songer à un essénien[9].

58. Les Psaumes de Salomon[1] ont été composés entre 80 et
40 ; il se peut qu'il y ait plusieurs auteurs.

En 1874, Wellhausen affirma que la perspective fondamentale
de ces Psaumes, composés, selon lui par un Pharisien, était domi-
née par l'opposition entre Pharisiens et Sadducéens[2]. Cette idée
eut un grand succès ; en 1891, Ryle et James n'hésitèrent pas à
les intituler tout bonnement les « Psaumes des Pharisiens »[3].

Pour l'attribution de ces Psaumes aux Pharisiens, qui est une
hypothèse très courante, on invoque surtout la mention de la
résurrection en 3, 16. Mais ce verset figure tout à fait en finale du
Psaume et il ne fait nullement corps avec le développement qui
précède ; c'est très probablement une glose. Quant au libre arbi-
tre, il en est question, certes, en 9, 7 ; mais cela ne suffit pas pour
attribuer ce texte à un Pharisien.

Personne n'a affirmé une origine sadducéenne de ces Psaumes
de Salomon[4]. Plusieurs historiens cherchent du côté du milieu des
ḥasidim[5] ; on fait remarquer que ces Psaumes ne sont pas exclu-

---

9. DUPONT-SOMMER, *Écrits esséniens*, p. 308 ; EISSFELDT, *Einleitung*, 1964,
p. 846 (penche pour cette hypothèse) ; JAUBERT, *Notion d'alliance*, p. 260 (« un
milieu très proche — ou dérivé — de Qoumrân, sans l'identifier complètement ») ; R. MEYER, à l'endroit cité plus haut n. 7.

1. Voir l'étude de Jerry O'DELL, *The religious Background of the Psalms
of Salomon, reevaluated in the Light of the Qumran Texts*, dans *RQ* 3 (1961-
1962), n° 10, pp. 241-257.

2. WELLHAUSEN, *Die Pharisaër und die Sadducäer*, 1874 = Göttingen, 1967,
p. 112. Cette réimpression anastatique de 1967 ne donne pas l'Appendice
(= p. 132-164) contenant une traduction allemande des Psaumes de Salomon
avec introduction et notes.

3. H. E. RYLE et M. R. JAMES, *Psalmoi Salomôntos, Psalms of Pharisees,
commonly called The Psalms of Salomon*, Cambridge, 1891.

4. Cependant, F. HITZIG, *Geschichte des Volkes Israel*, II, Leipzig, 1869,
p. 494, sans affirmer catégoriquement que l'auteur était Sadducéen, voyait
en *Ps. Salomon* 17, 20 (les pieux dispersés) les Sadducéens, et pensait que
l'auteur, en 9, 7, penchait pour la doctrine sadducéenne sur la liberté.

5. Nous n'avons pu avoir sous la main A. CARRIÈRE, *De psalterio Salo-
monis disquisitio historico-critica*, Strasbourg, 1870, que nous connaissons
seulement par J. VITEAU, *Les Ps. de Salomon*, 1911, pp. 201-202 et 247. Selon
Carrière, l'auteur n'est ni Pharisien ni Sadducéen ; il appartient au parti
national républicain, sacerdotal et théocratique. J. GIRBAL, *Essai sur les Ps.
de Salomon, Toulouse*, 1887 (thèse de Montauban), p. 59 : l'auteur est l'un
des hasidim, formant un tiers parti théocratique ; ce parti est « peut-être
celui de l'Essénisme à ses débuts » (p. 61). J. O'DELL, dans *RQ* 3 (1961-1962),
p. 257 : émanés des ḥasidim, qui ne sont pas un parti, pas un groupement,
mais représentent plutôt une tendance générale de juifs pieux à idées eschatologiques. JAUBERT, *Notion d'alliance*, p. 255 : un cercle de « pauvres ».

sivement pharisiens [6]. Cela rapproche des Esséniens [7]. Mais l'état
d'esprit sectaire, au sens moderne du mot, des gens de Qoumrân
contraste singulièrement avec l'ambiance générale des Psaumes de
Salomon.

Dans ces Psaumes, il est tout au long question des impies, des
méchants, des pécheurs [8]. Ils s'opposent aux pieux, aux justes, aux
pauvres, à ceux qui craignent le Seigneur [9]. Il est impossible de
voir là l'opposition entre Sadducéens et Pharisiens [10]. C'est dans le
sillage des Psaumes canoniques de l'Ancien Testament qu'il faut
comprendre cette séparation tranchée entre les deux groupes de
juifs [11].

Dans *Ps. Salomon* 8, 18-22, l'auteur critique l'attitude d'Hyrkan II et de ses partisans qui, en 63, firent appel à Pompée. Il est
donc hostile à Hyrkan II. A notre avis, il n'est pas non plus favorable à son rival, Aristobule II ; il est opposé aux Asmonéens.

Le début du Psaume 4 présente ainsi un juge juif :

> « [1] Pourquoi, toi, profane, sièges-tu à un tribunal saint,
>   quand ton cœur est bien loin du Seigneur,
>   exaspérant par tes trangressions le Dieu d'Israël ?

6. LAGRANGE, *Judaïsme*, p. 158 : certains Psaumes sont d'esprit pharisien ;
p. 161 : d'autres viennent « d'un milieu plus détaché des querelles religieuses
et politiques ». A. MICHEL, *Le Maître de justice*, 1954, p. 71, n. 39 : émanent
des deux milieux, celui des ḥasidim et celui des Pharisiens (selon Michel,
les « pieux » sont les ḥasidim ; les « justes », les Pharisiens) ; dans leur
état actuel, ces Ps. « ne seraient peut-être qu'une rédaction de Ps. antérieurs dans laquelle justes et pieux (ainsi que craignant Dieu) ont été assi-
milés. » R. MEYER, dans *TWNT* VII, p. 48 : « respirent, au moins en partie,
l'esprit pharisien » ; EISSFELDT, *Einleitung*, 1964, p. 830 : « Le pharisaïsme
était sûrement l'un des éléments de l'auteur, mais il y en avait d'autres. »
7. Attribution essénienne : DUPONT-SOMMER, *Écrits esséniens*, p. 308.
8. Voir les principaux textes, groupés suivant les différents termes, dans
A. MICHEL, *Le Maître de justice*, pp. 60-61. Cette abondante accumulation est
significative.
9. Références données par G. B. GRAY, dans CHARLES, *Apocrypha*, II, p. 628.
10. Wellhausen (voir plus haut n. 2) orienta les historiens dans une voie
fausse. Aucun détail, dans les attaques contre ces impies, ne permet de
reconnaître les Sadducéens.
11. W. FRANKENBERG, *Die Datierung der Psalmen Salomo's*, Giessen, 1896,
p. 17 : les impies ne sont pas les Sadducéens ; « ils ne font pas de politique,
ce sont des gens tout à fait ordinaires, sans idéal ni principes » qui se
préoccupent seulement de richesses (Frankenberg, il est vrai, plaçait à tort,
la composition de ces Psaumes du temps des invasions syriennes, sous les
Séleucides [p. 62] ; se basant sur cette datation, il voyait en ces hommes
les « modernes » de leur temps, « les premiers représentants du judaïsme
libéral international » [p. 61]. G. B. GRAY, dans CHARLES, *Apocrypha*, II, p. 628 :
ces Ps. « ne diffèrent pas essentiellement d'un grand nombre de psaumes
canoniques » (deux groupes, moralement et religieusement opposés ; cette
division, et même les termes employés pour décrire chacun des deux groupes, se trouvent identiques dans les Ps. de Salomon et dans les Ps. de
l'A. T.). LAGRANGE, *Judaïsme*, pp. 159-160 : les pécheurs sont « le parti profane, le parti de la cour, de l'aristocratie. » J. O'DELL, dans *RQ* 3 (1961-1962),
p. 252 : impossible de considérer que le terme « impies » désigne « seulement un unique parti d'opposition bien défini ».

² Il surpasse en paroles, il surpasse en gestes tous les autres
cet homme sévère en paroles pour condamner
les pécheurs que l'on juge ;
³ Et sa main [se lève] parmi les premières contre lui,
comme par zèle :
il est, lui, coupable de toute sorte de péchés et d'excès. »

Il est tentant de rapprocher la sévérité des paroles de ce juge
de ce que Josèphe dit des Sadducéens, les plus sévères, les plus
cruels des juifs quand ils rendent la justice ¹². Mais cela n'entraîne
pas nécessairement à dire que la suite du Psaume, à partir du verset 7, continue à parler des Sadducéens ¹³.

Quant au reproche adressé aux prêtres d'avoir des rapports
sexuels avec une femme pendant ses règles ¹⁴, on en trouve l'équivalent dans le Document de Damas ¹⁵.

*
**

L'examen des cinq écrits intertestamentaires que nous venons
de faire (Jubilés, Testaments des douze patriarches, Hénoch,
Assomption de Moïse, Psaumes de Salomon) se termine par un
maigre résultat en ce qui concerne les Sadducéens.

Pendant plus d'un siècle, certains historiens ont pensé en
trouver la mention dans ces textes : les passages polémiques contre
les vices des prêtres et contre les impies viseraient les Sadducéens. En fait, cette explication a sa racine dans l'idée que ces
écrits auraient été composés par des Pharisiens. Or cette hypothèse n'est pas exacte. Et lorsqu'on a fait, dans les passages en
question, la part de polémique, avec son emploi de clichés, on ne
peut rien retenir au sujet des Sadducéens. Seuls, les versets des
Psaumes de Salomon 4, 1-3 visent peut-être les Sadducéens.

B. *Les textes de Qoumran.*

59. Nous incluons dans cette seconde section le Document
de Damas. Au moment de sa publication, en 1910, ce texte représentait une telle nouveauté qu'il fut tout d'abord difficile de situer
son origine. Certains pensèrent qu'il s'agissait d'un écrit saddu-

12. *Ant.* XX 199, voir plus haut § 28 et n. 6. Ce rapprochement est fait
par un grand nombre d'auteurs ; voir, en dernier lieu JEREMIAS, *Jérusalem*,
p. 312, n. 78.
13. Selon JAUBERT, *Notion d'alliance*, p. 254, n. 13, les versets 1-6 sont
applicables à un Sadducéen, les versets 7-25 pourraient s'entendre du rôle criminel des Pharisiens sous Alexandra (76-67).
14. *Ps. Salomon* 8, 13 (voir une autre explication § 239, n. 8) ; cf. Lv 15, 19.
15. *CD* V 7 ; voir. *Hor.* I 3.

céen[1] ; ils invoquaient surtout en faveur de cette hypothèse la mention des bené Sadoq.

Depuis 1947, la découverte de manuscrits du Document de Damas à Qoumrân[2] et, d'autre part, la présence des bené Sadoq dans d'autres textes de Qoumrân ont permis de replacer le Document de Damas dans son contexte, et de voir de façon plus précise ce que recouvrait cette appellation de bené Sadoq.

Nous avons examiné plus haut (§ 46-47) les mentions des bené Sadoq dans les textes bibliques, deutérocanoniques compris. En dehors de la Bible, cette expression ne nous est connue que dans les textes de Qoumrân ; elle est totalement absente des autres écrits juifs[3]. Cela est d'autant plus caractéristique que, dans certains de ces écrits, la prééminence des prêtres est un thème majeur (§ 54, n. 12). Il faut maintenant examiner les écrits de Qoumrân[4].

60. Dans la Règle de la communauté (1 Q S), la Règle de la congrégation (1 Q S^a) et le recueil des bénédictions (1 Q S^b), à six reprises, il est question des « prêtres, fils de Sadoq »[1], ou des « fils de Sadoq, les prêtres »[2]. Ils sont distingués de l'ensemble de la communauté. Ils forment la hiérarchie sacerdotale. Ils ont un rôle de chefs et sont chargés d'enseigner ; dans ces textes, il n'est pas question de leur fonction liturgique.

Le texte de 1 Q S IX 14 fait difficulté. Il parle des *bny hṣdwq*, avec l'article devant *ṣdwq*, Sadoq. La présence de cet article devant le nom propre Sadoq paraît aberrante ; cependant, on a proposé de traduire : « les fils de *ce* Sadoq », en disant que ce sens était tout à fait possible[3].

1. Israël LÉVI, *Un écrit sadducéen antérieur à la destruction du Temple*, dans *REJ* 61 (1911), pp. 161-205 ; 63 (1912), pp. 1-19 (une suite, annoncée, n'a jamais paru) : les gens de Damas sont « une secte sadducéenne » (p. 170) ; le départ des prêtres sadducéens à Damas eut lieu sous les Maccabées, « ainsi s'explique le caractère archaïque du conventicule sadducéen » (p. 4) ; LESZYNSKY, *Sadduzäer*, pp. 142-167 ; CHARLES, *Apocrypha*, II, p. 790 (un sadducéisme réformé) ; S. KRAUSS, dans les *Studies in Jewish Literature issued in honour of prof. K. Kohler*, Berlin, 1913, p. 165 ; B. D. EERDMANS, dans *the Expositor*, VIIIe série, 8 (1914), p. 313 : la communauté de Damas est un rejeton du parti sadducéen.

2. Jusqu'à présent, des morceaux de sept manuscrits différents ont été trouvés (références dans C. BURCHARD, *Bibliographie zu den Handschriften vom Toten Meer*, II, 1965, p. 337 ; ajouter 4 Q 226 *D*^{a} 1 [J. T. MILIK, dans *RB* 73 (1966), p. 105]).

3. Littérature intertestamentaire ou rabbinique.

4. Malgré son titre, l'article de J. LIVER, *The « Sons of Zadok the Priests » in the Dead Sea Sect*, dans *RQ* 6 (1967-1969), nº 21, pp. 3-30, étudie aussi en détail (pp. 18-28) les emplois bibliques de l'appellation de bené Sadoq. Sur la place et le rôle des prêtres à Qoumrân, on pourra consulter le panorama d'A. JAUBERT, *Notion d'alliance*, pp. 145-152.

1. 1 Q S V 2. 9 ; 1 Q S^a I 2. 24 ; II 3.

2. 1 Q S^b III 22.

3. R. NORTH, dans *CBQ* 17 (1955), p. 168.

Mais la vraie solution est fournie par un fragment de la grotte 4 qui donne, pour ce texte, *bny ḥṣdq*, sans *w* [4]. Il s'agit des *bᵉné haṣṣèdèq*, des « fils de la justice ». Cette leçon est pleinement satisfaisante pour 1 Q S IX 14. En effet, dans ce passage, il est question de tous les membres de la communauté, et cela, sans mention des prêtres ; ces deux caractéristiques mettent ce passage nettement à part par rapport aux six autres textes mentionnés à l'instant.

Le texte de 4 Q *Fl* (174) I 17 parle des « fils de Sadoq ». Mais la lecture de la suite n'est pas connue de façon certaine ; le sens n'est donc pas clair [5]. Nous ne savons pas s'il s'agit d'ennemis de la communauté ou de membres de cette communauté, et, dans ce cas, s'il s'agit de tous les membres, ou seulement d'une partie d'entre eux. Il faut signaler enfin un dernier texte [6].

61. Dans le *CD* III 21 - IV 4, nous avons une utilisation midrashique d'Éz 44, 15. Ézéchiel parlait des « prêtres lévites, fils de Sadoq » ; il s'agissait d'une seule et même catégorie. L'auteur du *CD* cite le texte prophétique de la façon suivante : « ... les prêtres *et* les lévites *et* les fils de Sadoq » ; nous ne savons pas si c'est lui qui a introduit les deux conjonctions *et* pour avoir ainsi les trois catégories nécessaires à son commentaire, ou s'il disposait d'un texte de la Bible où ces deux conjonctions figuraient déjà.

Il y a donc trois catégories : les prêtres, qui sont les « convertis d'Israël » ; les lévites, « ceux qui se joignent à eux » ; les fils de Sadoq, « les élus d'Israël ». Cependant, du fait de l'absence d'autre mention de ces bené Sadoq, au pluriel, dans le Document de Damas, nous ne voyons pas bien ce que veut dire exactement l'auteur en IV 3. Faut-il penser que, pour lui, « symboliquement, tous les hommes de la communauté entraient dans la grande lignée des fils de Sadoq, ou tout au moins des fils de Lévi » [1] ?

Selon *CD* V 5, le livre de la Tora resta caché depuis la mort d'Éléazar et « [ne] fut [pas] révélé jusqu'à l'avènement de Sadoq ». Rabin [2], qui suit Ginzberg, comprend ainsi le texte : « jusqu'à l'avènement [du fils] de Sadoq » ; il voit dans ce personnage le grand prêtre Hilqiyyahu qui, sous le roi Josias, « trouva » le rouleau de la Tora (2 R 22, 8). Mais tout le contexte semble bien indiquer qu'il s'agit, en fait, du prêtre Sadoq du temps de David

---

4. Voir J. T. MILIK, dans *RB* 67 (1960), p. 414 : il s'agit de Pap 4 Q S*ᶜ*.
5. Texte dans *DJD* V, 1968, p. 53. Voir DUPONT-SOMMER, *Écrits esséniens*, p. 327 ; J. CARMIGNAC, *Textes de Qumrân*, II, p. 284 ; Y. YADIN, dans *Israel Exploitation Journal* 9 (1959), p. 98.
6. *DJD* V, 1968, p. 23 : 4 Q 163/22, fragment d'un péshèr d'Isaïe. A la ligne 3 : « les fils de Sadoq » (ce qui précède et ce qui suit manque).
1. JAUBERT, *Notion d'alliance*, p. 151.
2. *The Zadokite Documents*, Oxford, 1958, p. 18.

et de Salomon[3]. L'auteur n'indique pas explicitement un rôle actif de Sadoq (« ... jusqu'à l'avènement de Sadoq »). Cependant, ce rôle de Sadoq dans la révélation de la Tora paraît suggéré ici[4] ; cela est en rapport avec la place des prêtres selon le Document de Damas et leur fonction d'enseignement indiquée dans la Tora.

Un dernier texte parle des bené Sadoq, qui plus est, de la « communauté des fils de Sadoq, *ᶜdt bny ṣdwq* ». Il s'agit d'un morceau de parchemin trouvé dans la gueniza du Caire[5] ; mais nous ignorons où ce texte a été composé, et il n'est du tout sûr qu'il vienne de Qoumrân. Il comporte neuf lignes incomplètes[6]. Selon Israël Lévi, qui l'édita, l'écriture n'est pas antérieure au Xe siècle. Lévi, qui voyait là une lettre, écrite à cette époque, pensait que la « communauté des fils de Sadoq » était la communauté sadocite « de Damas », existant encore au Moyen Age. Mais ce pourrait être tout autre chose qu'une lettre, et il pourrait s'agir d'un texte ancien[7]. Cependant, pour le moment, nous ne savons pas quelle est cette « communauté ».

62. Avant de déterminer qui sont les bené Sadoq à Qoumrân, il faut noter qu'il est question d'autres prêtres. La Règle de la

---

3. J. LIVER, dans *RQ* 6 (1967-1969), n° 21, p. 12, considère au contraire le Sadoq de ce texte comme le fondateur de la communauté, le Maître de justice (même idée chez H.-J. SCHOEPS, voir plus bas § 100, n. 6).

4. Remarque intéressante de LESZYNSKY, *Sadduzäer*, p. 144, n. 1 : dans ce texte du *CD*, le fait que la Tora fut cachée entre la mort d'Éléazar et le temps de David est affirmé pour expliquer que David avait pratiqué la polygamie. Cette supposition, dit Leszynsky, est une théorie digne d'être relevée, car elle montre que, déjà à cette époque de la rédaction du *CD*, on avait conscience d'une difficulté : dans Josué, Juges, Samuel, Rois, il y a extrêmement peu de traces de lois du Pentateuque.

5. C'est le texte perg C Fr, dans BURCHARD, *Bibliographie*, II, p. 337. Israël LÉVI, *Document relatif à la « communauté des Fils de Sadoq »*, dans *REJ* 65 (1913), pp. 24-31 : photo, transcription, traduction, étude. Ce manuscrit ne figure pas dans le relevé, en principe exhaustif, de S. SHAKED, *A Tentative Bibliography of Geniza Documents*, Paris et La Haye, 1964 (ne sait-on plus où ce fragment se trouve ?).

6. Le début et la fin de chacune des neuf lignes manquent, ce qui rend la compréhension du texte quasi impossible. Voici ce qu'il reste des quatre premières (traduction de LÉVI, p. 25) :
 1 « ... prêtre ...
 2 ... qu'ils m'instruisent par le moyen des fils de ...
 3 ... la communauté des Fils de Sadoq ...
 4 ... sur les règles de pureté et d'impureté ... »
S. TALMON, dans *RQ* 2 (1959-1960), n. 8, p. 490, a reproduit le texte hébreu de ce fragment ; mais, du fait qu'il ne met pas de points de suspension au début et à la fin des lignes, on a du mal à réaliser que toutes les lignes sont incomplètes.

7. TALMON, *op. cit.*, pp. 490 et 495, n. 100, y voit une prière liturgique de Qoumrân. Selon J. LIVER, dans *RQ* 6 (1967-1969), n° 21, p. 11, n. 18, il est impossible de dire si c'est un texte ancien ayant trouvé à échouer au Caire, ou un piyyout (poésie composée pour la liturgie) tardif. Mais Liver doute qu'il s'agisse d'un texte de Qoumrân.

communauté et la Règle de la congrégation, ainsi que la Guerre, font mention des « fils d'Aaron »[1], avec, parfois, la formule « les prêtres fils d'Aaron »[2]. Quant à la mention des « prêtres », tout simplement, elle est fréquente. Dans la Règle de la communauté, il est question d'eux, par exemple, à propos du renouvellement de l'alliance, de la session de la communauté[3].

Dans le Document de Damas, ces mêmes « prêtres » sont en tête dans chacun des camps[4]. Dans un groupe de dix membres, tous doivent obéir au prêtre[5] ; s'il n'est pas compétent dans la Loi, un lévite le suppléera pour la connaissance du cas d'un lépreux, mais la décision revient toujours au prêtre[6]. Dans un tribunal de dix membres, il en faut quatre de la tribu de Lévi, les six autres étant des laïcs[7].

Par conséquent, à Qoumrân, les bené Sadoq ne sont qu'une partie des prêtres. Les « fils d'Aaron » n'ont pas le même rôle de chef que les « fils de Sadoq », mais il n'y a pas de délimitation claire et fixe entre les deux groupes[8].

C'est sans doute du temps des Asmonéens que des prêtres de Jérusalem, quittant la ville sainte, furent à l'origine du groupe de Qoumrân. A cette époque, l'appellation de bené Sadoq désignait uniquement les Sadocides (§ 47), les membres des familles de grands prêtres. C'est peut-être également son sens dans les textes de Qoumrân.

Le Maître de justice était le prêtre ; mais cette qualification apparaît très rarement dans les textes jusqu'à présent connus[9]. Il est probable qu'il était Sadocide ; était-il un Oniade[10] ?

Le groupe de Qoumrân est une organisation où les bené Sadoq ont la prééminence. A partir de ce fait, on a voulu voir là des Sadducéens[11]. Mais cela n'est pas possible, car les gens de Qoumrân étaient en rupture avec le clergé de Jérusalem[12].

---

1. 1 Q S V 21, IX 7 ; 1 Q S^a I 23 ; 1 Q M VII 10.
2. 1 Q S^a I 15-16, II 13.
3. 1 Q S I 16, II 18, VI 8, VIII 1, etc.
4. CD XIV 3.
5. XIII 2-3.
6. XIII 6-7.
7. X 4-6.
8. Liver, dans RQ 6 (1967-1969), p. 14.
9. 1 Q pHab II 8 (le prêtre dont il est question ici est très probablement le Maître de justice) ; 4 Q pPs 37 III 15 (nous suivons la numérotation des lignes et colonnes de DJD V [1968], p. 44), « le prêtre, le Maître de justice ». En 4 Q pPs II 18, il n'est pas sûr que le prêtre soit le Maître de justice. — Comment expliquer qu'il ne soit pas plus souvent question de sa qualité de prêtre ? Le fait est curieux.
10. Selon M. Delcor, dans RB 75 (1968), p. 199, il « n'est pas impossible » qu'il ait été Oniade.
11. R. North, The Qumrân « Sadducees », dans CBQ 17 (1955), pp. 164-188 : les gens de Qoumrân représentent un « authentique sadducéisme » (p. 188).
12. R. de Vaux, L'archéologie et les manuscrits de la Mer morte, Londres,

Quant au nom même de Sadducéens, une conjecture avait essayé de l'introduire à Qoumrân même[13] ; mais elle est trop fragile[14].

63. Les gens de Qoumrân, dit-on parfois, étaient opposés aux Asmonéens en tant que tels, en ce sens qu'ils contestaient la légitimité de leur souverain pontificat[1]. Cela n'est pas exact.

Dans les Mishmarôt de Qoumrân[2], parmi les 24 classes sacerdotales, la classe de Yehoyarib, celle des Asmonéens, n'est pas exclue. Par ailleurs, dans les reproches adressés au « prêtre impie », le grand prêtre de Jérusalem, la légitimité de son sacerdoce n'est jamais niée. En particulier, dans 1 Q *p Hab* VIII 8-10, quelque soit le sens exact de « il fut appelé du nom de vérité au début de son avènement », il est clair que les lignes 9-10 lui reprochent uniquement sa conduite personnelle, et nullement l'illégitimité de sa fonction de grand prêtre.

Onias III (= IV), fils du dernier grand pêtre sadocide légitime en fonction à Jérusalem, Onias II (= III), avait fondé à Léontopolis un temple nouveau (§ 47). Il y avait donc, à Qoumrân et à Léontopolis, deux centres sadocites. Mais nous n'avons pour le moment, aucune attestation de rapports entre les deux. L'hypothèse selon laquelle des Sadocites de Léontopolis auraient constitué la partie

1961, p. 95 : « Le mieux que l'on puisse dire est qu'ils se sont séparés d'eux [les Sadducéens], mais ils n'ont eu une histoire propre qu'après cette séparation, et il est illusoire de parler d'une origine commune. »

13. A. DUPONT-SOMMER, *On a passage of Josephus relating to the Essenes*, dans *JSS* 1 (1956), pp. 361-366. Le texte des *Ant.* XVIII 22 dit : Δακῶν τοῖς πλείστοις λεγομένοις. Les πλείστοι, ce sont les *ha-rabim* de Qoumrân. Dupont-Sommer proposait donc (p. 364) de corriger Δακῶν en Σαδδουκαίων. Il prenait soin, du reste, de noter qu'il fallait distinguer ces « Sadducéens » des Sadducéens classiques.

14. L. FELDMANN, édition « Loeb » de Josèphe, IX, 1965, *ad locum*, p. 21, n. a, remarque que cette correction est vraiment difficile à accepter paléographiquement. J. CARMIGNAC, dans VT 7 (1957), pp. 318-319, propose une correction beaucoup plus acceptable de ce point de vue paléographique : lire αὐτῶν au lieu de Δακῶν, « ceux des leurs appelés les Grands ». Mais Δακῶν n'est-il pas la *lectio difficilior*, donc préférable ?

1. Par exemple H.-J. SCHOEPS, *Die Opposition gegen die Hasmonäer*, dans *TLZ* 81 (1956), col. 663-670 (ici, col. 663). Schoeps dit que, pour les opposants de Qoumrân, le dernier grand prêtre légitime fut Onias II (= III) ; il ajoute que cela peut encore s'apercevoir dans la controverse rapportée en b. *Men.* 109[b]. Certes, Onias II (= III) fut le dernier *Sadocide* légitime. La fonction de grand prêtre était héréditaire depuis longtemps dans la famille des Oniades. Mais J. LIVER, dans RQ 6 (1967-1969), p. 27, a pleinement raison de dire que, en principe, rien ne s'opposait à ce qu'une autre famille fournisse le grand prêtre. Il n'y avait donc pas d'empêchement à ce que des membres de la classe sacerdotale de Yehoyarib (celle des Asmonéens) deviennent grands prêtres (p. 28). — L'opposition de certains milieux juifs aux Asmonéens, à notre avis, vint uniquement du fait, qu'ils réunirent sur la même tête le souverain pontificat et la royauté (ou son équivalent, avant Alexandre Jannée) ; mais ce fait est capital.

2. Voir J. T. MILIK, *dans Supplement to VT* 4 (1957), p. 25.

dirigeante de la communauté primitive de Qoumrân [3] manque de fondement [4].

64 Nous avons déjà examiné les luttes fraternelles entre Aristobule II et Hyrkan II. A notre avis, les données de Josèphe ne permettent pas d'identifier les partisans d'Aristobule II avec les Sadducéens, et ceux d'Hyrkan II avec les Pharisiens (§ 32).

Un texte de Qoumrân, 4 Q *p Nah*, fournit également des indications sur ces luttes [1]. Dans quel sens ? Au début de ce texte, en I 2, il est question de « Démétrios, roi de Yawan, qui chercha à entrer à Jérusalem sur le conseil de ceux qui recherchent les choses flatteuses ». Il n'y a aucun doute possible, il s'agit de Démétrius III Eukairos qui, en 88, fut appelé par les Pharisiens soulevés contre Alexandre Jannée [2].

Ensuite, en I 5, il est question du « lionceau furieux » ; c'est Alexandre Jannée. On dit qu'il frappe « contre (ou : avec) [3] ses grands et les hommes de son conseil ». Il s'agit là de membres de l'aristocratie, partisans de Jannée.

Aux colonnes III et IV, nous voyons apparaître Éphraïm et Manassé. Cette évocation des deux frères est, sous la plume de l'auteur, la description d'Aristobule II (Manassé) et d'Hyrkan II (Éphraïm), avec leurs partisans respectifs [4].

En III 5, l'auteur pense que des « simples » d'Éphraïm pourront abandonner leur égarement ; il ne dit rien de tel des gens de Manassé.

En III 9, il est question des « grands de Manassé, les nobles... »

---

3. S. H. STECKOLL, *The Qumran Sect in relation to the Temple of Leontopolis*, dans *RQ* 6 (1967-1969), n° 21, pp. 55-59.
4. L'argument majeur de Steckoll serait l'existence d'un autel à Qoumrân, dans la grande salle commune (locus 77), qui présenterait des analogies avec le sanctuaire de Léontopolis. Or cette démonstration est sans valeur. Voir la réfutation de R. de VAUX, dans *RB* 75 (1968), pp. 204-205 : la pierre dont Steckoll fait un autel « n'est sûrement pas un autel » (p. 204) ; « il est prouvé que la grande salle de Qumrân n'était pas une copie du Temple de Jérusalem » (p. 205).
1. Texte complet dans *DJD* V, 1968, pp. 37-39. C'est A. DUPONT-SOMMER qui en a trouvé la clé : *Journal des Savants*, 1963, pp. 201-227, et *Semitica* 13 (1963), pp. 55-88. Voir aussi J. AMOUSSINE, *Ephraïm et Manassé dans le péshèr de Nahum*, dans *RQ* 4 (1963-1964), n° 15, pp. 389-396.
2. *Ant.* XIII 372-373, 376-379 (voir 408-411) ; *Guerre* I 90-95 (voir 110-114). Pour l'équivalence entre les *dwrshy ḥlqwt* et les Pharisiens, voir J. CARMIGNAC, dans *RQ* 2 (1959-1960), n° 6, pp. 216-217, et R. MEYER, *Tradition und Neuschöpfung im antiken Judentum*, Berlin, 1965, p. 61.
3. *Bgdwlyw*. Ce *b* est susceptible de deux traductions. *Avec, par* : Allegro, Burrows, Bardtke, J. Maier, Vermès, Carmignac (1° solution). *Contre, sur* : Gaster, Dupont-Sommer, Carmignac (2° solution), Amoussine. Nous préférons cette dernière solution.
4. C'est l'explication trouvée par Dupont-Sommer ; voir le détail dans les deux articles cités plus haut à la note 1.

En III 11, « ses preux, ses vaillants guerriers » : il s'agit là aussi des partisans de Manassé = Aristobule II [5].

En IV 1, nous avons « la maison de Péleg, ceux qui se sont joints à Manassé ». Reprenant l'étymologie fantaisiste de Péleg qui, selon Gn 10, 25, signifierait « division », l'auteur parle de la division entre Aristobule et Hyrkan, de la division des juifs en deux clans. Ou trouve peut-être la même idée dans l'Apocalypse copte d'Élie [6].

Enfin, l'auteur parle de la fin de la royauté de Manassé / Aristobule II, et de la captivité avec sa smala (IV 3-4).

On le voit, Aristobule II, dans cette présentation, apparaît comme le roi (jamais comme le grand prêtre, il le fut également de 67 à 63) soutenu par ses partisans, des nobles et des guerriers. Quant aux partisans de son rival, Hyrkan II, ce sont des « simples » qui abandonnent, éventuellement, ce parti d'Hyrkan II. Pas plus que les descriptions de Josèphe, ces données de Qoumrân ne permettent de faire l'équivalence entre Sadducéens et partisans d'Aristobule II.

Dans un autre texte [7], « les impies d'Éphraïm et de Manassé » forment un front commun pour combattre le prêtre [8] et ses partisans. Ici, l'allégorie des noms propres est-elle la même ? Autrement dit, s'agit-il également des partisans d'Aristobule II et d'Hyrkan II ? Quant aux autres textes où il est peut-être également question de la rivalité des deux frères [9], ils n'apportent rien pour le problème qui nous préoccupe.

Au terme de cette analyse des textes de la Mer morte, nous voyons que, dans la communauté de Qoumrân, il y avait beaucoup de prêtres. Une partie seulement d'entre eux était des bené Sadoq,

5. Noter que dans ces deux textes (comme déjà plus haut à propos de Jannée en I 5 : « ses grands »), il est uniquement question d'aristocratie et de soldats.

6. J. M. Rosenstiehl, *Un sobriquet essénien dans l'Apocalypse copte d'Élie*, dans *Semitica* 15 (1965), pp. 97-99 ; p. 98 : l'Apocalypse dit que « [la] division est dans Jérusalem » (explications de Rosenstiehl). Voir son édition de cette Apocalypse copte d'Élie (à paraître).

7. 4 Q pPs 37 II 17 (numérotation de *DJD* V, 1968, p. 43).

8. Il n'est pas absolument sûr que ce prêtre soit ici le Maître de justice.

9. 4 Q Test 23-30 (surtout lignes 24-25) ; voir Dupont-Sommer, *Écrits esséniens*, p. 330 (solution contestée par Carmignac, *Textes de Qumrân*, II, p. 278, n. 32). — M. Philonenko, dans le volume collectif *Pseudépigraphes de l'A. T. et manuscrits de la Mer morte*, I, 1967, pp. 1-10, a repris l'explication de l'Ascension d'Isaïe en fonction de la solution de Dupont-Sommer (Éphraïm = Hyrkan II et ses partisans ; Manassé = Aristobule II et ses partisans). Dans le *Martyre (Ascension) d'Isaïe* II 5 (= *Légende grecque d'Isaïe* III 3), il est question, à propos de Manassé, d'impudicité, adultères, persécution contre les justes (Philonenko, p. 6).

c'est-à-dire probablement des Sadocides. Ces bené Sadoq étaient les chefs.

Les gens de Qoumrân se sont séparés de Jérusalem et du Temple sans doute dans le courant du IIe siècle avant notre ère, à une époque où l'on ne peut pas encore parler du groupe des Sadducéens (§ 296). Cette donnée, avec son double aspect, historique et idéologique, montre qu'il n'y a pas de rapport entre les gens de Qoumrân et les Sadducéens.

CHAPITRE IV

LA LITTÉRATURE RABBINIQUE

65. Le Pharisien Josèphe fournit des données précises sur les idées sadducéennes et quelques éléments sur leur histoire. Les écrits deutérocanoniques et la littérature intertestamentaire n'apportent que de maigres éléments à leur sujet. Nous en arrivons maintenant à ce qui, d'une certaine manière, constitue notre principale source d'information sur les Sadducéens, la littérature rabbinique, c'est-à-dire pharisienne [1].

Ce n'est que dans la deuxième partie (ch. 8-12) que nous examinerons en détail les divergences entre Sadducéens et Pharisiens sur lesquelles cette littérature nous apporte des données. Dans le présent chapitre, nous allons déblayer le terrain. Nous essayerons de situer les éléments relatifs aux Sadducéens. Pour cela, nous étudierons certains aspects de la terminologie, de la psychologie et de la chronologie de ces écrits pharisiens.

I. Emploi des termes Sadducéen, Mîn, Épicurien, Boéthusien.

66. Le travail de la censure catholique sur les textes rabbiniques fut considérable [1]. Il se situe principalement à deux périodes : aux XIIᵉ et XIIIᵉ siècle, sur les manuscrits ; au XVIᵉ, sur les imprimés.

Parmi les nombreuses suppressions ou modifications que cette censure opéra dans les textes juifs, l'une d'entre elles nous intéresse ici directement. Il s'agit de la correction du terme de *mîn*. Dans bien des cas, il fut remplacé par celui de Sadducéen [2]. Les

---

1. Par cette dernière précision, je n'entends pas dire que le pharisaïsme postérieur à la réorganisation de Jabné est identique à celui des siècles antérieurs (sur les différences, voir A. Michel et J. Le Moyne, dans *DBS* VII [1966], col. 1054-1055).

1. Sur cette censure catholique, voir la bibliographie dans Strack, *Einleitung*, p. 86, n. 1, et les développements de Strack, spécialement, p. 87.

2. Parfois, du reste, la correction fut faite non par les censeurs catho-

censeurs catholiques voyaient dans ce nom de *mînîm* la désignation des judéo-chrétiens ; aussi, pour décharger leur mémoire, ils
mettaient au compte des Sadducéens certains textes qui, primitivement, concernaient ces *mînîm*.

Qu'étaient réellement ces *mînîm* [3] ? L'étymologie de ce terme
demeure inconnue [4]. Les explications proposées sont très nombreuses [5]. La moins mauvaise est celle qui fut lancée en 1899 par
Bacher [6] : *mîn*, qui, en hébreu biblique signifie « espèce » [7], est
traduit par γένος dans la Septante au début de la Genèse (Gn 1,
11. 12. 21. 24. 25 ; 6, 20 ; 7, 14). Or, chez Josèphe, γένος est utilisé
pour désigner une « secte » [8]. Les *mînîm* seraient donc des « sectaires ». Mais cette explication de Bacher est loin d'être certaine [9].

Quoiqu'il en soit de l'origine du terme [10], il est certain que,
dans les textes rabbiniques [11], un *mîn* est toujours quelqu'un ayant
un comportement ou une opinion en marge de celle de l'ensemble
de la communauté juive. Il faut, pour chacun des textes où le mot
figure, voir de quelle déviation il s'agit [12]. Il est en effet impossible

liques, mais par des éditeurs juifs « anticipant sur la censure » (MOORE,
Judaism, III, p. 68).

3. Comme première orientation, on peut utiliser les articles d'I. BROYDÉ,
dans *JE* VIII (1905), pp. 594-595, et de R. Travers HERFORD, dans *the Universal Jewish Encyclopedia* VII (1942), pp. 567-568, avec leurs bibliographies.

4. On trouve, comme consonnes, les deux graphies *myn* et *mn*.

5. En voici quelques-unes : une dérivation du grec μηνυτήρ, « dénoncia-
teur » ; ou de l'hébreu *ma'an*, « refuser », donc « incrédule » ; les sigles de
l'expression *M'myny Yshwᶜ Nwṣry*, « ceux qui croient en Jésus de Nazareth ».

6. Dans *REJ* 38 (1899), pp. 45-46.

7. Mais ce sens n'est pas certain, voir H. CAZELLES, *MYN = Espèce, race
ou ressemblance ?*, dans *Mémorial du cinquantenaire* de l'École des langues
orientales anciennes de l'Institut catholique de Paris, 1964, pp. 105-108.

8. Voir notre tableau § 19 : γένος figure une fois pour les Sadducéens, et
six fois pour les Esséniens.

9. La difficulté de cette explication paraît double. D'une part, comme nous
l'avons vu (§ 20), en fait γένος ne signifie pas « secte » chez Josèphe, mais
groupe, groupement, faisant authentiquement partie du peuple juif. Or, en
ce Iᵉʳ siècle de notre ère, le terme *mîn* devait déjà être utilisé dans les
cercles juifs pour désigner une personne en marge de la communauté. Ce
n'est que plus tard, chez des auteurs chrétiens, que γένος signifiera proprement secte. L'équivalence entre γενισταί (qui figure dans certaines listes chrétiennes d'hérésies juives ; le terme vient sans doute de γένος) et *mînîm* (faite
par E. HENNECKE, *Neut. Apokryphen*, 1924 ², p. 24 *, n. 5, et M. SIMON, *Studia
patristica*, volume collectif, Berlin, I, 1957, p. 533) n'est donc pas assurée.
D'autre part, *mîn* est très souvent utilisé au singulier dans la littérature rabbinique ; on ne voit pas comment l'emploi et le sens du terme au singulier peut se justifier, si l'on pense, comme origine, à *mîn*, espèce, groupe.

10. G. LISOWSKY, *Jadajim* (« Mischna » de Berlin), 1956, p. 79, n. 1 : « l'étymologie du mot est encore obscure », son sens n'est pas clair ; il faut donc
se contenter de transcrire *mîn* sans traduction.

11. On trouve les principaux textes où le mot figure dans H.-L. STRACK,
Jesus, die Häretiker und die Christen, Leipzig, 1910, textes pp. 21-40 ; traductions annotées, pp. 47 * - 80 *.

12. LISOWSKY, *op. cit.*, p. 79, n. 1.

qu'il s'agisse d'un groupe ou d'une secte déterminée [13] ; les différents essais faits depuis la fin du XIXᵉ siècle pour coller sur les
mînîm une étiquette unique (gnostiques juifs antinomistes [14],
judéo-chrétiens [15], adhérents du christianisme paulinien [16], ou
autres) ont échoué.

67. C'est surtout dans le Talmud de Babylone que la censure
catholique a remplacé, pour certains passages, *mîn* par Sadducéen. La comparaison entre les deux témoins de ce Babli non
atteints par la censure (manuscrit de Munich [1] et édition princeps
à Venise en 1520-1523) [2] et tous les autres, corrigés [3], permet de
dresser la liste suivante [4] de passages où Sadducéen remplace un
primitif *mîn* [5].

— *Sanh.* 105ᵇ = *Ber.* 7ᵃ : un *mîn* trouble Yoshua ben Lévi (vers
  250) par des arguments bibliques.
— *Ber.* 10ᵃ : un *mîn* discute avec Rabbi Abbahou (vers 300) et
  Berouria.
— *Sukka* 48ᵇ : deux *mînîm* discutent entre eux, puis l'un d'eux
  discute avec Rabbi Abbahou.
— *Ber.* 56ᵇ : un *mîn* a des songes, expliqués par Rabbi Ishmaël
  ben Yosé (vers 180).
— *Ket.* 112ᵃ : un *mîn* discute avec Rabbi Hanina (IVᵉ siècle) sur la
  prospérité de la Terre sainte au temps messianique.
— *Sanh.* 106ᵇ : un *mîn* discute avec Rabbi Hanina au sujet de
  Balaam (= Jésus ?).

---

13. *Ibid.* : « absolument impossible ».
14. Solution lancée par M. FRIEDLAENDER, *Der vorchristliche Gnosticismus*,
Göttingen, 1898, pp. 64-83. Voir en dernier lieu dans ce sens G. VERMÈS, *The
Decalogue and the Minim*, Mélanges P. Kahle, Berlin, 1968, p. 238.
15. Par exemple, R. Travers HERFORD, dans *the Universal Jewish Encyclopedia* VII (1942), p. 568 : dans la plupart des cas ce sont des judéo-chrétiens.
16. Hypothèse d'H. HIRSCHBERG, *Once again - the Minim*, dans *JBL* 67
(1948), pp. 305-318.
1. H.-L. STRACK en a publié un fac-similé à Leyde, en 1912. Une nouvelle
édition en fac-similé doit paraître chez Brill. Ce manuscrit de Munich a été
utilisé par Goldschmidt (voir n. suivante).
2. Utilisée dans l'édition in-folio, 1897-1935, de L. GOLDSCHMIDT, *Der baby-
lonische Talmud ... herausgegeben nach der ersten zensurfreien Bombergschen
Ausgabe (Venedig, 1520-1523)*.
3. Dans la traduction anglaise de Soncino, 1935-1052, du fait de la mul-
tiplicité des collaborateurs, il n'y a pas d'uniformité. Souvent c'est seulement en note que la bonne leçon, *mîn*, est indiquée.
4. Nous reprenons celle de K. KOHLER, dans *JE* X (1905), p. 633 a, en
laissant de côté quelques textes et en ajoutant d'autres.
5. Notons que, pour un certain nombre de cas, la censure avait laissé
subsister, dans le Babli, *mîn*, ainsi *Hul.* 13ᵇ, *Git.* 45ᵇ, *Ber.* 12ᵃ, *Pes.* 56ᵃ,
R. H. 17ᵃ, etc. Parfois, la censure a corrigé Sadducéen en Samaritain, ainsi
Sanh. 90ᵇ (la seconde mention, vers la fin).

— *Sanh.* 37ᵃ, 38ᵃ, 38ᵇ, 39ᵃ : différents *mînîm* argumentent en faveur du dualisme.
— *Hul.* 87ᵃ : même chose, à propos de plusieurs dieux.
— *Shab.* 152ᵃ : un *mîn* eunuque discute avec Rabbi Yoshua ben Qarha (vers 150).
— *Ber.* 28ᵇ, 29ᵃ : « bénédiction » des *mînîm*.
— *Shab.* 116ᵃ = *Sanh.* 100ᵇ : « les livres des *mînîm*. »
— *Sanh.* 38ᵇ : Adam était *mîn* ; il se détourna de Dieu.
— *Hor* 11ᵃ : un *mîn* idolâtre.
— *Ber.* 58ᵃ : un *mîn* discute avec Rab Shéshét (vers 260).
— *Shab.* 88ᵃ : un *mîn* discute avec Raba († 352).
— *Ned.* 49ᵇ : un *mîn* discute avec Rab Juda († 299).
— *Men.* 42ᵇ : le *mîn* figure dans la liste des gens auxquels on ne peut confier la confection des tephillin ou des mezûzôt [6].
— *Yoma* 40ᵇ : lors de la cérémonie du tirage au sort du bouc émissaire le Jour de kippour, il ne faut pas donner occasion au *mîn* de triompher par sa critique.
— *Sanh.* 91ᵃ : un *mîn* nie la résurrection devant Rabbi Ammi (vers 300).
— *Er.* 101ᵃ : un *mîn* discute avec Rabbi Yoshua ben Hananya († vers 90).
— *Shah.* 152ᵇ : un *mîn* discute avec Rabbi Abbahou (vers 300).
— *Yoma* 56ᵇ-57ᵃ : un *mîn* discute avec Rabbi Hanina (IVᵉ siècle) au sujet de questions de pureté rituelle.
— *Yeb.* 63ᵇ.

Ces textes du Talmud de Babylone, où la mention du terme Sadducéen est le résultat d'une correction de la censure, ne peuvent, bien entendu, être invoqués pour une étude sur les Sadducéens ; c'est en les utilisant que l'on continue, parfois, à affirmer faussement que, dans le Talmud, Sadducéen a dans certains cas le sens général d'hérétique, d'incroyant [7]. L'un ou l'autre de ces textes corrigés peut seulement, à l'occasion, servir de confirmatur à ce que l'on découvre par ailleurs sur des pratiques ou des opinions authentiquement sadducéennes ; alors, dans le texte en question, *mîn* désigne bien, en fait, un Sadducéen [8].

Quant aux textes où Sadducéen est le terme primitif, nous verrons, dans la deuxième partie, qu'ils parlent toujours de pratiques

6. Dans le passage parallèle, *Git.* 45ᵇ, *mîn* est resté dans les éditions courantes du Babli.
7. K. KOHLER, dans *JE* X (1905), p. 633 a : dans les textes de période des Amoras, Sadducéen signifie tout simplement hérétique, exactement comme le terme *mîn* désignant les gnostiques ; M. GUTTMANN, *Das Judentum und seine Umwelt*, Berlin, I, 1922, pp. 191-192 : souvent, Sadducéen est un nom qui recouvre des ennemis de la Bible ; BARON, *Histoire d'Israël*, II, p. 764.
8. C'est peut-être le cas en *Yoma* 40ᵇ (voir § 202 fin).

nettement déterminées, d'opinions précises. Nous ne voyons qu'un seul texte où Sadducéen peut signifier, de façon générale, apostat ; il s'agit de la baraïta[9] selon laquelle, à la fin de sa vie, Jean Hyrkan devint Sadducéen.

68. Dans la Mishna, ainsi que dans quelques autres textes rabbiniques, nous pouvons également observer la même correction, par la censure[1], de *mîn* en Sadducéen.

En *Para* III 3, à propos des cérémonies très compliquées relatives aux cendres de la vache rousse, il est question des *mînîm*[2]. Le texte de la Vulgate, pour cette mishna, parle des Sadducéens ; Certaines éditions disent : « Épicuriens »[3].

En *Yad.* IV 8, un *mîn* de Galilée reproche aux Pharisiens « d'écrire [ensemble], dans l'acte de divorce, le [nom du] souverain avec [le nom de] Moïse ». Cette leçon *mîn* est sûrement la leçon originale[4]. Sadducéen[5] et Épicurien[6] sont des corrections ; il n'y a donc pas à retenir les explications basées sur ces corrections[7]. Il s'agit bien d'un *mîn* de Galilée ; ce n'est ni un Sadducéen[8], ni un judéo-chrétien[9]. C'est un nationaliste galiléen[10], mais ce n'est pas le Saddoq fondateur des Zélotes[12].

En *Ber.* IX 5 également, *mîn* a été corrigé en Sadducéen voire en Épicurien, dans certaines éditions du Talmud de Babylone (consulter l'apparat critique de *Berakot* dans la Mishna de Berlin) ; par contre, dans le Talmud de Jérusalem, *mîn* est resté.

9. b. *Ber.* 29ᵃ (§ 39).
1. Ajoutons, comme plus haut (§ 66, n. 2) : ou par les éditeurs juifs anticipant sur la censure.
2. C'est la leçon du ms. de Cambridge, du ms. de Rossi et de l'édition princeps.
3. Pour « Sadducéens », voir par exemple DANBY, dans sa traduction de la *Mishnah*, 1933, *in loco* ; pour « Épicurien », par exemple l'édition de la Mishna de Livourne, 1936.
4. Ms. de Cambridge, ms. de Rossi, ms. Kaufmann, fragment de la gueniza du Caire, ms. d'Oxford (la seconde fois, seulement), édition princeps.
5. La plupart des éditions.
6. Par exemple, l'édition de Livourne, 1936.
7. Ainsi S. LIEBERMANN, dans *Procedings of the American Academy for Jewish Research* 20 (1951), pp. 401-402 : Sadducéen est utilisé ici au sens général d'hérétique ; solution reprise par L. FELDMANN, dans son édition de Josèphe (« Loeb »), IX, 1965, p. 21, note c.
8. STRACK, *Jesus* (cité § 66, n. 10), p. 53*, n. 2 : ici, *mîn* veut dire Sadducéen ou Boéthusien.
9. GOLDSCHMIDT, *Der bab. Talmud* (trad. allemande seule), XII, 1936, p. 853, n. 31 .
10. FINKELSTEIN, *Pharisees*, II, p. 819.
11. GEIGER, *Urschrift*, p. 35, n. ; D. HOFFMANN, *Mishnajot*, VI, 1919, p. 657, n. 65 ; G. LISOWSKY, *Jadajim* (« Mischna » de Berlin), 1956, p. 80, n. 3.
12. WELLHAUSEN, *Pharisäer*, p. 63, n. 1 ; LEVY, *Wörterbuch*, IV, p. 174 b (reprenant une suggestion du rabbin S. COHN). Tous deux proposaient de corriger ṣdwqy, Sadducéen (mais ce n'est pas la leçon primitive comme nous l'avons vu) en ṣdwq, Sadoq.

Dans *Soferim* I 13, le *mîn* [13] figure parmi les gens qui ne peuvent copier des rouleaux ; certaines éditions [14] disent « Sadducéens ». Dans le *Sédèr ᶜolam* 3, les *mînîm* [15] sont au nombre de ceux qui n'ont pas part au monde futur ; un manuscrit [16] a corrigé en Sadducéens. Quant au texte de *Dèrèk èrèṣ rabba* II, où les Sadducéens se trouvent parmi ceux qui n'ont pas part au monde futur, il est probable, également, que la leçon primitive était *mînîm* [17].

69. Nous venons de voir que, dans certains cas, on a corrigé *mîn* en Épicurien [1]. Or, dans ces mêmes cas, on trouve aussi la correction en Sadducéen. Les deux termes Sadducéen et Épicurien sont donc alors synonymes. Mais, primitivement, la distinction était bien faite entre Sadducéens et Épicuriens.

Dans la littérature rabbinique, le terme Épicurien a un sens tout à fait général. Il désigne le juif libéral, sécularisé, peu ou pas croyant [2].

Dans le *Sifré* [3], Sadducéen et Épicurien apparaissent l'un à côté de l'autre ; ils sont distingués. Il en va de même dans la Mishna : parmi ceux qui n'ont pas part au monde futur figurent, entre autres, l'Épicurien et celui qui nie la résurrection des morts [4] ; ce dernier est peut-être un Sadducéen.

---

13. Édition critique de M. Higger, New-York, 1937, p. 109, ligne 66.
14. Par exemple dans le Babli, édition de Vilno, 1925. Je n'ai pu avoir sous la main l'édition critique de J. Mueller, Leipzig, 1878 : dans son texte, Müller donne : « Un Sadducéen, un *mîn* » ; il faudrait voir l'apparat critique.
15. Édition critique d'A. Marx, Berlin, 1903, p. 9, ligne 25.
16. Ms. de Munich.
17. Nous ne disposons pas encore d'édition critique. K. Kohler dans *JE* X (1905), p. 633 a, fait figurer ce texte dans sa liste des passages où *mîn* a été corrigé en Sadducéen.
1. On peut ajouter par exemple : b. *Qid.* 66ª, la *mînût* entra dans Alexandre Jannée (certaines éditions, ainsi Vilno, 1925, disent « l'épicurisme ») ; *Meg.* IV 8, *mînîm* corrigé en « Épicuriens » (par exemple dans l'édition de la Mishna de Livourne, 1936).
2. K. G. Kuhn, *Sifre zu Numeri*, Stuttgart, 1959, p. 328, n. 60. Il rejette radicalement la solution d'A. Marmorstein, *Les « Épicuriens » dans la littérature talmudique*, dans *REJ* 54 (1907), p. 181-183, qui y voyait des gnostiques antinomistes. Baron, *Histoire d'Israël*, II, p. 1013 : ce ne sont pas des athées complets, encore moins des personnes ne se souciant que des plaisirs d'ici-bas. « Il s'agissait plutôt de juifs raisonneurs et hétérodoxes, qui exprimaient vigoureusement des vues antilégalistes, parlaient avec légèreté des rabbis et des scribes, et les tourmentaient avec des questions plus ou moins embarassantes. » Voir aussi le début de l'article de J. Bergmann, *Das Schiksal eines Namens* (Épicurien), dans *MGWJ* 81 (1937), pp. 210-218 (pour la période ancienne, pp. 210-211). Comme le notait Hoelscher, *Sadduzäismus*, p. 2, n. 1, Épicurien pour un juif, n'avait pas de sens philosophique précis ; Hölscher cite Philon, *De posteritate Caini* 2 : prendre Gn 4, 16 au sens littéral, c'est « la doctrine impie d'Épicure ».
3. *Sifré* Nb 15, 31 § 112 (121, 1) : « ' Il a méprisé la parole de Yahvé ', c'est le Sadducéen ; ' et il a violé son commandement ' c'est l'Épicurien. »
4. *Sanh.* X 1 ; voir plus bas, § 117, la discussion de critique textuelle montrant que « dans la Tora » ne fait pas partie du texte primitif.

L'emploi du terme Boéthusien pose des problèmes autrement difficiles. Contentons-nous ici de faire quelques remarques préliminaires ; elles nous serviront plus tard (§ 257) à cerner le problème des rapports entre Boéthusiens et Sadducéens.

Dans deux cas au moins, la distinction est faite entre Boéthusien et Sadducéen[5]. Mais, dans les autres cas, à propos du même événement ou d'une même discussion, certains textes parlent des Boéthusiens, les autres des Sadducéens. Voici les principaux exemples.

La discussion au sujet du moment où le grand prêtre, le Jour de kippour, doit imposer l'encens (avant d'entrer dans le Saint des saints, ou à l'intérieur) : dans deux textes[6], les adversaires des Pharisiens sont les Boéthusiens ; dans les quatre autres[7], ce sont les Sadducéens.

La discussion sur les conditions nécessaires pour l'exécution des faux témoins : la Tosefta parle des Boéthusiens[8] ; le Babli, des Sadducéens[9] ; le Yerushalmi porte[10] : « ils ».

Un jour, un prêtre à la fête de soukkôt, ne voulut pas faire la libation d'eau selon le rite prescrit ; il versa l'eau sur ses pieds. La Mishna parle tout simplement du prêtre, sans autre précision[11] ; la Tosefta dit[12] : Boéthusien ; le Babli[13] : Sadducéen.

La discussion au sujet de l'héritage des filles dans certains cas particuliers : la Tosefta[14] parle des Boéthusiens ; les autres textes[15], par contre, des Sadducéens.

Les faux témoins soudoyés pour tromper les Pharisiens dans la proclamation de la nouvelle lune : la Tosefta[16] et les deux Talmuds[17] parlent des agissements des Boéthusiens ; la Mishna[18] met en scène les *mînîm*.

La discussion pour savoir qui doit payer les frais du *tamîd* (caisse du Temple ou particuliers) : le Babli[19] parle des Saddu-

---

5. *A.R.N.* rec. A, ch. 5 (26 col. a, 4) (étudié plus loin, §§ 80-82) ; b. *Er.* 68[b] (étudié § 83).

6. j. *Yoma* I 5, 39[a] 54 (III/2, 170) ; Tos. *Yoma* I 8 (181, 2).

7. j. *Yoma* I 5, 39[a] 75 (III/2, 171) ; *Sifra* Lv 16, 13 (68[a] 36) ; b. *Yoma* 53[a] ; b. *Yoma* 19[b].

8. Tos. *Sanh.* VI 6 (424, 30).

9. b. *Makkot* 5[b].

10. j.*Sanh.* VI 5, 23[b] 68 (VI/1, 279).

11. *Sukka* IV 9.

12. Tos. *Sukka* III 16 (197, 22).

13. b. *Sukka* 48[b].

14. Tos. *Yad.* II 20 (684, 3).

15. j. *B.B.* VIII 1, 16[a] 5 (VI/1, 202) ; b. *B.B.* 115[b]-116[a].

16. Tos. *R.H.* I 15 (210, 10).

17. j. *R.H.* II 1, 57[d] 68 (IV/1, 75) ; b. *R.H.* 22[b].

18. *R.H.* II 1.

19. b. *Men.* 65[a].

céens ; mais le commentaire de la *Megillat taanit*, dans certains manuscrits, parle des Boéthusiens [20].

Ce dernier exemple nous amène au cas limite : pour un même texte, la tradition manuscrite est divisée. Mais nous sommes là à une période tardive, au moyen âge.

Une conclusion se dégage clairement des exemples qui viennent d'être signalés. Dès la rédaction de la Mishna et de la Tosefta, c'est-à-dire au IIIe siècle, la tradition rabbinique utilisait couramment les deux termes Boéthusien et Sadducéen l'un pour l'autre. La question est donc posée : au temps du second Temple, s'agissait-il, oui ou non, de deux groupes distincts ?

II. DES ÉCRITS TARDIFS ET HOSTILES AUX SADDUCÉENS.

70. Le décalage chronologique, que nous venons de noter, entre la ruine de Jérusalem en 70 et le début de la rédaction de la littérature rabbinique, vers la fin du IIe siècle, nous amène à relever une autre caractéristique de cette littérature.

Les traditions au sujet des discussions entre Pharisiens et Sadducéens ou Boéthusiens, consignées dans ces écrits de rédaction tardive, contiennent très peu souvent des précisions de personnes. La plupart du temps, elles nous parlent, globalement, au pluriel, des Sadducéens ou des Boéthusiens, ou bien mentionnent, anonymement, un Boéthusien ou un Sadducéen.

Voici les seuls personnages nommément désignés comme Sadducéen ou ennemi des Pharisiens. Jean Hyrkan (134-104), à la fin de sa vie, devint Sadducéen [1]. Alexandre Jannée (103-76) devint l'ennemi des Pharisiens [2]. Enfin la Tosefta [3] parle d'Ishmaël ben Phiabi qui voulait suivre la halaka sadducéenne pour brûler la vache rousse ; il s'agit très probablement d'Ishmaël ben Phiabi II, qui fut grand prêtre jusqu'en 61 de notre ère.

Quant aux Pharisiens nommément désignés dans les discussions avec les Sadducéens ou les Boéthusiens, ils ne sont pas plus nombreux. Nous voyons surtout apparaître Yohanan ben Zakkay, en fonction à Jérusalem dans les dernières décades avant la ruine de 70. Il est en scène à propos de discussions sur la pureté des

---

20. Texte critique dans LICHTENSTEIN, *HUCA* 8-9 (1931-1932), p. 323, ligne 4. Il met « Boéthusiens » dans son texte, et donne la leçon « Sadducéens » dans l'apparat critique. Cette double tradition manuscrite existe pour plusieurs passages du commentaire hébreu (voir plus bas § 78, n. 6.
1. b. *Ber.* 29[a].
2. b. *Qid.* 66[a].
3. Tos. *Para* III 6 (632, 6).

Livres saints[4], sur la date de la fête des semaines[5], sur la cérémonie où l'on brûlait la vache rousse[6], sur l'héritage des filles[7] et
sur l'ᶜérûb[8]. Rabban Gamaliel II, vers 90 de notre ère, apparaît
dans une controverse au sujet de la résurrection[9] et à propos de
l'ᶜérûb[10]. Rabbi Yoshua, vers 140, est en scène au sujet d'une
discussion avec un Boéthusien concernant les tephillin[11].

71. L'ensemble de la littérature rabbinique est écrit pour
présenter et justifier le point de vue pharisien. Rédigée à une
époque où la toute puissance pharisienne est un fait définitivement
acquis, elle est, par principe, hostile aux Sadducéens. Il nous faudra donc voir, pour chaque point, dans quelle mesure les idées ou
pratiques présentées comme sadducéennes sont, historiquement,
authentiques[1].

En tout cas, un détail retient tout de suite notre attention,
et nous empêche de considérer en bloc les récits rabbiniques
comme des légendes. A deux reprises, les rabbins nous rapportent
des critiques ironiques des Sadducéens à l'adresse des Pharisiens.
Nous entendons les Sadducéens dire que « c'est une tradition
chez les Pharisiens de se mortifier en ce monde ; mais, dans l'autre
monde, il n'y a rien du tout [à avoir] pour eux »[2]. Et quand, un
jour, les Pharisiens, au Temple, ordonnèrent de soumettre le chandelier à sept branches au bain de purification, les Sadducéens iro-
nisèrent :

« Voyez les Pharisiens qui soumettent au bain de purifiication
le globe du soleil. »[3]

Dans cette littérature rabbinique hostile aux Sadducéens, il y
a un grief qui fait totalement défaut sous la plume des rabbins ;
on ne voit jamais les Sadducéens accusés d'être des jouisseurs, des
mondains, des opportunistes. Ce silence, rapproché de celui de
Josèphe (§ 29), est d'un grand poids.

Les Sadducéens, tout au contraire, apparaissent comme de

4. *Yad.* IV 6.
5. b. *Men.* 65ᵃ⁻ᵇ.
6. Tos. *Para* III 8 (632, 19).
7. b. *B.B.* 115ᵇ-116ᵃ.
8. j. *Er.* I 1, 18ᶜ 60 (III/1, 198).
9. b.*Sanh.* 90ᵇ.
10. *Er.* IV 2.
11. b. *Shab.* 108ᵃ.
1. Le problème est bien posé par Ch. RABIN, *Qumran Studies*, Londres,
1957, p. 82 : « Il n'est pas toujours aisé de dire si le fait d'attribuer certaines idées aux Sadducéens est basé sur une connaissance de la pratique
sadducéenne, ou bien si cela résulte simplement de la tendance à considérer comme sadducéennes les idées inacceptables. »
2. *A.R.N.* rec. A, ch. 5 (26 col. a, 13).
3. j. *Hag.* III 8, 79ᵈ 32 (IV/1, 302) = Tos. *Hag.* III 35 (238, 23) ; la Tosefta
au lieu de « globe du soleil », dit : « lumière de la lune ».

stricts observateurs de la Tora, même si cela leur en coûte financièrement. L'historiette relative aux vœux des 300 nazirs est instructive[4] : le roi Alexandre Jannée (103-76), qui joue en quelque sorte le rôle d'un Sadducéen, doit payer de sa poche 150 victimes, alors que Shiméon ben Shatah trouve moyen d'annuler le vœu pour les 150 autres nazirs (détails § 149).

Par ailleurs, nous voyons certains Sadducéens suivre les observances pharisiennes. Les filles des Sadducéens sont considérées comme Israélites si elles suivent la halaka pharisienne[5] ; des femmes sadducéennes vont trouver des docteurs pharisiens au sujet des règles de pureté[6]. En général, le grand prêtre suivait la halaka pharisienne pour la cérémonie de l'encens, le Jour de kippour[7]. La tradition rabbinique aime à évoquer le cas d'un grand prêtre qui, souillé par un crachat juste avant le Jour de kippour, se fit remplacer pour la cérémonie[8].

Dans les différentes controverses rapportées par les rabbins, l'idée sous-jacente est que les Sadducéens agissent par ignorance et non parce qu'ils auraient perverti l'enseignement reçu. Malheureusement pour nous, c'est de façon tout à fait épisodique, accidentelle, que les rabbins sont amenés à évoquer ces discussions. Ils le font sur des points particuliers, pour la halaka surtout, très rarement pour la aggada. Les divergences de fond entre les Pharisiens et les Sadducéens n'apparaissent pas. C'est après l'examen des divergences de détail qu'il nous faudra, dans la troisième partie, essayer de les dégager.

III. TENDANCES ANTISACERDOTALES.

A. *Les prêtres.*

72. Dans l'ancien Israël, la fonction du prêtre était triple : accomplissement de la liturgie[1], enseignement de la morale et de la religion (disons plutôt proclamation de l'oracle), fonction de juge à côté du juge laïc. Dans ces trois domaines, mais de façon très variable pour chacun d'eux, le développement des Pharisiens et leur emprise grandissante sur la vie juive réduisit petit à petit l'importance du clergé.

Chaque matin, les prêtres de service au Temple, pour le sacri-

---

4. j. *Ber.* VII 2, 11ᵇ 40 (I, 128).
5. *Nidda* IV 2.
6. Tos. *Nidda* V 3 (645, 26).
7. Tos. *Yoma* I 8 (181, 7).
8. Voir les textes § 216.
1. Dans cette liturgie, la « bénédiction » prononcée par le prêtre avait un rôle très important pour toute la vie du peuple.

fice du *tamîd*, récitaient le *shema*[c], élément du culte synagogal[2] ;
cet élément était sans base biblique. S'il faut en croire la Mishna,
les ustensiles sacrés du Temple étaient soumis à la purification
selon la halaka pharisienne[3]. Il y avait dans le temple une *mezûza*
à la porte de la salle des grands prêtres, dans le Temple[4]. En ce
qui concerne certaines cérémonies, comme l'imposition de l'encens
le Jour de kippour, la vache rousse brûlée, la libation d'eau à la
fête de soukkôt, ce n'est qu'après avoir examiné (ch. 11) les
controverses à ce sujet que nous pourrons déterminer dans quelle
mesure les Pharisiens avaient réussi à faire triompher leur point
de vue.

Dans les synagogues, à la période ancienne, il n'y avait pas de
rang spécial pour les prêtres. Ce n'est que relativement tard que,
pour la lecture de la Tora, on mit l'ordre suivant : prêtre, lévite,
Israélite[5]. Dans ces synagogues, tout était réglementé par les
laïcs.

73. Dans la littérature rabbinique, nous ne voyons aucune
hostilité de principe contre le clergé en tant que tel. Certains Pharisiens avant la ruine de 70 étaient prêtres[1]. Par ailleurs, on trouve
même quelques textes rabbiniques reconnaissant encore la supériorité du sacerdoce[2].

La tradition rabbinique a retenu que Yosé ben Yoézer (vers
150 avant J.-C.), le premier dans la suite des « paires », était prêtre[3].

Mais la littérature rabbinique contient de nombreuses données
sur les vices des prêtres. Cependant, il faut n'accepter ces indications qu'après critique. L'un des reproches majeurs est l'ignorance[4]. Toutefois, que les prêtres soient justes ou impies, tous
sont considérés comme descendants d'Aaron, profitant, par conséquent, de ses mérites[5].

---

2. *Tamid* V 1.
3. *Hag.* III 7-8.
4. Tos. *Yoma* I 2 (180, 5).
5. *Git.* V 8 ; la Mishna dit seulement que cette disposition est prévue
« pour le bien de la paix ». Mais les deux guemaras voient là un privilège
des prêtres qui leur est assuré par la Tora (b. *Git.* 59[b] ; j. *Git.* V 9, 47[b] 47
[V/2, 32]).
1. Ceux que nous connaissons sont cités par JEREMIAS, *Jérusalem*, p. 344.
2. *Mek.* Ex 16, 4 (II/104, 35-36). — *Hag.* II 7.
3. *Hag.* II 2 et 7.
4. *Sifra* Lv 13, 2 (53[a] 15) ; *Yoma* I 3. 6 ; *A.R.N.* rec. A, ch. 12 (56 col. a, 4) ;
Hor. III 8.
5. *Sifré* Nb 18, 20 § 119 (144, 16) : « L'alliance conclue avec Aaron est plus
grande que l'alliance conclue avec David ; [car] Aaron mérita pour ses fils
[= descendants], qu'ils aient été justes ou impies ; David ne mérita que
pour les justes (voir Ps 132, 12). » G. KITTEL, dans KUHN, *Sifre zu Numeri*,
1959, p. 410, n. 80 : cette mention des prêtres impies est un jugement de la
tradition rabbinique sur le sacerdoce qui, « *en tant que sadducéen, est sou-*

Sur la supériorité de la science par rapport au sacerdoce, les rabbins sont très prolixes. Le prestige des scribes pharisiens, laïcs, au Iᵉʳ siècle de notre ère, commença à éclipser les prêtres [6].

L'existence de tribunaux de prêtres [7] ayant juridiction sur les prêtres semble indiquée par un texte du *Sifré* sur les Nombres [8]. Des passages du *Sifré* sur le Deutéronome [9] montrent que ces tribunaux, primitivement, avaient une grande autorité. Mais, à côté des tribunaux de prêtres, il y avait des juges laïcs. Et, à plusieurs reprises, on aperçoit l'opposition entre les deux, soit pour des questions de calendrier [10], soit pour des matières civiles [11], soit pour des affaires de pureté [12]. La tendance des tribunaux à la sécularisation se manifeste à l'extrême dans un texte du *Sifré* sur le Deutéronome [13].

La façon dont les prêtres furent dépouillés d'une partie de leurs droits est manifeste dans le cas du lépreux. Alors que, selon la Tora (Lv 13, 1-17), c'était au prêtre qu'il revenait de constater la guérison avant de prononcer la réintégration dans la communauté, par la suite, un laïc eut le droit de faire cette constatation, mais la présence du prêtre restait indispensable pour la déclaration de pureté [14].

B. *Les grands prêtres.*

74. Dans le judaïsme, le fait d'être prêtre constituait en quelque sorte un titre de noblesse [1]. Cependant, il existait, concrètement, une séparation sociale entre les prêtres du commun et l'aristocratie sacerdotale ; cette aristocratie comprenait des grands

vent ' impie ' (c'est nous qui soulignons ; cette opinion de Kittel ne semble pas exacte). »

6. JEREMIAS, *Jérusalem*, pp. 315-329.
7. Sur cette question des tribunaux de prêtres, voir FINKELSTEIN, *Pharisees*, II, pp. 725-735.
8. *Sifré* Nb 25, 7 § 131 (172, 13). Dans le Targoum Yerushalmi I sur Nb 25, 7, il est question du « sanhédrin » de Pinhas.
9. *Sifré* Dt 33, 10 § 351 (408, 12) ; *Sifré* Dt 1, 15 § 15 (25, 8).
10. *R.H.* I 7.
11. *Ket.* XIII 2 (question de la subsistance d'une femme dont le mari est à l'étranger).
12. *Ed.* VIII 3 (discussion sur une famille ᶜ*issah*, c'est-à-dire dont on se demande si l'un des membres n'est pas d'origine lévitiquement impure, voir JEREMIAS, *Jérusalem*, p. 299, n. 507.
13. *Sifré* Dt 17, 9 § 153 (206, 12) : c'est une loi que, dans les tribunaux, il doit y avoir des prêtres et des lévites pour que le jugement soit valide. Mais, tout de suite après, le texte ajoute l'adoucissement suivant : s'il n'y a pas de prêtres ni de lévites, le jugement est cependant valide. — Cette dernière stipulation ne se trouve pas ailleurs dans la législation rabbinique (GEIGER, *Urschrift*, p. 115).
14. *Neg.* III 1 ; *Sifra* Lv 13, 2 (53ᵃ 13).
1. JOSÈPHE, *Vie* 1.

prêtres, des prêtres en chef et d'autres membres influents du clergé [2].

Des grands prêtres antérieurs à la révolte maccabéenne, la tradition rabbinique a retenu le souvenir de Simon le Juste, en fonction vers 200 (§ 47, n. 1). Elle en fait de grands éloges [3]. Un dire de lui est conservé dans la chaîne de la succession pharisienne [4]. On insiste sur son manque d'orgueil [5], sur la splendeur de son pontificat, qui marqua la fin d'une période de bénédiction pour Israël [6].

Depuis le début du règne d'Hérode Ier (en 37 avant J.-C.) jusqu'à la ruine de 70, il y eut en fonction 28 grands prêtres. Seuls le premier (Ananel, 37-36, et de nouveau à partir de 34) et le dernier (Pinhas de Habta, 67 [68]-70) étaient Sadocides (§ 47, n. 4 et 5) ; un Asmonéen, Aristobule III, fut en fonction en 35.

Les 25 autres grands prêtres appartenaient presque tous à quatre familles : 6, et peut-être 8, étaient de la famille de Boéthos ; 8, de la famille d'Anne ; 3, de la famille de Phiabi ; 3, de la famille de Qamit. Quant aux trois autres (Jésus, fils de Séé, jusqu'en 6 après J.-C. ; Ananie fils de Nébédée, de 47 jusqu'en 55 au moins ; Jésus, fils de Damné, 62-63 environ), ils devaient être liés à ces quatre grandes familles [7].

Les grands prêtres de la famille de Boéthos doivent retenir spécialement notre attention. Boéthos était un prêtre alexandrin [8]. Son fils, Simon, vivait à Jérusalem quand Hérode, en 22 environ, le nomma grand prêtre [9]. Selon Josèphe [10], cette nomination fut la conséquence du mariage d'Hérode avec Mariamme, fille ou sœur de Simon [11]. Mais il semble bien que d'autres raisons jouèrent pour ce choix [12] ; toujours est-il que les grands prêtres de la famille de Boéthos furent en charge uniquement du temps de la souveraineté des Hérodes : Simon et Yoazar, sous Hérode Ier ; Éléazar (et Yoazar une seconde fois ?) sous son fils Archélaüs ; Simon Kanthéras et Élionaios, sous Agrippa Ier, petit-fils d'Hérode Ier, roi de

---

2. Jeremias, *Jérusalem*, pp. 250-282.
3. Il fut grand prêtre pendant 40 ans : j. *Yoma* I 1, 38[c] 49 (III/2, 162) ; j. *Yoma* V 3, 42[c] 25 (III/2, 218) ; *Lv.R.* 21, 9 sur 16, 3 (33[a] 7) ; j *Yoma* VI 3, 43[c], 3[e] ligne avant la fin (III/2, 234) ; b. *Yoma* 9[a] et 39[a]. Ce chiffre de 40 se trouve à la suite du cas de Moïse, indiqué également pour Hillel, Yohanan ben Zaqqay et Aqiba dans *Sifré Dt* 34, 10 § 357 (429, 6).
4. *Abot* I 2.
5. Il est le seul prêtre mentionné dans cette succession.
6. Tos. *Sota* XIII 7 (319, 11) ; j.*Yoma* VI 3, 43[c] 49 (III/2, 234) ; b. *Yoma* 39[a].
7. Détails dans Jeremias, *Jérusalem*, pp. 265-266.
8. *Ant.* XV 320.
9. *Ibid.*
10. *Ant.* XV 322.
11. Fille, dans *Ant.* XV 320. 322 ; sœur, dans *Ant.* XIX 297.
12. Favoriser l'hellénisation à Jérusalem, en prenant un grand prêtre dont la famille était originaire d'Alexandrie ?

41 à 44. Il faut retenir ce lien étroit entre les Hérodes et les grands prêtres de la famille de Boéthos.

La tradition rabbinique fournit un certain nombre de données sur Marthe, femme du grand prêtre Yoshua ben Gamaliel (63 environ-65)[13]. Cette Marthe est « fille » de Boéthos. Ce Boéthos est-il le même que le prêtre alexandrin, père de Simon, le grand prêtre ? Chronologiquement, cela paraît impossible s'il s'agit d'une fille en rigueur de terme ; ce pourrait être une petite-fille ou une arrière-petite-fille[14]. Dans cette appellation de « fille de Boéthos », on a proposé de prendre « fille » au sens d'une relation non pas charnelle, mais spirituelle[15]. Cela est impossible ; en effet, dans la littérature rabbinique, jamais « ben N » ne signifie « disciple de N ».

75. Selon une baraïta anonyme[1], avant le Jour de kippour, « deux scribes, parmi les disciples de Moïse, à l'exclusion des Sadducéens, transmettaient au grand prêtre [les prescriptions] durant sept jours pour l'exercer dans le service liturgique ». On suppose donc, *a priori*, que le grand prêtre est Sadducéen. Mais la documentation rabbinique ne permet pas d'affirmer que, en fait, tous les grands prêtres étaient Sadducéens.

La Mishna[2] contient un éloge du grand prêtre appelé ben Gamla ; il s'agit peut-être de Yoshua ben Gamaliel (63 environ-65). Par ailleurs, elle dit[3] que, « avec la mort d'Ishmaël ben Phiabi [sans doute Ishmaël II, grand prêtre jusqu'en 61], a cessé la splendeur du sacerdoce » ; cette dernière expression est peut-être également une louange[4].

D'autre part, on fait mention de trois grands prêtres qui, au cours des deux derniers siècles avant la ruine de 70, brûlèrent une vache rousse : Élionaios, fils de Kanthéras (vers 44), Ananel (en 37-36, et, de nouveau, à partir de 34), Ishmaël ben Phiabi II[5] (jusqu'en 61). C'est là un grand compliment.

Enfin la façon dont les grands prêtres se soumettaient aux

---

13. Voir les textes principaux dans Jérémias, *Jérusalem*, en consultant son Index à Yoshua ben Gamaliel ; liste complète dans S. Krauss, *Griech. und latein. Lehnwörter*, II, 1899, p. 153 a.
14. C'est l'opinion de S. Klein, *Jüdisch-paläst. Corpus inscriptionum*, Vienne et Berlin, 1920, p. 12 ss (nous n'avons pu avoir le volume entre les mains), et K. H. Rengstorf, *Jebamot* (« Mischna » de Berlin), 1924, p. 80, note.
15. C'est-à-dire disciple de Boéthos, Boéthusienne. C'est la solution d'Hoelscher, *Sadduzäismus*, p. 65, note.
1. b. *Yoma* 4ᵃ.
2. *Yoma* III 9.
3. *Sota* IX 15.
4. Cependant, selon H. Bietenhard, *Sota* (« Mischna » de Berlin), 1956, p. 170, n. 3 sur *Sota* IX 15ᶜ, cette splendeur *(zyw)* n'est pas d'ordre spirituel et religieux, mais se situe au plan du luxe et de l'éclat mondain.
5. *Para* III 5 ; sur ces noms, voir plus bas § 203.

règles de pureté est illustrée par ce qui se passa en 5 avant J.-C. :
Matthias, fils de Théophile, rendu impur, fut remplacé par Joseph,
fils d'Ellem pour la cérémonie de kippour [6].

76. Un document constitue un témoignage précieux de l'hostilité du peuple contre les familles de Boéthos, d'Anne, de Phiabi,
dont les membres étaient grands prêtres et prêtres en chef. Il
s'agit de la complainte prononcée par Abba Shaoul, vivant à Jérusalem avant 70 ; elle condamne la politique de puissance de l'aristocratie sacerdotale [1].

Une condamnation visant plus directement la conduite des
grands prêtres dans le sanctuaire se trouve dans le Yerushalmi [2] :
« Le parvis [les gens réunis dans le parvis] fit retentir ce cri
[de malédiction] contre eux : Sortez d'ici, fils d'Éli, car vous avez
souillé la Maison de notre Dieu. »

Ce texte figure dans le Talmud à propos des grands prêtres de
la famille de Boéthos qui n'accomplissaient pas selon la halaka
pharisienne les cérémonies de la combustion de la vache rousse,
de la libation d'eau à la fête de soukkôt et de l'encens le Jour de
kippour (ch. 11).

L'appellation « fils d'Éli » vise le personnage d'Éli, prêtre de
Silo (1 S ch. 1-4), dont les fils étaient des « vauriens » (1 S 2, 12 ;
voir 2, 22 et 2, 27-36).

Dans une tradition postérieure [3], à ce cri de malédiction se
trouve ajouté un texte relatif à trois grands prêtres : Issakar de
Kephar Barqay (inconnu par ailleurs), Ishmaël ben Phiabi (il s'agit
sans doute d'Ishmaël II, grand prêtre jusqu'en 61) et Yohanan ben
Nibday (il pourrait s'agir d'Ananie, fils de Nébédée, grand prêtre
de 47 jusqu'en 55 au moins). Issakar et Yohanan sont critiqués [4] ;
quant à Ishmaël, il est peut-être ici l'objet de louange [5].

On peut mentionner enfin, dans la littérature rabbinique, la

---

6. *Ant.* XVII 166 ; Tos. *Yoma* I 4 (180, 14) ; j. *Yoma* I 1, 38[d] 2 (III/2, 164) ;
b. *Yoma* 12[b]. Ce cas est différent de celui du grand prêtre souillé par un
crachat, qui dut également se faire remplacer pour la cérémonie de kippour
(§ 216-217).

1. b. *Pes.* 57[a] = Tos. *Men.* XIII 21 (533, 33). Traduction et explication dans
JEREMIAS, *Jérusalem*, p. 267-268.

2. j. *Yoma* I 5, 39[a] 67 (III/2, 171) = j. *Sukka* IV 8, 54[d] 42 (IV/1, 39, pas
traduit, renvoie à III/2, 171).

3. b. *Pes.* 57[a], baraïta anonyme.

4. Le premier, pour son orgueil et son luxe ; le second, pour sa gloutonnerie.

5. « Portes, élevez vos linteaux afin qu'Ishmaël ben Phiabi, *élève de
Pinhas*, entre et accomplisse les fonctions de grand prêtre. » C'est un éloge
si ce Pinhas est le petit-fils d'Aaron (Nb 25, 7) ; c'est une condamnation,
ironique, si Pinhas est le fils du prêtre Éli de Silo (1 S 1, 3 ; 2, 4).

critique de la simonie qui sévissait pour l'obtention de la charge de grand prêtre [6].

IV. Quelques thèmes littéraires de la polémique contre les Sadducéens.

77. Dans les textes où les rabbins parlent nommément de Sadducéens ou de Boéthusiens, leur hostilité contre leurs ennemis s'exprime parfois dans certains clichés que l'on rencontre à plusieurs reprises pour des sujets différents.

La discussion de Yohanan ben Zakkay avec les Boéthusiens au sujet de la fête des semaines [1] et sa discussion avec les Sadducéens à propos de l'héritage des filles [2] présentent trois éléments caractéristiques, absolument identiques dans les deux cas.

Les Sadducéens, ou Boéthusiens, sont tout d'abord présentés comme des « crétins » [3]. Ensuite, le récit note que « personne ne [peut] répondre » aux arguments de Yohanan ben Zakkay ; « seul, un *zaqén* balbutie quelque chose contre lui (ou : l'attaque) » [4]. Si on traduisait *zaqén* par vieillard, cela accroîtrait encore le caractère ridicule de l'adversaire ; mais il pourrait s'agir d'un ancien, ce qui désignerait un scribe [5]. Dernier élément : Yohanan ben Zakkay déclare : « Notre Tora parfaite n'est pas comme votre bavardage inutile. »

Le thème de la mort soudaine punissant celui qui n'a pas suivi la halaka pharisienne se trouve dans trois cas. Un grand prêtre sadducéen avait accompli la cérémonie de combustion de la vache rousse selon le rite sadducéen ; « avant trois jours », il meurt [6]. Un grand prêtre boéthusien, le Jour de kippour, avait

---

6. Les rabbins affirment, de façon absolument générale, que, dans le second Temple, du retour de l'exil à la ruine de 70, la simonie existait pour cette charge de grand prêtre : *Sifré* Nb 25, 13 § 131 (173, 11) ; j. *Yoma* I 1, 38ᶜ 46 (III/2, 162) ; *Lv. R.* 21, 9 sur 16, 3 (33ᵃ 8). C'est là une généralisation d'origine polémique dont il ne faut pas être dupe (cette tradition, du reste, dans les textes en question, affirme que la simonie fut la cause du changement fréquent de grands prêtres, alors que c'est Hérode Iᵉʳ qui mit fin au souverain pontificat à vie).

1. b. *Men.* 65ᵃ.

2. b. *B. B.* 115ᵇ.

3. Le sens de ce terme *shwṭh* (en araméen *shṭy'*, *shṭy*) est bien attesté par un texte du *Midrash* Ps 9, 16 (46ᵃ 3) : « En grec, *shṭy'* se dit *mwr'* » ; ce dernier terme est le grec μωρός (voir Mt 5, 22).

4. Verbe *pṭpṭ*. Balbutier est la traduction de Jastrow, *Dictionary*, *sub verbo* ; bavarder, celle de Goldschmidt, *Der bab. Talmud* (trad. allemande seule), X, 1935, p. 596. Répondre à quelqu'un par des mots durs, l'attaquer, le combattre, selon Levy, *Wörterbuch*, et Billerbeck, II, p. 599.

5. Solution de Billerbeck, IV, p. 345 ; sur cette question, voir plus bas § 271.

6. Tos. *Para* III 8 (632, 21).

imposé l'encens avant d'entrer dans le Saint des saints, et non à l'intérieur comme le prescrivait la halaka pharisienne ; « avant trois jours, on le mit en terre »[7]. La tradition a embelli cette donnée en ajoutant des détails atroces sur sa mort ; on trouve ces précisions sous deux formes[8]. Enfin, une Sadducéenne qui n'avait pas été consulter les docteurs pharisiens est également punie par la mort[9].

Tel est le sort de ceux qui veulent agir selon la halaka sadducéenne. La tradition rabbinique, en contre-partie, se plaît à souligner que les autres Sadducéens ou Boéthusiens « écoutent » les Pharisiens[10], c'est-à-dire leur obéissent ; ils « agissent selon la volonté » des Pharisiens[11]. Dans la tradition postérieure, ce thème de l'obéissance a été amplifié par la mention de la crainte des Pharisiens[12].

Le thème du jeune grand prêtre boéthusien, résolu, qui veut agir en conformité avec ses opinions, n'apparaît que dans la question de l'imposition de l'encens le Jour de kippour[13].

Enfin, nous pouvons peut-être faire mention ici du mot d'ordre pharisien : ne donne pas à nos ennemis « l'occasion de triompher ». Il se trouve à deux reprises : à propos de rites relatifs aux cendres de la vache rousse[14], et à propos du tirage au sort du bouc émissaire[15]. Dans les deux cas, les adversaires des Pharisiens sont les *mînîm* ; il pourrait s'agir des Sadducéens.

---

7. Tos. *Yoma* I 8 (181, 9).

8. j. *Yoma* I 5, 39ᵃ 60 (III/2, 170) : « au bout de quelques jours, il mourut. Et d'autres disaient : quand il sortit [du Saint des saints], son nez laissait échapper des vers (cf. 2 M 9, 9 ; Ac 12, 23) et une espèce de sabot de veau sortait de son front [frappé par un ange au pied de veau, cf. Éz 1, 7]. » — b. *Yoma* 19ᵇ : « Peu de jours s'étaient écoulés qu'il mourut ; il était étendu sur un tas de fumier, et des vers sortaient de son nez. Et il y en avait qui disaient : c'est au moment où il sortait [du Saint des saints] qu'il fut frappé. Rabbi Hiyya [l'Ancien, vers 200] enseignait en effet : on avait entendu une sorte de bruit dans le parvis du Temple, car un ange vint et le frappa au visage. Quand ses frères les prêtres entrèrent, ils trouvèrent [les marques de] la plante d'une patte de veau entre ses épaules. »

9. Tos. *Nidda* V 3 (645, 27) ; b. *Nidda* 33ᵇ.

10. Tos. *Yoma* I 8 (181, 8) : le père du grand prêtre Boéthusien dit à son fils : « Nous écoutons les paroles des docteurs [pharisiens]. »

11. j. *Yoma* I 5, 39ᵃ 58 (III/2, 170), pour la même scène : « Nous avons agi selon la volonté des docteurs [pharisiens]. »

12. b. *Yoma* 19ᵇ ; pour la même scène : « Nous craignons les Pharisiens ». Dans les trois formes du texte que nous venons de citer, le père, avant de dire à son fils qu'il obéit à la halaka pharisienne, rappelle que, durant toute sa vie, il a expliqué l'Écriture selon le point de vue boéthusien (ou sadducéen). C'est contre cette opposition entre opinion théorique et comportement pratique que va réagir le fils. Pour le thème de la crainte, voir aussi b. *Nidda* 33ᵇ : les filles des Sadducéens craignent les Pharisiens ; dans le parallèle Tos. *Nidda* V 3 (645, 27), il n'est pas question de crainte.

13. Les paroles du fils se trouvent dans les trois textes que nous avons cités dans nos deux notes précédentes.

14. *Para* III 3.

15. b. *Yoma* 40ᵇ .

Ces différentes formes littéraires de l'hostilité pharisienne contre les Sadducéens sont plus ou moins légendaires. Par ailleurs, elles attestent un état de la tradition où la rupture est complète entre Pharisiens et Sadducéens. Or, cette rupture n'est pas primitive. Il faut donc rechercher si nous pouvons trouver, dans les textes rabbiniques, des traces d'une évolution de la tradition à ce sujet.

IV. Deux données anciennes.

A. *La Megillat taanit.*

78. La *Megillat taanit* [1], le « Rouleau des jeûnes », qu'il faudrait mieux, du reste, appeler tout simplement le « Rouleau » [2], est une liste de 36 jours de fête où il est interdit de jeûner publiquement, et, pour certains jours, de célébrer un deuil public.

Ce texte, en araméen, remonte, pour l'essentiel, à la période antérieure à la destruction de 70. La rédaction finale date, probablement, du temps d'Adrien [3] (117-138).

Il faut soigneusement distinguer ce texte araméen du commentaire, en hébreu, qui figure pour chacun des jours en question [4]. Dans sa forme actuelle, ce commentaire est postérieur à l'époque talmudique ; il date du moyen âge [5].

Dans ce commentaire, 6 jours sont présentés comme des fêtes de victoires remportées sur les Sadducéens [6]. Voici quels sont ces jours dans le texte araméen du Rouleau [7].

3. « Du 1er au 8 nisân, le *tamîd* fut institué, *'ttwqm tmyd'*. »
4. « Du 8 à la fin de la fête, la Fête [8] fut rétablie, *'ttwtb ḥg'*. »

1. Édition critique de Lichtenstein, dans HUCA 8-9 (1931-1932), pp. 318-322 pour le texte araméen, et pp. 323-351 pour le commentaire hébreu ; étude de Lichtenstein, pp. 257-314.
2. Lichtenstein, p. 258 : « Rouleau des jeûnes » est plus tardif.
3. Lichtenstein, p. 257 ; Strack, *Einleitung*, p. 12.
4. Ce n'est qu'au milieu du XIXe siècle, avec Grätz et Pinner (voir Lichtenstein, p. 267) que l'on commença à faire cette séparation.
5. Ce commentaire se constitua à partir d'un fond primitif qui s'augmenta progressivement ; au XIIIe siècle, on y faisait encore des ajouts (Lichtenstein, p. 260).
6. Ou les Boéthusiens. Pour ce commentaire hébreu, la recension espagnole (représentée seulement par le ms. *phé* et donnant une tradition meilleure, Lichtenstein, p. 260) parle toujours des Sadducéens. Par contre, dans la recension italienne, un ms., *aleph*, parle toujours des Boéthusiens ; les autres mss de cette recension italienne parlent tantôt des Sadducéens, tantôt des Boéthusiens (tout cela dans Lichtenstein, pp. 261-262.)
7. La numérotation, au début des lignes, est celle de l'édition de Lichtenstein.
8. Notons tout de suite que la bonne leçon est « la Fête », et non pas « la fête des semaines » (détails § 128).

12. « Le 4 tammuz, le ʼ Livre des décrets ʼ cessa [= fut abrogé], *ʼdʼ spr gzrtʼ*. »
14. « Le 24 ab, nous revînmes à notre droit, *tbnʼ ldnynʼ*. »
21. « Le 27 marheshvân, la fleur de farine fut de nouveau brûlée sur l'autel, *tbt sltʼ lmsq ʼl mdbḥʼ*. »
26. « Le 28 tébèt, l'assemblée siégea pour le jugement, *ytybt knshtʼ ʼl dynʼ*. »

On le voit, rien dans ces notices araméennes n'indique explicitement, à première lecture, un caractère antisadducéen. Il nous faudra donc, dans notre deuxième partie, examiner, pour chaque cas, dans quelle mesure le commentaire hébreu tardif, qui y voit des fêtes antisadducéennes, représente, oui ou non, une tradition historiquement valable. Il suffisait, ici, d'avoir posé le problème.

B. *Abot de Rabbi Natan, recension A, chapitre 5 : origine des Sadducéens et des Boéthusiens.*

79. Les *Abot de Rabbi Natan* sont en quelque sorte une Tosefta du traité mishnique *Pirqé Abot* [1]. La rédaction finale de ces *A.R.N.* date du VIIe-IXe siècle. On en connaît deux formes, la recension A et la recension B [2]. La recension A comprend cinq parties. La première partie, celle qui nous intéresse ici car c'est là que se trouve le chapitre 5, représente des traditions très anciennes. Selon Finkelstein, cette première partie aurait été rédigée au Ier siècle de notre ère [3].

Abot I 3 rapporte la maxime suivante d'Antigone de Soko (vers 180 avant J.-C.) :

« Ne soyez pas comme des esclaves qui servent le[ur] maître en vue [mot à mot : à la condition] de recevoir la ration fixée [4].

1. « Souvent il [le texte d'*A.R.N.*] complète les données des Pirqé Abot de la même manière que les traités de la Tosefta complètent les traités correspondants de la Mishna » (J. GOLDIN, *The Fathers according to Rabbi Nathan*, New Haven, 1955, p. XX).
2. Édition critique des deux recensions par S. SCHECHTER, Vienne, 1887 ; réimpression anastatique, Olms, Hildesheim, 1970.
3. FINKELSTEIN, *Pharisees*, 1962, II, p. 770 : le document qui constitue la première partie a été édité par les Shammaïtes, peu de temps après la destruction du Temple ; il contient un certain nombre d'éléments anciens remarquablement précis. Finkelstein va même jusqu'à préciser (p. 773) que le rédacteur du chapitre 5 est peut-être contemporain d'Hillel et de Shammay, donc d'Hérode Ier (37-4 avant J.-C.). — La date du Ier siècle de notre ère pour la rédaction de la première partie, avancée par Finkelstein, est citée par GOLDIN, *op. cit.*, p. XXI (il n'y ajoute pas de remarque personnelle ; il semble donc l'accepter).
4. Nous traduisons *prs* par « ration fixée ». Le terme vient du verbe *prs*, diviser. On traduit ordinairement par salaire. Or, selon E. BICKERMAN, *The Maxim of Antigonus of Socho*, dans HTR 45 (1951), pp. 153-165, ce terme désigne non pas le salaire, mais la mesure, la portion, la ration mensuelle de nourriture de l'esclave ; c'est le *demensum* des Latins.

Mais soyez comme des esclaves qui servent le[ur] maître, mais
non en vue de recevoir la ration fixée. Et que la crainte du Ciel
[= Dieu] soit sur vous. » [5]

La tradition pharisienne a retenu cette maxime ; or, en fait,
elle est en opposition avec l'ensemble des sentences rabbiniques
sur le travail, qui invitent « à travailler par attrait de la récompense et insistent sur l'idée de mérite ; par contre la pensée sadducéenne en fait abstraction » [6]. Il n'est donc pas étonnant que les
Pharisiens aient complété ainsi le dire d'Antigone :

> « ...que la crainte du Ciel soit sur vous, *afin que votre récom-*
> *pense soit doublée dans le monde à venir.* » [7]

80. Voici maintenant de quelle façon *A.R.N.* rec. A, ch. 5
explique les choses [1].

> « Antigone de Soko eut deux disciples qui étudièrent ses
> paroles. Ils les enseignèrent à leurs disciples, et leurs disciples
> [les enseignèrent] à leurs [propres] disciples.
> « [Ces derniers] examinèrent avec soin ces paroles et dirent :
> ' Qu'ont pensé nos pères de dire cette parole ? Est-ce qu'un
> ouvrier accomplit son travail tout le jour sans recevoir son
> salaire [2] le soir ? Si nos ancêtres avaient su qu'il y a un autre
> monde et qu'il y a une résurrection des morts, ils n'auraient pas
> parlé ainsi. '
> « Ils se levèrent [donc] et se séparèrent (de la Loi) [3] ; et
> d'eux sortirent deux ' brèches ' [4], les Sadducéens et les Boé-

---

5. LESZYNSKY, *Sadduzäer*, p. 90, n. 1, pense que cette phrase finale résonne
comme un avertissement contre l'erreur des Sadducéens, et donc qu'elle est
un ajout postérieur.

6. *DBS* VII, col. 1037. — Antigone est le seul, parmi les sages Pharisiens,
à porter un nom grec (selon GRAETZ, *Geschichte*, II, 1878, p. 229, ses parents
lui auraient donné ce nom en souvenir du général macédonien Antigone
qui se serait montré favorable aux juifs de Palestine en 315-313). Sa maxime
(pratiquer la vertu pour elle-même) trahirait-elle une influence stoïcienne ?

7. Les mots soulignés figurent uniquement dans la citation de la maxime
que fait *A. R.N.* en tête de son chapitre 5.

1. Texte dans SCHECHTER, 26 col. a, 4 ; les variantes des mss sont nombreuses, voir l'apparat critique. — Sur ce texte, FINKELSTEIN, *Pharisees*, 1962,
pp. 762-779. Son article, en hébreu, dans les mélanges Neuman, en 1962 (cité de
façon complète dans notre bibliographie générale, pour le ch. IV) est la traduction de cet exposé des *Pharisees*. L'article de BANETH en 1882 (cité dans cette
même bibliographie générale, pour le ch. IV) contenait déjà des éléments
intéressants.

2. Ici *škr*, et non plus *prs* comme dans la maxime d'Antigone de Soko
(voir plus haut § 79, n. 4).

3. Ces trois mots, que nous avons mis entre parenthèses, ne figurent pas
dans la recension B (voir la traduction de cette recension plus bas, n. 7) ;
il est donc probable qu'ils sont, dans A, une glose.

4. Ce terme *pršh* est difficile. Notons tout d'abord qu'il y a un jeu de
mot avec *prsh* (« ils se séparèrent ») qui précède. On traduit ordinairement
pršh par « secte ». Il est très important de relever que, dans la recension B
(§ 80, n. 7), on a *mshphwt*, que l'on peut traduire par « associations ».
Pršh vient du verbe *prṣ*, qui signifie faire une brèche, une ouverture. *Pršh*,
c'est donc la brèche, l'ouverture, puis l'extension, le développement, le dépas-

thusiens : les Sadducéens, dont le nom vient de Sadoq ; les Boéthusiens, dont le nom vient de Boéthos.

« Ils [les Sadducéens] faisaient usage d'ustensiles en or et d'ustensiles en argent pendant toute leur vie, non pas qu'ils fussent orgueilleux [mot à mot : de disposition orgueilleuse], mais les Sadducéens disaient : ' C'est une tradition chez les Pharisiens de se mortifier en ce monde ; mais, dans l'autre monde [5], il n'y a rien du tout [à avoir] pour eux '. » [6]

La recension B est beaucoup moins bonne ; mais elle est utile pour comprendre la recension A. Nous en donnons donc également la traduction [7].

81. Ce récit de la recension A est extrêmement précieux. Notons tout d'abord la finale : les Sadducéens sont des gens riches ; cette donnée corrobore l'indication de Josèphe sur le caractère aristocratique des Sadducéens (§ 28).

Mais l'intérêt tout spécial de ce texte réside dans le fait qu'il est le seul élément, dans toute la littérature rabbinique et dans l'ensemble de nos autres sources, sur l'origine des Sadducéens.

Le texte place cette origine à la troisième génération de disciples après Antigone de Soko, qui était en activité vers 180 avant notre ère. Cela situe la rupture vers 120, c'est-à-dire sous le règne de Jean Hyrkan (134-104).

Il y est question de Sadoq et de Boéthos. A ce sujet, il faut dissiper une équivoque qui traîne encore actuellement. On dit de façon courante que, selon ce texte d'*A.R.N.* rec. A, Sadoq et Boéthos sont les fondateurs des Sadducéens et des Boéthusiens.

Or, si on lit attentivement le texte, on voit qu'il est absolument

---

sement (soit au sens local, soit au sens figuré [transgression de la Loi, conduite licencieuse, immorale]), le désastre, la calamité. Ici, il s'agit de transgression de la Loi. Dans la mesure où je puis m'en rendre compte par les dictionnaires de Jastrow et de Levy, c'est la seule fois où se substantif est utilisé pour désigner un groupe de personnes.

5. ʿwlm 'ḥr ; dans le Talmud, on a ordinairement ʿwlm hbʾ, « le monde à venir ».

6. mswrt hwʾ byd prwsh shhn mṣʿryn ʿsmn. BILLERBECK, IV, p. 343, comprend ainsi le texte : « C'est une tradition chez les Pharisiens que les Sadducéens se mortifient... » Cela est grammaticalement possible, mais paraît impossible en fonction du contexte et des idées sadducéennes.

7. Dans cette recension B, c'est le ch. 10 ; texte dans SCHECHTER, 26 col. b, 3. « Il [Antigone de Soko] avait deux disciples Sadoq et Boéthos. Ayant entendu cette maxime [d'Antigone], ils l'enseignèrent à leurs disciples ; les [deux] disciples [Sadoq et Boéthos] dirent ce qu'ils avaient reçu de leur maître, mais ils omirent l'explication [mettant en harmonie les paroles d'Antigone avec les idées pharisiennes]. Ils [les disciples de Sadoq et de Boéthos] leur dirent [à Sadoq et à Boéthos] : ' Si vous saviez qu'il y a une résurrection des morts et une récompense des justes dans le monde à venir, ils n'auraient pas [= vous n'auriez pas ?] parlé ainsi. ' Ils s'en allèrent et se séparèrent d'eux ; et d'eux sortirent deux associations *(mshpḥwt)*, les Sadducéens et les Boéthusiens : les Sadducéens, nommés d'après Sadoq, et les Boéthusiens, d'après Boéthos. »

clair : à la troisième génération de disciples après Antigone, des
disciples (le texte ne dit pas : deux), anonymes, donnèrent naissance aux Sadducéens et aux Boéthusiens [1]. Après avoir indiqué la
chose, le narrateur rapporte une explication sur l'origine de ces
deux noms de Sadducéens et Boéthusiens : ils viennent de Sadoq
et de Boéthos [2].

Comme Sadoq n'est pas dit être le fondateur des Sadducéens,
il est possible qu'il s'agisse du prêtre en chef au temps de David
et Salomon [3]. Nous connaissons Boéthos, prêtre alexandrin, père
du grand prêtre Simon [4] (22 environ-5 avant J.-C.) ; il est probable
qu'il s'agit de lui ici. Si la chose est exacte, il y a donc une invraisemblance historique, puisque la notice dit que le groupe des
Boéthusiens existe depuis environ 120 avant J.-C.

Mais, dans cette notice, les données sur les Boéthusiens, sur
la distinction entre Boéthusiens et Sadducéens n'ont pas de valeur
historique en ce qui concerne l'origine des Boéthusiens. En effet,
absolument rien dans le texte n'indique une distinction d'opinion,
chez les disciples dissidents, qui justifierait l'existence de deux
groupes différents. On peut donc expliquer au mieux les choses
de la façon suivante. A l'époque où cette tradition d'*A.R.N.* a pris
corps, au Ier siècle de notre ère, il y avait deux groupes, les Sadducéens et les Boéthusiens. La tradition a reporté cette dualité aux
origines de la dissidence.

82. Nous avons ainsi délimité ce qui constitue le noyau historiquement solide de cette tradition : vers la fin du second siècle
avant notre ère, la séparation se fit entre Pharisiens et Sadducéens ; cette séparation eut pour cause une divergence au sujet de
la résurrection et de la rétribution d'outre-tombe [1].

---

1. C'est seulement dans la recension B que Sadoq et Boéthos sont les
deux disciples. Mais au fait que cette recension place Sadoq et Boéthos non
pas au moment de la troisième génération de disciples après Antigone, mais
comme disciples d'Antigone lui-même, le texte devient très embrouillé.
2. Cette explication finale est nettement séparée du récit historique qui
précède. Voilà déjà longtemps, on avait noté que, dans la recension A,
Sadoq et Boéthos ne sont pas les fondateurs de deux groupes, ainsi Abraham
WITTMUND, dans son commentaire d'*A.R.N.*, *Ahabath chessed*, Amsterdam, 1777,
in loco (cité par GEIGER, *Urschrift*, p. 106, note, qui reprend cette opinion).
Par ailleurs, FINKELSTEIN, *Pharisees*, p. 765, essaye de rechercher à quelle
époque on a commencé à dire que, dans *A.R.N.* recension A, les deux disciples s'appelaient Sadoq et Boéthos. Il pense que cette fausse manière de
comprendre le texte a son origine dans l'*Aruk* de Rabbi Natan ben Yehiel
de Rome ((† 1106) et fut popularisée par Rabbi Samuel ben Méir († vers
1174) et Maïmonide († 1204) (voir les références à ces auteurs dans Finkelstein).
3. FINKELSTEIN, *Pharisees*, p. 767.
4. Voir plus haut § 74.
1. Le scepticisme qui considère l'ensemble de cette notice comme une
légende semble excessif. Il est courant ; voir par exemple SCHUERER, II,
pp. 478-479 ; BILLERBECK, IV, p. 343 ; R. MEYER, dans *TWNT* VII, p. 42 ; J. Z. LAU-

Comme nous avons affaire à une tradition pharisienne, elle dit que ce sont les Sadducéens qui « se séparèrent »[2] en niant ces deux vérités. Mais, si nous exprimons les choses en termes de développement historique, nous dirons : la résurrection et la rétribution d'outre-tombe sont des nouveautés qui ne furent pas acceptées par les Sadducéens ; vers la fin du second siècle avant J.-C., les Pharisiens, qui acceptèrent ces nouveautés, commencèrent à apparaître assez nettement comme un groupe particularisé par rapport aux Sadducéens.

On le voit, à la fois du point de vue chronologique et en ce qui concerne l'une des divergences majeures entre Pharisiens et Sadducéens, la notice d'*A.R.N.* contient des éléments historiquement solides ; on ne peut la considérer tout de go comme une légende.

Par ailleurs, elle reflète une attitude des Pharisiens au Ier siècle de notre ère : les Sadducéens et les Boéthusiens, existant comme deux groupes différents, ne sont pas encore considérés comme exclus du judaïsme.

VI. UN GROUPE AUTHENTIQUEMENT JUIF, CONSIDÉRÉ PLUS TARD COMME EXCLUS DU JUDAÏSME.

83. Si cette analyse d'*A.R.N.* est exacte, on peut dire que cette notice se situe à mi-chemin d'une évolution. Historiquement, les Sadducéens étaient un groupe authentiquement juif. Dans l'optique pharisienne, ils apparurent tout d'abord comme des déviationnistes. Cette perspective, qui est celle d'*A.R.N.*, se trouve peut-être également dans une baraïta du Yerushalmi[1]. Quant au rabbin qui « se sépare, *parash*, de la Tora », dont parle la Mishna, il se pourrait qu'il s'agisse d'un Sadducéen[2]. La même idée de « séparation » (même verbe *parash*) se trouve également dans la Mishna à propos des Sadducéennes[3] ; mais on voit dans ce dernier texte l'emploi du terme Israël pour désigner les Pharisiens. Cela indique

TERBACH, *Rabbinic Essays*, 1951, p. 91, n. 6 (reproduisant un texte de 1929), p. 208, n. 49 (reproduisant un texte de 1915).
2. Préférer la leçon de la recension B (« ils se séparèrent d'eux ») à celle de A (« ils se séparèrent de la Tora »), voir § 80, n. 3. Notons que nous avons là le verbe *prsh*, qui est aussi à l'origine du nom de Pharisiens.
1. j. *Shab.* I 3, 3[b] 64 (III/1, 15). *Abot* disait : « Ne te confie pas en toi-même jusqu'au jour de ta mort. » Dans b. *Ber.* 29[a], cette maxime est commentée par l'apostasie de Jean Hyrkan qui devint Sadducéen. Par contre, ici, dans le Yerushalmi, il n'est pas question d'Hyrkan ; la maxime est illustrée par l'histoire d'un pieux rabbin séduit à la transgression par un démon.
2. *Hag.* I 7. C'est un Sadducéen, selon LESZYNSKY, *Sadduzäer*, p. 113.
3. *Nidda* IV 2.

que, à ce stade de la tradition, les Sadducéens ne sont plus considérés comme des juifs authentiques.

Nous saisissons l'évolution de la tradition dans un texte du Babli [4] relatif à l'ᶜérûb. Selon Rabban Gamaliel II (vers 90 après J.-C.), Sadducéens et Boéthusiens sont à distinguer des non juifs ; par contre, les collègues de Gamaliel affirment que Sadducéens, Boéthusiens, non juifs sont, sur ce point, une seule et même catégorie.

Petit à petit, nous allons trouver les Sadducéens figurant parmi des gens ou des groupes de personnes n'ayant pas part au monde futur. La Tosefta [5] contient une liste de ces gens ; en sixième et septième lieu figurent « ceux qui se séparent des voies de la communauté » et « ceux qui nient la résurrection des morts ». Cette liste est reprise, identique, dans le Babli [6].

Dans la tradition bien plus tardive du *Sédèr ᶜolam*, qui reprend cette liste avec des modifications [7], « ceux qui se séparent des voies de la communauté » ne sont plus une catégorie au milieu d'autres ; c'est, en tête de liste, la désignation générale de ceux qui n'ont pas part au monde futur. Dans la liste figurent les Boéthusiens [8].

84. La littérature rabbinique est notre principale source d'information au sujet des Sadducéens. Mais son exploitation est difficile. En ce qui concerne les Sadducéens, une première difficulté vient du fait que, par suite de la censure catholique, bien souvent le terme *mîn* a été corrigé en « Sadducéen ». Il est donc nécessaire de n'utiliser que des textes dont la leçon originale est certainement « Sadducéen ».

La rédaction des écrits rabbiniques commença vers la fin du IIe siècle après notre ère, c'est-à-dire plus d'un siècle après la ruine du Temple. A cette époque, les Sadducéens avaient depuis longtemps disparu en tant que groupe constituant l'un des éléments de la vie juive. Par ailleurs, étant tout entière d'inspiration pharisienne, cette littérature est, dans l'ensemble, hostile aux Sadducéens.

---

4. b. *Er.* 68ᵇ.
5. Tos. *Sanh.* XIII 5 (434, 21).
6. b. *R. H.* 17ᵃ.
7. *Sédèr olam* 3, édition critique d'A. Marx, 1903, p. 9, ligne 25.
8. Ligne 26. Les premiers cités, dans cette liste, sont les *mînîm*. Seul le ms. M donne ' Sadducéens ' au lieu de *mînîm* ; ce n'est pas la leçon originale. — Dans *D.E.Z.* I (texte de la vulgate), on condamne les Sadducéens à être précipités dans la géhenne ; mais le texte original parlait sans doute des *mînîm* (je n'ai pu avoir sous la main l'édition critique d'A. Tawrogi, Königsberg, 1885, l'exemplaire de la Bibliothèque Nationale étant perdu) .

Ces deux caractéristiques font que les textes rabbiniques présentent les Sadducéens d'une façon qui, bien souvent, correspond assez peu à la réalité historique. Nous avons, en particulier, relevé un certain nombre de thèmes de la polémique des rabbins contre les Sadducéens dont le caractère plus ou moins légendaire contribue à donner une image déformée du groupe sadducéen.

Au milieu de cette littérature de rédaction tardive et hostile aux Sadducéens, la notice des Abot de Rabbi Natan, recension A, chapitre 5, est un élément précieux. En effet, ce chapitre, rédigé peut-être au Ier siècle de notre ère, donne de l'origine des Sadducéens une présentation dont le noyau paraît historiquement solide : la séparation entre Pharisiens et Sadducéens eut lieu vers la fin du IIe siècle avant notre ère.

CHAPITRE V

LE NOUVEAU TESTAMENT

I. LES ÉVANGILES.

85. La donnée majeure des Évangiles sur les Sadducéens est
le récit des Synoptiques au sujet de la question qu'ils posent à
Jésus sur la résurrection. Marc et Luc ne parlent pas ailleurs des
Sadducéens. Matthieu, par contre, en fait mention plusieurs fois
dans d'autres contextes. Quant à Jean, il ne connaît pas du tout le
terme de Sadducéen. Cela fait donc trois présentations différentes
de ce groupe (Jean ; Matthieu ; Marc et Luc).

A. *Le Quatrième Évangile.*

Il ne parle pas du tout des Sadducéens. La raison principale
de ce fait semble être d'ordre historique. Au moment de la rédaction finale de cet évangile, vers la fin du Iᵉʳ siècle de notre ère, les
Sadducéens ne jouaient plus de rôle important dans la vie du peuple. Seuls les Pharisiens subsistaient comme chefs des juifs. Faudrait-il également envisager une raison d'ordre personnel concernant le « disciple que Jésus aimait »[1] ?
C'est le terme de « juifs » que Jean utilise pour désigner les
adversaires de Jésus. A plusieurs reprises (Jn 7, 32. 45 ; 11, 47. 57 ;
18, 3), on trouve chez lui l'expression « prêtres » en chef[2] et Pharisiens ». Mais cette expression apparaît également dans le Premier évangile (Mt 21, 45 ; 27, 62)[3]. On ne peut donc pas dire[4]

1. Il se pourrait bien qu'il ait été prêtre juif (voir les données anciennes en ce sens dans J. COLSON, *L'énigme du disciple que Jésus aimait* [« Théologie historique », n° 10], Paris, 1969, Beauchesne).
2. Pour cette traduction du terme ἀρχιερεῖς, voir JEREMIAS, *Jérusalem*,
pp. 243-249.
3. BILLERBECK, IV, p. 343, n. 1, remarque que, dans cette formule, il est
question des « prêtres en chef » et non des « Sadducéens ». La mention
des Pharisiens, dit-il, ne peut donc s'expliquer ici que si, en fait, les Pharisiens étaient la fraction prépondérante du Sanhédrin.
4. Comme le fait C. TAYLOR, *Sayings of the Jewish Fathers*, Cambridge,
1897², p. 113.

qu'elle est purement et simplement l'équivalent de « Pharisiens et Sadducéens », tournure qui figure en Mt 3, 7 ; 16, 1. 11-12 ; Ac 23, 7. Du reste, dans ces trois derniers textes de Mt, la présence, côte à côte, des Sadducéens et des Pharisiens semble un groupement artificiel, comme on va le voir tout de suite.

B. *Mentions propres au Premier Évangile.*

86. Dans cet évangile, les mentions des Sadducéens propres à Mt les font apparaître soit seuls soit en compagnie des Pharisiens.

En Mt 22, 34, il est dit que Jésus « avait fermé la bouche aux Sadducéens ». Cette indication n'a pas d'équivalent dans Mc et Lc.

Dans trois récits (Baptême de Jean ; demande d'un signe du ciel ; mise en garde contre la mauvaise doctrine), Mt parle des « Pharisiens et Sadducéens ».

En Mt 3, 7, il est question de « beaucoup de Pharisiens et de Sadducéens » qui viennent ensemble se faire baptiser par Jean. Et c'est à eux, conjointement, que le Baptiste adresse de violents reproches (Mt 3, 7-12). Lc 3, 7 mentionne, à ce propos, « les foules » ; c'est à elles que parle Jean. Mc n'a pas de parallèle de cette scène. Dans Mt lui-même (Mt 21, 32), nous trouvons une indication qui corrobore la valeur de la donnée de Lc : ce sont les foules, et non les chefs du peuple, qui ont été se faire baptiser par Jean.

Pour la demande d'un signe du ciel, la démarche, en Mt 16, 1, est faite par « les Pharisiens et les Sadducéens ». Dans Mc 8, 11, par contre, il s'agit seulement des Pharisiens. Dans Lc 11, 16 : « d'autres. » La présence, côte à côte, des deux groupes rivaux, Pharisiens et Sadducéens, est déjà étonnante pour le baptême par Jean ou la question au sujet du signe du ciel. Elle l'est encore beaucoup plus dans le texte de Mt qui suit immédiatement, relatif à la mise en garde contre la fausse doctrine. Jésus y parle des erreurs des « Pharisiens et des Sadducéens » comme d'un enseignement en quelque sorte unique (« levain des Pharisiens et des Sadducéens », Mt 16, 6, 11 ; « doctrine des Pharisiens et des Sadducéens », 16, 12).

Le parallèle de Mc 8, 15 parle du « levain des Pharisiens *et du levain* d'Hérode » (ou « des Hérodiens, leçon de p[45] et autres »). L'alternance « Sadducéens » — « Hérode », « Hérodiens » pose la question de savoir si ces termes ne désignent pas la même réalité (§ 259-260). Dans Lc, la présentation est toute différente. Il y a une grande distance entre la demande d'un signe (Lc 11, 16) et la mise en garde contre le « levain », qui est ici « l'hypocrisie des Pharisiens » (12, 1).

Les textes sur les Sadducéens propres à Mt n'apportent donc aucune donnée précise. Mt 22, 34 est un élément rédactionnel destiné à faire la liaison avec le récit précédent. Quant à la formule « Pharisiens et Sadducéens », que Mt emploie les cinq fois dans cet ordre, en mettant les Sadducéens en second, c'est un assemblage artificiel qui ne représente pas la réalité historique [1].

C. Le récit des Synoptiques : les Sadducéens et la résurrection.

87. Pour l'essentiel, le texte est identique en Mc 12, 18-27, Mt 22, 23-33, Lc 20, 27-40. Il faut d'abord voir la place de ce récit dans le contexte.

Pour le ministère de Jésus en Galilée, nous trouvons un « groupement conventionnel » [1] de cinq conflits avec les Pharisiens (Mc 2, 1-12. 13-17. 18-22. 23-28 ; 3, 1-6). Dans le ministère à Jérusalem, il y a une autre série de cinq conflits également, selon Vaganay ; elle « semble faire pendant avec la première » [2] : Mc 11, 27-33 (victoire sur des membres du Sanhédrin) ; 12, 13-17 (victoire sur Hérodiens et Pharisiens) ; 12, 18-27 (Sadducéens et résurrection) ; 12, 28-34 (conversion d'un scribe) ; 12, 35-37 (le Messie, fils de David).

Mais, selon d'autres, qui laissent de côté soit Mc 11, 27-33 [3], soit Mc 12, 35-37 [4], ce sont seulement quatre conflits qui sont groupés [5]. On voit donc que ce chiffre de quatre n'est pas pleinement assuré. Aussi paraît-il un peu arbitraire de chercher un rapprochement avec le groupement par quatre qui se trouve dans la littérature rabbinique [6]. Un tel groupement serait d'origine grecque [7]. Pour justifier cette hypothèse, Daube [8] invoque le récit de b. *Nidda* 69[b]-71[a]. Ce sont des Alexandrins qui posent à Rabbi Yoshua ben Hananya (vers 90 de notre ère) douze questions de quatre sortes, c'est-à-dire trois groupes de quatre questions.

Quoiqu'il en soit du détail de l'assemblage de Mc, sa signification est claire. « Il s'agit d'un appel aux scribes honnêtes, les encourageant à se séparer des détenteurs de l'autorité et des partis organisés, pour reconnaître la supériorité de Jésus comme inter-

1. R. BULTMANN, *Die Geschichte der synoptischen Tradition*, Göttingen, 1957[3], p. 55, pense qu'il y a là un stade de la tradition où, en sol hellénistique et non plus palestinien, on parlait des Pharisiens, scribes, Sadducéens et grands prêtres comme ennemis typiques de Jésus.
1. L. VAGANAY, *Le problème synoptique*, Paris, 1954, p. 44.
2. *Op. cit.*, p. 45.
3. D. DAUBE, *The N.T. and Rabbinic Judaism*, Londres, 1956, p. 158.
4. É. TROCMÉ, *La formation de l'évangile selon Marc*, Paris, 1963, p. 78.
5. Le groupement est sans doute antérieur à la tradition synoptique (VAGANAY, *op. cit.*, p. 45 ; TROCMÉ, *op. cit.*, p. 78 ; par contre, selon DAUBE, *op. cit.*, p. 163, c'est Mc lui-même qui a fait le groupement).
6. DAUBE, *op. cit.*, pp. 158-163.
7. *Ibid.*, p. 161.
8. *Ibid.*, p. 169.

prête de l'Écriture et comme représentant la meilleure tradition rabbinique. » [9]

C'est dans cet ensemble que se trouve le récit relatif aux Sadducéens [10]. Certains ont cru pouvoir supposer que la finale du texte n'était pas de la même coulée : la seconde partie de la réponse de Jésus (Mc 12, 26-27 ; Mt 22, 31-33 ; Lc 20, 37-38) aurait été ajoutée postérieurement au récit déjà construit. Mais Lohmeyer a fait remarquer que la structure bipolaire de la réponse de Jésus est annoncée en Mc 12, 24 : les Sadducéens ignorent « les Écritures et la puissance de Dieu ». Parce qu'ils ignorent la puissance de Dieu, ils ne savent rien sur ce qu'est la résurrection (v. 25) ; parce qu'ils ignorent les Écritures, ils nient le fait de la résurrection (v. 26-27) [11].

Ces deux derniers versets ne contiennent rien sur l'aspect eschatologique que la résurrection a dans la prédication chrétienne primitive ; il est donc difficile d'y voir le reflet des discussions de la communauté. Il faut bien plutôt considérer ce texte « comme un exemple caractéristique du rabbinisme de Jésus » [12].

Ce récit présente les caractéristiques du style narratif hébreu [13]. Pour le détail du texte, les trois Synoptiques offrent beaucoup de divergences. Lc est assez différent de Mc et de Mt dans la réponse de Jésus [14]. Quant à Mt, comparé à Mc, il apparaît d'une langue plus simple et d'un style plus coulant et mieux construit [15]. En conclusion d'un examen détaillé du texte de Mt, Lohmeyer pense que « pour Matthieu, les réalités et les jugements dont il s'agit ici ne sont pas seulement familiers ; ce sont aussi des questions actuelles. C'est pourquoi il présente les idées des adversaires de

9. TROCMÉ, *La formation*, p. 78.
10. BULTMANN, *Geschichte der synop. Tradition*, 1957, p. 25 : A. LOISY, *Luc*, Paris, 1924, p. 484.
11. E. LOHMEYER, *Markus*, Göttingen, 1963, p. 256 et n. 5.
12. *Op. cit.*, p. 257.
13. P. FIEBIG, *Der Erzählungsstil der Evangelien im Lichte des rabbinischen Erzählungsstil untersucht*, Leipzig 1925, pp. 124-126. Il rassemble les principales caractéristiques, p. 126 : style direct ; questions ; nombres déterminés (3 patriarches, 7 frères) ; citation biblique ; expressions hébraïques : « prendre femme » = se marier ; « semence » = enfant ; les « Écritures » = la Bible ; tendance à la bipolarité : Écritures-puissance de Dieu ; non pas — mais, ni ... ni — mais.
14. Lc 20, 34-35[a], 36, 38[b] omet Mc 12, 24-27, et ajoute quelques explications, peut-être d'après une tradition non marcienne selon E. E. ELLIS, *Jesus, the Sadducees and Qumran*, dans NTS 10 (1963-1964), p. 274, n. 3. — W. L. KNOX, *The Sources of the Synoptic Gospels* I, Cambridge, 1953, p. 90, pense que les différences de Lc, spécialement le parallélisme des membres aux versets 34-35, montrent que Lc n'a pas utilisé le texte de Mt, mais une version circulant librement.
15. E. LOHMEYER, *Matthäus*, Göttingen 1958[2], p. 326. Noter que par exemple Mt 22, 24 porte : « Moïse nous a dit », alors que Mc 12, 19 et Lc 20, 28 ont : « Moïse nous a prescrit. » Mais, en fait, « dire » signifie « ordonner » (sens du verbe *'amar*).

façon plus brève, mais avec le souffle d'une présence vivante. Marc doit les présenter et les réfuter de façon plus précise à ses lecteurs, et il en parle comme de choses mises de côté et d'erreurs passées. » [16]

88. Ce texte semble bien être un discours de controverse [1]. La question est posée par les adversaires, comme par exemple dans Mc 12, 13-17 (impôt dû à César) ou Mc 10, 2-12 (divorce). La discussion est conduite avec les mêmes moyens que les controverses entre rabbins et Sadducéens. Par exemple, elle présente de grandes analogies avec le récit de b. *Sanh.* 90[b] où Rabban Gamaliel II (vers 90 de notre ère) est interrogé par les Sadducéens au sujet de la preuve scripturaire de la résurrection.

Par ailleurs, on peut rapprocher le récit évangélique des histoires que les rabbins rapportent au sujet d'Hillel et de Shammay [2]. Mais, pour le fond, la différence est grande. Chez les rabbins, il s'agit surtout de donner l'explication exacte et l'application d'une prescription, d'une halaka [3]. La réponse de Jésus dépasse ce domaine halachique sur lequel les Sadducéens le questionnaient. Jésus leur donne une réponse aggadique. Ex 3, 6 est invoqué comme preuve de la résurrection, mais c'est seulement après que Jésus a tranché, par sa toute puissance, la question controversée : « ils seront comme des anges dans le ciel. » [4]

Rien dans le texte n'indique que les Sadducéens rejetaient la loi du lévirat [5]. Tout au contraire, ils se présentent comme des défenseurs de la Tora et de la prescription sur le lévirat : c'est à l'aide de cette loi [6] qu'ils essayent de montrer le caractère ridicule de la croyance à la résurrection.

---

16. *Op. cit.*, p. 326.
1. R. MEYER, dans *TWNT*, p. 51, n. 103. — M. DIBELIUS, *Die Formgeschichte des Evangeliums*, Tübingen, 1959[3], pp. 40 et 54, le considère comme un « paradigme ».
2. *A.R.N.* rec. A., ch. 15 (60 col. a - 62 col. a) Hillel et Shammay ont été en activité à la fin du Ier siècle avant notre ère.
3. Exemple caractéristique en b. *Nidda* 70[b]. A Alexandrie, des gens posent une question à Rabbi Yoshua ben Hananya (vers 90 de notre ère) au sujet des ressuscités : après la résurrection, auront-ils besoin ou non de l'aspersion avec l'eau de purification (après avoir été souillés au contact d'un cadavre, Nb 19, 13) ? « Il leur répondit : Dès qu'ils vivront [= ressusciteront], nous nous rassemblerons pour discuter le cas. — D'autres dirent : Dès que notre Maître Moïse viendra avec eux. »
4. DIBELIUS, *Formgeschichte*, p. 141.
5. Sur les Sadducéens et le lévirat, voir § 240.
6. Il s'agit sans doute ici d'une formulation catéchétique de la règle du lévirat (LOHMEYER, *Matthäus*, 1958, p. 326). La citation est formée à partir de Gn 38, 8 et Dt 25, 5-6. En Mt 22, 24, c'est plutôt d'après le texte hébreu, et davantage selon Gn 38, 8 ; dans Mc 12, 19, d'après la Septante. En Lc 20, 28, la citation donne la substance plutôt que le texte même de la Bible. D'autre part Lc (versets 28. 29. 31) est seul à utiliser l'adjectif ἄτεκνος, signifiant « sans fils ni fille ». Dt 25, 5 dit seulement : n'a pas de fils » ; mais la

Pour garder au texte toute sa vigueur, précisément dans cette ligne de moquerie, il semble préférable de comprendre Mt 22, 23 dans le même sens que Mc 12, 18 et Lc 20, 27 : des Sadducéens s'approchent de Jésus, mais ne nient pas, devant lui, qu'il n'y a pas de résurrection ; cette mention de la négation est le fait du rédacteur [7].

Quant au texte de Lc, en 20, 27, il est, grammaticalement susceptible de deux traductions : « *quelques* Sadducéens *disant* qu'il n'y a pas de résurrection » [8] ; ou bien « quelques-uns des Sadducéens, qui [*tous*] *disent* qu'il n'y a pas de résurrection ». La seconde semble recommandée, car le parallèle de Mc et Mt présente les choses de cette façon, et nulle part ailleurs dans le Nouveau Testament il n'est dit que la négation de la résurrection serait le fait de certains Sadducéens seulement.

Les Sadducéens inventèrent cette historiette des sept frères qui, successivement, durent se soumettre à la loi du lévirat. En 2 M 7, sept frères meurent martyrs en affirmant leur foi à la résurrection. Or, 2 M est un écrit de tendance pharisienne. On peut donc se demander si les Sadducéens, dans leur choix des sept frères pour leur histoire, n'auraient pas délibérément voulu accentuer leur raillerie de la croyance à la résurrection qui était, entre autres, affirmée par les Pharisiens. Car nous savons, par le quatrième livre des Maccabées, que cette tradition du martyre des sept frères était vivante dans le judaïsme au Ier siècle de notre ère [9]. On peut rappeler également que le mystérieux Taxo, prêtre, a sept fils [10]. Quant à la littérature rabbinique, elle connaît, à propos du lévirat, l'histoire de treize frères dont douze viennent à

Septante porte σπέρμα, et JOSÈPHE, *Ant.* IV 255, l'interprète dans ce sens. Même chose dans la législation rabbinique.

7. LOHMEYER, *Matthäus*, p. 326, n. 1, traduit ainsi Mt 22, 23 : « Des Sadducéens s'approchèrent de lui, [et] lui dirent qu'il n'y a pas de résurrection. »

8. Ainsi DERENBOURG, *Essai*, p. 129, n. 2 ; A. PLUMMER, *Luke*, Edimbourg, 1922, p. 468, qui explique cette solution de la façon suivante : tous les Sadducéens disaient que la résurrection n'était pas une croyance de foi, mais certains peuvent avoir cru qu'elle était vraie. Une pareille distinction paraît étrangère à la réflexion des Sadducéens (voir notre ch. 8).

9. Le texte de ce *Quatrième livre des Maccabées* prend tout son sens si on le considère comme un discours réel prononcé à l'occasion de la fête anniversaire de ce martyre (voir A. DUPONT-SOMMER, *Le quatrième livre des Maccabées*, Paris 1939, pp. 20-25, 67-68). Certes, l'auteur a exclu délibérément toute allusion à la résurrection (*ibid.*, p. 46), pour ne parler que de l'immortalité. Mais ce que nous retenons ici, c'est la persistance du souvenir du martyre des sept frères ; nous pouvons donc supposer que les milieux pharisiens l'entretenaient également, mais bien entendu en gardant l'idée de résurrection, contrairement à cet auteur.

10. *Assomption de Moïse* 9, 1. Mais il est très possible que, dans ce texte et dans ceux que nous venons de citer, le chiffre 7 n'ait d'autre sens que celui de la perfection.

mourir. Le treizième, en vertu du lévirat, doit prendre les douze veuves pour épouses[11].

89. La réponse de Jésus comprend deux parties. Il montre d'une part que la croyance à la résurrection n'aboutit pas à des conséquences absurdes, et d'autre part que la Tora enseigne cette résurrection.

La perspective qui est à la base de la question des Sadducéens est celle de la reprise de la vie sexuelle après la résurrection. Or, il est impossible de considérer ce point de vue comme le produit de la moquerie des Sadducéens. En effet, tout porte à dire que, dans les milieux pharisiens de cette époque, on considérait comme allant de soi que les ressuscités reprenaient leur vie sexuelle[1]. Jésus rejette radicalement cette idée, en affirmant que les ressuscités sont « comme des anges » (Mc 12, 25 ; Mt 22, 30), « pareils aux anges » (Lc 20, 36)[2]. Notons le lien entre résurrection et anges ; nous le retrouverons à propos des Actes (§ 92), où les Sadducéens apparaissent comme des négateurs des deux réalités.

Le texte d'Ex 3, 6 est cité par Jésus pour montrer que la Tora contient la révélation de la résurrection[3]. Nous avons là un cas « particulièrement net de sens plénier »[4]. A la différence de la littérature rabbinique (§ 120), le récit évangélique ne donne aucun élément de discussion scripturaire des Sadducéens pour justifier leur rejet de la croyance à la résurrection. Cependant, tout porte à dire qu'ils refusaient la valeur de ce verset du Pentateuque pour la résurrection, comme ils la refusaient aux autres textes présentés par les Pharisiens dans le même sens.

Mais nous retrouvons un terrain commun entre Jésus et les Sadducéens à propos du sort actuel des patriarches. Abraham, Isaac et Jacob, pour le moment, sont au shéol[5] ; c'est ce qui semble ressortir de l'argumentation de Jésus. A cette vue ancienne, Jésus ajoute la perspective de la résurrection future, en montrant que les patriarches doivent revivre[6].

---

11. j. *Yeb.* IV 12 6ᵇ 40 (IV/2, 71).
1. BILLERBECK, I, p. 888.
2. Textes semblables dans les écrits interstestamentaires et la littérature rabbinique, BILLERBECK, I, p. 891.
3. Sur cette partie du récit, F. DREYFUS, *L'argument scripturaire de Jésus en faveur de la résurrection des morts (Marc XII, 26-27)*, dans *RB* 66 (1959), pp. 213-224 ; S. BARTINA, *Jesus y los Saduceos. « El Dios de Abraham, de Isaac y de Jacob » es « El que face existir »*, dans *Estudios biblicos* 21 (1962), pp. 151-160.
4. DREYFUS, p. 222. Notons que, dans la littérature pharisienne, ce texte de l'Exode n'apparaît jamais pour la résurrection.
5. Voir la source d'eau, dans *Hénoch* 22, 2. 10 (cf. BILLERBECK, IV, p. 1019).
6. E. E. ELLIS, *Jesus, the Sadducees and Qumran*, dans *NTS* 10 (1963-1964), pp. 274-279. — La résurrection des patriaches est indiquée par exemple dans *Test. des douze patriarches, Juda* 25, 1.

D. *Autres mentions des Sadducéens dans les Synoptiques ?*

90. Différents essais ont été faits pour trouver, par une exégèse nouvelle ou conjecture, d'autres mentions des Sadducéens dans les Synoptiques.

Il faut tout d'abord mentionner la parabole du bon Samaritain (Lc 10, 25-37). Le νομικός, légiste, dont il est question en 10, 25 serait un scribe sadducéen. Et, lue à la lumière d'une prescription relative au « mort de commandement », la parabole se comprendrait très bien en fonction d'un prêtre sadducéen [1]. Voici l'explication proposée.

Dans la législation rabbinique, on prévoit le cas d'un défunt qui n'a aucun parent pour s'occuper de lui ; en pareille circonstance, tout Israélite est tenu de l'ensevelir. C'est un « mort de commandement » [2]. Le blessé est « à demi-mort » (Lc 10, 30) ; ceux qui passaient pouvaient croire qu'il était mort.

Même le grand prêtre était obligé d'enterrer un « mort de commandement » ; par contre, le nazir n'y était pas tenu dans le cas où il se trouvait en compagnie d'un grand prêtre à côté d'un mort de ce genre [3]. Or nous apprenons, par *Naz.* VII 1, que les « sages » (docteurs) disaient l'inverse : le grand prêtre n'y est pas tenu, mais bien le nazir quand il se trouvait à côté d'un pareil mort en compagnie d'un grand prêtre. Ces docteurs représentent le point de vue sadducéen [4], semble-t-il.

Pour les prêtres et les grands prêtres, cette obligation était contraire à Lv 21, 1-4 ; pour le nazir, contraire à Nb 6, 7 [5]. Les Sadducéens devaient rejeter cette loi du « mort de commandement » [6]. C'est ce qui expliquerait le comportement du prêtre dans la parabole, car il est Sadducéen. Il place l'observance de la Tora au-dessus de la pratique de la miséricorde.

La justesse de cette explication dépend, bien entendu, de l'équivalence entre un mort et un « demi-mort » que les passants pouvaient croire mort. Or, rien ne semble permettre de faire pareille équivalence, et la fin du récit, avec le dévouement du Samaritain, paraît la contredire. Billerbeck a donc résolument

---

1. J. MANN, *Jesus and the Sadducean Priests, Luke 10, 25-37*, dans *JQR* n.s. 7 (1915-1916), pp. 415-422.
2. b. *B.Q.* 80ᵇ ; b. *Er.* 16ᵃ ; peut-être *Contre Apion* II 211.
3. *Naz.* VII 1 ; j. *Naz.* VII 1, 55ᵈ 48 (V/2, 157) ; b. *Naz.* 43ᵇ.
4. JEREMIAS, *Jérusalem*, p. 216, n. 44.
5. Tentative des Pharisiens pour la justifier : *Sifra* Lv 21, 1 (85ᵃ) ; b. *Naz.* 47ᵇ-48ᵇ ; b. *Zeb.* 100ᵃ.
6. MANN, *op. cit.*, p. 419. Mais nous n'avons aucun texte relatif à leur position (sauf peut-être *Naz.* VII 1).

rejeté cette solution[7]. Quant à Jeremias, après lui avoir été favorable[8], il a fini par l'abandonner[9].

Par contre, il est vraisemblable que les paroles de Jésus relatives à la piécette jetée dans le trésor du Temple par la veuve (Mc 12, 41-44 = Lc 21, 1-4) sont dirigées contre les prêtres cupides[10] ; en effet, au moins trois récits rabbiniques[11] mettent en lumière la valeur des offrandes des pauvres, par opposition aux riches sacrifices[12]. Mais la critique éventuelle de la cupidité des prêtres du Temple de Jérusalem ne fournit pas d'éléments pour apprécier leurs idées ou leurs pratiques proprement sadducéennes.

La péricope relative au tribut dû à César (Mc 12, 13-17 = Mt 22, 15-22 = Lc 20, 20-26), selon Chwolson[13], auquel Box fait écho[14], viserait les Sadducéens ; cette hypothèse manque de base[15]. Il en est de même de celle de Büchler : les passages de l'Évangile où Jésus attaque les Pharisiens auraient, primitivement, visé les Sadducéens[16].

II. LES ACTES DES APÔTRES.

A. Le groupe des Sadducéens.

91. Les données des Actes fournissent des renseignements sur le groupe des Sadducéens et sur leurs opinions religieuses.

Il n'y a rien à tirer de la mention d'Ac 6, 7 : acceptation de la

---

7. BILLERBECK, II, p. 183.

8. JEREMIAS, dans les trois éditions allemandes de son *Jerusalem zur Zeit Jesu*, 1923-1937, 1958, 1962 ; pour cette dernière édition, p. 173, n. 1.

9. Pour la traduction française, *Jérusalem*, p. 216, n. 44, il fit supprimer la longue note allemande où il présentait avec faveur l'hypothèse de Mann.

10. MANN, *op. cit.*, p. 421 ; suggestion retenue par BILLERBECK, II, p. 45.

11. Sans parler de textes orientaux, voir JEREMIAS, *Jérusalem*, p. 159.

12. Références et étude dans JEREMIAS, *Jérusalem*, pp. 159-160.

13. CHWOLSON, *Das letzte Passamahl*, p. 114 : en Mc 12, 13 et Mt 22, 15-16, « Pharisiens » a remplacé un primitif « scribes » ; il peut très bien s'agir de scribes sadducéens.

14. G. H. Box, *Scribes and Sadducees*, dans the *Expositor* VIIIᵉ série, 16 (1918), p. 66 : tout le chapitre 20 de Lc est dirigé contre les grands prêtres, les scribes et les anciens, donc contre les Sadducéens. En Lc 20, 20-26 (cf. 20, 19 : scribes et grands prêtres), il s'agit, selon toute probabilité, de scribes sadducéens.

15. Voir aussi J. KLAUSNER, *Jésus de Nazareth*, traduction française, Paris, 1933, p. 464, citant Chwolson, sans donner de référence (le développement de CHWOLSON se trouve dans son *Passamahl*, p. 113) : « Les évangélistes ... ont souvent changé l'expression ' scribes et Sadducéens ' pour celle de ' scribes et Pharisiens '. »

16. A BUECHLER, *Die Priester und der Cultus*, Vienne, 1895, pp. 80-87. Explication p. 87 : dans tous ces textes, il y avait « prêtres scribes », et il s'agissait de prêtres qui étaient scribes. Le réviseur a pensé qu'il était question de scribes pharisiens ; il a supprimé prêtres, et laissé scribes.

foi chrétienne par « une multitude de prêtres ». En effet, nous ne savons pas si ces prêtres étaient sadducéens, pharisiens ou esséniens.

Pierre et Jean, prêchant dans le Temple la résurrection, sont arrêtés par les autorités du Temple (Ac 4, 1). Le texte parle, à ce sujet, de trois éléments : « les prêtres, le commandant du Temple [1] et les Sadducéens ». Les prêtres sont distingués des Sadducéens. Mais cette mention des Sadducéens paraît curieuse parmi les autorités du Temple, car, en tant que tels, les Sadducéens n'étaient pas chefs au Temple. Par conséquent, ne pourrait-on pas supposer que la mention des Sadducéens, dans ce verset, a été ajoutée par le rédacteur ? Comme il y est question de la résurrection, il aurait voulu ainsi préciser l'opposition entre les apôtres et le groupe juif qui rejetait cette croyance, celui des Sadducéens.

Le second récit de l'arrestation des apôtres contient, au début (5, 17), plusieurs renseignements. Il est question de l' αἵρεσις, du groupe [2] des Sadducéens ; les Actes emploient ce terme également à propos des Pharisiens (15, 5 ; 26, 5) et des chrétiens (24, 5. 14 ; 28, 22).

Ce groupe sadducéen est ici présenté comme l'entourage du grand prêtre, qui est Caïphe (« le grand prêtre et tous ceux avec lui, savoir le groupe des Sadducéens, 5, 17) [3] ; en 4, 1, par contre, prêtres et Sadducéens étaient distingués. Mais, pour 5, 17, nous pouvons sans doute nous poser la même question qu'à propos de 4, 1 : « savoir le groupe des Sadducéens » ne serait-il pas un ajout rédactionnel ? En effet, on voit mal comment « le groupe des Sadducéens » en tant que tel ait pris part à l'arrestation, ou, pour poser le problème en d'autres termes, comment « le groupe sadducéen » se soit réduit à l'entourage du grand prêtre.

Dans le texte actuel, puisque l'entourage du grand prêtre est le groupe sadducéen, le grand prêtre est présenté comme Sadducéen. Il s'agit de Caïphe (18 environ-37). C'est la seule fois dans le Nouveau Testament où il est dit explicitement d'un grand prêtre qu'il est Sadducéen.

L'ensemble du récit de l'arrestation des apôtres et de leur comparution devant le Sanhédrin (5, 17-42) fait ressortir l'enjeu : il

1. Sur ce prêtre, personnage le plus important après le grand prêtre, voir JEREMIAS, *Jérusalem*, pp. 226-229. Pour le sens de ce terme « commandant » dans le monde païen au Iᵉʳ siècle de notre ère : M. GIHON, dans *Israel Exploration Journal* 17 (1967), p. 30.
2. Pour cette traduction de αἵρεσις, voir § 19-20.
3. R. NORTH, dans *CBQ* 17 (1955), p. 173 : du fait de l'équivalence entre l'entourage du grand prêtre et le parti sadducéen, ce parti est ici présenté comme un parti de prêtres. Mais il ajoute que cette présentation est l'expression de la terminologie populaire, et que la question reste ouverte de savoir dans quelle mesure cette terminologie était excessive ou trop simpliste.

ne s'agit pas simplement d'une différence de croyance, la résurrection, entre les chrétiens et leurs adversaires. Les apôtres sont mis en jugement à cause des implications eschatologiques de leur prédication ; les Sadducéens craignaient les conséquences politiques de cette prédication [4].

B. *Les Sadducéens négateurs.*

92. C'est également à propos de la résurrection que le récit de la comparution de Paul devant le Sanhédrin (Ac 22, 30-23, 10) donne des détails sur les Sadducéens.

Nous apprenons tout d'abord que, dans le Sanhédrin, il y avait le μέρος des Sadducéens et celui des Pharisiens (Ac 23, 6). Il faut traduire « parti » et non « partie » [1]. Notons que les Sadducéens sont nommés en premier.

Il est question de « scribes du parti des Pharisiens » (Ac 23, 9). Cette précision permet de supposer qu'il y avait, dans ce Sanhédrin, des scribes de l'autre parti, c'est-à-dire des scribes sadducéens. Le lendemain de la discussion au Sanhédrin, le groupe des juifs décidés à faire périr Paul « allèrent trouver les prêtres en chef et les anciens » (23, 14). Puisque, dans la séance du Sanhédrin, la veille, des scribes pharisiens avaient pris la défense de Paul (23, 9), ces « prêtres en chef et *anciens* » sont des Sadducéens. Donc, nous avons là l'attestation de l'existence de laïcs (les anciens) sadducéens.

Paul déchaîne la lutte entre les deux partis du Sanhédrin en parlant de la résurrection. C'est à cet endroit que le rédacteur introduit un verset explicatif (23, 8) qui rompt la suite du récit :

> « Les Sadducéens disent en effet qu'il n'y a ni résurrection, ni ange, ni esprit, tandis que les Pharisiens professent tout .»

Ce texte majeur n'a pas encore reçu d'explication pleinement satisfaisante, en ce qui concerne « ange » et « esprit ».

Notons tout d'abord qu'il y a deux fois le singulier, ange et esprit. Quant à la traduction « tout », en finale du verset, elle se justifie de la façon suivante. Ἀμφότερα, employé ici, et ἀμφότεροι, en 19, 16, n'expriment pas l'idée de dualité . En effet, en grec tardif, ce terme exprimait simplement la totalité [2]. Par conséquent, il n'y a pas à se demander s'il faut séparer les trois termes (résurrection, ange, esprit) en deux groupes [3].

---

4. R. MEYER, dans *TWNT* VII, p. 53.
1. « Partie » dans la traduction de CRAMPON, édition de 1923.
2. E. HAENCHEN, *Die Apostelgeschichte*, Göttingen, 1956, p. 572 ; c'était déjà d'avis de PREUSCHEN.
3. E. MEYER, *Ursprung und Anfänge des Christentums*, II, 1921, p. 296, n. 1, rejetant la traduction de Preuschen (« alles zusammen ») ; « les deux »

Toute la difficulté consiste à trouver le sens de « ange » et « esprit ». Voici une première solution. On voit dans ces deux termes la désignation des anges et des démons ; les Sadducéens rejettent l'angélologie et la démonologie populaires [4].

Mais, immédiatement après ce texte de 23, 8, en finale du v. 9, nous croyons que, sous la plume de Luc, les deux substantifs peuvent être quasi synonymes. Ce pourrait donc être aussi le cas au v. 8. Les Sadducéens, selon cette deuxième explication, rejettent donc globalement l'existence des anges [5]. Certes, il est possible de dire que le texte, ainsi entendu, est « pleinement digne de foi » [6].

La difficulté de cette solution est double. D'une part, aucun texte ne parle d'une pareille négation de la part des Sadducéens [7]. D'autre part, il est question des anges dans la Tora. Comment donc les Sadducéens, dans leur volonté de rester fidèles à l'Écriture (§ 278), pouvaient-ils nier l'existence des anges, messagers chargés d'exécuter la volonté divine ?

On est donc amené à limiter la négation des Sadducéens à certains aspects de l'angélologie, comme nous allons le détailler. Cette discrétion relative pouvait passer, aux yeux de certains, pour une négation.

On dit, par exemple, que les Sadducéens rejetaient l'existence « d'esprits en possession d'une volonté personnelle » [8] ; ou bien leur intervention en tant qu'agents de révélation [9], croyance pharisienne attestée dans Ac 23, 9. Ou bien on suppose que, pour les Sadducéens, les anges « avaient une nature finie et mortelle, à l'exemple des êtres corporels », et que cette nature cesse une fois

exige une division bipartite dans ce qui précède ; par conséquent, cela appelle la leçon μηδέ (et non μήτε) attestée par une partie des mss : ἀνάστασιν μηδέ ἄγγελον μήτε πνεῦμα.

4. R. MEYER, *TWNT* VII, p. 54 ; MOORE, *Judaism*, I, p. 68 ; M. SIMON, *Les sectes juives au temps de Jésus*, Paris, 1960, p. 25.

5. Solution de SCHUERER, II, p. 459 ; BILLERBECK, II, p. 767 ; S. ZEITLIN, *The Sadducees and the Belief in Angels*, dans *JBL* 83 (1964), p. 71.

6. SCHUERER, II, p. 459. — On raisonne ainsi (par exemple E. JACQUIER, *Les Actes des apôtres*, Paris, 1926, *in loco*) : les Sadducéens niaient l'immortalité de l'âme ; ils devaient donc nécessairement nier l'existence des anges qui, eux, sont immortels.

7. FINKELSTEIN, *Pharisees*, 1962, p. 178, voit une condamnation de ceux qui nient l'existence des anges dans *Testament des douze patriarches*, Aser 7, 1. Il traduit ainsi : « Mes enfants, ne soyez pas comme les gens de Sodome qui *n'ont pas connu* (ἠγνόησε) les anges du Seigneur. » Cette traduction d'ἀγνοεῖν semble impossible. Le verbe n'a jamais ce sens dans la Septante, et cela ne cadre pas avec le récit de Gn 19 évoqué ici. Il faut traduire « ont péché contre ».

8. BARON, *Histoire d'Israël*, II, p. 648.

9. B. J. BAMBERGER, *The Sadducees and the Belief in Angels*, dans *JBL* 82 (1963), pp. 433-435. C'est la première solution proposée par Bamberger, p. 435 ; il en avance une autre : comprendre ange et esprit au sens général, c'est-à-dire que les Sadducéens niaient les « valeurs spirituelles ».

leur mission assomplie[10]. Un texte rabbinique fournit un indice intéressant en ce sens[11].

Il est du reste significatif que, dans les deutérocanoniques et les écrits intertestamentaires, les textes qui parlent de la résurrection insistent également sur les anges. Et l'on peut rappeler que le premier évangile, le plus juif des quatre, parle de « l'ange du Seigneur » qui roule la pierre du tombeau de Jésus et s'assied dessus (Mt 28, 2)[12] ; il atteste ainsi une certaine liaison entre résurrection et angélologie.

Cela nous amène à une dernière solution : les Sadducéens nient que le mort ressuscite et qu'il devient ange ou esprit[13]. Cette explication peut s'appuyer tout d'abord, semble-t-il, sur le fait que le texte des Actes emploie le singulier (ni ange, ni esprit). Par ailleurs, nous avons vu que, dans les récits des Synoptiques au sujet des Sadducéens, les ressuscités sont « comme des anges » (Mc 12, 25 = Mt 22, 30), ou « pareils aux anges » (Lc 20, 36).

Dans l'hypothèse où « ange » et « esprit » désigne l'homme et non pas un être supérieur à l'homme, on pourrait également expliquer les choses sans y voir l'état de cet homme après la résurrection. Il s'agirait tout simplement de la subsistance de l'homme après la mort, disons de son immortalité, subsistance ou immortalité qui aurait été niée par les Sadducéens[14].

En effet, dans Ac 12, 15, l' « ange » est en quelque sorte le double immortel de l'homme. D'autre part, « esprit » peut très bien désigner ce qui, de l'homme, continue à vivre après la mort. Dans la conception israélite ancienne, *nèfèsh*, âme, et *rûaḥ*, souffle vital, sont différents ; l'âme, à la mort, continue de vivre dans le shéol, le souffle vital retourne à Dieu. Mais, à partir du second siècle avant notre ère, les deux termes deviennent synonymes[15]. Des textes rabbiniques anciens montrent que l'on employait couramment « esprit » pour désigner ce qui survit de l'homme après

---

10. J. Halévy, *Traces d'aggadot saducéennes dans le Talmud*, dans *REJ* 8 (1884), p. 45.

11. b. *Hag.* 14ᵃ (indiqué par Halévy, p. 46) : Shemuel au nom de Rab († 247) : « Chaque jour, des anges du service sont créés du fleuve de feu [qui coule devant le trône de Dieu] ; ils récitent un hymne et s'évanouissent. »

12. En Mc 16, 5 : un jeune homme » ; en Lc 24, 4 : « deux hommes. » S'agit-il également d'ange(s) ?

13. Leszynsky, *Sadduzäer*, p. 91.

14. R. North, dans *CBQ* 17 (1955), p. 178 : « Même si les mots ' et l'Esprit ' ajoutés ici impliquent que la survie elle-même de l'*âme* [c'est lui qui souligne], et non seulement son éventuelle union avec le corps, est ici niée... ». Bo Reicke, *Neutest. Zeitgeschichte*, Berlin, 1965, p. 115 ; si je comprends bien, Reicke dit que « ange » signifie l'âme qui subsiste ou ressuscite.

15. R. H. Charles, *Eschatology*, 1963³, New-York, p. 241. Voir des citations d'Hénoch et des Jubilés dans Charles, pp. 241-242, 287-288, 355-357.

la mort [16]. Un récit pittoresque [17] raconte la conversation de deux
défunts, de deux « esprits » ; l'un de ces deux « esprits » dit : « Je
suis enterré dans une natte de joncs » [18].

Parmi les différentes explications qui viennent d'être proposées pour expliquer le verset des Actes sur la négation des Sadducéens, nous préférons choisir celle qui voit dans « ange » et
« esprit » la désignation de l'homme après la mort, ressuscité ou
non.

93. Pour terminer, citons un texte où nous avons peut-être un
exemple d'angélologie sadducéenne. Il concerne le grand prêtre
Simon le Juste (vers 200 avant J.-C. ; il n'y a qu'un grand prêtre de
ce nom, § 47, n. 1). Voici ce qu'on raconte de lui dans une baraïta
anonyme.

> « La dernière année de sa vie, il [Simon] leur dit : Cette
> année, je mourrai. — Ils lui demandèrent : D'où sais-tu cela ? — Il
> leur répondit : Chaque année [le Jour de Kippour], quand
> j'entrais dans le Saints des saints, un vieillard vêtu de blanc et
> voilé de blanc entrait avec moi et ressortait avec moi ; et cette
> année, il est entré avec moi, mais il n'est pas ressorti avec moi. »
> La tradition babylonienne [2] a une finale différente : « ...un
> vieillard vêtu de blanc entrait avec moi et ressortait avec moi ;
> mais, aujourd'hui, m'accompagnait un vieillard vêtu de noir et
> voilé de noir. Il entra avec moi et il ne ressortit pas. »

Tous les textes [3] ajoutent pour terminer : « Après la fête, il
fut malade sept jours et il mourut. »

Certains éléments de cette histoire proviennent de Za 3, 1-5.
Or, dans ce texte, il est question, au verset 1, de « l'ange de Yahvé ».
Quelque soit le sens exact de cette expression dans le texte de
Zacharie, on peut se demander si le vieillard vêtu de blanc ne serait
pas l'ange qui protège Simon. S'il l'accompagne à la sortie du
sanctuaire, c'est qu'il a gagné sa cause au jugement, le Jour de
kippour. Simon est pardonné, et le sursis lui est accordé. L'homme
noir, c'est Satan : il a accusé le grand prêtre en l'absence de son
avocat. Celui-ci ne s'est pas présenté parce qu'il savait que sa
cause était perdue. Simon comprit que son destin était scellé.

Cette histoire provient peut-être de milieux sadducéens, car

---

16. *Gn. R.* 14, 9 sur 2, 9 (132, 5) : « on appelle l'âme de cinq noms : *nèfèsh,
n^eshama, ḥaya, rûaḥ, y^ehida.* » *Gn. R.* 7, 5 sur 1, 24 (54, 3) : « âme vivante,
c'est la *rûah* de l'Adam primordial. » Dans *Hénoch* 22, 3, on a « les esprits
des âmes des morts. »
17. *A.R.N.* rec A, ch. 3 (16 col. a, 26).
18. *Ibid.* (17 col. a, 1). Donc *rûaḥ,* c'est en quelque sorte la personne.
1. j. *Yoma* V 3, 42^c 26 (III/2, 218) ; même texte, avec seulement quelques
petites différences de détail, en Tos. *Sota* XIII 8 (319, 21), et *Lv. R.* 21, 12
sur 16, 17 (33^a 29).
2. b. *Yoma* 39^b, et b. *Men.* 109^b.
3. Sauf j. *Yoma.*

Simon est grand prêtre de la lignée des fils de Sadoq. Elle marque la simplicité de l'angélologie de ces milieux, en contraste avec les luxuriants développements qui florissaient dans d'autres milieux.

*
**

Dans le Nouveau Testament, seuls les Synoptiques et les Actes fournissent des renseignements au sujet des Sadducéens. Le IVe évangile ne les connaît pas, et Matthieu, dans les passages qui lui sont propres, ne contient pas d'élément historiquement solide à leur sujet.

Le récit des Synoptiques au sujet de la Résurrection (Mc 12, 18-27 et parallèles) présente le groupe des Sadducéens à propos de cette question de croyance. Au Ier siècle de notre ère, le fait que les Sadducéens n'avaient pas accepté la croyance à la résurrection devait constituer, pour les gens du peuple, l'une des caractéristiques essentielles de ce groupe juif.

Les renseignements des Actes des apôtres sur la nature des Sadducéens ne sont guère utilisables. En effet, ils les présentent parmi les autorités du Temple et comme l'entourage du grand prêtre ; cette présentation n'est sans doute pas exacte historiquement. Très précieux, par contre, est la notice d'Actes 23, 8 selon laquelle, pour les Sadducéens, il n'y a « ni « résurrection, ni ange, ni esprit ». Les deux derniers termes de cette énumération (ange, esprit) n'ont pas encore reçu d'explication pleinement satisfaisante. A titre de solution la moins mauvaise, nous pensons que ces deux termes désignent l'homme après la mort, ressuscité ou non.

CHAPITRE VI

GLANAGE CHEZ LES QARAÏTES
ET LES PÈRES DE L'ÉGLISE

I. Les Qaraïtes.

94. Vers l'an 760, en Irak, probablement à Bagdad, le juif Anan ben David fut l'initiateur de ce qui deviendra, au IXe siècle, le Qaraïsme[1]. Il n'y a pas de continuité physique entre les Sadducéens et Anan avec ses premiers disciples[2]. Mais, dans sa réaction contre l'enseignement des rabbins, Anan présente une doctrine qui est tout à fait parallèle à celle des Sadducéens, à savoir l'autorité du seul texte de la Tora[3]. Quant à la halaka d'Anan, on y découvre seulement « une influence indirecte et diffuse des idées et des préceptes » sadducéens[4].

Vers 785, des rouleaux furent découverts dans une grotte de la région de Jéricho[5] ; cela entraîna la constitution du groupe des « gens de la grotte », ou Magaryas[6]. Entre 840 et 850, se constitua la première communauté qaraïte à Jérusalem, et l'élaboration de la

---

1. Pour l'ensemble de cette question de la genèse du Qaraïsme, on consultera l'étude d'A. Paul, *Écrits de Qumran et sectes juives aux premiers siècles de l'Islam. Recherches sur l'origine du Qaraïsme*, Paris, 1969, Letouzey. Nous y renvoyons globalement pour les données dont nous faisons état ici en vue de situer les points que nous devons relever plus particulièrement.
2. A. Paul, pp. 61-73.
3. *Op. cit.*, p. 69.
4. *Ibid.*, p. 73.
5. Cette découverte est connue par la lettre, en syriaque, de Timothée Ier, patriarche nestorien de Bagdad (780-823), adressée à Serge, métropolite d'Élam. Texte publié par O. Braun, dans *Oriens Christianus* 1 (1901), pp. 299-313. C'est la lettre XLVII selon la numérotation de R. J. Bidawid, *Les lettres du Patriarche nestorien Timothée I. Étude critique* (« Studi e Testi » n° 187), Cité du Vatican, 1956, pp. 36-37 (pourquoi Bidawid, qui cite p. xi l'édition de cette lettre par Braun, la range-t-il dans les « inédites »). Elle a été écrite peut-être en 796-797 (Bidawid, p. 71). Pour le passage relatif à la découverte, traduction française de R. de Vaux, dans *RB* 57 (1950), p. 417.
6. Ils ne sont pas Qaraïtes (A. Paul, *Écrits*, pp. 90-96).

doctrine proprement qaraïte fut fortement influencée par certains textes trouvés vers la fin du siècle précédent dans la grotte en question, en particulier le Document de Damas.

Nous n'avons pas à étudier ici la aggada et la halaka qaraïtes [7]. Signalons qu'il y a un seul point d'accord entre les Qaraïtes et les Sadducéens [8] : tous deux rejettent la libation d'eau à la fête de soukkôt (§ 222). On peut y ajouter la date de l'offrande de la première gerbe et donc de la fête des semaines, mais il s'agit là des Boéthusiens et non des Sadducéens (§ 130). Sur tous les autres points, ou bien les Qaraïtes sont d'accord avec les Pharisiens contre les Sadducéens, ou bien les Qaraïtes sont eux-mêmes divisés, et donc leur halaka est en quelque sorte indéterminée [9].

Nous n'avons pas non plus à examiner comment certains Qaraïtes se sont présentés en continuateurs des Sadducéens, voire comme Sadducéens tout court [1]. Notre tâche se limite à rechercher les renseignements que les auteurs qaraïtes fournissent sur les Sadducéens qui font l'objet de notre étude.

95. Al-Qirqisânî fut peut-être le plus grand des auteurs qaraïtes. Vers 937, il rédigea, en arabe, son *Livre des lumières et des vigies*. Deux de ses textes nous intéressent [1]. Voici ce qu'il nous raconte dans le premier [2].

> « Après les Rabbanites [= les Pharisiens] apparurent les Sadducéens, fondés par Sadoq et Boéthos, disciples d'Antigone, un successeur de Simon le Juste ayant reçu de ce dernier l'enseignement.
>
> « Sadoq fut le premier à exposer les erreurs des Rabbanites ; il fut en désaccord avec eux. Il découvrit une partie de la vérité et écrivit un livre [3] dans lequel il les reprit fortement et les attaqua. Cependant, il n'apporta de preuve pour aucune chose, mais se contenta de pures affirmations, exceptés sur un point, à savoir la défense d'épouser la fille du frère et la fille de la sœur ; il la déduisit par analogie avec les tantes paternelle et maternelle.

7. B. Revel, *Inquiry into the Sources of Karaites Halakah*, dans *JQR* n. s. 2 (1911-1912), pp. 517-544 ; 3 (1912-1913), pp. 337-396. Ces deux articles ont été réimprimés en un volume, *The Karaite Halakah, I*, Philadelphie, 1913, que nous n'avons pu avoir sous la main ; nous citons donc la pagination de la *JQR*.

8. Revel, *op. cit.*, pp. 337-352 ; conclusions, p. 352.

9. *Op. cit.*, même page.

1. Voir à ce sujet E. Bammel, *Kirkisanis Sadduzäer*, dans *ZAW*, 11 (1959), pp. 265-270.

2. Texte arabe dans l'édition de L. Nemoy, *Kitāb al-anwār walmarāqib. Code of the Karaite Law*, New-York, I, 1939, p. 11. C'est le Discours I, ch. II, § 4. Traduction anglaise dans L. Nemoy, *Karaite Anthology*, New-Hawen, 1952, p. 50. Voir aussi son article *Al-Qirqisani's Account of the Jewish Sects*, dans *HUCA* 7 (1930), pp. 317-397.

3. La leçon « des livres » n'est pas originale, voir S. Poznansky, dans *REJ* 44 (1902), p. 178 et n. 2.

« Comme Boéthos, il était d'avis que la Pentecôte peut tomber seulement un dimanche, ce qui est aussi l'opinion des Ananites et de tous les Qaraïtes. »

Il est clair que le début de ce texte utilise, directement ou indirectement [4], la notice des *Abot de Rabbi Natan* (plus haut § 80), et probablement dans sa recension B qui, seule, affirme que les fondateurs s'appelaient, en fait, Sadoq et Boéthos [5].

Selon Qirqisânî, Sadoq écrivit un livre. Cette donnée ne se trouve nulle part ailleurs dans l'ensemble des sources que nous étudions dans cette première partie. On a voulu voir là une réapparition d'un thème de polémique antisadducéenne [6] : les Sadducéens ne peuvent apporter de preuve scripturaire à leurs affirmations (§ 77) ; or cette absence de preuve figure également ici à propos de Sadoq. Ou bien, on a suggéré que cette attribution d'un livre à Sadoq serait apparu de la façon suivante [7]. Qirqisânî présente comme parallèles l'activité d'Anan et celle de Sadoq. Or il sait qu'Anan a écrit un livre, ce qui est exact. Il aurait donc postulé que Sadoq, lui aussi, a écrit un livre.

Mais la meilleure explication, que nous acceptons sans réserve, fait appel au Document de Damas [8]. Les précisions données au sujet de l'enseignement de Sadoq sur la défense d'épouser la nièce se trouvent, identiques, dans *CD* V 8-11. Le livre écrit par Sadoq serait donc ce Document de Damas, qui devait circuler depuis la découverte, vers 785, de rouleaux dans la grotte de la région de Jéricho [9].

Si l'on accepte cette explication, on a, par le fait même, la réponse à la question : qui sont les Sadducéens dont parle ici Qirqisânî ? [10]. Ce sont à la fois les Sadducéens en scène dans Josè-

---

4. Nous voulons dire que Qirqisânî ou bien a eu le texte d'*A.R.N.* sous les yeux, ou bien a connu ces données par la tradition rabbinique. — Il dit qu'Antigone est un successeur de Simon le Juste ; cela figure dans *Abot* I 3.

5. On sait que, dans la recension A, Sadoq et Boéthos ne sont pas présentés comme les fondateurs (§ 81). — Ou bien, il a utilisé cette recension A, en la comprenant faussement (voir § 81, n. 2).

6. BAMMEL, dans *ZAW* 71 (1959), p. 266.

7. A. PAUL, *Écrits*, p. 71 (première explication).

8. Même page, seconde explication.

9. Dans ce *CD*, juste avant le texte relatif à la nièce figure la mention de l'avènement de Sadoq » (*CD* V 5) ; ce Sadoq est très probablement le prêtre du temps de David et Salomon (§ 61). *Qirqisânî*, par contre, y voit l'auteur du *CD*. Il a sans doute été conduit à cette explication par suite de la mention de l'avènement de Sadoq. Mais il ne dit pas que Sadoq est le fondateur du groupe.

10. Sur les différentes réponses à cette question, voir BAMMEL, *ZAW* 71 (1959), p. 269, qui donne les références pour les auteurs que nous allons citer. SCHECHTER en 1910, suivi par BOUSSET en 1915, y voyait les Dosithéens (voir plus bas § 103) dont les Sadocites de *CD* seraient une préfiguration. EISLER en 1936 pensait que le Maître de justice du *CD* était Jean Baptiste. SCHOEPS, en 1951 et 1956, suivi par BURROWS en 1957, considère ces Sadducéens de Qirqisânî comme les gens de Qoumrân.

phe, le Nouveau Testament et chez les rabbins [11], et les gens qui ont composé le Document de Damas, disons les gens de Qoumrân. Ou plus exactement : Qirqisânî se représente les Sadducéens d'après les données fournies par les documents de la région de Jéricho trouvés vers 785 [12].

96. Dans le second texte [1], Qirqisânî relève les points suivants au sujet des Sadducéens : ils interdisent le divorce, ils ont des mois de trente jours, enfin, pour les sept jours de la fête de Pâque, le sabbat ne peut compter comme l'un de ces sept jours [2].

La mention de mois de trente jours, donc d'un calendrier solaire s'accorde bien avec ce que nous savons à la fois des Sadducéens (§ 133) et des gens de Qoumrân. Par contre, les deux autres données font difficulté. Les Sadducéens ne rejetaient pas le divorce (§ 243). Quant à la question du rejet du sabbat pour le compte des sept jours de la fête de Pâque, elle reste une mention isolée.

97. Joseph al-Basir, auteur qaraïte vivant sans doute au XIe siècle, raconte ce qui suit [1] :

> « Pendant le second Temple, il y avait des querelles ; la conséquence en était que les Rabbanites, appelés Pharisiens, avaient la haute main, et la puissance des Qaraïtes s'affaiblit ; ce sont eux qui sont connus sous le nom de Sadducéens. »

Cette brève évocation donne une bonne idée de la situation historique exacte.

Juda Halévi [2], juif espagnol du XIIe siècle, fait remonter le schisme des Qaraïtes (disons des Sadducéens) à l'époque de Jean Hyrkan (134-104). Il y a là un écho de la tradition qui figure dans Flavius Josèphe (§ 35).

---

11. C'était l'opinion d'A. HARKAVY en 1894 (cité par BAMMEL, p. 269).
12. Solution de BAMMEL, p. 270.
1. Texte arabe dans l'édition de NEMOY, I, 1939, pp. 41-42. C'est le Discours I, ch. VI. Traduction anglaise dans NEMOY, HUCA 7 (1930), p. 363.
2. Selon BAMMEL, ZAW 71 (1959), p. 266, ce texte de Qirqisânî vient (Bammel ajoute cette interrogation : en tout ou en partie ?) de David Ibn Marwân, qui écrivit vers l'an 900 (il n'est sans doute pas Qaraïte, voir A. PAUL, Écrits, p. 161, n. 72).
1. Dans un appendice de GRAETZ, Geschichte, V, 1909 [4], p. 474, A. HARKAVY a donné le texte arabe et une traduction allemande (nous ne connaissons cette publication que par A. PAUL, Écrits, p. 66, qui reproduit la traduction allemande). N'ayant pu avoir en mains le texte arabe, nous donnons, sous toute réserve, une traduction française faite directement sur la traduction allemande d'Harkavy.
2. Dans son livre Kuzari, édition HIRSCHFELD, Leipzig, 1887, texte arabe et traduction hébraïque (que nous ne connaissons que par A. PAUL, Écrits, p. 65).

Enfin David Ibn Marwân, en activité vers l'an 900, mais qui n'est sans doute pas un Qaraïte[3], présente ainsi la doctrine sadducéenne sur Dieu, si l'on croit Qirqisânî qui déclare[4] :

> « David Ibn Marwân, dans l'un de ses livres, dit que les Sadducéens attribuaient la corporéité à Dieu et prenaient dans leur sens littéral toutes les descriptions de lui qui impliquent l'anthropomorphisme. »

Cette donnée est précieuse pour confirmer le fait que les Sadducéens s'en tenaient strictement à une exégèse littérale de la Bible. Et l'on comprend facilement que, à partir de cette attitude fondamentale, Ibn Marwân, sous une influence musulmane, leur ait faussement attribué la corporéité de Dieu.

Pour terminer, nous ajoutons, ici[5], un texte d'un historien islamique. Selon Ibn Hazm (994-1064), les Sadducéens étaient un groupe de juifs vivant dans la région du Yémen, et voici ce qu'il trouve à préciser[6] :

> « Les Sadducéens, qui s'appelaient ainsi d'après un homme nommé Sadoq. Seuls parmi les juifs, ils affirmaient qu'Esdras était fils de Dieu. »

Sadoq est présenté ici comme une explication du nom de Sadducéens, mais non pas explicitement comme le fondateur du groupe. Quant au reproche de dire qu'Esdras est fils de Dieu (quelle ironie d'attribuer cela aux Sadducéens !), il s'explique ainsi. Mahomet reproche aux juifs de faire d'Esdras le fils de Dieu ; mais, selon beaucoup de commentateurs, cela ne représente que le point de vue d'un seul juif, Pinhas ben Azarya[7].

II. LES PÈRES DE L'ÉGLISE.

98. Nous nous sommes efforcés de dresser une liste aussi complète que possible des textes patristiques donnant des indications sur les Sadducéens[1]. Dans cette liste, nous avons omis les

---

3. Plus haut § 96, n. 2.
4. Dans son *Livre des lumières* I VII, 1 ; édition NEMOY, I, 1939, p. 42 ; traduction française R. de VAUX, dans *RB* 57 (1950), p. 421.
5. Ce n'est pas un juif (Qaraïte), mais un musulman. Cependant comme sa source est juive, et que nous n'avons pas de section consacrée aux auteurs musulmans (selon BAMMEL, dans *ZAW* 71 (1959), p. 266, n. 7, ce musulman semble seul à donner des indications sur les Sadducéens), nous le plaçons ici en guise d'appendice.
6. Texte arabe publié par A. POZNANSKY, dans *JQR* 16 (1904), pp. 766-767 ; traduction allemande, p. 768.
7. POZNANSKY, *op. cit.*, p. 769. Le reproche de Mahomet se trouve dans le *Coran* IX 30. Mais il n'est pas sûr que ce texte parle effectivement d'Esdras (voir R. BLACHÈRE, *Le Coran*, tome 3, Paris, 1951, p. 1083, n. 30 sur sa traduction de ce passage).
1. Bien entendu, des recherches ultérieures nous permettront de la compléter ; nous savons par expérience combien il est difficile, pour ce genre de travail, d'arriver à un dépouillement quasi exhaustif.

textes où les Pères se contentent de dire : les Sadducéens ne croyaient pas à la résurrection. Car il s'agit là, en somme, d'une citation des Synoptiques ou des Actes des apôtres ; cela n'apporte rien pour notre recherche.

Les textes, rangés par ordre chronologique, sont pourvus, dans notre liste, d'un numéro d'ordre. Cela nous sera commode pour les renvois, dans les développements qui suivront.

1. — Entre 155 et 161 : JUSTIN, *Dialogues* 80, 4 ; Archambault II (1909), p. 35.

2. — Vers 185 : HÉGÉSIPPE, *Mémoires*, extrait dans EUSÈBE, *Histoire ecclésiastique* IV 22 ; 7 ; *SC* 31 (1952), p. 201.

3. — Première moitié du IIIe siècle : *Adversus omnes haereses* I 1, original grec perdu (composé par Hippolyte [† 235] ? par le pape Zéphyrin [† 217] ?) ; traduction latine, au no 4.

4. — Première moitié du IIIe siècle : PSEUDO-TERTULLIEN, *Adversus omnes haereses* I, 1, traduction latine du no 3 ; *CC* 2 (1954), 1401.

5. — Début du IIIe siècle : *Recognitiones* pseudo-clémentines, original grec perdu ; traduction latine au no 19, et syriaque au no 19 bis.

6. — Entre 220 et 230 : *Elenchos*, que l'on attribue en général à HIPPOLYTE, IX 29, 1-4 ; *GCS* 26 (1916), 262-263.

7. — En 210-211 : TERTULLIEN, *De resurrectione carnis* 36, 1 ; *CC* 2 (1954), 968.

8. — Vers 234 : ORIGÈNE, *In Lucam Homilia* 39, 1, original grec perdu ; traduction latine de JÉRÔME au no 35.

9. — *Ibid.* 39, 3-4, grec perdu (seuls deux fragments grecs sont conservés, *GCS* 49 [1959], 218-219) ; latin au no 36.

10. — En 246 : *In Matthaeum* X, 20 ; *GCS* 40 (1935), 26-27.

11. — *Ibid.* XII 1 ; *GCS*, 69-70.

11. — *Ibid.* XVII 29 ; *GCS*, 665.

13. — *Ibid.* XVII 35 ; *GCS*, 696.

14. — *Ibid.* XVII 36 ; *GCS*, 700.

15. — En 248 : *Contre Celse* I 49 ; *SC* 132 (1967), 210.

16. — IVe siècle (?) : *Constitutions apostoliques* VI 6, 2 ; Funk (1905), 313.

17. — Début du IVe siècle : ARNOBE l'Ancien, *Adversus nationes* III 12 ; *CSEL* 4 (1875), 119.

18. — Avant 303 : EUSÈBE, *Histoire ecclésiastique* IV 22, 7 ; *SC* 31 (1952) 2ol : extrait d'HÉGÉSIPPE, *Mémoires*, cité au no 2.

19. — IVe siècle (?), seconde moitié (?) : *Recognitiones* pseudo-clémentines I 53-54 ; *GCS* 51 (1965), 29 : original perdu, cité au no 5 ; traduction latine.

19 bis. — Du même texte grec perdu, traduction syriaque : W. Frankenberg dans *Texte und Untersuchungen* 48/3 (1937), p. 60.

20. — En 330 : ATHANASE, *Lettres festales et pastorales* en copte, Lettre 2 ; *CSCO* 150 (1955), page 10, lignes 19-20 ; traduction française *CSCO* 151 (1955), p. 8, ligne 1.

21. — En 350-351 : *Epistola de decretis Nicaenae synodi* 10 ; *PG* 25, 441 A.

22. — En 356 : *Epistola encyclica ad episcopos Aegypti et Libyae* ; *PG* 25, 545 A.

23. — ÉPHREM († 373) : *Commentaire de l'Évangile concordant* XVI 22 ; Leloir, 1963, p. 180 ; traduction française *SC* 121 (1966), 295.

24. — *Ibid.* VIII 11 : le texte syriaque manque ; version arménienne *CSCO* 137 (1953), p. 115, ligne 6 ; traduction française *SC* 121 (1966), p. 165.

25. — IVe siècle (?) : PSEUDO-ÉPHREM[2], finale du *Commentaire de l'Évangile concordant* d'Éphrem, arménien, *CSCO* 137 (1953), 350-351 ; traduction latine *CSCO* 145 (1954), 249.

26. — *Ibid.*, *CSCO* 137 (1953) 351 ; traduction latine *CSCO* 145 (1954), 249.

27. — En 375-377 : ÉPIPHANE, *Panarion haer.* 14, 2-3 ; *GCS* 25 (1915), 207-208.

28. — En 380 : GRÉGOIRE DE NAZIANZE, *Oratio* XXXI, *Theologica* V 5 ; *PG* 36, 137 B.

29. — Du même : *Carminum liber* II 1, les vers 1162-1163 ; *PG* 37, 1108-1109.

30. — Entre 385 et 391 : PHILASTRE de Brescia, *Diversorum heresorum liber* 5, 1-2 ; *CC* 9 (1957), 219.

31. — Vers 379 : JÉRÔME, *Altercatio Luciferiani et orthodoxi* 23 ; Vallarsi II, 197.

---

2. Nous appelons ce texte et le suivant du Pseudo-Éphrem. En effet, la finale du Commentaire où ils figurent ne semble pas avoir été écrite par Éphrem. Il ne peut être question ici de présenter en détail les arguments en faveur de cette opinion, soutenue entre autres par Louis Leloir. D'une part, cette finale n'existe que dans la traduction arménienne ; elle ne se trouve pas dans le texte syriaque récemment découvert et publié par L. LELOIR, *Saint Éphrem, Commentaire de l'Évangile concordant. Texte syriaque (Manuscrit Chester Beatty 709)*, Dublin, 1963. Dans ce texte syriaque original, l'appendice est beaucoup plus bref (éd. Leloir, p. 250). Et Leloir remarque, p. 251, n. 1 : « Sans lien avec ce qui précède, et simple appendice, ce dernier paragraphe [syriaque] est probablement inauthentique. Une tradition postérieure l'a du reste allongé, et la version arménienne témoigne de ces additions diverses. » — Par ailleurs, dans cette finale, les indications sur les Sadducéens sont, à notre avis, assez différentes de celles données par Éphrem dans le cours de son commentaire (notre nº 23). — Nous étudierons plus loin (§ 100) le texte nº 26.

32. — En 389-391 : *Liber interpretationum hebraicorum nominum* ; *CC* 72 (1959), 142, 5 et 148, 6.
33. — En 398 : *In Matthaeum* III 22 ; Vallarsi VII/1, 179.
34. — *Ibid.* III 22 ; Vallarsi, 181.
35. — Vers 390-392 : traduction d'Origène, *In Lucam Homilia* 39, 1 (grec perdu, cité au nᵒ 8) ; *SC* 87 (1962), 450.
36. — *Ibid.* 39, 3-4 (original grec perdu, cité au nᵒ 9) ; *SC*, 452 et 454.
37. — Pacien († avant 392), *Epistola* I 1 ; *PL* 13, 1053 A.
38. — En 400 : Jean Chrysostome, *Hom.* 49, 2 *in Act. apost.* ; *PG* 60, 341.
39. — 1ʳᵉ moitié du vᵉ siècle : Hésychius de Jérusalem, *Homélie* inédite, qu'il y a tout lieu d'estimer authentique ; conservée dans une douzaine de manuscrits ; texte[3] d'après Moscou, *Bibl. Synod.* 234 (*Vlad.* 217), folio 44-44ᵛ, Athènes, *Bibl. Nat.* 282, folio 164 ; Vatican, *Ottob.* gr. 14, folio 43ᵛ.
40. — Début du vᵉ siècle : Pseudo-Jérôme, *Indiculus de haeresibus* 2, 5 ; *PL* 81, 636 C.
41. — Augustin († 430), *Sermon* 71, III 5 ; *PL* 38, 447 C.
42. — Du même, *Sermon* 362, XIV 18 ; *PL* 1623 B-D.
43. — Isidore de Séville († 636), *Etymologiarum liber* VIII 4 ; *PL* 82, 297 C.
44. — vIIIᵉ siècle : Jean Damascène, *De haeresibus* 16 ; *PG* 94, 688 A-B.
45. — vIIIᵉ siècle (?) : Pseudo-Bède (Bède est mort en 735), *Expositio in Matthaeum* III 22 ; *PL* 92, 98 A.
46. — Raban Maur († 856), *In Matthaeum* I ; *PL* 107, 770 B.
47. — *Ibid.* VI ; *PL* 1060 D.
48. — Du même, *De universo* IV 9 ; *PL* 111, 95 B-C.
49. — Paschase Radbert († vers 859), *In Matthaeum* X 22 ; *PL* 120 ; 752 B-C.
50. — *Ibid.* ; 755 A.
51. — IXᵉ siècle : Photius († vers 895), *Amphilochia* 80 ; *PG* 101, 504 A-B.

---

3. « Lui [Lazare] alors de courir, et juifs de s'agiter, Pharisiens de se disperser, Sadducéens de glisser dans leur effroi et de tomber l'un sur l'autre, parents, amis et proches de se réjouir. » Plus loin (Moscou, folio 45), les Sadducéens se retrouvent mis à part du reste des juifs : « En le voyant marcher, la Synagogue vacille, la foule (πλῆθος) des Sadducéens se trouble ; Paul, la flûte de l'Église, bondit de joie. » Mais ici, Vatican (folio 44) et Athènes (folio 164ᵛ), au lieu des Sadducéens, parlent de la joie de l'univers. Le contexte ne permet pas de trancher, et la base manuscrite est trop étroite pour décider. Le texte de cette Homélie semble avoir couru sous des formes assez divergentes. — Je dois tous ces renseignements sur Hésychius et les traductions au P. Joseph Paramelle.

52. — Du même, *Contra Manichaeos* III ; *PG* 102, 128 A-B (texte
vérifié sur le *Vaticanus Palatinus gr.* 216, folio 130-130ᵛ, et le
Genuensis gr. 34, folio 15ᵛ-16).

53. — *Contra Manichaeos* IV, 25 ; *PG* 102, 233 C-236 C.

54. — Vers l'an 1000 : la *Souda* (« Lexique de Suidas »), article 27 ;
édition A. Adler, IV (Leipzig 1935), 312.

55. — XIᵉ siècle : THÉOPHYLACTE († 1108 ?), *In Matthaeum* III 7 ;
PG 123, 173 D.

56. — XIIᵉ siècle : JEAN ZONARAS, *Annales* V 2 ; Dindorf, I (1868),
p. 338.

57. — *Ibid.* VI 3 ; Dindorf, II (1869), p. 9.

58. — Seconde moitié du XIIᵉ siècle : MICHEL GLYCAS, *Annales* II ;
PG 158, 376 D.

59. — Peu après 1111 : RUPERT DE DEUTZ († 1129-1130), *De divinis
officiis* V 1 ; *CC* Continuatio mediaevalis 7 (1967), 146.

60. — Du même, *In Matthaeum* II 3 ; *PL* 168, 1357 D - 1358 A.

61. — Première moitié du XIIᵉ siècle : HONORIUS AUGUSTODUNENSIS
(† après 1153), *Liber de haeresibus* ; *PL* 172, 235 A.

62. — XIIᵉ siècle : MICHEL le Syrien († 1199), *Chronique*, édition
Chabot, texte IV (1910-1924) 94 ; traduction française I
(1899), 154.

63. — XIVᵉ siècle : ÉPHREM le Chroniqueur, *Caesares*, le vers 2196 ;
PG 143, 93 A.

99. C'est à propos des groupes juifs dissidents que les Pères
furent amenés à parler des Sadducéens[1]. Ils leur apparurent
comme une secte. Les chrétiens trouvèrent le terme d'αἴρεσις
sous la plume de Josèphe à propos des Sadducéens ; ils lui donnèrent le sens de secte, c'est-à-dire de gens séparés de l'ensemble
de la communauté (dès Justin, n° 1).

Mais certains Pères, quelque peu en opposition avec cette
généralisation chrétienne inexacte, disent que les Sadducéens
étaient des juifs authentiques (Origène, n° 9, second fragment
grec : « sont une fraction du peuple juif », τοῖς ἐκ τῶν Ἰουδαιῶν
Σαδδουκαῖοις ; traduction de Jérôme [n° 36] : « Sadducéens qui
erant portio Judaeorum » ; Épiphane, n° 27 ; Jean Damascène,
n° 44).

Par ailleurs, certains textes patristiques ont encore conservé
le sens qu'αἴρεσις avait chez Josèphe (voir plus haut § 20) : Hégésippe, n° 2, « opinions différentes, γνῶμαι διάφοροι» ; Origène,
n° 10, même chose, διάφοροι δόξαι ; Recognitiones, n° 19, parle de
partes. Arnobe, n° 17 : *Sadducaei genus*, ce qui semble être la

1. Pour la problématique d'ensemble, on consultera avec profit M. SIMON,
Les sectes juives d'après les témoignages patristiques, dans le volume collectif *Studiia patristica* I, Berlin, 1957, pp. 527-539.

transposition pure et simple de γένος, utilisé par Josèphe au sens de groupe (§ 19). Il faut peut-être ajouter Jean Damascène, n° 44, pour qui les Sadducéens sont du γένος des Samaritains (sur la relation entre Samaritains et Sadducéens chez les Pères, § 103).

Certains Pères énumèrent 7 sectes (Justin, n° 1 ; Hégésippe, n° 2 ; Épiphane, n° 27 ; Michel le Syrien, n° 62). Mais d'autres disent 4 (Pseudo-Tertullien, n° 4 ; Constitutions apostoliques, n° 16), ou bien 8 (Isidore de Séville, n° 43 ; Honorius Augustodunensis, n° 61), ou 10 (Pseudo-Jérôme, n° 40 ; Raban Maur, n° 48), voire plus de 10 (Philastre de Brescia, n° 30).

Dans les textes que nous venons de citer à l'alinéa précédent, les Sadducéens figurent, en général, à côté des Pharisiens (sauf chez Justin, n° 1, et Épiphane, n° 27). Les Sadducéens et les Pharisiens sont à une place très variable dans la liste, et ne figurent pas souvent en tête. Il faut noter que, la plupart du temps, les Sadducéens se trouvent avant les Pharisiens (exception chez Michel le Syrien, n° 62, Pseudo-Jérôme, n° 40, Isidore, n° 43, Honorius, n° 61) ; on rappelle que, chez Josèphe, c'est le contraire (§ 22). Pourquoi les Pères mettent-ils en général les Sadducéens avant les Pharisiens ?

100. Avant d'examiner certaines données de détails contenues dans ces textes patristiques, il faut d'une part regarder de près la notice des *Recognitiones*, et d'autre part jeter un coup d'œil sur celle d'Hippolyte.

Dans les n°s 25 et 26, figurent deux textes que nous avons appelés Pseudo-Éphrem [1].

Le second texte (n° 26) est presque semblable à celui des *Recognitiones* (n°s 19 et 19 bis). Nous les mettons en parallèle, en prenant pour chacun d'eux la traduction latine [2].

---

1. Voir plus haut § 98, note 2.
2. Pour le Pseudo-Éphrem, c'est celle de LELOIR dans le *CSCO* citée plus haut § 98, n° 26. Pour les *Recognitiones*, c'est la traduction latine ancienne (notre n° 19), qui diffère très peu de la traduction syriaque (n° 19 *bis*) dont voici une traduction (les termes grecs entre parenthèses sont pris dans la rétroversion grecque faite sur le syriaque par Frankenberg, édition citée au n° 19 *bis*) : « 53/5 Le peuple juif était divisé (μεμερισμένος) en de nombreux groupes (αἱρέσεις ; notez la traduction latine : *partes*) ayant pris naissance du temps de Jean Baptiste... 54/2 Donc, les premiers de ceux-ci étaient ceux que l'on appelle Sadducéens, qui commencèrent au temps de Jean [Baptiste], en tant que [= en se déclarant] justes, à se séparer (χωρίζεσθαι) du peuple et à nier la résurrection des morts. Et ils prouvaient leur incrédulité (καὶ τῆς αὐτῶν ἀπιστίας δόγμα ὡς πιθανὸν εἰσέφερον) en disant qu'il ne fallait pas craindre (φοβεῖσθαι = vénérer) Dieu en vue d'une récompense. 54/3 Le premier à avoir cette idée fut, comme je l'ai dit, Dosithée, et, après lui, Simon. »

I	II
Recognitiones	*Pseudo-Ephrem*

In multas etenim iam partes populus scindebatur, initio sumpto ab Ioanne Baptista...
 Erat ergo primum schisma eorum qui dicebantur Sadducaei, initio Ioannis jam paene temporibus sumpto. Hique ut ceteris justiores segregare se coepere a populi coetu, et mortuorum resurrectionem negare idque argumento infidelitatis adserere, dicentes non esse dignum ut quasi sub mercede proposita colatur Deus. Autor vero sententiae huius primus Dositheus, secundus Simon fuit.

Sadducaie in diebus Johannis initium habuerunt, quasi

justi a populo separantes seipsos, et resurrectionem mortuorum negant, confidentes in seipsis, quia non convenit, aiunt, ob mercedem gratiae adorare et colere Deum.

Toutes les données du texte II (Pseudo-Éphrem) sont dans le texte I (Recognitiones), et I est beaucoup plus complet. Il semble que II a utilisé I, ou que II et I ont une source commune [3].

Selon la tradition présentée dans ces deux textes, les Sadducéens apparaissent au temps de Jean Baptiste. Mais, dans ce catalogue des sectes juives, l'auteur des Recognitiones cherche à mettre toutes ces sectes en rapport avec Jean Baptiste, qui est l'instrument de l'Ennemi et s'oppose à l'action de Jésus (doctrine de la Syzygie). Il tente de mettre son principe en accord avec les données de détail de la tradition ; mais justement, pour les Sadducéens, il ne donne aucun point précis d'accrochage historique. Donc, pour ces Sadducéens, la mention de Jean Baptiste n'est ni une insertion historicisante postérieure, ni la pure reproduction d'une donnée, mais un postulat théologique ; elle n'a par conséquent aucune valeur historique pour nous [4].

Deux éléments de cette notice (séparation du peuple, rejet de

3. J. THOMAS, *Le mouvement baptiste*, Gembloux, 1935, p. 118, étudie ces deux hypothèses ; il penche pour celle d'une source commune (p. 118, n. 1). Par contre BAMMEL, ZAW 71 (1959), p. 268, pense que II reprend I en l'abrégeant. Nous préférons l'hypothèse d'une source commune. Thomas (p. 120) voit dans cette source une notice hérésiologique datant de la fin du Ier ou du début du IIe siècle; même opinion chez H. J. SCHOEPS, *Urgemeinde*, 1956, p. 73 : contemporaine de Josèphe (mort après l'an 100).
4. Tout cela d'après BAMMEL, *op. cit.*, p. 268. Ces explications de Bammel paraissent bonnes. La conclusion au sujet du manque de valeur historique de la mention de Jean Baptiste est extrêmement importante. Faute d'avoir soupçonné ce problème critique, beaucoup d'historiens modernes se sont égarés dans l'explication de la notice.

l'idée de récompense) la rapprochent de la tradition rabbinique exprimée dans les *Abot de Rabbi Natan* (§ 80).

Cette dernière remarque, jointe au caractère non historique de la mention de Jean Baptiste, permet de rejeter l'opinion de ceux qui voient dans les Sadducéens en question soit les Zélotes [5], soit les Sadocides de Qoumrân [6]. Il s'agit des Sadducéens dont il est question dans Josèphe et les textes rabbiniques [7].

C'est d'eux également qu'il est question dans le premier texte du Pseudo-Éphrem (n° 25). Cela ne fait aucune difficulté de voir, à quelques lignes d'intervalle (n° 25, puis n° 26), ces Sadducéens en scène à deux reprises ; en effet, le caractère composite de cette finale apocryphe du *Commentaire de l'Évangile concordant* est manifeste. De deux sources différentes sont venues ses deux notices sur les Sadducéens [8].

101. Nous donnons la traduction de l'ensemble de la notice de l'*Elenchos* (n° 6) IX 29, 1-4, car la tradition que nous trouvons exprimée dans ce texte a très bien compris comment les Sadducéens s'en tenaient à l'ancienne révélation d'Israël. La présentation que nous allons lire est donc précieuse à titre de confirmation des données déjà recueillies à ce sujet dans les chapitres précédents. Dans le sillage de Josèphe [1], elle a cependant durci en négation ce qui n'était que rejet de nouveaux aspects du développement de cette ancienne révélation.

> « (1) Quant aux Sadducéens, ils refusent le destin (εἱμαρμένη) et professent que Dieu ne peut ni faire ni prévoir [2] (ἐφορᾶν) aucun mal, mais qu'il est au pouvoir des hommes de choisir le bien et le mal. Ils ne nient pas seulement la résurrection de la chair, ils pensent que l'âme ne subsiste pas (διαμένειν) non plus.

5. R. Meyer, dans *TWNT* VII, p. 42 et n. 46.
6. Thomas, *op. cit.*, p. 118 et n. 2, était attiré par l'hypothèse faisant de ces *Sadducaei* les Sadocites de Qoumrân. Ce sont les gens de Qoumrân dit H. J. Schoeps, *Wer sind die Sadoqiten ?*, dans *ZRGG* 3 (1951), pp. 331-336 (ici pp. 335-336) ; il ajoute que le fondateur, le Maître de justice, s'appelait Sadoq. Mêmes idées dans son *Urgemeinde*, 1956, pp. 73-74 (Liver, également, pense que le Maître de Justice s'appelait Sadoq, voir plus haut § 61, n. 3).
7. C'était l'opinion de Schoeps première manière (avant la publication des textes de Qoumrân), *Theologie und Geschichte des Judenchristentums*, 1949, pp. 388-392. — L'éditeur de ce texte des Recognitiones, B. Rehm, dans *GCS* 51 (1965), p. 39, indique en note, comme références, Mt 22, 23 et Ac 23, 8 ; c'est donc qu'il voit dans ces *Sadducaei* les Sadducéens du N. T. Dans le même sens, Bammel, *op. cit.*, p. 268. Il est clair que ceux qui y voient les Zélotes ou les gens de Qoumrân sont conduits à cette opinion en partie à cause de la mention de Jean Baptiste qu'ils jugent historique.
8. Nous avons entendu (plus haut § 98, n. 2) Leloir parler, à propos de cette finale, figurant uniquement dans la version arménienne, « d'additions diverses ».
1. Qui est utilisé ici à plusieurs reprises presque textuellement.
2. Sur le sens de ce verbe, voir plus haut, § 24 et n. 7.

« (2) Rien ne lui appartient que le [fait de <faire ?> vivre] et c'est là le motif pour lequel a été créé (ἐγένετο) l'homme, le sens (? : λόγος) de la résurrection se réalisant dans le fait de laisser sur terre ses enfants avant de mourir, sans s'attendre à subir après la mort ni bien ni mal, car [la mort] sera la dissolution de l'âme et du corps, et l'homme aboutit au néant (εἰς τὸ μὴ εἶναι), de même que les autres vivants (ζῷα).

« (3) Quelque mal que l'homme ait fait en sa vie, s'il est resté caché, c'est autant de gagné, puisqu'il a échappé au châtiment [infligé] par les hommes ; quoiqu'il ait acquis, et la gloire qu'il a trouvée en s'enrichissant, c'est autant de gagné, car Dieu n'a nul souci des destins individuels [3] (μέλειν δὲ θεῷ μηδὲν τῶν κατὰ ἕνα). Les Pharisiens s'aiment d'une affection mutuelle (φιλάλληλοι), les Sadducéens sont égoïstes [4] (φίλαυτοι).

« (4) Cette hérésie (αἵρεσις) a surtout eu du succès autour de (περί) de la Samarie. Pour leur compte [5], ils attachent de l'importance (προσέχουσι) aux façons de vivre prescrites par la Loi [6] (τὰ τοῦ νόμου ἔθη), disant que c'est ainsi qu'il faut vivre pour passer une existence bonne (ἵνα καλῶς βιώσῃ) et laisser des enfants sur terre. Cependant, ils n'attachent pas d'importance (οὐ προσέχουσι) aux prophètes ni à quelqu'autre sage que ce soit,

3. Le rapprochement avec Jn 11, 50 s'impose, ainsi du reste qu'avec une phrase de l'éloge que fait Josèphe du grand prêtre Anan, en fonction en 62 de notre ère (*Guerre* IV 320) : « Il plaçait toujours le bien public au-dessus de ses propres intérêts. » Le fait de s'en tenir, unilatéralement, au bien de l'ensemble du peuple s'explique, chez les Sadducéens parce qu'ils n'avaient pas accepté les développements récents de la révélation biblique sur la récompense de l'individu. Cette donnée de Josèphe est historiquement très précieuse.
4. Josèphe (*Guerre* II 166) disait : « Les Pharisiens s'aiment d'une affection mutuelle, φιλάλληλοί ... Les Sadducéens sont, même entre eux, peu accueillants, et aussi rudes dans leurs relations avec leurs compatriotes qu'avec les étrangers. » La notice reprend le terme φιλάλληλοί pour les Pharisiens ; pour les Sadducéens, elle noircit les choses en parlant de leur égoïsme, φίλαυτοι. On comprend aisément comment le polémiste a choisi ce dernier terme pour marquer l'opposition entre Pharisiens et Sadducéens.
5. καὶ αὐτοὶ δὲ. Grammaticalement, deux sens sont possibles. Ou bien le pronom reprend les Sadducéens, avec une espèce de nuance intensive ou adversative : « eux, en tout cas », « eux, de leur côté » (peut-être pour mettre les points sur les i, distinguer les Sadducéens de la « Samarie » qui vient d'être nommée). Ou bien « et eux aussi », « eux » étant les Samaritains implicitement désignés par la « Samarie ». Dans ce cas, la fin de ce paragraphe serait une notice ajoutée à celle des Sadducéens : il est naturel de mettre dans le même sac les conservateurs de Jérusalem et ceux du Garizim ; le Pentateuque suffit, il y a seulement des rétributions terrestres. La dernière phrase (καὶ αὐτοὶ δὲ), après cette espèce de parenthèse, reviendrait en conclusion sur les Sadducéens qui faisaient l'objet propre du paragraphe : cela (ce qui précède, c'est-à-dire le canon et la théodicée des Samaritains), c'est aussi ce que pensent les Sadducéens. Cette seconde manière de comprendre le texte paraît peu probable. — Je dois la traduction de cette notice de l'*Elenchos* et cette note au P. Joseph PARAMELLE.
6. Fidélité des Sadducéens à la Tora pour leur comportement pratique. Cette indication est précieuse ; elle recoupe ce que nous avons découvert jusqu'à présent de la rigueur de vie des Sadducéens.

mais uniquement à la Loi [donnée] par Moïse[7], sans en donner aucune interprétation (μηδὲν ἑρμηνεύοντες). Voilà donc ce que professent également (ταῦτα μὲν οὖν καὶ οἱ Σαδδουκαῖοι αἱρετίζουσιν) les Sadducéens. »

102. Pour l'ensemble des textes patristiques, les deux sources majeures d'information sont Josèphe et le Nouveau Testament. A partir des Actes des apôtres, où ils voient en 23, 8 une triple négation (résurrection, anges, esprits), certains Pères attribuent aux Sadducéens la négation de l'Esprit saint (Épiphane, n° 27 ; Grégoire de Nazianze, n° 28, Augustin, n° 41). C'est en ajoutant « saint » à « esprit », dans Ac 23, 8, que ces chrétiens attribuent pareille négation aux Sadducéens. Chrysostome (n° 38) va même jusqu'à dire que les Sadducéens ne croient pas en Dieu.

De Josèphe, les Pères retiennent surtout que les Sadducéens affirmaient la disparition de l'âme à la mort (*Elenchos*, n° 6 ; Origène, n° 35 et 12 ; Jérôme, n° 34 ; Isidore, n° 43 ; Raban Maur, n°s 46 et 47 ; Paschase Radbert, n° 49 et 50 ; Rupert de Deutz, n° 60 ; Honorius Augustodunensis, n° 61).

103. Certaines indications fournies par les Pères viennent d'autres sources que Josèphe et le Nouveau Testament.

On peut tout d'abord signaler des cas d'inférence à partir des données contenues dans ces deux groupes de sources.

Jérôme (n° 33) dit que les premiers Sadducéens croyaient à la résurrection, aux anges et aux esprits. Pour la tradition pharisienne, puis chrétienne, comme nous l'avons vu, les Sadducéens nient parce qu'ils ont abandonné certaines croyances juives. Jérôme, ou sa source, en a inféré que les premiers Sadducéens n'avaient pas encore fait cet abandon. Cela n'est attesté nulle part ailleurs et n'a pas de valeur historique.

Origène (n° 36) dit que les Sadducéens « comprenaient tout [= toute l'Écriture] au sens charnel » ; Arnobe l'Ancien (n° 17) pense qu'ils avaient une conception anthropomorphique de Dieu, reproche que nous avons déjà trouvé sous la plume de David Ibn Marwân (§ 97). Ce sont là de fausses déductions à partir de l'insistance des Sadducéens sur le seul texte de la Bible, à l'exclusion de toute tradition.

Une tradition chrétienne, largement représentée, affirme que les Sadducéens ne retenaient que le Pentateuque et rejetaient le reste de la Bible, prophètes et autres écrits. Ainsi l'*Elenchos* (n° 6), Pseudo-Tertullien (n° 4), Origène (n°s 13, 14, 15), Athanase (n° 22), Grégoire de Nazianze (n° 29), Jean Zonaras (n° 56), Jérôme (n° 34),

---

7. Pour ce qui concerne la mention de la Samarie et le fait de s'en tenir uniquement au Pentateuque, voir § 103.

Isidore (n° 43), Bède (n° 45), Raban Maur (n° 48), Paschase Radbert (n° 50), Rupert de Deutz (n° 59), Honorius (n° 61). Nous verrons plus loin (§ 275) la valeur de cette indication.

Quelques Pères confondent plus ou moins Samaritains et Sadducéens : les Sadducéens sont issus des Samaritains ; certains Pères précisent : ils ont pour origine Dosithée le Samaritain. C'est du reste cette forme de la tradition, avec la mention de Dosithée à l'origine des Sadducéens, qui est la plus ancienne. On la trouve chez les Pseudo-Tertullien (n° 4), Épiphane (n° 27), les Recognitions (n° 19), Philastre (n° 30), Jérôme (n° 31). Sans la mention de Dosithée, voir Jean Damascène (n° 44), Michel Glycas (n° 58) ; d'une certaine manière l'*Elenchos* (n° 6). Dosithée vivait au Iᵉʳ siècle de notre ère ; il s'est présenté comme le Messie [1]. Comment fut-il mis à l'origine des Sadducéens ?

104. Une seule fois, on trouve les Sadducéens accusés d'épicurisme, en ce sens qu'ils sont des jouisseurs ; c'est sous la plume de Philastre de Brescia (n° 30).

C'est au contraire sur la « justice » des Sadducéens que la tradition chrétienne, très tôt et très souvent, a attiré l'attention. Nous trouvons le rattachement philologique entre le nom de Sadducéens et le terme de δικαιοσύνη, *ṣèdèq* chez Épiphane (n° 27). Beaucoup de Pères, dans cette même ligne, à la suite du reste des Recognitiones (n° 19) et du Pseudo-Éphrem (n° 26), disent, plus ou moins explicitement, que Sadducéens veut dire « justes » : Jean Damascène (n° 44), Théophylacte (n° 55), Jérôme (n° 33), voir aussi n° 32) ; Isidore (n° 43), Raban Maur (nᵒˢ 46, 47, 48), Paschase Radbert (n° 49), Rupert (n° 60), Honorius (n° 61). On a, dans ces textes, les termes suivants pour expliquer le nom de Sadducéens : *justiores, quasi justi,* δικαιότατοι, δίκαιοι, *justi (justificati).*

Pour contrebalancer ce compliment, nous trouvons, dès Jérôme (n° 33), la mise au point suivante : « ils revendiquaient pour eux ce qu'ils n'étaient pas. » On la voit, par la suite, dans les nᵒˢ 43, 46, 47, 48, 49, 60. Nous verrons plus bas (§ 111) ce qu'il faut penser du rapprochement grammatical entre *ṣèdèq* et Sadducéens. Retenons seulement ici la fréquence du compliment fait aux Sadducéens d'être des justes. Quant au reproche de prétendre être ce qu'ils n'étaient pas, c'est, là aussi, une inférence à partir d'autres données, par exemple leur négation de la résurrection.

Cette recherche étymologique du nom de Sadducéen comporte un autre élément chez les Pères. Parmi les auteurs que nous venons de citer depuis une demi-page, trois mettent un rapport également entre *ṣèdèq* et Sadoq : Épiphane (n° 27), Jean Damascène

---

1. Origène, *Contre Celse* I 57 et VI 11 ; *PG* 11, 764-765 et 1305, 1308.

(n° 44), Théophylacte (n° 55). D'autres, qui ne mentionnent pas cette dernière précision philologique, font état de la liaison entre le nom de Sadoq et celui de Sadducéens : Philastre (n° 30), Michel le Syrien (n° 62).

Parfois, le Père en question ne précise pas qui est le Sadoq dont il parle (n°s 55, 30) ; d'autres fois, il dit qu'il est prêtre (n°s 27, 44, 62). Mais, dans ces cinq cas, il n'est pas toujours certain que le texte dise, effectivement, que Sadoq est le fondateur des Sadducéens.

Notons enfin, à propos d'étymologie, l'affirmation curieuse de la Souda (n° 54) : « Sadducéens, d'un [nom de] lieu. »

105. C'est une curiosité, mais beaucoup plus importante, qui nous attend tout à fait en finale de la liste des Pères. Voici en effet ce que nous lisons sous la plume d'Honorius Augustodunensis : « Pharisaei erant clerici Judaeorum... Sadducaei erant monachi Judaeorum » (n° 61).

Les quelques lignes qu'Honorius consacre aux Sadducéens reprennent la notice d'Isidore (n° 43) ou celle de Rupert de Deutz (n° 59) qui est identique [1]. Mais Honorius prend bien soin d'omettre la mise au point dépréciative (« vendicant enim sibi quod non sunt ») [2].

Le rapprochement entre moines et Sadducéens est propre à Honorius. Pour le moment, nous ne l'avons trouvé nulle part ailleurs dans la littérature médiévale [3].

Cette équivalence, extraordinaire par certains côtés, entre moines et Sadducéens s'explique pour deux raisons. D'une part, Honorius a lu dans Rupert : « Pharisaei erant clerici Judaeorum » (n° 47) [4]. Comme il y avait, du temps d'Honorius, deux groupes

---

1. Nous savons qu'Honorius, dans ses écrits postérieurs à l'*Elucidarium*, œuvre de jeunesse, s'inspire de Rupert de Deutz (Y. Lefèvre, *L'Elucidarium et les lucidaires*, Paris, 1954, p. 212, n. 2). Rupert est mort en 1129-1130. Honorius était encore en vie en 1153. Son *Liber de haeresibus* se présente comme un appendice au *De luminaribus ecclesiae*, qui figure en finale de la liste qu'il nous donne lui-même de ses œuvres à la fin de cet ouvrage (PL 172, 234). Il est donc possible qu'Honorius ait utilisé la notice de Rupert.
2. Il se contente du compliment : « Sadducaei erant monachi Judaeorum et *dicuntur justi*. Horum haeresis... »
3. Nous avons parlé de la chose à quelques médiévistes et monachologues. Aucun n'a pu nous signaler d'autre texte. Rien dans les œuvres d'Honorius n'a pu nous éclairer sur la portée de cette affirmation.
4. Ce texte de Rupert est dans le *De divinis officiis*, achevé peu après 1111. Ce que nous avons dit (voir notre note 1) de la connaissance qu'avait Honorius des œuvres de Rupert, et des dates respectives des deux auteurs, permet d'avancer cette affirmation : Honorius a trouvé dans Rupert que les Pharisiens étaient « les clercs juifs ». Nous remercions notre confrère dom Jean Gribomont qui nous a signalé le texte de Rupert ; cela nous a permis d'éclairer en partie la genèse de cette curieuse assimilation des moines aux Sadducéens. Quant à l'assimilation de Rupert entre Pharisiens et

antagonistes, clerc et moines, il lui fut facile, en voyant l'autre dualité antagoniste chez les juifs (Sadducéens et Pharisiens), de compléter Rupert en disant : les Sadducéens sont les moines juifs. Par
ailleurs, il lisait dans les notices de son ou ses prédécesseurs que
les Sadducéens étaient des justes [5]. Quoi de plus facile, donc, pour
lui que de remplacer justes par moines [6] ?

*
**

106. Auteurs qaraïtes et auteurs chrétiens, on le voit, ne nous
apportent pratiquement rien d'historiquement solide, en dehors
de ce qu'ils puisent dans la tradition rabbinique, chez Josèphe et
dans le Nouveau Testament. Ce qu'ils disent des Sadducéens a surtout l'intérêt d'un confirmatur. C'est le cas, en particulier, de la
précieuse notice de l'Elenchos : en durcissant seulement un peu
les choses, elle présente de façon pertinente l'attachement des Sadducéens à l'ancienne foi d'Israël, uniquement préoccupée de la vie
ici-bas, sans aperçus au sujet du sort de l'individu dans l'au-delà.

Les pères de l'Église ont attiré notre attention sur l'explication
du nom de Sadducéen. Il est temps d'examiner cette question.

clercs, elle est également déroutante. Est-ce une trouvaille de Rupert ?
Vient-elle d'un blocage indu entre « Pontifices et Pharisaei » (formule de
la Vulgate dans Jn 7, 45 ; 11, 47. 57) ? Volonté de Rupert, qui est moine, de
critiquer les vices du clergé de son temps ?
   5. Voir plus haut n. 2.
   6. Dom MARTÈNE, au XVIIIe siècle, donna à son recueil de notices sur
les premiers moines de la Congrégation de Saint-Maur le titre de « Vies des
Justes ». — Pour terminer, notons quelle ironie se manifeste dans la double
assimilation d'Honorius : Pharisiens = clercs, Sadducéens = moines. L'inverse
aurait contenu une certaine vraisemblance historique : Pharisiens = moines,
Sadducéens = clercs. Mais la genèse de cette double assimilation s'est, peut-
être, réalisée en deux temps, comme nous l'avons vu (Rupert faisant la
première, entre clercs et Pharisiens). Du reste, pour comprendre le sens et
la portée de pareilles assimilations, en ce XIIe siècle, il faut se placer uniquement dans la perspective de la vie cléricale et monastique à cette époque,
et des luttes entre clercs et moines.

CHAPITRE VII

ÉNIGME DE L'ORIGINE ET DU SENS
DU TERME SADDUCÉEN

107. La première difficulté d'une étude philologique du terme Sadducéen vient du fait que nous ne connaissons pas avec certitude la vocalisation de ce mot en sémitique.

Les sources rabbiniques donnent uniquement les consonnes. En hébreu, on a, au masculin, ṣdwqy, pluriel ṣdwqym (ou -qyn). Au féminin, on trouve le singulier ṣdwqh[1], et le pluriel ṣdwqywt[2], qui suppose un singulier ṣdwqyt. Pour le moment, nous n'avons pas d'attestation de la forme araméenne.

Faut-il vocaliser ṣᵉdûqî ou ṣaddûqî ? La plus ancienne attestation écrite de vocalisation est fournie par la Mishna. Le manuscrit de Rossi[3], qui date du XIIIᵉ siècle, a été ponctué pour la moitié environ de la Mishna. En *Er.* VI 2, le masculin singulier ṣdwqy a été vocalisé ṣaddûqî[4]. Malheureusement, les textes de la Mishna où figure le pluriel se trouvent dans la partie non vocalisée de ce manuscrit[5]. Éliézer ben Yehuda, le restaurateur, au XIXᵉ siècle, de l'hébreu parlé, évite prudemment de se prononcer entre trois solutions possibles[6].

---

1. L'emploi du terme au féminin est très rare. Pour *sdwqh*, Tos. *Nidda* V 3 (645, 24) (du reste, cette leçon « Sadducéenne » n'est pas la bonne ; avec l'édition de Zolkiev [voir LÉVY, *Wörterbuch* IV, p. 174 b], de Stuttgart [E. SCHERESCHEWSKY, VI/2, 1965, *in loco*], et le passage parallèle b. *Nidda* 33ᵇ, il faut lire « Sadducéen »).
2. Tos. *Nidda* V 3 (645, 26).
3. Les renseignements suivants, au sujet du manuscrit de Rossi, sont pris dans SCHUERER, II, p. 477, n. 8.
4. Avec un qames ; mais dans ce manuscrit, qames et patah sont souvent mis l'un pour l'autre.
5. Le manuscrit Kaufmann de la Mishna a été entièrement vocalisé par une seconde main (DANBY, *The Mishnah*, 1933, p. XXX) ; je n'ai pu avoir sous la main le fac-similé publié par G. BEEL, La Haye, 1930.
6. Dans son *Thesaurus totius hebraitatis et veteris et recentioris*, edition de New-York - Londres, volume VI (1960), p. 5385, en tête de l'article, il fait

Pour le Nouveau Testament, où le terme Sadducéens ne figure qu'au pluriel, la Peshitto donne *zaddûqâyé* ; on trouve la même prononciation chez Éphrem [7].

La forme grecque se trouve chez Josèphe et dans le Nouveau Testament. Mais, dans ces deux groupes de documents, nous avons uniquement le pluriel ; c'est toujours la forme Σαδδουκαῖοι. Pour le singulier, on pourrait sans doute faire état de Josèphe qui parle à deux reprises d'Ananias Σαδούκι [8] ; ne s'agirait-il pas d'Ananias « le Sadducéen » ?

En latin, on a *Sadducaei*, qui transcrit purement et simplement le grec. Il n'y a pas à retenir la graphie *Saducaei*, avec un seul *d*, qui se trouve parfois dans des manuscrits du moyen âge [9].

108. Comme on le voit au terme de cet inventaire, la vocalisation *ṣedûqî*, sans redoublement du dalet, n'est pratiquement pas attestée, en dehors l'hypothétique Σαδούκι de Josèphe. Faut-il en conclure que la forme primitive est certainement *ṣaddûqî* [1] ? Nous allons voir bientôt (§ 109) que, pour le personnage biblique s'appelant *ṣdwq*, une double prononciation, Sadoq et Saddouq, est attestée [2]. Pour *ṣdwqy*, la prononciation *ṣaddûqî*, dans l'ordre historique de notre documentation, apparaît seulement en la seconde partie du Ier siècle de notre ère [3]. Ces deux remarques, prises conjointement, ne permettent pas de rejeter catégoriquement l'existence de la vocalisation *ṣedûqî*, comme prononciation primitive ou comme prononciation existant conjointement avec *ṣaddûqî*. Ajoutons cependant que cette éventuelle prononciation *ṣedûqî*, si elle a existé, n'a laissé pratiquement aucune trace. Par ailleurs, le grec Σαδδουκαῖος s'explique très bien à partir de l'araméen (non attesté *ṣadduqay*, état emphatique *ṣadduqa'ah* [4]. Nous avons en *ṣaddûqî* une gémination secondaire [5].

---

figurer : « *Ṣedôqî* ou *sadôqî* ou *Ṣaddûqî*. » — ALBECK, dans son édition de la *Mishna* (1954-1958), opte pour *Ṣaddûqî*.

7. Par exemple *Carmina nisibena*, édition G. BICKELL, Leipzig, 1866, *Carmen* 39, 94 (texte p. 7, ligne 15 ; traduction allemande p. 155).

8. *Guerre* II 451 et 628.

9. Voir, dans la liste du § 98, par exemple les n° 4, 32 (dans certains mss seulement, consulter l'apparat critique) et 7. Voici ce que m'a dit M. Henri ROCHAIS : « En général, le *d* ne s'abrège pas dans les mss latins ; mais les scribes médiévaux pratiquaient couramment l'haplographie dont la manifestation la plus courante était la suppression d'une consonne dans le cas d'une consonne double. Donc *Saducaei* ne comporte pas normalement d'abréviation. C'est simplement une graphie médiévale. »

1. De toute façon, la longue *û* semble primitive.

2. Ici, nous faisons état de ce fait uniquement pour montrer la possibilité d'une double prononciation d'un même terme.

3. Attestée, indirectement, par le Nouveau Testament et Josèphe.

4. DALMAN, *Grammatik*, 1905, p. 178, n. 1.

5. G. BEER et R. MEYER, *Hebräische Grammatik* I, Berlin, 1952, pp. 80-81, § 28, n° 3 a.

Dans cette question de vocalisation, nous avons réservé pour la fin de ce paragraphe l'argument tiré des autorités modernes. En effet, il n'a de poids que dans la mesure où il peut s'appuyer sur les données anciennes. On constate que la vocalisation avec un seul *d* est relativement fréquente. On la trouve, par exemple, dans les dictionnaires de Levy[6] et de Jastrow[7], chez Goldschmidt[8], une fois dans l'édition critique de la Mishna de Berlin[9], chez des auteurs juifs[10]. Billerbeck refusait de se prononcer[11]. Vu l'importance de ces autorités, il n'est pas étonnant que la forme française avec un seul *d*, Saducéen, ait été assez fréquente, au XIXe siècle surtout. Elle se trouvait du reste déjà sous la plume de dom Calmet au XVIIIe ; Littré l'avait sanctionnée, et le *Petit Larousse* de 1967 la donne conjointement avec l'autre, *Sadducéen*[12].

109. L'examen de la prononciation du nom du personnage biblique ṣdwq va compléter notre documentation. Par ailleurs, cette recherche sur ṣdwq nous fournira des éléments pour la question de l'origine du nom de Sadducéens (plus bas § 111).

Les Massorètes ont vocalisé ce ṣdwq en ṣadôq ; notons la même forme en grec, Σαδώκ, dans Mt 1, 14. Mais la Septante est, sur ce point, utile[1]. La plupart du temps, elle donne la forme *Sadôk*. Il y a deux groupes d'exception. D'une part, dans le livre d'Ézéchiel, on a toujours Σαδδούκ ; pourquoi cette différence ?

---

6. *Wörterbuch* IV, *sub verbo*.

7. *Dictionary* II, *sub verbo* ; mais Jastrow met deux *d* en anglais, *Sadducees*.

8. Dans sa traduction du Babli, édition minor, 1929-1938.

9. G. LISOWSKY, *Jadajim*, 1956, en Yad. IV 6-8. Ailleurs, cette édition de Berlin donne la graphie *sadduqî* : W NOWACK, *Erubin*, 1926, en *Er.* VI 2 ; S. KRAUSS, *Sanhedrin-Makkot*, 1933, en *Makkot* I 6 ; G. MAYER, *Para*, 1964, en *Para* III 7.

10. Par exemple BARON, *Histoire d'Israël*, II, 764 (mais il met deux *d* en français) ; *The Standard Jewish Encyclopedia*, sous la direction de C. ROTH, Londres, 1962[2], col. 1638, article *Sadducees* (avec deux *d*), mais il écrit *tzedukim*, avec un seul *d*.

11. BILLERBECK, IV/1, p. 339 (mais en allemand il met deux *d*, *Sadduzäer*). LAGRANGE, *Judaïsme*, p. 301, n. 2, s'abstient prudemment de vocaliser ; mais p. 306, il dit *Sadouqîm*.

12. Nous citons ici un certain nombre d'auteurs, français ou étrangers, qui écrivent avec un seul *d* ; cette énumération est un échantillonnage, et n'a pas la prétention d'être complète. Pour les auteurs cités seulement par leur nom et leur date, on voudra bien se reporter à la bibliographie générale. Dom CALMET (1717) 1730 ; FUERST, 1862 ; É. LITTRÉ, *Dictionnaire*, II. 2, 1869, au mot *Saducéen* ; E. STAPFER, 1881 ; E. BANETH, 1882 (qui vocalise *sadokäer*) ; Ed. MONTET, 1883 ; J. HALÉVY, 1884 ; E. DAVAINE, *Le Saducéisme*, Montauban, 1888, p. 44, n. 1 : « aucune raison n'autorise à croire que le dalet portait un daguesh » ; DANIEL-ROPS, *La vie quotidienne en Palestine au temps de Jésus*, Paris, 1961 ; M. MANSOOR, *The Dead Sea Scrolls*, Leyde, 1964, p. 119 ; *Petit Larousse*, 1967, *sub verbo*.

1. Pour la Septante, voir les dépouillements dans la concordance d'HATCH-REDPATH, au nom propre en question.

Notons que, dans les quatre textes d'Ézéchiel, il s'agit toujours et uniquement des bené Sadoq (§ 45). Cette vocalisation ne viendrait-elle pas, dans la Septante, de ce que les copistes chrétiens auraient mis un lien entre Sadôq/Saddouq et les Σαδδουκαῖοι ?

Par ailleurs, pour certains passages de la Septante où l'on a généralement Σαδώκ on trouve, dans certains manuscrits, deux variantes, qui existent ensemble ou séparément : redoublement du δ et son -ου- [2]. On rencontre cette forme Σαδδούκ dans la littérature intertestamentaire [3].

Josèphe, pour le prêtre Sadoq, dit toujours Σάδωκος. Il écrit Σάδδωκος le nom du pharisien cofondateur des Zélotes [4] ; mais, pour ce dernier cas, la forme Σάδδουκος est attestée dans certains manuscrits [5].

Dans la Mishna, pour Rabbi Sadoq l'Ancien (vers 50-90), le manuscrit de Rossi a vocalisé ṣaddûq [6]. Et le dictionnaire de Levy [7] vocalise ṣadûq (sans redoublement du dalet) le Sadoq dont il est question en *A.R.N.* rec. A, ch. 5 (26 col. a, 11).

Comme on le voit, les deux prononciations Sadoq et Saddouq existaient, pour le même nom ṣdwq. Grammaticalement les deux formes sont identiques [8]. Mais la vocalisation Saddouq est attestée uniquement par des copistes chrétiens (Septante, Josèphe) et par un témoignage juif tardif (manuscrit de Rossi). On peut donc se demander si, là aussi, il n'y a pas influence d'un lien, mis tardivement, entre le personnage Sadoq/Saddouq et les Σαδδουκαῖοι [9] Il nous faut donc examiner les différentes étymologies qui, depuis des siècles, ont été mises en avant pour expliquer ce terme de Sadducéen.

---

2. La liste suivante se limite aux variantes des grands onciaux signalées par Hatch-Redpath. Il n'y a jamais de variante pour le son α de Σα-. Voici les formes que l'on rencontre : 1) Redoublement du δ : Σαδδούκ (une dizaine de cas), Σαδδούχ (une fois), Σαδδώκ (trois fois), Σαδδόκ (une fois). 2) Le son -ου- : Σαδούχ (trois fois), Σαδδούκ (déjà cité en 1 ; une dizaine de fois), Σαδδούχ (déjà cité en 1 ; une fois).

3. Il s'agit du grec de l'*Ascension d'Isaïe* II 5, selon le manuscrit édité par GRENFELL et HUNT, *The Amherst Papyri*, Londres, 1900, p. 4 ; à tort, ces éditeurs ont transcrit Σαδώκ le CAΔΔOUK du manuscrit.

4. *Ant.* XVIII 4.

5. Σάδδουκος dans le Vaticanus et l'*Epitomé* (abrégé latin). Le Medicaeus donne Σαδουκος.

6. Tantôt avec un patah, tantôt un qames (les deux sont interchangeables dans ce manuscrit) : *Pea* II 4 ; *Ter.* X 9 ; *Shab.* XXIV 5 ; *Pes.* III 6, VII 2, X 3. Dans son édition de la Mishna (1954-1958), ALBECK choisit la graphie sans redoublement du dabeth : Ṣadôq.

7. *Wöterbuch*, IV, p. 173 a.

8. WELLHAUSEN, *Pharisäer*, p. 47.

9. Le fait est considéré comme possible par T. W. MANSON, dans *BJRL* 22 (1938), p. 145, n. 4.

110. Laissons de côté les solutions fantaisistes. Signalons en quelques-unes.

En 1837, Köster proposait de voir dans le nom de Sadducéen une transformation du grec Στοϊκός [1].

A l'aide d'arguments d'ordre historique et philologique sans valeur, Cowley, en 1903, songeait à une dérivation du persan zindîk, « infidèle » [2].

L'essai de Manson, en 1938, n'est pas plus satisfaisant [3]. A partir du *Tarif de Palmyre* [4], il suggère que l'origine du nom Sadducéens est le grec σύνδικοι, « syndics », autorités chargées des finances [5]. Cette étymologie est impossible [6].

Notons enfin la curieuse solution de la *Souda* : Sadducéens, « d'un [nom de] lieu » [7].

111. Selon Épiphane, au IVe siècle, l'origine du terme Sadducéen est δικαιοσύνη, *ṣèdèq, justice* ; étymologiquement, Sadducéens veut dire justes [1]. Cette étymologie se trouve à plusieurs reprises chez les Pères de l'Église [2] ; elle est du reste en quelque sorte préparée par le dire des Recognitions et du Pseudo-Éphrem : les Sadducéens sont « ceteris justiores », [3] « quasi justi » [4].

Cette explication philologique à partir de *ṣèdèq, ṣᵉdaqah* ou *ṣaddîq* a été reprise au XIXe siècle [5]. Mais on a fait remarquer, pour

---

1. Fr. KOESTER, dans *Theologische Studien und Kritiken* 10 (1837), p. 164, note a.
2. A. E. COWLEY, *Sadducees*, dans l'*Encyclopaedia biblica* de CHEYNE, IV (1903), col. 4236.
3. T. W. MANSON, *Sadducee and Pharisee ; the Origin and Significance of the Names*, dans *BJRL* 22 (1938), pp. 144-159.
4. Ce document bilingue date de l'an 137 de notre ère ; voir le texte dans le *Corpus inscr. semit.*, Araméen n° 3913 (*Corpus* II/3, fasc. 1 [1926], pp. 33-73). A la ligne 11 (p. 46) on a *sdqy'* ; en grec, ligne 12 (p. 40), συνδίκους.
5. Selon Manson, les Sadducéens auraient donc été les autorités administrant les affaires du Temple de Jérusalem, dans les deux derniers siècles avant notre ère.
6. Bo REICKE, *Neutest. Zeitgeschichte*, Berlin, 1965, p. 114, n. 23, félicite Manson d'avoir souligné l'invraisemblance d'une dérivation de Sadducéen à partir du nom propre de Sadoq, mais il rejette sa solution : elle n'explique ni les voyelles ni les consonnes du terme.
7. Voir la référence dans notre liste du § 98, n° 54. Cette mention est d'autant plus curieuse que, dans son article précédent, article 26, la Souda disait : « Sadoq, nom propre. » En hébreu ou en araméen, un certain nombre de termes à finale -*i* sont, de fait, dérivés d'un nom de lieu (exemples dans DALMAN, *Grammatik*, 1905, pp. 177-178).
1. Référence dans la liste du § 98, n. 27.
2. Ils sont cités au début de notre § 104.
3. Liste § 98, n° 19.
4. *Ibid.*, n° 26.
5. DERENBOURG, *Essai*, pp. 77-78, 452-456 ; les Sadducéens se targuaient de pratiquer la *Ṣᵉdaqah* « vertu modérée, qui apporte des tempéraments à la trop grande austérité de la *perishout* [des Pharisiens] » (p. 77) ; *sdwq* ou *sdwqy* (pour Derenbourg, ce sont deux synonymes) est un sobriquet lancé par les Pharisiens (p. 78, 120, 454). — HAMBURGER, *Real-Ency. für Bibel und Talmud* II (1883), p. 1041.

ṣaddîq, qu'il était impossible de justifier grammaticalement le passage de son î au son û de ṣaddûq [6] (ou ṣᵉdûqî). Du reste, en dehors de cette impossibilité linguistique, on ne voit pas pourquoi les Sadducéens auraient dû, à l'origine et donc dans l'apparition de leur nom, être particulièrement qualifiés de justes [7], même de façon ironique de la part de leurs adversaires [8].

Nous en arrivons donc à la dernière explication : le nom de Sadducéen vient du personnage Sadoq. Examinons l'aspect philologique de cette solution, puis son aspect historique.

La plus ancienne attestation d'un lien philologique entre Sadoq et Sadducéens apparaît dans la notice des *ARN*. rec. A, ch. 5 (voir § 80), qui remonte peut-être au Iᵉʳ ou IIᵉ siècle de notre ère (§ 79). Cette solution se trouve à plusieurs reprises chez les Pères de l'Église [9]. Reprise par Geiger [10] en 1857, elle a connu un grand succès [11]. En effet, on la trouve par exemple chez Wellhausen [12], Grätz [13], Kohler [14], Hölscher [15], Schürer [16], Leszynsky [17], Billerbeck [18], Moore [19], Lisowsky [20], Finkelstein [21].

Dans cette explication, Sadducéen signifie partisan de Sadoq [22]. Cette origine du terme Sadducéen est-elle possible ? Elle ne peut se justifier philologiquement qu'à partir de la prononciation Saddouq du personnage Sadoq. Cette prononciation est attestée (§ 109) mais, comme nous l'avons dit, dans les attestations, assez rares, on peut toujours se demander si la prononciation Saddouq n'est pas le résultat du lien mis entre Sadducéen et Sadoq. On a donc, semble-

---

6. Éd. Montet, *Essai sur les origines*, 1883, p. 57 ; Schuerer, II, p. 477.
7. Cela conviendrait beaucoup mieux pour les Pharisiens (voir ce que nous avons dit plus haut, § 57, à propos d'*Assomption de Moïse* 7, 3, qui, selon nous, vise les Pharisiens). On peut ajouter une autre remarque dans le même sens. Dans le récit de la rupture entre Jean Hyrkan et les Pharisiens (*Ant.* XIII 288-298, voir plus haut § 35-40), le terme δίκαιος (XIII 291) est en quelque sorte appliqué aux Pharisiens ; de même ἡ ὁδὸς τῆς δικαίας (XIII 290), qui reprend *dèrèk ṣᵉdaqah* de Pr 16, 31.
8. Hypothèse selon laquelle l'appellation de Sadducéen est un sobriquet lancé par les Pharisiens (voir plus haut n. 5).
9. Voir les Pères cités § 104.
10. *Urschrift*, p. 24-25.
11. G. Lisowsky, *Jadajim* (« Mischna » de Berlin), 1956, p. 73, n. 1, est cependant un peu trop optimiste en disant que cette thèse a trouvé « une approbation générale ».
12. *Pharisäer*, p. 46.
13. *Geschichte*, III, 1878, p. 657.
14. *JE* X (1905), p. 630 b.
15. *Sadduzäismus*, p. 104.
16. II, p. 477, n. 11 : « la seule origine possible ».
17. *Sadduzäer*, p. 93.
18. IV/1, p. 340, n. 2.
19. *Judaism*, I, 1927, p. 68 : « c'est évident ».
20. Cité plus haut n. 11.
21. *Pharisees*, 1962, pp. 763 et 765.
22. Nous ne regardons, pour le moment, que l'aspect philologique de la question.

t-il, dans l'explication de Sadducéen à partir de Sadoq une explication *a posteriori* qui ne peut servir pour justifier la formation du nom [23]. Il faudrait, pour fonder réellement cette étymologie, un argument différent ; il n'existe pas.

Du reste, si nous regardons maintenant à quel personnage du nom de Sadoq songent les partisans de cette solution, nous voyons que l'accord n'existe pas. Les *A.R.N.* rec. A, ch. 5 songeaient très probablement au prêtre du temps de David [24]. C'est la solution la plus courante parmi ceux qui pensent au lien étymologique Saddoq-Sadducéen [25]. Mais affirmer d'emblée que les Sadducéens sont les gens de Sadoq, c'est préjuger du caractère sacerdotal, ou principalement sacerdotal de leur groupement [26]. On cherche, il est vrai, à supposer une évolution du sens de ce terme Sadducéen [27], ou à trouver deux pointes dans la signification du mot [28]. Mais cela paraît sans fondement solide.

D'autres, sentant plus ou moins confusément la difficulté d'un rattachement au prêtre Sadoq, songent à un autre personnage : un certain Sadoq qui aurait été le fondateur [29] ou tout au moins un maître éminent [30] de ce groupe. Mais, comme nous l'avons vu, l'exis-

---

23. La clé rentre dans la serrure, car la serrure a été fabriquée en fonction de la clé qui existait au préalable.

24. Voir § 81. Rappelons que, dans la recension B ch. 10 (traduction § 80, n. 7), Sadoq est le disciple d'Antigone de Soko (vers 180 avant J.-C.).

25. Parmi les Pères de l'Église cités § 104, c'est le cas pour trois sur cinq, comme nous le précisons à cet endroit. Parmi les auteurs modernes cités plus haut, n. 11 à 21, il faut exclure ici Grätz et Moore qui, comme nous allons le dire (n. 29 et 30), songent à un autre Sadoq que le prêtre.

26. Bo REICKE, *Neutest. Zeitgeschichte*, 1965, p. 114 : jamais les sources ne font apparaître les Sadducéens comme prétendant représenter une succession sacerdotale à partir de Sadoq, ou une parenté spirituelle avec lui ; au contraire, ils soutiennent la dynastie d'Anne (6-15) qui est non sadocide.

27. Par exemple K. KOHLER, dans *JE* X (1905, p. 630 b : le terme désignait d'abord un partisan des bené Sadoq ; plus tard, il fut appliqué au parti, composé des familles aristocratiques, unies par mariages et autres relations aux familles sacerdotales de rang élevé.

28. APTOWITZER, *Parteipolitik*, p. XXVII : une pointe généalogique (descendant de Sadoq), une autre, religieuse (continuateur des traditions sadocites).

29. C'était déjà la solution d'*A.R.N.* rec. B, ch. 10 (traduction § 80, n. 7 : Sadoq est disciple d'Antigone de Soko). On trouve comme fondateur du groupe un Sadoq, différent du prêtre de ce nom, chez des Pères de l'Église (Théophylacte, liste du § 98, n° 55 ; Philastre de Brescia, n° 30), puis à l'époque moderne : dom CALMET, *Dictionnaire historique*, 1730, p. 30 ; GRAETZ, *Geschichte*, III, 1878, p. 657 (Sadoq était un adversaire des Pharisiens) ; E. BANETH, *Ueber den Ursprung der Sadokäer*, Dessau 1882, p. 35 (un Sadoq du temps de Yosé ben Yoézer [vers 150 avant J.-C.]) ; SCHUERER, II, p. 479 (seconde hypothèse, moins vraisemblable, dit-il, que celle qui y voit le prêtre Sadoq : un inconnu du nom de Sadoq, à l'origine du parti).

30. Éd. MONTET, *Essai*, 1883, p. 59 (membre influent ou chef du parti à une époque inconnue) ; E. MEYER, *Ursprung und Anfänge des Christentums*, II, 1921, p. 291 (vivant vers 150 avant J.-C.) ; MOORE, *Judaism*, I, p. 70 (fondateur ou chef de la secte).

tence de ce Sadoq, dans l'état actuel de notre documentation, n'est nulle part attestée de façon certaine [31]. C'est seulement à partir d'inductions fragiles qu'on a pu la postuler. Parler à ce propos d'un « personnage inconnu » [32] ne serait légitime que si nous avions une raison solide, d'ordre philologique par exemple, d'affirmer le lien entre Sadoq et les Sadducéens ; or, ce n'est pas le cas.

112. La fragilité du rapprochement entre Sadoq, le prêtre ou un autre personnage, et Sadducéens est donc d'ordre philologique et historique. Par conséquent, il n'est pas étonnant que, récemment, on ait cherché dans une autre voie l'origine du terme Sadducéen [1]. Partant de la forme ṣaddûqî, on postule l'existence d'un adjectif ṣaddûq [2], qui n'est pas attesté, mais dont l'akkadien d'El Amarna ṣadûq [3] peut sans doute justifier la possibilité [4]. Cet adjectif ṣaddûq signifierait juste, d'abord dans l'administration de la justice, secondairement dans l'accomplissement des préceptes [5] ; ou bien il voudrait dire « exerçant le droit » [6]. L'adjectif [7] ṣaddûqî conviendrait donc bien pour exprimer l'attitude des Sadducéens dans les questions de droit [8].

On revient ainsi, d'une certaine manière, au lien entre Sadducéens et « justes », quoique l'on insiste davantage ici sur la justice au sens que le mot a dans notre langage français courant.

C'est justement cela qui conduit à se poser la question de la valeur de cette nouvelle explication philologique. La rigueur des Sadducéens dans l'administration de la justice n'est qu'un élément

---

31. La source de l'affirmation de l'existence historique de ce Sadoq est double, mais il ne s'agit que de la même, se manifestant sous deux formes : *A.R.N.* rec. A, ch. 5, faussement compris dans le sens que le Sadoq en question est fondateur (sur cette fausse interprétation, voir § 81) ; *A.R.N.* rec. B, ch. 10 (traduction § 80, n. 7). Mais cette recension B, en ce qui concerne Sadoq, n'est pas autre chose qu'une mauvaise interprétation de la tradition qui se reflète dans la recension A.

32. Par exemple Moore, *Judaism*, I, p. 70 ; P. Volz, dans *RGG* [2] V (1931), col. 27.

1. R. North, *The Qumrân « Sadducees »*, dans *CBQ* 17 (1955), pp. 164-188 (ici, pp. 165-166) ; Bo Reicke, *Neutest. Zeitgeschichte*, 1965, p. 114.

2. Les formes en *qattûl* sont une formation intensive, bien attestée en hébreu biblique (Jouön, *Grammaire de l'hébreu biblique*, Rome, 1923, § 88 I c).

3. L'*Assyrian Dictionary*, Chicago, lettre Ṣ, tome XVI, 1962, p. 59 b, cite une texte ; il traduit « right », « just ».

4. North, *op. cit.*, p. 166 : du fait des règles de cette langue d'El Amarna, la forme ṣadûq peut être une manière d'écrire ṣaddûq. — Mais il faut noter que ṣadûq d'Amarna est devenu ṣaddîq en hébreu.

5. North, *op. cit.*, p. 165 .

6. Reicke, *op. cit.*, p. 114 ; le droit, c'est ṣèdèq.

7. Selon North, *op. cit.*, p. 165, cet adjectif exprime la relation, comme l'anglais -an ou -ic — Il semble bien que ṣaddûqî soit un adjectif. Sur les termes en finale-i, voir G. Beer et R. Meyer, *Hebräische Grammatik* I, 1952, p. 110 § 41, n° 4.

8. Reicke, *op. cit.*, p. 111.

de leur attitude[9], et, pendant longtemps, aux origines du groupe, il ne dut pas avoir un relief spécial. Pourquoi donc cela aurait-il donné naissance au nom même de Sadducéen ? Cela ne paraît guère vraisemblable, soit que le terme ait été inventé par les gens du groupe, soit qu'il vienne de leurs adversaires à titre d'appellation ironique[10].

On le voit, l'étymologie du terme de Sadducéen n'est pas encore tirée au clair.

Nous ne connaissons avec certitude que les consonnes du terme sémitique Sadducéen : ṣdwqy, pluriel ṣdwqym. A partir de αδδουκαῖοι qui figure, uniquement au pluriel, dans le Nouveau Testament, on peut supposer que la vocalisation était ṣaddûqî ; mais cela n'est pas absolument certain.

Selon l'explication la plus courante, ce nom de Sadducéen a pour origine le nom propre Sadoq, et la plupart des historiens qui adoptent cette explication voient dans ce Sadoq le prêtre en chef à Jérusalem du temps de David et de Salomon. Mais la dérivation philologique de ṣaddûqî par rapport à Sadoq est loin d'être assurée[11].

---

9. Il s'agit du reste, si l'on s'en tient à Josèphe (*Ant.* XX 199), très précisément de sévérité.

10. Plusieurs ont pensé que ce terme de Sadducéen était un sobriquet inventé par leurs adversaires, les Pharisiens (DERENBOURG, *Essai*, p. 78 et 120 ; WELLHAUSEN, *Pharisäer*, p. 94 ; HOELSCHER, *Sadduzäismus*, p. 101 et 105). L'absence de tout document émanant des Sadducéens ne permet ni d'infirmer ni de confirmer cette hypothèse.

11. M. André CAQUOT me suggère une explication nouvelle qui semble très intéressante : ṣadduq, dont ṣaddûqî est un dérivé, est l'hypocoristique d'un nom théophore du schème *qattûl* (type *yaddûaᶜ*, Ne 10, 22), comportant l'élément *ṣèdèq*, et qui n'est pas forcément *ṣadoq*.

DEUXIÈME PARTIE

ÉTUDE DES DIVERGENCES
ENTRE SADDUCÉENS ET PHARISIENS

113. Dans cette deuxième partie, nous allons étudier en détail tous les textes rabbiniques qui, de près ou de loin, nous renseignent au sujet des Sadducéens. Comme nous le savons déjà (§ 70-71), ces textes, rédigés du point de vue pharisien, présentent tous des discussions ou des polémiques entre Pharisiens et Sadducéens.

Notre travail va donc consister, à partir de ces données rabbiniques mises par écrit à une date relativement tardive (§ 70) à rechercher quelles sont les idées et les pratiques authentiquement sadducéennes. En effet, puisqu'il s'agit de textes de polémique, bien souvent la présentation que font les rabbins de ces idées et pratiques sadducéennes est plus ou moins déformée et ne reflète pas exactement la réalité historique.

Le choix d'un plan pour le déroulement de cette deuxième partie était important. Il fallait en effet trouver un agencement de la démonstration qui conduise le plus directement possible, à l'aide de textes rédigés à partir de la fin du IIe siècle après notre ère, à retrouver la situation historique antérieure à la ruine de 70. Nous avions d'abord songé à grouper les sujets à partir de la Bible, en étudiant successivement les points de divergence entre Pharisiens et Sadducéens où la base biblique est claire, puis ceux où elle est obscure, enfin ceux où elle est totalement absente. Mais nous avons renoncé à cette façon de faire ; elle aurait présenté l'inconvénient, entre autres, de nombreuses redites, et, surtout, il aurait été difficile d'éviter au départ un certain *a priori* dans le classement. Nous avons donc finalement opté pour le plan suivant, en fonction des différentes catégories du peuple d'Israël.

Nous étudions d'abord ce qui concerne l'ensemble du peuple : la résurrection (chapitre VIII), le domaine liturgique et rituel (chapitre IX), où nous arriverons assez facilement à distinguer le point de vue boéthusien et le point de vue sadducéen, enfin le domaine judiciaire (chapitre X). Puis, nous examinerons ce qui concerne le clergé (chapitre XI), enfin ce qui a trait aux femmes (chapitre XII).

Pour atteindre le but indiqué un peu plus haut, à savoir retrouver ce qui est authentiquement et historiquement saddu-céen, il nous faudra parfois faire appel aux données élaborées dans la première partie. Mais nous ne le ferons que de façon brève ; c'est seulement dans la troisième partie que nous reprendrons l'ensemble de l'apport de cette première partie, joint à celui de la deuxième, pour tenter de tracer, de façon synthétique, une esquisse ce qu'ont réellement pensé et fait les Sadducéens.

CHAPITRE VIII

ABSENCE DE CROYANCE A LA RÉSURRECTION

114. Avant la crise maccabéenne, les juifs n'avaient pas entrevu l'idée de la résurrection corporelle individuelle [1]. L'Ecclésiastique, rédigé vers l'an 190, montre bien qu'il n'y avait pas à cette époque, dans la foi d'Israël, d'ouverture en ce sens (Si 10, 11 ; 17, 27 ; 41, 3-4).

Sous l'influence de la mentalité grecque, certains juifs parviendront à la conception de l'immortalité de l'âme sans idée de résurrection ; c'est ce que nous atteste, pour le milieu alexandrin, le livre de la Sagesse, rédigé sans doute vers l'an 50 avant notre ère.

En Palestine, pendant la lutte maccabéenne, beaucoup de juifs moururent martyrs. Ce fut l'élément décisif qui permit l'éclosion de l'idée de résurrection [2]. On la voit apparaître dans le livre de Daniel (Dn 12, 2-3) et le second livre des Maccabées (2 M 7, 9. 14. 36 ; 12, 43-44 ; 14, 46). Mais elle est absente du premier livre des Maccabées, ouvrage de tendance sadducéenne (§ 52-53).

115. Les Samaritains se sont trouvés séparés des Judéens avant la crise maccabéenne. Il n'est donc pas étonnant qu'ils n'aient jamais accepté la croyance à la résurrection.

Depuis vingt ans, les découvertes de Qoumrân ont permis de se rendre compte que les gens de Qoumrân, Esséniens ou proches des Esséniens, n'avaient pratiquement pas accepté cette nouveauté de la foi à la résurrection. A notre avis, il n'en est pas question dans 1 Q *H* VI 29-30. 34 ; 1 Q *p Hab* VI ; X 4-5. Le fait de se consi-

---

1. Pour comprendre de quelle façon cette foi en la résurrection corporelle individuelle fut préparée par la révélation antérieure, voir la bonne monographie de R. MARTIN-ACHARD, *De la mort à la résurrection d'après l'A.T.*, Neuchâtel et Paris, 1956, les deux premières parties.
2. Sur l'influence étrangère, iranienne et cananéenne, dans cette éclosion, MARTIN-ACHARD, op. cit., pp. 148-162.

dérer comme « l'assemblée éternelle » (1 Q S II 25), en communion avec les anges (*ibid.* XI 8), aide à comprendre pourquoi les gens de Qoumrân n'étaient pas portés à chercher une issue à leur espérance dans la croyance à la résurrection[1]. On trouve du reste à Qoumrân au moins un texte où la vieille idée du shéol est encore présente[2]. Notons enfin que l'eschatologie se réalisant sur terre, telle qu'elle figure surtout dans le rouleau de la Guerre, correspond absolument à l'attente du salut vécue en Israël après l'exil[3].

116. Nous n'avons pas à donner ici un relevé des textes qui, à partir du second siècle avant notre ère, témoignent en faveur de la croyance à la résurrection[1]. Il suffira de noter deux choses.

D'une part, il est nécessaire de bien prendre conscience de la « révolution », comme on a dit[2], introduite dans la religion juive par cette nouvelle croyance à la résurrection.

D'autre part, dans la littérature rédigée au cours de deux ou trois siècles qui suivirent l'insurrection maccabéenne, on trouve plusieurs écrits où cette croyance ne figure pas[3] ; certains de ces écrits sont d'origine essénienne.

Cela nous conduit à une remarque méthodologique importante. Les Sadducéens n'acceptaient pas l'idée de résurrection. Mais, pendant les deux ou trois siècles en question, d'autres que les Sadducéens furent dans le même cas : Esséniens, et, sans doute, également d'autres juifs. On ne peut donc pas dire que celui qui ne croit pas à la résurrection est nécessairement un Sadducéen[4].

---

1. J. O'DELL, dans *RQ* 3 (1961-1962), n° 9, p. 246 : les gens de Qourâm n'accordent pas beaucoup d'importance à la résurrection ; il ne la rejettent pas, mais elle est pour eux secondaire.
2. 11 Q *Ps*ᵃ XIX 1 (*DJD* IV, 1965, p. 76) : « Vraiment les vers ne peuvent te louer, ni la vermine remonter ta miséricorde. » La date de composition de ce texte est inconnue (le manuscrit a été copié dans la première moitié du Iᵉʳ siècle de notre ère, voir J. A. SANDERS, *DJD* IV, p. 9).
3. R. MEYER, dans *TWNT* VII, p. 40. Il ajoute : l'idée de résurrection apparaît à Qoumrân « seulement comme un motif sans caractère nécessaire pour le salut », en sorte que l'on peut qualifier les gens de Qoumrân de négateurs de la résurrection.
1. Voir les exposés classiques : BOUSSET-GRESSMANN, *Die Religion des Judentums*, 1926³ (Index à « Auferstehung ») ; P. VOLZ, *Die Eschatologie der jüdischen Gemeinde*, 1934² (même chose) ; BONSIRVEN, *Judaïsme palestinien*, I, pp. 468-485.
2. BONSIRVEN, *op. cit.*, I, p. 468 ; cette page où Bonsirven développe cette idée est la meilleure présentation raccourcie que nous ayons trouvée sur ce sujet.
3. Pour un premier coup d'œil d'ensemble, il est commode de consulter le tableau figurant, en hors-texte, dans BONSIRVEN, *op. cit.*, I, après la page 424. Il range les livres à peu près dans l'ordre chronologique. La colonne « Résurrection » figure vers le centre du tableau ; on y voit les écrits où il n'en est pas question.
4. Dans *Apoc. Syriaque Baruch* 11, 5 (rédigée vers la seconde moitié du Iᵉʳ siècle de notre ère), l'auteur, angoissé par les injustices de la vie humaine, dit qu'il vaut mieux partir au shéol, lieu d'oubli où l'on ne sait rien de ce

117. La terminologie relative à la résurrection peut être divisée en deux catégories ; elles correspondent à deux conceptions différentes [1]. D'une part, on emploie le verbe *qûm*, ἀνίστημι se lever, pour dire que les morts surgissent soit du sommeil, soit du tombeau ; c'est ce que l'on trouve le plus souvent dans la Bible et les écrits intertestamentaires [2].

L'autre groupe d'expression, qui vient également de la Bible, se trouve une fois ou l'autre dans la littérature intertestamentaire, mais figure surtout dans les textes rabbiniques. On emploie le verbe « vivre », ou l'un de ses dérivés : « les morts [re]vivront », « vivification des morts », « Dieu fait [re]vivre les morts » [3].

L'effort de réflexion des rabbins à propos de la résurrection visait, bien entendu, à montrer que la résurrection se trouvait dans l'Écriture. Leur attitude est clairement exprimée dans un dire de Rabbi Simay [4] (vers 210) : « Il n'y a pas de passage [de l'Écriture] où ne soit [indiquée] la résurrection des morts. » Pour les Pharisiens, croire à la résurrection et croire que la résurrection est dans l'Écriture sont une seule et même chose.

118. Cela nous amène à la discussion des textes rabbiniques relatifs aux Sadducéens. Nous rencontrons d'abord un passage de la Mishna [1]. Elle cite quels sont ceux qui « n'ont pas part au monde futur » : en deuxième et troisième rang figurent « celui qui dit que la Tora n'est pas des Cieux [= de Dieu] et un Épicurien » [2] ; pour celui qui est cité en premier lieu, le texte pose une difficulté particulière. En effet, faut-il considérer comme leçon primitive les deux derniers mots *(min hattôrah)* ? Voici le texte : *ha'ômér 'èn teḥiyyat ḥamétîm min hattôrah*. Selon que l'on garde ou retranche les deux derniers mots, on a l'une ou l'autre des traductions suivantes : « celui qui dit : la résurrection des morts n'est pas [démontrable] à partir de la Tora » ; ou bien : « celui qui dit : il n'y a pas de résurrection des morts. »

« A partir de la Tora » ne figure pas dans les témoins suivants [3] : manuscrits de la Mishna de Cambridge, de Rossi, Kauf-

---

qui arrive aux vivants ; il ajoute que ceux qui sont au shéol sont plus heureux que les vivants ici-bas (11, 7). Selon R. H. CHARLES, *The Apocalypse of Baruch*, Londres, 1896, p. LXIV et 14-15, l'auteur de 10, 6 - 12, 4 est Sadducéen. L. GINZBERG, dans *JE* II (1903), p. 554 b, répond que c'est impossible (parallèles rabbiniques ; texte basé sur institutions pharisiennes).

1. BONSIRVEN, *Judaïsme palestinien* I, p. 474.
2. *Ibid.*, p. 474-475.
3. *Ibid*, p. 475.
4. *Sifré* Dt 32, 2 § 306 (341, 4).
1. *Sanh.* X 1.
2. L'Épicurien est distingué de celui qui nie la résurrection ; sur cette distinction, voir plus haut § 69.
3. Voir l'édition critique de Berlin, S. KRAUSS, *Sanhedrin-Makkot*, 1933, pp. 398, *in loco*, et Ch. RABIN, *Qumran Studies*, Londres 1957, p. 71, n. 4.

mann, de Berlin ; Maïmonide († 1204), dans son Commentaire de la Mishna ; quelques éditions du Babli. Ils figurent dans les témoins suivants : manuscrit de Munich de la Mishna ; édition princeps de la Mishna ; Yerushalmi ; Babli, édition princeps ; Rashi († 1105).

Comme on le voit, la tradition manuscrite penche nettement en faveur de la leçon brève. D'autre part, à notre avis, il est absolument impossible d'expliquer pourquoi on aurait supprimé ces deux mots. Par contre, il est tout à fait facile de comprendre leur addition. Donc nous choisissons fermement la leçon brève[4], et nous arrivons au point capital pour nous ici.

La croyance à la résurrection s'est imposée à la foi juive par un phénomène vital de mûrissement de l'ancienne révélation à Israël. Dans un temps second, la réflexion théologique s'efforça de montrer que cette croyance à la résurrection était d'une certaine manière contenue dans l'ancienne révélation. Nous avons ces deux temps reflétés dans les deux leçons de la mishna en question ; si nous la mettons sous forme positive, nous avons en effet : « il y a une résurrection des morts », ou « la résurrection des morts est [démontrable] à partir de la Tora ».

Donc, nous avons ici (leçon primitive) un juif[5] qui nie la résurrection des morts. On en trouve également la mention dans une liste de la Tosefta contenant neuf catégories de juifs qui n'ont pas part au monde futur ; « ceux qui nient la résurrection des morts » figurent en septième rang[6].

Ces négateurs de la résurrection sont-ils des Sadducéens ? Voici le minimum de ce que l'on peut dire : il est possible que les Sadducéens soient compris dans cette catégorie dont parlent la mishna en question et ce passage de la Tosefta ; mais sans doute elle comprenait aussi d'autres juifs que les Sadducéens (voir § 116 fin).

119. Une autre mishna[1] s'exprime ainsi :

> « Tous ceux qui terminaient les bénédictions [en usage] dans le Temple avaient coutume de dire : De toute éternité[2].

---

4. Rabin, *op. cit.*, p. 71, pense que les deux mots ont été ajoutés. Par contre, Krauss les considère comme le texte original (il les garde dans son texte, *op. cit.*, pp. 266 et 268). Baron, *Histoire d'Israël*, II, pp. 1061-1062, n. 48, penche nettement en faveur de cette solution.

5. Selon toute probabilité, il s'agit d'un juif ; les deux autres catégories dont il est question dans ce texte de *Sanh.* X 1 sont également des juifs.

6. Tos. *Sanh.* XIII 5 (434, 22). Cette liste est reprise en b. *R.H.* 17ᵃ, avec la même mention (mais en cinquième rang) de « ceux qui nient la résurrection des morts ».

1. *Ber.* IX 5.

2. *mn hᵉwlm*. On trouve la variante : « jusqu'à l'éternité, ᶜd hᵉwlm », voir l'édition critique de Berlin, O. Holtzmann, *Berakot*, 1913, *in loco*.

— Mais, depuis que les *mînîm* se sont corrompus[3] et disent : ' Il n'y a qu'un seul monde '[4], on ordonna de dire : Du monde au monde[5] [= de ce monde-ci au monde à venir]. »

Il est très probable que, primitivement, cette mishna n'avait rien à voir avec la discussion entre Pharisiens et *mînîm*[6]. Donc, sous sa forme actuelle, nous sommes reportés à une période tardive. Qui sont ces *mînîm* ?[7] Certes, il pourrait s'agir de Sadducéens[8]. On a songé aussi aux chrétiens[9] ; mais cette solution semble bizarre, et ne peut s'appuyer sur aucun texte du Nouveau Testament. Finalement, nous ne voyons pas quelle explication satisfaisante proposer.

Le Babli contient un très long développement au sujet de la résurrection[10]. Seule, la première partie nous intéresse ici[11]. Elle comporte trois éléments : une discussion entre des Sadducéens et Rabban Gamaliel II (vers 90 après J.-C.) ; une discussion entre des Romains et Rabbi Yoshua ben Hananya (vers 90 après J.-C.) ; une démonstration de Rabbi Éliézer ben Yosé (vers 150) contre les Samaritains.

Dans ces trois éléments, la question soulevée est identique. Il s'agit non pas de prouver qu'il y a une résurrection, mais de montrer que la résurrection est démontrable à partir de l'Écriture[12].

---

3. *mshqlqlw*. Ce verbe *qlql* signifie « corrompre [les enseignements religieux exacts] », « se corrompre [doctrinalement].

4. *ʿwlm ʾḥd* ; *ʿwlm* signifie à la fois « monde » et « éternité ».

5. *mn hʿwlm wʿd hʿwlm*.

6. Nous acceptons l'explication d'HOLTZMANN (cité plus haut, n. 2), p. 95, note : dans ces bénédictions, il y avait « jusqu'à l'éternité ». On a ajouté « depuis l'éternité », pour souligner que la louange de Dieu était sans limite, depuis le passé jusqu'à l'avenir. Donc, cet ajout n'a rien à voir avec les luttes entre Pharisiens et Sadducéens. Ce qui figure dans le texte actuel de la Mishna à propos des *mînîm* est par conséquent « une explication savante postérieure ».

7. Sur ces *mînîm* voir plus haut § 66.

8. DERENBOURG, *Essai*, p. 131 : ce peut être aussi bien les Sadducéens que les Samaritains ; J. LEHMANN, *Les sectes juives mentionnées dans la Mischna de Berakot et de Meguilla*. III : *Sadducéens ou Pharisiens*, dans *REJ* 31 (1895), pp. 31-46 : des Sadducéens. Même opinion chez LAUTERBACH, *Rabbinic Essays*, 1951, p. 249, n. 86. — Nous ne revenons pas ici sur le problème de la correction par la censure catholique de *mînîm* en Sadducéens, traité § 66-68 (§ 68 pour la Mishna, où *Ber.* IX 5 est cité) ; on peut se demander si les auteurs qui voient ici les Sadducéens ne sont pas influencés par cette correction catholique de *Mînîm* en Sadducéens.

9. G. LISOWSKY, *Jadajim* (« Mischna » de Berlin), 1956, p. 79, n. 1 : il s'agit des chrétiens ; en reconnaissant Jésus comme Messie, ils considéraient le « monde » à venir » comme arrivé, et, naturellement, ne faisaient plus la distinction entre « ce monde-ci » et « le monde à venir ».

10. b. *Sanh*. 90ᵇ-91ᵃ.

11. 90ᵇ.

12. Dans le premier et le second élément : « D'où [peut-on montrer à partir de la Tora] que le Saint-béni-soit-il fait [re]vivre les morts ? » Dans le troisième élément : « Il n'y a pas de résurrection des morts [démontrable] à partir de la Tora », disent les Samaritains.

172 LA RÉSURRECTION

Dans le troisième élément, la démonstration de Rabbi Éliézer est dirigé contre les Samaritains. Nous pouvons comparer cette partie du texte du Babli avec celui du *Sifré* sur les Nombres [13], qui donne une forme plus ancienne, meilleure, de la même démonstration [14]. Or, dans ce stade ancien, celui du *Sifré*, les Samaritains disent que les morts ne [re]vivent pas [= ne ressuscitent pas] » ; dans le stade récent, celui du Babli, les Samaritains « disent que la résurrection des morts n'est pas [démontrable] à partir de la Tora ». Nous retrouvons, comme tout à l'heure (§ 118), les deux formes d'attitude au sujet de la résurrection.

120. Le premier élément du texte du Babli concerne les Sadducéens. Des Sadducéens demandent à Rabban Gamaliel II comment se prouve scripturairement la résurrection [1].

Gamaliel répond par le Pentateuque, les prophètes et les écrits. Dans chacune de ces trois réponses, les Sadducéens rejettent sa démonstration ; ils n'ont du reste pas de peine.

Une double question se pose : cette mention des « Sadducéens » en tête de ce récit est-elle authentique ? Si oui, dans quelle mesure peut-on considérer comme historique la triple objection que ces Sadducéens font à Rabban Gamaliel pour rejeter sa démonstration ?

Ce texte du Babli est le seul, dans toute la littérature rabbinique, où il soit question d'une controverse entre Pharisiens et Sadducéens à propos de la résurrection. Par ailleurs, nous n'avons

13. *Sifré* Nb 15, 31 § 112 (121, 13).
14. Étude comparée des deux formes dans GEIGER, *Urschrift*, p. 129, note (continuation de la n. de la p. 128).
1. Voici la traduction de ce texte, b. *Sanh.* 90[b]-91[a] : « Des Sadducéens interrogèrent Rabban Gamaliel [II, vers 90 de notre ère] : D'où [peut-on montrer à partir de la Bible] que le Saint-béni-soit-il fait [re]vivre les morts ?
« Il leur répondit : de la Tora, des prophètes et des écrits. — Mais ils ne l'acceptèrent pas.
« De la Tora, car il est écrit : ' Yahvé a dit à Moïse : Voici que tu vas te coucher avec tes pères et te lever ' (Dt 31, 16). — Ils lui répliquèrent : Mais peut-être [faut-il lire] : ' Et va se lever ce peuple pour se prostituer ' (*ibid.*) [les Sadducéens, en rattachant comme il se doit, w[e]qâm à ce qui suit, ôtent toute force démonstrative à l'argument de Gamaliel].
« Des prophètes, car il est écrit : ' Tes morts [re]vivront, leurs cadavres ressusciteront ; réveillez-vous, exultez, tous les gisant dans la poussière, car ta rosée lumineuse et le pays des ombres enfantera ' (Is 26, 19). — [Les Sadducéens répliquèrent :] Mais peut-être [ce sont] les morts qu'Ézéchiel a fait revivre [cf. Éz 37, et donc le texte d'Is n'a pas de force démonstrative pour la résurrection individuelle des morts à la fin des temps].
« Des écrits, car il est écrit : ' Et ton palais comme un vin exquis. Il va droit à mon Bien-aimé ; il fait remuer les lèvres des dormeurs [= les morts] ' (cf. Ct 7, 10). — [Ils lui répliquèrent :] Mais peut-être leur lèvres remuent-elles seulement à la manière accoutumée. » Le texte continue par une précision de Rabbi Yohanan († 279) et un dernier argument de Rabban Gamaliel tiré du Dt.

pas d'édition critique approfondie du Babli[2]. On a supposé[3] que, dans ce texte, il ne s'agissait pas de Sadducéens, mais de non juifs, de Romains de haut rang avec qui Rabban Gamaliel II, en tant que chef des juifs s'entretenait parfois.

La scène se passe du temps de Gamaliel II, en activité vers 90 de notre ère ; le fait que nous soyons en une période postérieure à la ruine de 70 ne constitue pas une raison suffisante pour dire que la mention des Sadducéens dans ce récit n'est pas primitive, car il y avait encore des Sadducéens à cette époque. Par ailleurs, rien ne semble s'opposer, quand on regarde l'ensemble de cette discussion de Gamaliel, à ce qu'elle concerne bel et bien les Sadducéens.

Par contre, nous serons beaucoup plus réservé dans la réponse à la seconde question : la triple objection que les Sadducéens font à Gamaliel reflète-t-elle fidèlement les propos des Sadducéens, ou est-elle une invention de la polémique pharisienne ? Nous n'en savons rien.

Ajoutons une dernière remarque. Nous venons de voir (fin du § 119) que, dans ce texte du Babli, la partie qui concerne les Samaritains donne un stade second de la tradition. On peut donc se demander si, pour la partie concernant les Sadducéens, il n'y aurait pas eu un phénomène analogue. Malheureusement, pour les Sadducéens, nous n'avons pas d'attestation d'un stade ancien de la tradition où les Sadducéens seraient présentés comme niant le fait de la résurrection, et non pas seulement sa possibilité de démonstration à partir de la Bible.

Un seul texte, dans le *Tanhuma*, parle des Sadducéens négateurs de la résurrection[4]. Mais l'absence d'édition critique ne permet pas de savoir si la leçon primitive était bien « Sadducéens »[5]. Ce serait intéressant à savoir, car nous voyons dans ce texte les Sadducéens mettre en avant, pour rejeter la résurrection, un verset de Job relatif au shéol qui est tout à fait *ad rem*.

---

2. Dans son édition major, GOLDSHMIDT, traité *Sanhédrin* dans le tome VII (1903), n'utilise que le ms. de Munich. Pour ce traité, nous possédons plusieurs autres mss ; je n'en connais pas les leçons pour le passage qui nous occupe. Dans certaines éditions du Babli, on a ici *mînîm* au lieu de Sadducéens. Notons également que, pour le troisième élément de ce long texte du Babli, relatif aux Samaritains, certaines éditions portent Sadducéens au lieu de Samaritains ; là aussi, c'est une correction qui n'est pas à retenir.

3. GEIGER, *Urschrift*, p. 130, note (fin de la n. commencée p. 128).

4. *Tanhuma* Beréshit § 5 (5ᵇ 4) : « Les Sadducéens nient [la résurrection] et disent : ' Comme la nuée se dissipe et passe, celui qui descend au shéol ne remonte pas ' (Jb 7, 9). » Dans b. *B.B.* 16ᵃ Raba († 352), citant ce verset de Job, dit : « Par là [on voit] que Job niait la résurrection des morts. »

5. Il est possible que le texte primitif ait été *mînîm*.

121. En se basant sur le texte du Babli, on a affirmé que les Sadducéens rejetaient non pas la croyance à la résurrection, mais seulement la possibilité d'en fournir la preuve à partir de l'Écriture [1]. Cela est faux. En effet, nous trouvons la négation de la résurrection par les Sadducéens dans la notice des Abot de Rabbi Natan (§ 80 et 82), dans les Synoptiques (§ 87) et les Actes des apôtres (§ 92), et, indirectement, chez Josèphe (§ 26).

Quant à supposer que les premiers Sadducéens croyaient à la résurrection [2], ou, inversement, que, à l'époque de Jésus, la plupart des Sadducéens avaient accepté cette croyance [3], ce sont là des hypothèses sans fondement.

122. Lorsque la croyance à la résurrection se fut établie chez les juifs, il fut tout naturel, de la part de ceux qui y croyaient, de considérer comme des impies ceux qui la niaient [1], disons plus exactement, en terme de développement historique, ceux qui n'avaient pas accepté cette nouveauté. Relevons surtout ici la façon dont, dans le Targoum, Ésaü est présenté comme niant la rétribution d'outre-tombe et la résurrection [2]. Ésaü parle en quelque sorte comme un Sadducéen. Quant au texte du midrash [3] disant que Moïse est devenu un *mîn*, parce qu'il a douté de la résurrection, on ne peut le presser, car il s'agit peut-être d'une discussion rhétorique [4].

Le rejet de la résurrection par les Sadducéens correspond au fait qu'ils s'en tenaient à la vieille conception du shéol. Lorsque

---

1. Derenbourg, *Essai*, pp. 130-132 ; M. Gaster, *The Samaritans*, Londres, 1925, p. 59.
2. Jérôme, *In Matthaeum* III 22, Vallarsi VII/1, 179. Idée reprise par Aptowitzer, *Parteipolitik*, p. 122.
3. R. H. Charles, *Eschatology*, 1963, p. 285, n. 1 : à l'époque de Josèphe, seuls les Sadducéens aristocrates, semble-t-il, niaient encore la doctrine de la vie bienheureuse future ; cette doctrine semble avoir pénétré progressivement chez la plupart des Sadducéens au milieu du Ier siècle de notre ère. — Charles n'apporte aucun élément pour justifier cette opinion.
1. Déjà *Hénoch* 102, 6-8. 11 : ce sont les « pécheurs » qui nient la résurrection.
2. Targoum Yerushalmi I sur Gn 25, 29 : Ésaü « nia la vie du [= dans le] monde à venir ». — Targoums sur Gn 25, 34 : Yerushalmi I : Ésaü « rejeta... la part au monde à venir » ; Yerushalmi II fragment : Esaü « ne fit nul cas de sa part dans le monde à venir et nia la résurrection des morts » ; Yerushalmi II Neofiti : Ésaü « méprisa son droit d'aînesse ; il (nia : glose marginale) la résurrection des morts et nia la vie du monde à venir ». On retrouve la même chose dans le midrash, *Gn. R.* 63, 14 sur 25, 34 (699, 8) : Ésaü « rejeta aussi la résurrection des morts ».
3. *Ex. R.* 44, 6 sur 32, 13 (59ᵃ 33) : Rabbi Lévi (vers 300 a dit : Moïse a dit : Maître du monde, les morts [re]vivront-ils ? — Il [= Dieu] répondit : Moïse, tu es devenu un *mîn*. »
4. Explication de H. L. Strack, *Jesus, die Häretiker un die Christen*, 1910, p. 55*, n. 2 : la question de Moïse est une question de rhétorique ; dans la suite du texte, Moïse utilise l'idée de résurrection pour rappeler à Dieu qu'il doit accomplir la promesse faite aux patriarches (Ex 32, 13).

nous entendons, dans le Targoum [5], Caïn nier la rétribution d'outre-tombe, là aussi il parle en quelque sorte comme un Sadducéen. Car il y a un lien intime entre rétribution après la mort et résurrection [6]. Ces deux croyances ont toujours été totalement étrangères à la pensée sadducéenne.

Tout au cours de leur histoire, jusqu'à la ruine de 70, les Sadducéens ont refusé d'accepter la croyance à la résurrection corporelle individuelle. Elle leur apparaissait en effet comme une nouveauté sans base dans la révélation du Pentateuque. Ils s'en tenaient à l'antique conception israélite du shéol. Au Ier siècle de notre ère, d'autres juifs, en dehors des Sadducéens, avaient le même point de vue à ce sujet.

Le refus de la croyance à la résurrection chez les Sadducéens est attesté dans le Nouveau Testament et chez Josèphe. Dans la littérature rabbinique, on ne trouve pour cette question que deux ou trois textes qui visent sûrement les Sadducéens, et eux seuls. La raison de cette rareté semble simple. A partir du IIe siècle après notre ère, la croyance en la résurrection était depuis longtemps fermement ancrée dans de larges couches du peuple juif. Aux yeux des rabbins, il était donc superflu de recueillir des données anciennes au sujet de la position sadducéenne qui leur paraissait totalement anachronique.

---

5. Targoums sur Gn 4, 8 : Yerushalmi I : Caïn dit qu'il n'y a ni jugement, ni juge, ni autre monde, et il ne sera pas donné de bonne récompense aux justes, ni exercé de châtiment des impies » ; Yerushalmi II Neofiti : Caïn dit qu'il « n'y a ni jugement, ni juge, ni un autre monde, point de remise de récompense pour les justes, ni de châtiment pour les méchants ». Abel, par contre, dans ces deux Targoums, affirme tout ce que nie Caïn.

6. Ce lien est bien illustré par la façon dont Elisha ben Abouya (vers 120) fut conduit à l'apostasie (il est toujours appelé *Aḥer*, « l'autre », dans la littérature rabbinique, euphémisme pour dire apostat). Un jour, il vit le martyr de Rabbi Juda, le boulanger qui enseignait fidèlement la Tora, et sa langue ensanglantée dans la bouche d'un chien. Il dit : « Il semble qu'il n'y a ni récompense [dans l'au-dela] ni résurrection des morts » (j. *Hag.* II 1, 77[b] 72 ; IV/1, 273).

CHAPITRE IX

DOMAINE LITURGIQUE ET RITUEL
CONCERNANT L'ENSEMBLE DU PEUPLE

123. Nous avons groupé dans ce chapitre ce qui concerne la liturgie et les pratiques rituelles de tout juif. Dans le sillage de la législation du Pentateuque, ce domaine liturgique et rituel était d'une importance primordiale pour l'existence quotidienne du peuple juif. Il n'est donc pas étonnant que les divergences d'orientation entre Pharisiens et Sadducéens s'y soient manifestées de façon toute particulière. Il est même possible que, historiquement, c'est dans ce domaine qu'elles eurent leurs incidences les plus anciennes et les plus marquantes.

Ce chapitre se divise en deux sections, consacrées respectivement aux Boéthusiens et aux Sadducéens. Dans l'exposé, nous avons pu facilement établir une telle séparation, car les textes relatifs à ces problèmes liturgico-rituels parlent tantôt des Boéthusiens, tantôt des Sadducéens, suivant qu'ils traitent d'une question ou d'une autre. Bien entendu, cette division de notre exposé, nécessaire pour la recherche analytique, ne préjuge en rien du problème des rapports entre Boéthusiens et Sadducéens, que nous traiterons dans la troisième partie (§ 254-260).

I. POINTS DE VUE BOÉTHUSIENS.

A. *La fête des semaines tombe toujours un dimanche.*

1° Fixation de la fête des semaines dépend de celle de l'offrande la première gerbe, *comèr* [1].

---

1. Pour cette question, les travaux de D. HOFFMANN restent fondamentaux : *Omer-Opfer und Wochenfest*, dans ses *Abhandlungen über die pentateuchischen Gesetze*, Berlin, cahier I, sans date [1878], pp. 1-64 ; *Das Buch*

Voici ce que la Tora prescrit à ce sujet. L'offrande de la première gerbe doit se faire « le lendemain du *shabbat* » (Lv 23, 11). Puis « à partir du lendemain du *shabbat*, du jour où vous aurez apporté la gerbe de présentation, vous compterez sept semaines complètes » (Lv 23, 15), jusqu'à la fête des semaines.

Les divergences, entre les différents groupes juifs, dans la façon de déterminer le jour de l'offrande de la première gerbe ont pour origine une diversité dans la manière de comprendre le mot *shabbat* en Lv 23, 11 [2]. Avant d'examiner ce problème, commençons par regarder la seconde donnée, celle des « sept semaines complètes » (Lv 23, 15).

124. Il est précisé que ces sept semaines doivent être « complètes, *temîmôt* ». La première idée qui vient à l'esprit est donc qu'il faut commencer à compter à partir du dimanche, premier jour de la semaine ; en effet, si on commence à compter à partir d'un autre jour, on aurait seulement six semaines « complètes », et, au début et à la fin, quelques jours qui, additionnés, feraient l'équivalant de la septième semaine.

Or, une précieuse donnée rabbinique [1] confirme que tel est bien le sens de « complet » :

> « Rabbi Hiyya [l'Ancien, vers 200] enseignait : ' Sept semaines complètes vous compterez ' (Lv 23, 15). Quand sont-elles complètes ? Quand Yeshoua et Shekanya ne [sont] pas parmi elles [les classes sacerdotales en service de la Pâque à la fête des semaines]. »

Ce texte, dont on a plusieurs parallèles [2], est corroboré par un passage du Babli expliquant clairement qu'il peut y avoir des semaines complètes seulement les années où la Pâque tombe un sabbat [3].

Leviticus, II, Berlin, 1906, pp. 159-215 (ces exposés sont écrits du point de vue pharisien). Dans la bibliographie récente, retenons M. DELCOR, *Pentecôte*, dans *DBS* VII, col. 861-864 ; VAN GOUDOEVER, *Fêtes*, pp. 34-48.

2. Par simplification, ici et dans les pages suivantes, nous ne répétons que le premier verset où ce terme *shabbat* figure.

1. *Pesiqta* VIII 1 (138, 5).

2. *Pesiqta rabbati* XVIII 2 (80ª 17) : *Qoh. R.* sur Qoh. 1, 3 (78ª 37). — En *Lv. R.* 28 sur 23, 15 (43ᵇ 8), le texte explique : « Quand [étaient-elles complètes] ? Elles étaient complètes quand Israël faisait la volonté du Lieu [= Dieu] ». On n'a plus compris le texte primitif de la baraïta, et, par conséquent, on en a altéré le sens.

3. b. *Men.* 65ᵇ : « Rabbi Yohanan ben Zakkay († vers 80) dit : Un passage de l'Écriture dit : 'vous compterez 50 jours ' (Lv 23, 16). Et un autre dit : ' vous compterez sept semaines complètes ' (Lv 23, 15). Qu'est-ce que cela veut dire ? L'un [le verset 15, est utilisé] quand le jour de fête [la Pâque] tombe le sabbat ; l'autre [le verset 16] quand le jour de fête tombe en semaine. » C'est clair ; pour Yohanan ben Zakkay, une semaine complète ne peut commencer un jour quelconque de la semaine ; elle doit nécessairement commencer le **dimanche**.

Les deux tableaux suivants permettent de comprendre facilement les choses [4].

Les années où la Pâque tombe un sabbat, on a le premier tableau [5] ; nous indiquons à droite la numérotation des classes sacerdotales en service. La classe de Yeshoua est la IXe, celle de Shekanya, la Xe [6].

Pâque tombe un sabbat

	sab	dim	lun	mar	mer	jeu	ven	classes sacerdotales
	1	2	3	4	5	6	7	I
	8	9	10	11	12	13	14	II
nisan	15	16	17	18	19	20	21	les 24
	22	23	24	25	26	27	28	III
	29	30	1	2	3	4	5	IV
	6	7	8	9	10	11	12	V
iyyar	13	14	15	16	17	18	19	VI
	20	21	22	23	24	25	26	VII
	27	28	29	1	2	3	4	VIII
sivan	5	6	7	8	9	10	11	IX
	12	13	14	15	16	17	18	X

Pâque tombe un autre jour que le sabbat

(pour la question qui nous occupe, le schéma est le même, au sujet du service des classes, quelque soit le jour où tombe Pâque ; nous avons choisi Pâque le jeudi)

	sab	dim	lun	mar	mer	jeu	ven	classes sacerdotales
adar	25	26	27	28	29	1	2	I
	3	4	5	6	7	8	9	II
nisan	10	11	12	13	14	15	16	III
	17	18	19	20	21	22	23	les 24
	24	25	26	27	28	29	30	IV
	1	2	3	4	5	6	7	V
	8	9	10	11	12	13	14	VI
iyyar	15	16	17	18	19	20	21	VII
	22	23	24	25	26	27	28	VIII
sivan	29	1	2	3	4	5	6	IX
	7	8	9	10	11	12	13	X

4. Nous reprenons les explications et les tableaux de BILLERBECK, II, pp. 59-61. On peut voir aussi une présentation plus succincte dans LÉVY, *Wörterbuch*, II, p. 273 a.

5. VAN GOUDOEVER, *Fêtes*, p. 42 pense que la baraïta de Rabbi Hiyya est un calendrier idéal, cherchant à faire un compromis entre calendrier pharisien et sadducéen. Je ne crois pas. R. Hiyya réfléchit sur un cas réel (Pâque tombant un sabbat). Il ne dit rien de plus que Yohanan ben Zakkay (voir plus haut, note 3) un siècle avant lui.

6. Voir 1 Ch 24, 11.

Le nom de « fête des semaines »[7] rappelle ces sept semaines complètes. Or cette appellation de la fête est très rare[8]. En dehors de ces rares exceptions, on trouve, dans la littérature rabbinique, une autre désignation : fête de clôture[9]. Le fait, de la part des Pharisiens, de vouloir ainsi éviter le souvenir des « sept semaines complètes »[10] de Lv 23, 15 nous conduit à examiner en détail les différentes façons de comprendre l'expression « le lendemain du shabbat » (Lv 23, 11).

125. Selon les Pharisiens, « la fête de clôture [= Pentecôte] tombe toujours le même jour de la semaine que l'offrande de la première gerbe »[1]. Cette fête tombe donc à un quantième variable du mois de sivan.

Pour les Pharisiens, par conséquent, shabbat, en Lv 23, 11, signifie « le jour de la Pâque ». On a voulu trouver une justification de ce point de vue dans Jos 5, 11. Mais, selon toute vraisemblance, dans ce dernier verset, les mots « le lendemain de la Pâque », et, dans le verset suivant, 12, « à partir de ce jour », sont des gloses[2].

Cependant, la fixation de l'offrande de la première gerbe au lendemain de la Pâque est bien attestée chez Josèphe[3] et chez Philon[4]. On la trouve dans les Targoums[5], et on en a peut-être un

---

7. ḥag shabû`ôt, araméen ḥagga' d`shabû`ayya'.

8. Elle figure en Dt 16, 10 ; dans b. *R.H.* 6[b] (ligne 2 ; ailleurs, lignes 1 et 26, on a « fête de clôture »). En araméen : Targoum d'Onqélos sur Dt 16, 10 ; Targoum Yerushalmi I sur Dt 16, 10 ; b. *Men.* 65[a] (dans la citation de *Megillat taanit* 4 ; dans la discussion de Yohanan ben Zakkay : « fête de clôture »). — Dans le texte primitif de la notice araméenne de *M.T.* 4, la leçon primitive est tout simplement ḥagga' ; la leçon ḥagga' d`shbû`ayya' est une glose (voir l'édition de LICHTENSTEIN, dans *HUCA* 8-9 [1931-1932], p. 318, ligne 4).

9. `aṣèrèt (hébreu biblique), `aṣarta' (araméen). Josèphe, *Ant.* III 252, dit : « Ce mot ἀσαρθά signifie cinquantième. » Il s'agit là de l'une de ses étymologies fantaisistes. On donne généralement à ce terme le sens de « [fête] qui termine [la Pâque] », « fête de clôture ». Mais cette explication n'est pas certaine (la racine est `aṣar, retenir).

10. Il est probable que le changement d'appellation de fête des semaines en fête de clôture a été fait par les Pharisiens.

1. Tos. *Ar.* I 11 (543, 39). Même chose en b. *Ar.* 9[b].

2. Ils ne figurent pas dans le texte de la Septante. — Voir la longue discussion de LESZYNSKY, *Sadduzäer*, pp. 195-196 ; il conclut fermement en faveur de l'inauthenticité. Mais il fait état d'arguments dont certains sont sans valeur, car il n'a pas soupçonné l'histoire de ce texte de Josué. Sur cette histoire, de VAUX, *Institutions*, II, pp. 387-388 ; « le lendemain de la Pâque » en Jos 5, 11 est « probablement » un glose (p. 388). — FINKELSTEIN, *Pharisees*, 1962, p. 116, continue à invoquer ce texte de Jos 5, 11 sans se poser la question d'une éventuelle glose.

3. *Ant.* III 250 et 252. — Par contre, on ne peut guère invoquer *Ant.* XIII 252 : une année, la Pentecôte tombe un dimanche ; mais nous ne savons pas si cette coïncidence était accidentelle cette année-là, ou au contraire imposée par l'application d'un calcul non pharisien.

4. *De spec. leg.* II 162 et 176.

5. Lv 23, 11 : Targoum d'Onqélos, « après le jour de la fête » (il n'est

reflet dans le quatrième évangile [6]. Quant à la Septante, elle reflète également cette halaka pharisienne [7] ; mais ses gloses marginales, par contre, attestent une halaka différente [8].

Les Pharisiens fixaient donc l'offrande de la première gerbe le lendemain de la Pâque, le 16 nisan. Une autre façon de faire, en donnant au mot *shabbat* de Lv 23, 11 le sens non plus de « jour de la Pâque » mais celui de « semaine pascale », fixait l'offrande

pas dit de quelle fête il s'agit ; ce pourrait aussi bien être le dernier jour de la fête des azymes que le premier [VAN GOUDOEVER, *Fêtes*, p. 42]) ; Targoum Yerushalmi I et Yerushalmi II Neofiti : « après le premier jour *de la fête de Pâque* », (les derniers mots, en italique, coupent court à toute équivoque : il faut compter à partir du premier jour et non du dernier ; il est probable, comme le dit HOFFMANN, *Das Buch Leviticus*, II, 1906, p. 175, que cet ajout réagit contre des gens qui comptaient à partir du dernier jour). — Le Targoum de Ruth 1, 22 a été étudié par A. SCHLESINGER, *The Targum to Ruth, a Sectarian Document*, dans ses *Researches in the Exegesis and Language of the Bible* (« Publications of the Israel Society for Biblical Research » n° 9), Jérusalem, 1962, pp. 12-17 (en hébreu, résumé anglais, pp. III-IV) ; pour 1, 22, pp. 15-16. Dans ce Targoum Ruth 1, 22, la première gerbe est moissonnée le jour de la Pâque ; donc, selon ce texte, l'offrande se fait le lendemain de la Pâque. Schlesinger pense que ce Targoum est probablement d'origine sadducéenne. Nous le retrouverons plus loin (crucifixion, § 184 ; déchaussement, § 169).

6. VAN GOUDOEVER, *Fêtes*, pp. 299-300 : « Dans l'Évangile de Jean, ce premier jour [de la semaine, le dimanche de la résurrection] tombe le 16 nisan, tandis que dans les Synoptiques, il tombe le 17 nisan. Si, dans les quatre Évangiles, le dimanche après la Pâque est le premier jour de la moisson, il est clair alors que les Évangiles synoptiques emploient l'ancien calendrier sacerdotal où les 50 jours sont comptés de dimanche à dimanche. Le calendrier de Jean semble un compromis entre le comput des Pharisiens et celui des Sadducéens : le dimanche après la Pâque y tombe le 16 nisan. C'était, selon les Pharisiens, le jour (du mois) où la première gerbe devait être offerte. » — On peut également invoquer 1 Co 15, 20 : le Christ *prémices* ; Paul évoque le lendemain de la Pâque juive (jour d'offrande de la gerbe de prémice) qui est le jour de la résurrection de Jésus. Pharisien, il suit le calendrier pharisien (voir J.-P. AUDET, dans *Sciences ecclésiastiques* 10 [1958], pp. 377-378.

7. Lv 23, 11 : τῇ ἐπαύριον τῆς πρώτης, « le lendemain du premier [jour de la fête des azymes] », donc le 16 nisan. On ajoute, sous-entendu, ἑορτῆς. Mais CHWOLSON, *Das Letzte Passamahl*, p. 61, n. 3, rejette cette explication ; il faut avouer, dit-il, que la traduction de la Septante est incompréhensible. Lv 23, 15 : ἀπὸ τῆς ἐπαύριον τῶν σαββάτων, ce qui peut se traduire de deux façons dit BILLERBECK, II, p. 848 : ou bien « à partir du lendemain du [premier] jour de la fête des [azymes] », ou bien « à partir du lendemain du sabbat » (c'est le point de vue boéthusien). A propos de la première traduction, il faut cependant tenir compte de la remarque de VAN GOUDOEVER, *Fêtes*, p. 35 : en grec, σάββατον « peut signifier uniquement le septième jour de la semaine, ou la semaine, mais pas le jour de la fête ».

8. On les trouve dans FIELD, *Origenis Hexaplorum ... Fragmenta*, Oxford, 1875, I, p. 206. En Lv 23, 11 : τοῦ σαββάτου après πρώτης ; ou bien : τῇ μετὰ τὸ σάββατον. En Lv 23, 15 : [ἀπὸ] τῆς πρώτης τοῦ σαββάτου. En Lv 23, 16 (le texte de la Septante donne : ἐπαύριον τῆς ἐσχάτης ἑβδομάδος) : [ἐπαύριον] τοῦ σαββάτου (τοῦ) ἑβδόμου. D'où la conclusion de BILLERBECK, II, p. 848, reprenant celle de CHWOLSON, *Das letzte Passamahl*, p. 61, n. 3 : il se pourrait que la halaka pharisienne ne se soit introduite que plus tard dans la Septante ; les gloses, au contraire, représenteraient l'ancienne halaka sadducéenne.

de la gerbe le 23 nisan. Cette pratique est attestée par la version syriaque de l'Ancien Testament[9], et se trouve en usage chez les Falashas[10]. Elle figure peut-être déjà dans le IVe livre d'Esdras[11].

126. Si, en Lv 23, 11, on prend *shabbat* au sens de sabbat, cela fixe l'offrande de la gerbe le dimanche. Si on pense au sabbat qui suit le jour de la Pâque, c'est le dimanche qui suit le 15 nisan. Si, par contre, on pense au sabbat qui suit la semaine pascale, c'est le dimanche qui suit le 22 nisan.

La fixation de l'offrande de la première gerbe le dimanche qui suit le 22 nisan se trouve dans les Jubilés. Dans ce livre, nous avons un calendrier solaire. L'auteur parle de la *ḥag shebûcôt* ; il s'agit, selon toute probabilité, non pas de la « fête des serments »[1], mais de la « fête des semaines »[2].

Cette fête tombe le 15 du troisième mois[3]. Si donc on pense que l'année commençait un mercredi[4], cela donne le dimanche 26 du premier mois pour l'offrande de la gerbe. C'est le dimanche après la semaine pascale. Le tableau suivant permet de se rendre compte facilement de la chose.

9. Explications de cette version syriaque de Lv 23, 11. 15, dans HOFFMANN, *Das Buch Leviticus*, II, 1906, p. 175, qui relève l'erreur de Geiger à ce sujet (prétendait que le syriaque représentait le point de vue pharisien).

10. J. D. PERRUCHON - R. GOTTHEIL, dans *JE* V (1903), p. 328 a, article sur ces Falashas (juifs d'Abyssinie).

11. *IV Esdras* 14, 48 (édition GRY, 11, p. 416, apostille rédactionnelle, texte syriaque) : l'auteur fait sa révélation « le 12e jour du 3e mois ». LESZYNSKY, *Sadduzäer*, p. 281, rappelle que, dans les Jubilés, le jour où la Loi fut révélée à Moïse est le jour de fêtes des semaines (voir plus bas, § 126, n. 3). Or si l'on compte 50 jours à partir du 22 nisan, on arrive au 12e jour de sivan (du 22 au 30 nisan : 9 jours : 29 jours pour le mois d'iyyar ; du 1 au 12 sivan : 12 jours).

1. Ainsi traduit M. TESTUZ, *Les idées religieuses du Livre des Jubilés*, Genève et Paris, 1960, p. 148 (à la suite de ZEITLIN, dans *JQR* n. s. 30 [1939], pp. 5-7).

2. C'est la traduction de tous les autres commentateurs des Jubilés. Sur cette fête des semaines dans les Jubilés, voir A. JAUBERT, *La date de la Cène*, 1957, pp. 20-30. - JAUBERT, *Notion d'alliance*, 1963, p. 104, n. 37, maintient, contre Testuz, 1960, qu'il s'agit bien de la fête biblique des premiers fruits ou des semaines.

3. *Jubilés* 15, 1 ; 16, 13 : « au milieu » du 3e mois. — 44, 4-5 : un sacrifice le 7 du 3e mois (verset 1), puis attente de 7 jours (v. 3) ; **célébration de la fête de la moisson** (v. 4) ; départ le 16 (v. 5). La fête a donc lieu le 15. — Confirmation en 1, 1 : Moïse reçoit l'ordre de monter sur la Montagne (pour recevoir les tables) le 16e jour du 3e mois. Cela indique que, pour l'auteur, la révélation a eu lieu le jour précédant, 15 sivan, qui est la date de la fête des semaines.

4. JAUBERT, *Date de la Cène*, p. 24. Par contre, J. MORGENSTERN, dans *VT* 5 (1955), pp. 34-76, à tort semble-t-il, pense que, dans les Jubilés, l'année commençait le jeudi. Quant à TESTUZ, *Idées religieuses*, p. 161, il croit que deux solutions sont possibles : l'année commence le dimanche, donc fête des serments [c'est le nom de la fête selon Testuz, voir § 126, n. 1] le jeudi ; l'année commence le mercredi, donc fête des serments le dimanche. Testuz préfère la première solution, « avec la possibilité d'une modification apportée au calendrier assez peu de temps après la rédaction des Jubilés ».

	mer	jeu	ven	sam	dim	lun	mar
1er mois	15	16	17	18	19	20	21
	22	23	24	25	26	27	28
2e mois	29	30	1	2	3	4	5
	6	7	8	9	10	11	12
	13	14	15	16	17	18	19
	20	21	22	23	24	25	26
3e mois	27	28	29	30	1	2	3
	4	5	6	7	8	9	10
	11	12	13	14	15	16	17

Cette fixation de l'offrande de la gerbe le 26 du premier mois est maintenant attestée également à Qoumrân [5]. Par ailleurs, elle se trouve confirmée indirectement par la curieuse expression « sabbat deuxième-premier » qui figure en Lc 6, 1. Ce sabbat, c'est le premier dans la série des sept, depuis l'offrande de la gerbe jusqu'à la fête de Pentecôte ; mais, en même temps, c'est le second après le jour de la Pâque [6].

127. Si, en Lv 23, 11, on pense que *shabbat* désigne le sabbat qui suit le jour même de la Pâque et non pas celui qui suit la semaine pascale, alors on fixe l'offrande de la gerbe le dimanche qui suit la Pâque, c'est-à-dire le dimanche après le 15 nisan.

Ce calcul se trouve dans les gloses de la Septante [1]. On le rencontre chez les Samaritains [2] et chez les Qaraïtes [3], et c'est celui que pratiquaient les Boéthusiens. Il faut maintenant examiner les différents textes rabbiniques donnant des renseignements au sujet de cette façon de faire boéthusienne.

Le principe des Boéthusiens est mentionnée de façon claire en *Men.* 3 : « Les Boéthusiens disaient : le moissonnage de la première gerbe ne [doit] pas [se faire] à la fin du [premier] jour de la fête [pascale]. »

Comme nous le voyons par l'ensemble du texte de cette mishna,

5. J. T. MILIK, dans *VT Supplement* 4 (1957), p. 25 : texte de 4 Q *Mishmarôt.*

6. Voir la monographie de J.-P. AUDET, *Jésus et le « calendrier sacerdotal ancien ». Autour d'une variante de Luc 6, 1*, dans *Sciences ecclésiastiques* 10 (1958), pp. 361-383 (résumé par E. VOGT, *Sabbatum « deuteroprôton » in Lc 6, 1 et antiquum kalendarium sacerdotale*, dans *Biblica* 40 [1959], pp. 102-105). — En 1892, CHWOLSON, *Das letzte Passamahl*, pp. 59 et 64-65, avait déjà entrevu la bonne explication de cette expression « sabbat deuxième-premier ».

1. Voir plus haut, § 125, n. 8.

2. DERENBOURG, *Essai*, p. 138, n. 1. — VAN GOUDOEVER, *Fêtes*, pp. 37-39. M. Maurice BAILLET me signale le calendrier liturgique des Samaritains pour 1961 : Pâque était le 28-29 avril (vendredi et samedi) ; le 30 (dimanche), offrande de la gerbe.

3. Voir la finale du texte d'Al-Qirqisânî cité plus haut, § 95 début.

le moissonnage de la première gerbe était accompagné d'un cérémonial démonstratif, particulièrement renforcé les années où ce
moissonnage avait lieu le sabbat ; il avait pour but de déprécier,
aux yeux du peuple, les Boéthusiens [4].

C'est dans le Babli [5] que nous trouvons un long exposé de la
position boéthusienne. Il se présente comme un commentaire de
la notice de *Megillat taanit* [4], que nous allons étudier un peu plus
loin. Voici ce qu'il nous raconte.

> « Les Boéthusiens disaient en effet que la fête de clôture
> devait tomber le lendemain du sabbat.
>
> « Alors, Rabban Yohanan ben Zakkay (+ vers 80 après J.-C.)
> s'entretint avec eux et leur dit : Crétins, d'où [tirez-] vous [cela] ?
>
> « Mais il n'y eut personne pour lui répondre, à l'exception
> d'un *zaqén* [6] qui balbutia quelque chose contre lui et dit : Notre
> maître Moïse aimait Israël et il savait que la fête de clôture ne
> [durait] qu'un jour ; il intervint donc et décida de la placer le
> lendemain du sabbat, afin que les Israélites passent deux jours
> dans la joie.
>
> « Alors, il [Yohanan] lui répliqua ce verset : ' Il y a [seule-
> ment] onze jours de marche entre l'Horeb et la montagne de
> Séir ' (Dt 1, 2). Si Moïse notre maître aimait Israël, pourquoi le
> retint-il 40 ans dans le désert ?
>
> « Le Boéthusien répliqua : Rabbi, avec cela tu veux m'envoyer
> promener. Yohanan lui dit : Crétin, notre Tora parfaite n'est pas
> comme votre bavardage inutile. »

Yohanan cite alors Lv 23, 16, où il faut compter 50 jours, puis
Lv 23, 15, où l'on compte sept semaines complètes. Il explique que
23, 15 joue lorsque le premier jour de la fête pascale tombe le
sabbat, et 23, 16 lorsqu'il tombe un autre jour de la semaine.

Yohanan pense ainsi avoir réfuté les Boéthusiens affirmant
que la Pentecôte tombe toujours un dimanche.

Le texte du Babli continue sur le même sujet par des dires de
Rabbi Éliézer ben Hyrkanos (vers 90), Rabbi Ishmaël (IIe siècle)
et Rabbi Juda ben Batyra (vers 110) ; mais ces trois docteurs ne
parlent plus des Boéthusiens [7].

Pour justifier son point de vue devant Yohanan ben Zakkay,
le Boéthusien n'avance aucun argument scripturaire. Il est curieux
de ne pas le voir invoquer Lv 23, 15 (« sept semaines complètes »).
C'est, au contraire, le Pharisien qui utilise ce verset, conjointement avec le suivant (23, 16), pour expliquer, pense-t-il, les deux

---

4. BILLERBECK, II, p. 850.
5. b. *Men.* 65[a].
6. Vieillard ou ancien (voir plus bas § 271).
7. De même, la très longue discussion des rabbins en *Sifra* Lv 23, 15
(95[a] 14) [parallèles partiels dans *Sifré* Dt 16, 8, § 134 (190, 10), et *Mekilta* Ex
12, 15 (I 63, 34)] pour justifier la façon pharisienne de fixer le jour de la
fête des semaines, ne contient aucune allusion aux Boéthusiens ni aux Sadducéens.

cas qui se présentent (Pâque un sabbat ; Pâque un autre jour de la semaine).

C'est là que nous sentons le caractère assez artificiel de la démonstration de Yohanan ; en effet, ces deux versets disent la même chose, et s'appliquent, en fait, à la même situation.

Ces différentes remarques conduisent à penser que la discussion donnée dans ce passage du Babli est plus ou moins inventée par la tradition pharisienne, et ne reflète pas fidèlement l'essai de justification des Boéthusiens.

Dans la bouche du Boéthusien, nous entendons un seul argument : Moïse aimait son peuple ; il voulut donc lui donner deux jours de fête consécutifs. On a jugé très sévèrement cet argument [8]. Mais un rapprochement avec Philon invite à le prendre au sérieux. Philon [9] pense que les jours de fête, à Jérusalem, au milieu d'une existence agitée, sont des moments permettant aux gens de se libérer des soucis des affaires et de souffler un peu. C'est une exégèse eudémonique du même genre que nous trouvons chez le Boéthusien. On ne peut donc considérer cette parole boéthusienne comme une invention des Pharisiens pour ridiculiser leurs adversaires.

128. Le texte araméen de *Megillat taanit* 4 est ainsi rédigé :

« Du 8 de ce mois [de nisan] à la fin de la fête, la fête fut rétablie, *mn tmny' byh w'd swph mw'd' 'twtb ḥg'.* » [1]

La leçon primitive est bien « la fête fut rétablie », et non pas « la fête des semaines fut rétablie » [2]. « Des semaines » est une glose qui n'a pas de sens [3].

Le verbe *'twtb*, « fut rétablie », ittaphal de *twb*, signifie le rétablissement d'une chose qui avait été interrompue. La variante *'ytqyn*, « fut instituée », a une base manuscrite relativement solide [4]. Cependant, elle semble bien être une leçon facilitante ; elle paraît donc difficilement acceptable.

« Du 8 nisan jusqu'à la fin de la fête ». Ce texte fait difficulté.

---

8. Rappelons, pour mémoire, le contresens de L. ROSENTHAL, *Ueber den Zusammenhang der Mischna*, II, Strasbourg, 1892, p. 10 : en présentant un tel argument, le Sadducéisme apparaît « tombé très bas du point de vue intellectuel. »

9. *De spec. leg.* I 69.

1. Texte dans *HUCA* 8-9 (1931-1932), p. 318, ligne 4.

2. Voir l'apparat critique, p. 318.

3. Déjà DALMAN, *Aramäische Dialektproben*, p. 1, n. 8. Il est curieux de constater que VAN GOUDOEVER, *Fêtes*, pp. 206 et 47-48, continue à garder la leçon « fête des semaines ».

4. Elle figure dans le manuscrit *pé*. Ce ms. donne la recension espagnole (c'est le seul témoin de cette recension), qui, en général, est meilleure que l'autre, la recension italienne.

Quelle est cette fête ? On a proposé de voir dans *swph*, « la fin de », une glose [5]. Jusqu'à plus ample informé, nous acceptons cette hypothèse. « Du 8 nisan jusqu'à la fête », c'est-à-dire la fête de la Pâque : du 8 au 15 nisan.

« La fête fut rétablie ». Dans le commentaire de ce verset araméen que nous allons bientôt examiner, cette fête est la fête des semaines. Aussi, certains auteurs, même depuis que l'on a appris à distinguer soigneusement entre le texte primitif araméen et le commentaire hébreu tardif, continuer à penser que le verset araméen parlait de la fête des semaines. On trouve cette opinion par exemple, à la suite de Grätz, chez M. Schwab en 1900, Ad. Schwarz en 1919, et Finkelstein [6]. Mais comme la leçon primitive est « la fête » tout simplement, il n'y a pas lieu de retenir cette explication. On a donc proposé de voir dans cette fête, du 8 au 15 nisan, une préparation à la Pâque [7].

Le commentaire hébreu tardif sur ce verset de *Megillat taanit* 4 comprend deux parties [8]. La première partie, qui figure dans plusieurs manuscrits, est la couche la plus ancienne [9]. En voici le début :

> « Et quelle est cette fête ? C'est la fête des semaines. Les Boéthusiens [10] disaient : la fête des semaines doit tomber le lendemain du sabbat, car il est dit : ' Et vous compterez à partir du lendemain du sabbat ' (Lv 23, 15) ».

La suite du texte contient une longue démonstration des rabbins pour prouver que, dans la Bible, des jours de fête sont souvent appelés ' sabbat '.

Nous avons, au début de ce texte, pour justifier la position boéthusienne, la citation du Lévitique vraiment adéquate, qui ne figurait pas dans le Babli, comme nous l'avons vu un peu plus haut.

On ne sait pas de quelle source provient cette première partie du commentaire. Par contre, pour la seconde partie, qui représente

5. LESZYNSKY, *Sadduzäer*, p. 59, n. 1, suivi par LICHTENSTEIN, dans *HUCA* 8-9 (1931-1932), p. 277.
6. Références dans LICHTENSTEIN, p. 276. On peut ajouter VAN GOUDOEVER, *Fêtes*, p. 48.
7. LESZYNSKY, *Sadduzäer*, p. 59. — LICHTENSTEIN, *op. cit.*, p. 278, reprend la solution de GINZBERG donnée dans ZEITLIN, *Megillat taanit*, Philadelphie, 1922, p. 76, n. 29 (nous n'avons pu consulter ce volume) : cette notice de M. T. vise la première Pâque après les luttes macabéennes ; du 8 au 14 nisan, les combattants se purifièrent des contacts avec les cadavres ; en souvenir, on déclara ces jours des jours semi-festifs. Cette explication ne semble pas rendre compte du libellé de la notice.
8. Texte dans *HUCA* 8-9 (1931-1932), pp. 324-325.
9. Elle est imprimée en gros caractère dans *HUCA*, p. 324.
10. Le manuscrit *aleph* (recension italienne) dit « Boéthusiens ». Le manuscrit *pé* (recension espagnole) dit « Sadducéens ». Mais on sait (§ 78, n. 6) que la recension espagnole parle toujours des Sadducéens, alors que la recension italienne parle toujours des Boéthusiens.

une couche plus récente[11], la source est le Babli[12]. La discussion
entre Yohanan ben Zakkay et les Boéthusiens est reprise de façon
abrégée. Elle n'apporte aucun élément nouveau au problème qui
nous occupe.

Notons enfin que la notice araméenne de *Megillat Taanit* 4 se
trouve également commentée ailleurs dans le Babli[13] ; mais, là non
plus, le commentaire ne contient rien sur les Boéthusiens.

129. Un dernier texte[1] fait allusion, très probablement, au
calcul boéthusien de la Pentecôte. Il s'agit d'une discussion pour
savoir ce qu'il faut faire si la Pentecôte tombe un sabbat. Hillélites
et Shammaïtes sont d'accord pour dire que l'on égorgera les victimes après le sabbat, c'est-à-dire le dimanche. Mais, dans ce cas,
« afin de ne pas justifier les paroles de ceux qui disent que la
Pentecôte [doit toujours tomber] le lendemain du sabbat [= le
dimanche] », on prévoit des dispositions spéciales : le grand
prêtre ne revêt pas ses habits officiels, on permet le deuil et le
jeûne. On veut ainsi éviter de faire croire aux gens que ce dimanche est un jour de fête, comme le disent les opposants en question
qui célèbrent en ce jour la Pentecôte[2].

Ces opposants sont très probablement les Boéthusiens. En
effet, dans tous les autres textes rabbiniques que nous venons de
voir au sujet de cette question de calendrier, c'est toujours les
Boéthusiens qui sont en scène. Notons, en passant, qu'il n'est
jamais question, à ce propos, des Sadducéens.

130. Au terme de ce long examen, nous voyons donc qu'il y
avait, pour la fixation de l'offrande de la première gerbe, quatre
façons de faire différentes, qui se groupent par deux.

Tout dépend de l'interprétation de l'expression « le lendemain
du *shabbat* » en Lv 23, 11.

Les uns voient dans ce terme la désignation de la Pâque :

— soit du jour même de la Pâque ; on a alors le calcul pharisien (attesté par Josèphe, Philon, les Targoums et la Septante) : la
gerbe est offerte le 16 nisan ;

— soit de la semaine pascale ; on a alors le calcul attesté par
la version syriaque et les Falashas : gerbe offerte le 23 nisan.

---

11. Cette partie est imprimée en petits caractères dans *HUCA*, p. 324
(fin) et p. 325.
12. b. *Men* 65[a-b].
13. b. *Taan.* 17[b].
1. *Hag.* II 4.
2. De ce texte d'*Hag.* II 4, dit BILLERBECK, II, p. 599, il ressort que, au
Ier siècle de notre ère, la Pentecôte était célébrée à des jours différents de
la semaine. La pratique suivait donc la halaka pharisienne.

Dans ces deux cas, l'offrande de la gerbe, et donc la Pente-côte, tombe à un jour variable de la semaine.

Les autres voient dans le *shabbat* de Lv 23, 11 le jour du sabbat :

— soit le sabbat après la semaine pascale ; on a alors le calcul attesté dans les Jubilés et à Qoumrân ; la gerbe est offerte le dimanche après le 22 ;

— soit le sabbat après le jour même de la Pâque ; on a alors le calcul attesté par les gloses de la Septante, les Qaraïtes, les Samaritains et les Boéthusiens : gerbe offerte le dimanche après le 15.

Dans ces deux cas, l'offrande de la gerbe, et donc la Pente-côte, tombe toujours un dimanche.

131. La divergence au sujet de la fixation du jour de l'offrande de la gerbe est donc très ancienne ; par ailleurs, il y a quatre façons différentes de calculer ce jour. Ces deux remarques permettent de dire avec assurance que le texte du Lévitique, sur ce point, n'est pas clair [1]. Et il est impossible d'affirmer que le calcul des Phari-siens « est inconciliable avec le libellé de la Bible » [2], ou, inverse-ment, que ce point de vue pharisien représente le sens littéral de la Bible [3].

Le fait de prendre *shabbat* au sens de « semaine de fête » (syriaque et Falashas), période de sept jours, viendrait-il de ce que, primitivement, telle pouvait bien être la signification du terme [4] ?

Par contre, la manière pharisienne, qui donne à *shabbat* le sens de « jour de la Pâque », semble difficilement justifiable. Mais ce calcul pharisien est largement attesté dans le judaïsme anté-rieur à la ruine de 70 (Josèphe, Philon, Targoums, Septante). On peut donc se demander s'il n'aurait pas son origine ailleurs que dans l'exégèse de la formule « lendemain du *shabbat* » ; une fois en vigueur, on aurait, tant bien que mal, essayé de le mettre en accord avec Lv 23, 11.

Dans cette ligne d'explication, on a émis l'hypothèse [5] que, sous le grand prêtre Jason (175-172), le calendrier babylonien aurait été adopté au Temple de Jérusalem. On aurait alors changé le cal-

---

1. GEIGER, *Urschrift*, p. 138, reconnaît que le texte de la Bible (Lv 23, 11. 15) permet une autre interprétation que celle des Pharisiens.
2. LESZYNSKY, Sadduzäer, p. 57.
3. FINKELSTEIN, *Pharisees*, 1962 [3], p. 646 ; par contre, dans sa première édition en 1938 (à la p. 115 de l'éd. de 1962, qui reproduit le texte de 1938), il disait que le texte de la Bible, sur ce point, n'était pas clair.
4. J. B. SEGAL, *The Hebrew Passover*, Londres, 1963, p. 197.
5. J. STARCKY, dans le fascicule des *Maccabées* de la « Bible de Jéru-salem, 1961 [3], p. 36.

cul de la fête des semaines ; en la détachant de son cadre hebdomadaire, où elle tombait toujours un dimanche, on lui aurait assigné un quantième fixe dans le système luni-solaire.

Affirmer que, primitivement, la fête des semaines tombait le dimanche n'est pas gratuit. Sans faire appel à l'expression « lendemain du *shabbat* », où *shabbat* pourrait signifier une période de sept jours [6], on peut invoquer surtout les « sept semaines complètes » de Lv 23, 15. Nous avons vu (§ 124) que la tradition pharisienne elle-même ne pouvait pas ne pas reconnaître la chose : pour qu'il y ait sept semaines complètes, il faut commencer à compter à partir d'un dimanche.

Très ancien, voire même peut-être primitif, le calcul à partir du dimanche (le dimanche après le jour de la Pâque, ou le dimanche après la semaine pascale) est très largement répandu dans le judaïsme au tournant de notre ère (Jubilés, Qoumrân, gloses de la Septante, Samaritains, Boéthusiens).

132. Une dernière question se pose à propos des Boéthusiens. Les textes rabbiniques qui nous renseignent sur leur manière de calculer le jour de l'offrande de la première gerbe nous reportent au Ier siècle de notre ère, comme nous l'avons vu (§ 127-128). Cette manière boéthusienne était-elle purement théorique ? Ou bien, au contraire, les Boéthusiens pouvaient-ils effectivement la suivre ?

La réponse à ces questions dépend en partie d'un autre problème : qui sont les Boéthusiens ? Nous le verrons dans notre troisième partie (§ 254-260). Notons ici seulement que les auteurs sont divisés au sujet de ce calcul boéthusien. Selon les uns [1], il était purement théorique. Selon d'autres [2], il était effectivement en usage. La meilleure solution semble celle de Billerbeck [3]. Au temps de Jésus, pense-t-il, le halaka pharisienne était de règle. Mais il n'est pas impossible que, une fois ou l'autre, les Boéthusiens, unis aux Sadducéens, aient essayé d'imposer de force leur halaka. Les différentes réglementations de *Men.* X 3, entre autres, « ne se comprennent que si le parti vainqueur [les Pharisiens] devait sans cesse craindre d'être à la première occasion propice trompé

6. On pourrait du reste se demander si, en Lv 23, 11, *mimmaḥarat hashabbat yᵉnipénnû hakkohen* n'est pas une glose ; de même, en Lv 23, 15, *mimmaḥarat hashabbat*. Pour l'étude de la fête des azymes, voir Segal, *op. cit.*, index à *maṣṣôt*, ainsi que les remarques critiques dans le compte rendu de S. Tengström, *RB* 72 (1965), pp. 580-595 (ici, p. 583-584).

1. La quasi généralité des auteurs. On peut citer Geiger, *Urschift*, pp. 138-139 ; Derenbourg, *Essai*, p. 138 ; Wellhausen, *Pharisäer*, p. 60 ; Schuerer, II, p. 484 ; Revel, dans *JQR* n. s. 3 (1912-1913), p. 351.

2. Pour le moment, je ne vois à citer dans ce sens que Chwolson, *Das Letzte Passamahl*, pp. 24-26 et 64 : ce n'est que vers l'an 60 que les Pharisiens réussirent à faire appliquer leur point de vue.

3. II, p. 848.

et dupé par ses adversaires intrigants, d'autant plus que tout le service du Temple était en ses mains. » [4]

Quant aux facteurs théologiques ou sociologiques qui ont pu avoir une influence dans cette querelle au sujet de la date de la fête de la première gerbe, nous n'avons pas de donnée qui nous permette d'en préciser la nature exacte [5].

2° Les faux témoins pour la nouvelle lune.

133. Les Pharisiens avaient un calendrier lunaire. Nulle part, dans la littérature rabbinique, nous ne trouvons d'allusion au calendrier solaire dont nous avons l'attestation dans les Jubilés et les textes de Qoumrân. Pour les rabbins, c'est clair : Israël compte d'après la lune ; les païens comptent d'après le soleil [1]. Tout se passe comme s'ils avaient voulu taire la querelle la plus dangereuse de toutes parmi les juifs pendant la période du second Temple, celle du calendrier.

Le calendrier lunaire supposait l'intercalation, à période fixe, d'un treizième mois. Cette intercalation n'était pas prévue dans la Bible ; c'était une tradition orale.

Nous ne possédons aucun renseignement sur le calendrier des Boéthusiens et des Sadducéens. Un calendrier solaire paraît exclu, tout au moins pour la pratique. Du fait que le treizième mois, dans le calendrier lunaire, n'était pas une halaka biblique, on a supposé que les Sadducéens devaient le rejeter [2].

Pour la tradition pharisienne, le mois lunaire commençait non pas à la nouvelle lune astronomique, mais au moment où le premier quartier de la lune devenait visible [3]. Or, à cette époque, on savait déjà parfaitement calculer astronomiquement le jour exact de la nouvelle lune [4]. Là aussi, par conséquent, nous pouvons supposer que les Sadducéens rejetaient la façon de faire pharisienne [5].

Mais, dans les deux cas que nous venons de signaler, il s'agit

---

4. BILLERBECK, II, p. 850.
5. FINKELSTEIN, *Pharisees*, 1962, pp. 642-650, tente plusieurs explications.
1. Tos. *Suk.* II 6 (194, 16) ; *Mek.* Ex 12, 2 (I 18, 39).
2. LESZYNSKY, *Sadduzäer*, p. 52.
3. *Mek.* Ex 12, 2 (I 15, 1) : Dieu a montré à Moïse la forme de la lune (le début du premier quartier) par laquelle le mois commence.
4. LESZYNSKY, *Sadduzäer*, p. 54.
5. LESZYNSKY, p. 292, n. 1, fait état d'un passage du *Kerygma Petri*, fragment IV, dans *Texte und Untersuchungen* XI/1 (1893), p. 21 (= CLÉMENT D'ALEXANDRIE, *Stromates* VI 5, 41 ; *PG* 9, 260-261) : « Ceux-ci [les juifs], en effet, pensant être les seuls à connaître Dieu, ignorent qu'ils adorent les anges et les archanges, le mois et la lune ; et, si la lune n'est pas visible, ils ne célèbrent pas le sabbat appelé premier, ni la néoménie, ni les azymes, ni la fête, ni le ʻ grand jour ʼ. » Ce texte, dit Leszynsky, semble être de source sadducéenne ; le point principal de l'attaque est la façon pharisienne de fixer le calendrier d'après l'apparition de la lune.

de pure hypothèse. Par contre, nous possédons une donnée positive au sujet des agissements des Boéthusiens à propos du calcul de la nouvelle lune par les Pharisiens.

134. Avant que les autorités, à Jérusalem, ne fixent le début du mois, il fallait s'assurer le témoignage de gens ayant aperçu le premier quartier de la lune. La législation pharisienne au sujet de ces témoins montre l'importance que les rabbins attachaient à la chose : ils allèrent jusqu'à permettre une violation de la loi du sabbat [1]. Par ailleurs, les précautions prises à l'égard des témoins et les avantages qu'on leur accordait [2] prouvent, semblent-il, que les Pharisiens s'attendaient toujours à être trompés par des gens n'acceptant pas leur halaka au sujet de la nouvelle lune.

En *R.H.* II 1, on justifie les précautions au sujet de l'honnêteté des témoins par le fait que « les (ou : des) *mînîm* ont corrompu [3] [les témoins] ». Immédiatement après, en II 2, il est question des Samaritains [4]. Par des feux allumés à une fausse date, ils essayaient de tromper les autorités pharisiennes.

Mais c'est au sujet des Boéthusiens que nous possédons la donnée la plus détaillée [5].

> « Autrefois, on recevait le témoignage au sujet de la nouvelle lune de n'importe qui. Une fois, des Boéthusiens soudoyèrent deux témoins pour qu'ils aillent induire en erreur les docteurs [de la commission du calendrier, par de fausses déclarations]. En effet, les Boéthusiens expliquaient que la fête des semaines ne [doit tomber] que le lendemain du sabbat [6].
> « Le premier [témoin] vint faire sa déposition et s'en alla. Le second vint et raconta [son histoire]. Je montais vers *ma'alé adumin* [entre Jérusalem et Jéricho] et je la [= la lune] vis accroupie entre deux roches. Sa tête ressemblait à un veau, ses oreilles à celle d'un chevreau. Et voici, 200 *zuz* étaient serrés dans ma bourse [argent donné par les Boéthusiens].
> « On lui dit : L'argent doit t'être donné en présent [= il doit rester à toi] ; mais ceux qui t'ont soudoyés doivent venir être flagellés. Pourquoi t'es-tu occupé de cela ?
> Il leur répondit : Parce que j'ai entendu dire que les Boéthusiens cherchaient à induire en erreur les docteurs [pharisiens],

1. *R.H.* I 4-5.
2. *R.H.* I 9 : on va même jusqu'à porter un témoin sur un lit. En II 5 : un grand festin à Jérusalem pour les témoins.
3. *Qilq'lû* ; pour le sens de ce verbe, voir § 119, n. 3. Ici, on peut se demander s'il ne faut pas traduire « corrompre *les témoins* ».
4. Selon LESZYNSKY, *Sadduzäer*, pp. 55-56, la mention des Samaritains dans cette mishna n'est pas primitive ; il se serait agi, primitivement, de sectaires juifs vivant au milieu des autres juifs.
5. Tos. *R.H.* I 15 (210, 10).
6. Le texte de ZUCKERMANDEL (ms. d'Erfurt) porte : *shth' 'srt 'hr shbt.* Avec le ms. de Vienne, le ms. de Londres et l'édition princeps, il faut ajouter un *'l'* .

je me suis dit qu'il était meilleur que j'aille renseigner les docteurs. »

Nous venons de donner la traduction du texte de la Tosefta ; il est en effet meilleur que les deux autres formes de la même tradition, celle du Yerushalmi [7] et celle du Babli [8].

Sur un point cependant, on peut se demander s'il faut retenir la donnée de la Tosefta. Comme nous venons de le dire, au milieu de ce récit, on rappelle que les Boéthusiens fixaient toujours la Pentecôte un dimanche. Or cette mention est absente dans le parallèle du Yerushalmi et dans celui du Babli. Il est donc très probable qu'elle n'est pas primitive dans le texte de la Tosefta [9]. Par conséquent, à l'origine, cette histoire de faux témoins n'avait sans doute pas de rapport direct avec la fixation de la Pentecôte ; elle pouvait concerner n'importe quelle nouvelle lune au cours de l'année [10].

Il n'en reste pas moins qu'elle est un exemple précieux de l'opposition des Boéthusiens à la halaka pharisienne pour le calendrier. Finalement, elle concerne donc indirectement le calcul de la date de la Pentecôte.

B. *A soukkôt, pas de ḥibbûṭ ḥarayôt le jour du sabbat.*

135. A la fête de soukkôt [1], pendant 6 ou 7 jours, on faisait usage de branches de saule [2]. Si le septième jour de la fête tombait un sabbat, on utilisait les branches pendant 7 jours. Par contre, si le septième jour n'était pas un sabbat, on ne les utilisait que 6 jours ; on ne s'en servait pas le jour du sabbat [3].

On allait chercher les branches de saule à Mosa [4]. Chaque jour, il y avait une procession autour de l'autel des holocaustes. Les branches de saule étaient déposées autour de l'autel, leur extrémité supérieure inclinée vers l'autel ; ces jours-là, on ne tenait pas les rameaux en main [5].

Le sixième jour, ou le septième, si ce septième jour tombait un sabbat, il y avait un rite spécial. Pendant la procession autour

---

7. j. *R.H.* II 1, 57[d] 68 (IV/1, 75).
8. b. *R.H.* 22[b].
9. C'est l'opinion de Derenbourg, *Essai*, p. 137, n. 1. Sur ces trois textes, voir la discussion de Geiger, *Urschrift*, pp. 137-138, et de Leszynsky, *Sadduzäer*, p. 58.
10. Selon Leszynsky, *Sadduzäer*, p. 58, les Boéthusiens étaient opposés à l'ensemble du calendrier pharisien. Mais, dit-il, ils avaient abandonné l'opposition sadducéenne contre le calendrier lunaire, et exigeaient seulement que le commencement de chaque mois, au moins, coïncide avec la nouvelle lune astronomique.
1. Sur la procession autour de l'autel des holocaustes pendant la fête de soukkôt, documentation rabbinique dans Billerbeck, II, pp. 793-799.
2. *Sukka* IV 1.
3. *Sukka* IV 3.
4. Qaluniya, à l'ouest de Jérusalem.
5. *Sukka* IV 5.

de l'autel, on tenait en main les branches de saule [6] et on frappait le sol [7] autour de l'autel à l'aide de ces branches [8].

> « Rabbi Yoshua ben Baroqa [lire Yohanan ben Baroqa, vers 110 après J.-C., voir l'édition d'Albeck] dit : c'étaient des rameaux de palmier-dattier [9] qu'on allait chercher, et on frappait le sol autour de l'autel. Le jour était appelé ' jour où l'on frappait [le sol] avec les branches ' [10]. »

Si le septième jour tombait un sabbat, voici le principe qui jouait :

> « A sa fin [la fin de la fête de soukkôt, c'est-à-dire le septième jour], les rameaux de saule primaient le sabbat. »

Ce principe ne s'appliquait que « à la fin » de la fête. Si donc le sabbat tombait un autre jour que le septième jour de la fête, le sabbat primait, et il n'y avait pas emploi de rameaux ; dans ce cas, ils n'étaient utilisés que pendant 6 jours, comme nous l'avons dit un peu plus haut.

Les années où le septième jour était un sabbat, on cueillait les branches de saule la veille du sabbat ; on les mettait dans des bassins d'or remplis d'eau, pour qu'elles ne se fanent pas [12].

136. Voici ce qui se passa une année où le septième jour de la fête de soukkôt tombait un sabbat [1].

> « Il arriva que des Boéthusiens entassèrent de grosses pierres [2] sur lui [le tas de branches de saule préparées pour la procession] la veille du sabbat [en supposant que les Pharisiens,

---

6. Les textes relatifs à cette cérémonie parlent, sans précision, de « branches », *ḥarayôt*. Mais Tos. *Sukka* III 1 (195, 19 et b. Sukka 43[b] précisent : du « saule », ʿ*rabah*.

7. Dans les textes, on trouve toujours le substantif *ḥibbûṭ* « le fait frapper » (du verbe *ḥaṭat*, frapper).

8. *dèqèl*. Cette mention du palmier-dattier paraît unique, voir plus haut n. 6.

9. Le but de ce rite était, selon l'explication courante (voir par exemple DERENBOURG, *Essai*, p. 136 ; BILLERBECK, II, p. 797), de faire tomber les feuilles des branches ; afin de marquer que l'automne était là et que les récoltes étaient finies, précise Billerbeck. Mais cette explication paraît inexacte. En effet, si on coupait les branches la veille du sabbat (voir un peu plus bas dans l'exposé, et n. 12), on les mettait dans de l'eau pour qu'elles ne se fanent pas ; on voulait donc avoir des feuilles vertes. Selon R. MEYER, *TWNT* VII, p. 50, nous ne connaissons plus le sens de ce rite ni son origine ; sans doute, dit Meyer, c'était primitivement un rite magique.

10. *Sukka* IV 6 : *yôm ḥibbûṭ ḥarayôt*. Une variante dit : « jour où l'on frappait *l'autel* avec les branches. »

11. Tos. *Sukka* III 1 (195, 19).

12. *Sukka* IV 6.

1. Tos. *Sukka* III 1 (195, 19).

2. BILLERBECK, II, p. 257, souligne que, d'après ce texte, on pouvait trouver des pierres dans l'enceinte du Temple dès qu'on le voulait ; cela constitue, dit-il, un élément d'explication pour Jn 8, 59.

le jour du sabbat, ne pourraient pas déplacer les pierres, pour ne pas violer le repos sabbatique, et donc ne pourraient pas utiliser les branches de saule pour la procession].

« Des *ammé ha'arèṣ* [3] l'apprirent et les tirèrent [les branches de saule] et les firent sortir de dessous les pierres le jour du sabbat ; en effet les Boéthusiens n'admettaient pas que le [rite consistant à] frapper par terre des [branches de] saule repousse [= prime] le sabbat. »

Le texte parallèle du Babli ne contient que de toutes petites différences de détail [4].

Dans ces deux textes, les Boéthusiens n'apparaissent que dans le cas où le septième jour de la fête de soukkôt tombe le sabbat, et leur opposition vise la cérémonie consistant à frapper le sol autour de l'autel ; mais cette opposition est très strictement limitée : ils refusent de voir ce rite supprimer le repos sabbatique.

Les cinq, ou six, autres jours de la fête de soukkôt, il y avait une procession autour de l'autel, mais sans « frapper » du sol. Cette procession n'était pas d'origine biblique [5]. Nous n'avons aucune donnée sur l'attitude des Boéthusiens vis-à-vis de cette procession ; il semble que Sadducéens et Boéthusiens l'aient acceptée.

Le « frapper » du sol pouvait tomber n'importe quel jour de la semaine, comme nous l'avons vu au début du § 135. Les années où ce rite tombait un autre jour que le sabbat, les Boéthusiens ne devaient pas le rejeter, car le repos sabbatique, alors, n'était pas en cause [6].

En effet, il semble bien que les Boéthusiens, pour cette question du « frapper », exprimaient l'opinion des anciens Sadducéens. Si les Sadducéens avaient rejeté le « frapper » comme tel, et pas seulement le jour du sabbat, à cause du repos sabbatique, quelle raison auraient eu, plus tard, les Boéthusiens d'accepter la cérémonie, mais de la limiter aux jours autres que le sabbat [7] ?

Nous sommes donc en présence d'une loi traditionnelle et non biblique, celle du « frapper ». L'opposition entre Pharisiens et Boéthusiens portait sur le caractère obligatoire de cette loi traditionnelle, de cette coutume. Les Pharisiens disaient qu'elle avait

---

3. Des gens qui, selon les Pharisiens, ne connaissent pas la Loi et ne se préoccupent pas de l'observer (voir les données rabbiniques dans BILLER-BECK, II, pp. 494-500, et l'exposé FINKELSTEIN, *Pharisees*, pp. 754-761). Notons pour mémoire la thèse curieuse de CHWOLSON (ouvrage cité plus haut § 6, notes 7-11) : les *ammé ha'arèṣ* étaient les juifs qui suivaient la halaka sadducéenne.

4. b. *Sukka* 43[b].

5. Nous en ignorons l'origine (voir plus haut § 135, n. 9).

6. J. Z. LAUTERBACH, *Sadducees and Pharisees*, 1913, réimprimé dans ses *Rabbinic Essays*, 1951, p. 26.

7. LAUTERBACH, *op. cit.*, p. 26, n. 7.

un caractère d'obligation, et donc devait primer le sabbat [8]. Par contre, les Boéthusiens soutenaient qu'elle n'avait pas un caractère obligatoire, qu'elle ne primait pas le sabbat [9].

Il est du reste intéressant de noter que, dans la synagogue, par la suite, le point de vue boéthusien continua d'être reconnu. On s'arrangeait pour que le calendrier ne fasse pas coïncider le septième jour de la fête de soukkôt avec le sabbat.

C. *Les Boéthusiens, plus sévères pour la confection des tephillin.*

137. L'usage des tephillin [1], phylactères, a une base biblique (Dt 6, 8 ; 11, 18 ; Ex 13, 9. 16). Mais, selon les rabbins, cette législation biblique est seulement une loi générale ; son élaboration et ses applications sont entièrement affaire de tradition [2]. Philon ne fait aucune allusion à l'usage des tephillin ; mais on ne peut inférer de ce silence que les juifs de la diaspora l'ignoraient [3]. Notons cependant que les Qaraïtes ne le connaissent pas.

Le Babli rapporte une discussion entre Rabbi Yoshua (vers 140 de notre ère) et un Boéthusien [4]. Le Talmud énonce tout d'abord la règle pharisienne : on écrit les tephillin sur une peau d'animal rituellement pur, même s'il s'agit d'une « bête crevée » (*nᵉbélah*) ou d'une « bête déchirée (*ṭᵉrèpah*)*. Vient ensuite la discussion.

> « Un Boéthusien questionna Rabbi Yoshua, le fabricant d'orge perlé : D'où [peut-on montrer] qu'il ne faut pas écrire les tephillin sur une peau d'animal rituellement impur ?
>
> « — Parce qu'il est écrit : ' afin que la Loi de Yahvé soit dans ta bouche ' (Ex. 13, 9) ; donc, [ce doit être] de quelque chose qui est permis dans ta bouche.
>
> « — Par conséquent [dit le Boéthusien], on ne devrait pas l'écrire sur la peau d'une ' bête crevée ' ou d'une ' bête déchirée '.
>
> « — Il [Rabbi Yoshua] lui répondit : Je vais te dire un mashal. A quoi peut-on comparer cela ? A deux hommes qui furent déclarés passibles de la peine de mort par le gouvernement. L'un fut mis à mort par le roi, et l'autre fut mis à mort par le *spiculator* [= le bourreau]. Qui est le plus honoré ? Assurément,

---

8. Du reste, pour le culte du Temple, le principe pharisien était le suivant : toutes les lois sabbatiques sont abolies dans l'enceinte du Temple.

9. *Ibid.*, p. 26. — Dans ses explications de l'opposition des Boéthusiens, Finkelstein ne tient pas compte du fait qu'elle concernait uniquement le jour où le rite avait lieu le sabbat ; elles paraissent donc sans valeur. Il a du reste changé d'opinion ; voir son idée de 1938 dans ses *Pharisees*, 1962 [3], p. 107 (qui reproduit le texte de 1938), et celle de 1962, dans le même volume, 1962 [3], pp. 705-707.

1. L. BLAU, *Phylacteries*, dans *JE* X (1905), p. 21 b.

2. *Ibid.*

3. Contrairement à ce qui dit D. CHWOLSON, *Beiträge zur Entwicklungsgeschichte des Judentums*, Leipzig, 1910, p. 31.

4. b. *Shab.* 108ᵃ.

celui qui fut mis à mort par le roi [les animaux qui sont 'bête crevée' ou 'bête déchirée' sont tués par leur créateur, on peut donc utiliser leur peau pour les tephillin].

« [Le Boéthusien répliqua :] On devrait donc pouvoir [aussi] les manger.

« Il [Yoshua] répondit : La Tora a dit : 'Vous ne pourrez manger d'aucune bête crevée' (Dt 14, 21 et par.). Et toi, tu dis : On devrait pouvoir les manger !

« Il [le Béothusien] lui répondit : Parfait [le texte du Babli porte le grec χάλως, écrit q'lws] ! »

Ce récit nous reporte à la première moitié du second siècle de notre ère. On peut donc se demander si la présence d'un Boéthusien à cette date est historiquement certaine [5].

Pour la question des tephillin, c'est le seul texte qui fasse mention d'un Boéthusien. Dans le Yerushalmi [6], la discussion sur la peau des « bêtes crevées » ou des « bêtes déchirées » ne parle pas du point de vue opposé à celui des Pharisiens. Quant au traité *Soferim*, qui reprend le texte du Babli, y compris la discussion entre Rabbi Yoshua et un opposant, il parle de ce dernier en disant tout simplement « quelqu'un » [7].

A notre avis, on peut très facilement expliquer que, du Babli au traité *Soferim*, rédigé bien postérieurement, la tradition, ne comprenant plus ce qu'était un Boéthusien, ait transformé « Boéthusien » en « quelqu'un ». La mention du Boéthusien dans le texte du Babli semble donc primitive. Mais ce récit est-il historique ou légendaire ? Il est difficile de donner une réponse tranchée.

On peut dire, en faveur de l'historicité, que la sévérité des Boéthusiens, pour la confection des tephillin, par rapport aux Pharisiens cadre bien avec leur sévérité pour le repos sabbatique [8] (voir plus haut § 136).

138. On a voulu trouver la mention du point de vue boéthusien ou sadducéen dans un autre texte de la Mishna [1].

« Celui qui fait sa tephilla ronde, c'est dangereux [2], et, avec une telle tephilla, on n'accomplit pas le précepte.

---

5. Selon L. GINZBERG, *JE* III (1902), p. 285 b, dans ce texte, Boéthusiens, sans doute, signifie seulement hérétiques. Cette explication ne paraît pas exacte.

6. j. *Meg.* I 11, 71[d] 26 (IV/1, 216-217).

7. *Soferim* I 2, éd. M. Higger, New-York, 1937, p. 97, ligne 9 (sans variante dans son apparat critique).

8. Par ailleurs, LESZYNSKY, *Sadduzäer*, p. 47, remarque au sujet de la réplique du Boéthusien au Pharisien (« par conséquent, on ne devrait pas l'écrire sur la peau d'une bête crevée ou déchirée ») que cela semble logique.

1. *Meg.* IV 8.

2. Elle peut blesser la tête.

« La mettre [trop bas] sur le front ou sur la paume de la main est une manière de faire de la *mînût*. [3].

« La dorer et [= ou] la mettre sur la manche de son vêtement [4] est une manière de faire des *ḥisônîm* [5]. »

Certains voient dans cette *mînût*, dans ces *mînîm* l'indication des Sadducéens [6] ou des Boéthusiens [7]. L'absence de données sur l'attitude des Sadducéens au sujet des tephillin ne permet pas de dire avec certitude qu'il s'agit d'eux ici [8]. Il en va de même pour l'explication selon laquelle il s'agit des Boéthusiens [9].

*
* *

139. Les Boéthusiens commencent à nous apparaître dans une lumière assez vive.

Pour la fixation de l'offrande de la première gerbe, qui conditionne la date de la fête des semaines, de la Pentecôte, ils sont partisans d'une ancienne façon de faire, remontant probablement aux anciens Sadducéens : cette offrande a lieu le dimanche qui suit le jour de la Pâque.

Pour le repos sabbatique, ils sont plus sévères que les Pharisiens ; ils n'admettent pas que ce repos sabbatique soit violé par la cérémonie du « frapper » du sol autour de l'autel avec les branches de saule, pendant la fête de soukkôt.

On constate la même sévérité de leur part au sujet de la confection des tephillin ; ils n'admettent pas, à la différence des Pharisiens, que l'on se serve pour cela d'une peau d'une bête « crevée » ou « déchirée ».

---

3. *Mînût* désigne le comportement du *mîn* ; pour le sens de ce dernier terme, voir plus haut § 76.
4. Pour la faire voir avec ostentation.
5. « Ceux qui sont en dehors », les hérétiques.
6. GOLDSCHMIDT, *Der babyl. Talmud* (trad. allemande seule), IV, 1931, p. 101, n. 79 (« vraisemblablement ») ; ALBECK, dans son édition de la Mishna, note sur *Meg.* IV 8 (c'est l'interprétation littérale d'Ex 13, 9).
7. LESZYNSKY, *Sadduzäer*, p. 47.
8. Toute la question est de savoir si les Sadducéens acceptaient le port des tephillin. LESZYNSKY, *Sadduzäer*, p. 47, note avec justesse : les Boéthusiens avaient l'usage des tephillin (b. *Shab.* 108ᵃ) ; mais on ne peut pas généraliser et dire que tous les Sadducéens avaient cet usage. Et Leszynsky ajoute : « bien des Sadducéens » devaient le rejeter.— B. REVEL, dans *JQR* n. s. 2 (1911-1912), p. 531, note (continuation de la n. de la p. 530), pense, à la suite de WEISS, FUERST, GRAETZ (voir les références dans Revel), que les Sadducéens acceptaient l'interprétation littérale de Dt 6, 8, donc qu'ils portaient des tephillin. Revel n'apporte aucune preuve de cette affirmation.
9. Il devait y avoir bien des juifs qui, pour le port des tephillin, avaient une façon de faire différente de celle des Pharisiens. Il faudrait posséder au moins un élément de renseignement pour pouvoir préciser que, dans cette mishna, il s'agit des Boéthusiens.

Pour la fixation de l'offrande de la première gerbe, il s'agit d'une question d'exégèse biblique ; les Boéthusiens pensaient être fidèles à la Bible. Par contre, pour le repos sabbatique et la fabrication des tephillin, il s'agit de questions secondaires d'observance où la Bible n'avait pas légiféré. Le rigorisme des Boéthusiens sur ces deux points ne découle pas directement de leur exégèse biblique. Elle est la manifestation, sur deux problèmes particuliers, d'une attitude générale de sévérité.

II. Points de vue sadducéens.

A. *Le sacrifice quotidien payé par les particuliers.*

140. La Tora ne prescrit pas un impôt annuel d'un demi-siècle, *shèqèl*. Ex 30, 11-16 parle seulement d'un cas unique, au temps de Moïse, lors du recensement.

Selon Éz 45, 17 ; 46, 13, c'est au prince à assurer les sacrifices quotidiens. Cela eut lieu, mais pas régulièrement (Esd 6, 9 ; 7, 17 ; 1 M 10, 39 ; 2 M 3, 3 ; *Ant.* XII 140). Il fut donc nécessaire de prévoir un impôt annuel pour le culte. Lors de la Grande assemblée convoquée par Esdras, le peuple s'engagea à payer chaque année un tiers de sicle pour le sanctuaire (Né 10, 33-34). La coutume se répandit ensuite dans la diaspora [1]. Au temps de Jésus, cet impôt annuel payé par tous les Israélites s'élevait à un didrachme [2].

On voit donc que la Tora ne contient aucune prescription au sujet du paiement du *tamîd*, le sacrifice « perpétuel » offert quotidiennement (Ex 29, 42) ; elle ne précise pas qui doit en acquitter les frais.

Josèphe [3], en bon Pharisien, affirme que le *tamîd* est payé sur le trésor public. C'était là une tradition orale. On en trouve l'attestation dans la Mishna [4] et la Mekilta [5].

141. La rubrique de *Megillat taanit* 3 est ainsi formulée [1] :

« Du 1er au 8 nisan, le *tamîd* fut institué, *mn rysh yrḥ' dnysn 'd tmny' byh 'twqm tmyd'.* »

1. Philon, *De spec. leg.* I 77 ; Josèphe, *Ant.* XVIII 312 ; Guerre VII 218.
2. Sur cet impôt du didrachme, dossier rabbinique dans Billerbeck, II, pp. 760-770.
3. *Ant.* III 237.
4. *Sheq.* IV 1 et 6.
5. *Mek.* Ex 19, 1 (II 194, 27) : du temps de Rabban Yohanan ben Zakkay († vers 80), il y avait des juifs qui ne voulaient pas payer le demi-sicle [non par avarice, mais parce qu'ils ne reconnaissaient pas cette obligation]. Yohanan leur dit : « Vous ne voulez pas payer au Ciel [= Dieu] le demi-sicle par tête, mais vous devez payer quinze sicles au gouvernement de vos ennemis [les païens]. »
1. Texte dans Lichtenstein, *HUCA* 8-9 (1931-1932), p. 318, ligne 3.

Les trois mots ᶜ*d tmny' byh*, « jusqu'au 8 de ce mois », manquent dans la citation de cette rubrique que fait le Yerushalmi [2]. Il faut donc les considérer comme une glose [3].

Le texte primitif de la notice est donc : « Le 1er nisan, le *tamîd* fut *institué.* » Notons qu'il s'agit de l'institution du *tamîd*, et non pas de son rétablissement.

Wellhausen [4] et Dalman [5] pensent que cela vise l'institution du *tamîd* par Moïse. Mais il semble difficile que l'une des notices de la *Megillat taanit* concerne un événement dont il est question dans la Tora.

D'autres [6] continuent à retenir, pour cette rubrique, l'explication qui se trouve dans le commentaire hébreu tardif [7] : il s'agirait de la victoire remportée par les Pharisiens sur les Boéthusiens au sujet du paiement du *tamîd*. Mais cette solution paraît incompatible avec le verbe employé dans la rubrique : « le *tamîd* fut institué. »

Il resterait donc la solution de Zeitlin [8], qui pense à la consécration du second Temple (cf. Esd 6, 15).

142. Le point de vue sadducéen au sujet du sacrifice perpétuel se trouve dans le Babli [1] :

> « Les Sadducéens disaient : le *tamîd* est payé et offert volontairement par des particuliers [2].
>
> « Sur quel passage de l'Écriture s'appuyaient-ils ? 'Tu [au singulier] sacrifieras le premier agneau au matin, et tu sacrifieras le second au crépuscule ' (Nb 28, 4).
>
> « Que leur répondaient-ils [= les Pharisiens] ? : L'offrande d'aliment qui est faite pour mes sacrifices par le feu, vous [au pluriel] en aurez soin... ' (Nb 28, 2), parce qu'ils viennent tous de la caisse du Temple. »

---

2. j. *Taan.* II 13, 66ᵃ 35 (IV/1, 163) ; j. *Meg.* I 6, 70ᶜ 72 (pas traduit en IV/1, 205, qui renvoie à IV/1, 163).

3. DALMAN, *Aramäische Dialektproben*, 1927, p. 1, ligne 2 et note 5 ; p. 41, note à I 1. — Mais pourquoi ces mots ont-ils été ajoutés ?

4. *Pharisäer*, p. 59.

5. *Aramäische Dialektproben*, p. 41.

6. GRAETZ, DERENBOURG, M. SCHWAB, LICHTENSTEIN, dans *HUCA* 8-9 (1931-1932), pp. 290-291, se rallie à cette solution (voir à cet endroit les références aux trois premiers auteurs).

7. Nous allons l'étudier au paragraphe suivant.

8. Cité par LICHTENSTEIN, *op. cit.*, p. 292 ; voir d'autres explications, pp. 291-292.

1. b. *Men.* 65ᵃ ; c'est un commentaire de la notice araméenne de M.T. que nous venons d'étudier.

2. Ce n'est pas un sacrifice de communauté ; il n'est pas payé sur le Trésor du Temple.

Ce texte du Babli constitue l'essentiel du commentaire [3] hébreu tardif de *Megillat taanit* 3. Dans sa première partie [4], ce commentaire reprend, avec quelques petites différences, le texte du Babli. Mais ce commentaire parle des Boéthusiens, et non plus des Sadducéens [5].

Dans sa seconde partie, le commentaire a un texte propre, dont voici le morceau principal [6] :

« Et quand ils [= les Pharisiens] triomphèrent d'eux [les Boéthusiens] et les eurent vaincus, ils instituèrent qu'on pèserait leurs *shèqèl* et qu'on les déposerait dans le trésor du Temple ; et l'on offrait les *tamîd* avec l'argent de la communauté. »

La tradition reflétée dans le Babli, qui parle des Sadducéens, semble préférable à celle du commentaire, qui parle des Boéthusiens [7].

Le commentaire parle explicitement d'une victoire des Pharisiens sur leurs adversaires au sujet de cette question du paiement des frais du *tamîd*. Cette idée était déjà esquissée dans le Babli.

143. On trouve peut-être un écho de cette lutte entre Pharisiens et Sadducéens dans le Yerushalmi [1]. L'impôt du sicle était payé une fois par an, dans la seconde quinzaine d'adar (mars). Cependant, le prélèvement de l'argent dans les caisses du Temple avait lieu « trois fois par an ». La raison indiquée par le Talmud de Jérusalem est qu'il fallait « donner un certain éclat à cet acte » [2]. Mais la vraie raison est, probablement, que l'on voulait ainsi marquer la victoire des Pharisiens sur les Sadducéens [3].

3. Texte dans LICHTENSTEIN, *HUCA* 8-9, p. 323. Ce commentaire de *M.T.* 3 manque totalement dans le manuscrit *pé* (seul témoin de de la recension espagnole). Cette absence est-elle en rapport avec le fait que ce manuscrit ne connaît que les Sadducéens, et jamais les Boéthusiens ? Pour cette partie du commentaire de M.T., nous avons donc uniquement la recension italienne, en général moins bonne que la recension espagnole.
4. Lignes 4-10.
5. La leçon de la Vulgate (famille *hé* des manuscrits) est cependant « Sadducéens », mais ce n'est pas la bonne leçon.
6. Je laisse de côté les lignes 10-15, imprimées en petits caractères par Lichtenstein (gloses tardives du texte du commentaire). Le passage que nous allons traduire figure aux lignes 15-17.
7. Dans b. *Men.* 65[a], on a, à la suite, une discussion au sujet du *tamîd*, et une au sujet de la date de la Pentecôte. On retrouve la même association dans le commentaire de *M.T.* 3 et 4, qui suit de près b. *Men.* 65[a]. Or, dans b. *Men.* 65[a], il est question des Sadducéens pour le *tamîd*, puis des Boéthusiens pour la date de la Pentecôte. Dans le commentaire de M.T., par contre, les Boéthusiens sont en scène pour les deux cas. On peut donc très raisonnablement supposer que, dans ce commentaire, la mention des Boéthusiens pour le *tamîd* résulte d'un alignement de cette partie du récit par rapport à celle relative à la date de la Pentecôte.
1. j. *Sheq.* I 1, 45[d] 59 (III/2, 260).
2. k[e]di la[e]asôt pômpî (c'est le grec πομπή, « pompe ») l[e]dabar, ligne 59.
3. Explication de DERENBOURG, *Essai*, pp. 135-136.

Par ailleurs, c'est seulement en fonction du point de vue sadducéen sur le *tamîd* que l'on peut comprendre une curieuse façon de faire[4]. Une mishna[5] discute le cas de quelqu'un qui fait don au Temple de ses biens, comportant, entre autres, des animaux pouvant servir pour le sacrifice. Peut-on utiliser ces bêtes pour les sacrifices publics ? Répondre affirmativement serait une dangereuse reconnaissance du point de vue sadducéen. On utilise donc un curieux détour. On se sert des bêtes en question comme paiement des ouvriers du Temple, et, avec l'argent ainsi récupéré (l'équivalent du salaire que l'on aurait versé aux ouvriers), on achète d'autres bêtes.

144. Comme nous l'avons vu au début du § 142, la base biblique de la controverse au sujet du *tamîd* était pratiquement nulle ; les Pharisiens et les Sadducéens se battaient à l'aide de « tu » et « vous ».

Ce sont donc des raisons non exégétiques qui ont amené la divergence entre les deux groupes. Il semble bien que les Pharisiens, sur ce point, aient été guidés par un souci d'égalité[1]. Quant aux Sadducéens, il est possible que leur attitude ait été déterminée à la fois par leur richesse et par le comportement des prêtres ; ceux-ci, en effet, comme nous le verrons (§ 223) n'étaient pas tenus de payer l'impôt du *shèqèl* alimentant la caisse du Temple[2].

B. *Les Sadducéens acceptaient-ils l'ᶜérûb ?*

1° Nous ne connaissons pas la halaka sadducéenne sur le sabbat.

145. La halaka pharisienne sur le sabbat se présente avec un mélange de laxisme et de sévérité.

Selon les rabbins, il n'était pas permis, le jour du sabbat, de guérir une maladie bénigne directement, en préparant les remèdes et en les appliquant. Mais on pouvait prendre les remèdes comme aliments ou parfums[1].

Par ailleurs, ils permettaient de violer le sabbat dans certaines circonstances : annoncer que l'on avait vu la nouvelle lune[2], moissonner la première gerbe[3], frapper le sol autour de l'autel des holocaustes, avec les branches de saule, le septième jour de la fête de soukkôt[4].

---

4. Leszynsky, *Sadduzäer*, p. 70, n. 1.
5. *Sheq.* IV 6.
1. Finkelstein, *Pharisees*, 1962, pp. 282 ss. (il s'agit du texte de 1938).
2. Finkelstein, *op. cit.*, p. 710 (ici, c'est son opinion de 1962).
1. A. Michel - J. Le Moyne, dans *DBS* VII, col. 1085.
2. *R.H.* I 9.
3. *Men.* X 3.
4. Tos. *Sukka* III 1 (195, 19).

Du reste, à l'intérieur du groupe pharisien, Hillélites et Shammaïtes divergeaient sur les règles du repos sabbatique. Les Shammaïtes défendaient un certain nombre de travaux si l'on n'était pas sûr qu'ils prendraient fin *d'eux-mêmes* avant le début du sabbat ; les Hillélites les permettaient [5]. Il s'agit là d'une discussion sur le sens du mot « travail » (Ex 20, 10), comme le montre l'explication de cette mishna dans le Yerushalmi [6]. « Ainsi, les Shammaïtes sont pour la définition large de l'idée de travail et représentent, comme ailleurs aussi, l'ancienne halaka, qui se rapproche davantage des Sadducéens. » [7]

Mais nous n'avons pas de donnée sur la halaka sadducéenne au sujet du sabbat. Nous possédons seulement deux indications concernant les Boéthusiens. Ils s'opposaient à ce que l'on viole le sabbat pour moissonner la première gerbe (§ 127) et pour « frapper le sol » autour de l'autel avec les branches de saule à soukkôt (§ 136).

La halaka des Jubilés sur le sabbat est assez sévère [8] ; elle représente, sans doute, en partie l'ancienne halaka sur le sabbat. Mais on ne peut, tout de go, affirmer que cette halaka des Jubilés est celle des Sadducéens [9].

2° Les Sadducéens et l'ᶜérûb.

146. Le terme ᶜérûb, que l'on fait en général dériver du verbe ᶜarab, « mélanger », signifie mélange, amalgame, réunion idéale de deux choses différentes [1].

La Tora prescrit qu'il ne faut pas sortir de chez soi le sabbat (Ex 16, 29), et le prophète Jérémie (17, 21) atteste qu'il était interdit, le sabbat, de porter un fardeau.

Selon la législation rabbinique, il est interdit, le sabbat, de faire plus de 2 000 coudées, et de porter quelque chose d'une maison dans une autre.

Grâce à la disposition de l'ᶜérûb, on double de 2 000 à 4 000 coudées le chemin permis, en déposant, la veille, un aliment à l'extrémité des 2 000 coudées. Par ailleurs, on fait, grâce à l'ᶜérûb, un domicile commun avec plusieurs habitants, dans une cour ou une ruelle. Dans une même cour, l'ensemble des maisons devient

---

5. *Shab.* I 5-8.
6. j. *Shab.* I 5, 3ᵈ 70 (III/1, 21) ; même chose dans Tos. *Shab.* I 21 (111, 9). Par contre, b. *Shab.* 18ᵃ a perdu le nerf de la discussion ; il parle du « repos des objets ».
7. S. POZNANSKY, *Anan et ses écrits*, dans *REJ* 44 (1902), p. 176.
8. M. TESTUZ, *Les idées religieuses du Livre des Jubilés*, Genève et Paris, 1960, pp. 140-143.
9. Voir plus haut § 54.
1. M. FRIEDLAENDER, ᶜ*Erub*, dans *JE* V (1903), pp. 203 b-204 b. La Mishna contient un traité à ce sujet, intitulé *Erubin*.

un grand domaine privé, commun à tous, du fait que, le vendredi, on a déposé une nourriture, faite avec des apports communs, dans l'une des maisons ; on peut alors, le sabbat, transporter des objets d'un endroit dans l'autre. De la même façon, les habitants d'une impasse peuvent en barrer l'entrée par une latte ou une corde ; le vendredi, ils y déposent de la nourriture, et l'ensemble devient également un domaine privé.

Il est faux de dire que l'ᶜérûb est un adoucissement de la Tora. En effet, l'interdiction de porter quelque chose d'une maison dans une autre est une prescription rabbinique, et non pas biblique. L'ᶜérûb n'est donc qu'un adoucissement de la législation rabbinique [2].

147. Le Document de Damas, semble-t-il, interdit l'ᶜérûb, [1]. Les Samaritains, ainsi que les Qaraïtes, ignorent cette disposition [2].

La littérature rabbinique contient plusieurs textes relatifs à des juifs opposés à l'ᶜérûb.

La Mishna [3] mentionne le cas où il y a « un païen ou quelqu'un [un juif] ne reconnaissant pas l'ᶜérub. » On dit parfois [4] que cette dernière expression désigne un Sadducéen. Comme l'ᶜérûb, disposition rabbinique, devait être rejetée par beaucoup d'autres juifs que les Sadducéens, il est impossible d'introduire une telle précision dans ce texte de la Mishna.

Dans le Yerushalmi [5], il est question d'un Sadducéen qui, du temps de Yohanan ben Zakkay († vers 80 de notre ère), est soupçonné d'avoir transporté des objets dans la cour, même après l'abandon de propriété. Le texte, semble-t-il, ne permet pas de voir si ce Sadducéen pratiquait, oui ou non, l'ᶜérûb.

---

2. ALBECK, *Buch der Jubiläen*, p. 8 et n. 37 (à la p. 42), s'élève violemment contre l'idée que l'ᶜérûb est un adoucissement de la Tora.

1. *CD* XI 4 : *'l itᶜrb 'sh mrṣwnw bshbt*, « que l'on ne *itᶜrb* pas volontairement le jour du sabbat ». Le manuscrit porte bien *itᶜrb* : « que l'on n'établisse pas d'ᶜérûb ». Cette leçon n'est retenue que par un très petit nombre de commentateurs (je n'ai relevé, pour le moment, que LESZYNSKY, *Sadduzäer*, p. 146 ; LAGRANGE, dans *RB*, 1912, p. 232 ; LOHSE, *Die Texte aus Qumran*, 1964, p. 88). Tous les autres corrigent en *itᶜrb*, « que l'on ne jeûne pas ». A mon avis, il s'agit là d'une correction facilitante ; *itᶜrb* paraît être la lectio difficilior, donc à préférer. Il subsiste cependant une petite incertitude ; en effet, le ms. A, unique pour ce passage, dans l'état actuel de notre documentation, date du Xᵉ siècle. On peut donc se demander si nous n'aurions pas là, dans *itᶜrb*, une correction qaraïte (les Qaraïtes rejetaient la pratique de l'ᶜérûb, voir Revel, dans *JQR* n. s. 3 [1912-1913] p. 347). Et l'on peut joindre à cette remarque le fait que, un tout petit peu plus loin (*CD* XI 7-8), il est question de l'ᶜérûb. Toutefois, jusqu'à plus ample informé, nous considérons la leçon *itᶜrb* comme originale.

2. REVEL, *op. cit.*, p. 347.

3. *Er.* VI 1.

4. Par exemple SCHUERER, II, p. 484, n. 40.

5. j. *Er.* I 1, 18ᶜ 61 (III/1, 198).

Dans le Babli, un premier texte[6] donne les indications suivantes :

« Il est enseigné : si quelqu'un habite [dans une cour] avec un non juif, un Sadducéen, un Boéthusien, ils lui rendent cela [= l'ᶜérûb] interdit. Rabban Gamaliel [II, vers 90] dit : un Sadducéen et un Boéthusien ne le rendent pas interdit. »[7]

Ce Rabban Gamaliel nous raconte une anecdote[8] :

« Un Sadducéen habitait avec nous dans une impasse de Jérusalem. Mon père [Rabban Shiméon ben Gamaliel Iᵉʳ, † 70] nous dit : Dépêchez-vous de sortir les ustensiles dans l'impasse avant qu'il [= le Sadducéen] n'y ait porté quelque chose et ne vous interdise ainsi [l'impasse].

« Rabbi Yuda [ben Élay, vers 150] dit d'une autre façon : Faites rapidement le nécessaire dans l'impasse, avant qu'il n'y ait porté quelque chose et ne vous interdise ainsi [l'impasse]. »

Ce récit se trouve également dans le Babli[9], sous une forme très légèrement différente, surtout pour la dernière parole[10].

On a affirmé[11] que, dans ce récit, le Sadducéen était opposé à la loi de l'ᶜérûb. A vrai dire, cette explication n'est pas exacte. Ce récit montre essentiellement qu'il n'y avait pas de possibilité de repas commun entre Pharisiens et Sadducéens[12]. Le Sadducéen s'efforce d'occuper l'impasse, afin que les Pharisiens ne puissent l'utiliser grâce à l'ᶜérûb[13]. Mais, à notre avis, il est impossible de savoir si, dans ce texte, le Sadducéen était, oui ou non, opposé en principe à la pratique de l'ᶜérûb.

Comme on le voit, il n'y a donc pas de texte rabbinique disant explicitement que les Sadducéens rejetaient l'ᶜérûb. C'est donc seulement par une inférence que l'on peut supposer qu'ils le rejetaient, car ce n'était pas une loi biblique[14]. Cette inférence semble légitime, mais on aimerait une donnée positive qui puisse la confirmer.

6. b. *Er.* 68ᵇ.
7. Sur l'évolution de la tradition rabbinique au sujet de l'assimilation des Sadducéens et des Boéthusiens aux païens, voir plus haut § 83.
8. *Er.* VI 2.
9. b. *Er.* 68ᵇ.
10. « Avant qu'il ne fasse nuit et qu'il ne vous interdise [l'entrée]. »
11. DERENBOURG, *Essai*, p. 143, reprenant A. GEIGER, dans la *Jüdische Zeitschrift* 2 (1863), pp. 24-27 : les Sadducéens étaient opposés à l'ᶜérûb, non pas parce qu'ils n'aimaient pas ce moyen, mais parce qu'ils n'étaient pas favorables à la prétention des laïcs à la sainteté sacerdotale ; les Sadducéens considéraient le transport des victimes destinées à leur repas comme une continuation de leur service au Temple, auquel le repos sabbatique n'opposait aucun obstacle légal.
12. GEIGER, *Urschrift*, p. 148.
13. Voir la longue explication de LESZYNSKY, *Sadduzäer*, pp. 72-73, ainsi que la note de W. NOWACK, *Erubin* (« Mischna » de Berlin), 1926, p. 58, n. 4.
14. LESZYNSKY, *Sadduzäer*, p. 71.

C. *Pas d'annulation des vœux ?*

148. La Tora ne prévoit pas la possibilité d'annuler des vœux[1]. Cette possibilité fut admise par les rabbins ; ils reconnaissaient qu'elle manquait de base biblique : « [Les lois sur] l'annulation des vœux vole[nt] en l'air. »[2]

Dans la ligne d'une fidélité littérale à la Bible, nous trouvons Qohélet, dont le dire (5, 3) ne laisse place à aucune possibilité d'annulation des vœux. L'auteur du premier livre des Maccabées qui est de tendance sadducéenne (§ 52-53) ne semble rien savoir d'une éventuelle annulation du vœu des naziréens (1 M 3, 49-50). Dans *CD* XVI 7-8, aucune remise n'est permise.

149. Une historiette, qui se trouve au moins quatre fois dans la littérature rabbinique[1], illustre bien de quelle façon la tradition pharisienne est venue introduire une nouveauté dans la question des vœux. Voici ce que l'on raconte[2].

« 300 nazirs montèrent [à Jérusalem] pour sacrifier 900 victimes [trois par naziréen], aux jours de Shiméon ben Shatah [vers 90 avant J.-C.].

Pour 150, il [Shiméon] leur trouva un moyen de dispense [annulation de leur vœu], et pour 150, il ne leur trouva pas un moyen de dispense.

« Shiméon ben Shatah monta vers le roi [Alexandre] Jannée et lui dit : 300 nazirs sont montés pour sacrifier 900 victimes, mais ils ne possèdent rien. Donne donc la moitié sur ce qui t'appartient, et moi je donnerai l'autre sur ce qui m'appartient. Alors, ils pourront aller sacrifier leurs victimes. — Le roi Jannée donna la moitié sur ce qui lui appartenait, et ils allèrent sacrifier leurs victimes.

« On alla raconter au roi Jannée des paroles calomnieuses contre Shiméon ben Shatah : Sache [lui dit-on] que tout ce qu'ils ont immolé, ils l'ont immolé sur ce qui t'appartient ; par contre, Shiméon ben Shatah n'a rien donné du tout sur ce qui lui appartient.

« Le roi Jannée se mit en colère contre Shiméon ben Shatah. Shiméon apprit qu'il était en colère contre lui ; il prit peur et s'enfuit. »

Quelque temps après, il y eut un grand dîner à la cour pour des dignitaires parthes. Ils demandent à voir Shiméon. Ce dernier vient, et explique pourquoi il a pris la fuite.

---

1. Sauf dans deux cas particuliers : un père peut annuler un vœu de sa fille (Nb 30, 6) ; un mari peut annuler celui de sa femme (Nb 30, 9).
2. *Hag.* I, 8.
1. *Gn. R.* 91, 3 sur 42, 1 (1115, 1) ; j. *Ber.* VII 2, 11[b] 40 (I, 128-129) ; j. *Naz.* V 5, 54[b] 2 (pas traduit en V/2, 136, qui renvoie à I, 128-129) ; *Qoh. R.* sur Qoh. 7, 11 (95[a] 43).
2. Nous reprenons le texte de *Gn. R.* car, selon DERENBOURG, *Essai*, p. 96, c'est le meilleur des quatre.

« Jannée lui dit : Pourquoi m'as-tu trompé ? — [Shiméon répliqua :] je suis loin de t'avoir trompé. Mais, toi, tu as donné de ton argent, et moi, de ma science [j'ai su dispenser 150 nazirs]. »

Alexandre Jannée a donc été roulé par Shiméon ben Shatah [3]. La déclaration finale exprime bien l'idéal pharisien de la supériorité de la science sur la richesse. Quant au roi Jannée, il s'en tient à l'ancien point de vue biblique, selon lequel il ne peut y avoir d'annulation du vœu de naziréat. Notons cependant que, dans tout ce récit, Jannée n'est jamais qualifié de Sadducéen [4].

150. Un dernier texte ne se comprend qu'en fonction de cette ancienne pratique biblique. La Mishna [1] prescrit :

« [Si quelqu'un dit : je fais un vœu] comme les pécheurs, il est tenu à son vœu pour le naziréat, le sacrifice et le serment. — [S'il dit : je fais un vœu] comme les pieux (keshérîm), c'est comme s'il n'avait rien dit. »

A première vue, ce texte est incompréhensible ; on s'attendrait à lire : les vœux des pécheurs sont sans valeurs, donc n'obligent pas. Tout s'éclaire si les « pécheurs » sont des juifs non pharisiens, qui n'admettaient pas l'annulation des vœux permise par les Pharisiens [2]. Mais il est difficile de dire que ces non pharisiens sont des Sadducéens [3]. En effet, nulle part, comme nous venons de le dire, les Sadducéens n'apparaissent dans les textes relatifs à l'annulation des vœux.

Cela dit, on peut ajouter que les Sadducéens n'admettaient probablement pas l'annulation des vœux, car elle n'avait pas de base biblique.

D. *Les livres saints ne souillent pas les mains.*

1º Rejet de la purification des mains.

151. Dans la tradition pharisienne, la purification des mains acquit une grande importance. On se lavait les mains avant les repas [1], et avant de toucher les Livres saints ou de réciter la prière du matin [2].

---

3. L'explication d'H. FREEDMAN, dans la traduction anglaise du Midrash rabba *Genesis*, II, Londre, 1939, p. 836, n. 4, ne semble pas rendre compte de toute la teneur du texte : « Cette absolution a un effet rétroactif ; cela signifie que, théoriquement, ils n'avaient jamais été nazirs et, par conséquent, n'ont jamais eu besoin de sacrifices. »
4. Sur l'hostilité d'Alexandre Jannée contre les Pharisiens, voir plus haut § 46, et Finale du § 49.
1. *Ned.* I 1.
2. LESZYNSKY, *Sadduzäer*, n. 50, n. 2.
3. LESZYNSKY, même note, y voit les Sadducéens.
1. Dossier Rabbinique dans BILLERBECK, I, pp. 696-698, 702-704.
2. Dossier rabbinique, *ibid.*, pp. 699-702.

La plus ancienne attestation que nous ayons de cette pratique se trouve dans la *Lettre d'Aristée* 305, écrite à Alexandrie au second siècle avant notre ère[3].

Avant de manger, on se lavait les mains soit en versant de l'eau sur les mains (c'est la *n^ețîlah*), soit en plongeant les mains dans l'eau (c'est la *țebîlah*). La *țebîlah* était obligatoire pour les prêtres avant qu'ils mangent les nourritures saintes[4].

Les rabbins firent effort pour rattacher à la Tora cette prescription de la purification des mains[5] ; ils invoquèrent Lv 15, 11. Mais le fondement est vraiment lointain.

Il n'est pas nécessaire de faire appel à une influence des habitudes raffinées des Grecs pour expliquer le développement de cette pratique. Il semble que l'habitude, chez les Juifs, de se laver les mains avant les repas fut introduite dans la sphère rituelle. On donna ainsi un sens religieux à une façon de faire profane. On la développa à partir de la *țebîlah*, et on la mit rituellement en rapport avec l'enseignement sur la pureté[6].

La Mishna, au tournant du IIe et IIIe siècle de notre ère, contient une allusion à l'opposition rencontrée par cette purification des mains, du fait qu'elle n'avait pratiquement pas de base scripturaire. Éléazar ben Énoch (tannaïte) est mis au ban, car, s'appuyant sur la Bible, il ne voulait pas se soumettre à cette purification[7]. Un autre texte rabbinique menace de la peine de l' « extermination » celui qui méprise la *n^ețîlah*[8]. Par ailleurs, nous avons, dans l'Évangile, la discussion entre Jésus et les scribes et Pharisiens sur ce point (Mt 15, 1-20 ; Mc 7, 1-23 ; rien dans Lc). Les disciples de Jésus sont accusés de transgresser la « tradition des anciens, παράδοσιν τῶν πρεσβυτέρων» (Mt 15, 2).

Tout porte à croire que les Sadducéens n'ont jamais accepté cet usage de la purification des mains. C'est peut-être en fonction de ce rejet qu'il faut comprendre, en finale du traité mishnique *Yadayim*, la mention de quelques discussions entre Pharisiens et Sadducéens, car ces derniers rejetaient, en fait, tout le contenu de ce traité[9].

---

3. Au début de ce siècle, selon R. TRAMONTANO, L. H. VINCENT, A. PELLETIER (voir l'édition de Pelletier, SG 89, p. 58) ; entre 145 et 127 selon BICKERMANN (voir Pelletier, p. 57).
4. *Hag.* II 5.
5. b. *Hul.* 106ᵃ.
6. G. LISOWSKY, *Jadajim* (« Mischna » de Berlin), 1956, pp. 6-7.
7. *Ed.* V 6-7. Tout le chapitre V du traité *Eduyot* est très probablement une addition postérieure à la rédaction de la Mishna (Ch. ALBECK, *Untersuchungen über die Redaktion der Mischna*, Berlin, 1936, p. 116).
8. b. *Sota* 4ᵇ.
9. LESZYNSKY, *Sadduzäer*, p. 43.

2° Les Livres saints ne souillent pas les mains.

152. Selon les Pharisiens, « les Livres saints souillent les mains »[1]. Il est donc nécessaire de se laver les mains après les avoir touchés, de même que le prêtre doit se laver les mains après avoir touché la victime.

Pourquoi les Pharisiens en vinrent-ils à déclarer que les Livres saints souillaient les mains ? On a donné trois explications[2].

Les rabbins éprouvèrent déjà le besoin de justifier la chose. Voici comment ils expliquèrent cette halaka[3]. Comme on mettait côte à côte le produit de la dîme et la Tora, la Tora s'abîmait. On déclara donc qu'elle était « impure », Dans cette ligne, Maïmonide[4] croit pouvoir préciser que les produits de la dîme attiraient les souris ; elles endommageaient les rouleaux sacrés.

Une seconde explication fait appel à la notion de tabou[5]. Mais ni l'une ni l'autre de ces deux justifications ne semblent satisfaisantes. Voici donc une troisième explication. A l'époque où les Livres saints commencèrent à être déclarés « impurs », les anciennes notions de pur et d'impur n'avaient plus le même sens ni la même force qu'autrefois. Il ne faut pas dire que l'impureté des Livres saints était une impureté légère ; il s'agissait plutôt « de façon indéterminée, d'un lointain éclair : *cave* manus »[6]. Cependant, par suite des exigences du système rabbinique, il n'y eut pas d'autre solution, pour exprimer cela, que de dire : l'impureté des Livres saints est une impureté du second degré.

Mais on peut se demander s'il ne faut pas, finalement, préférer l'explication suivante. Il y avait, selon les Pharisiens, deux degrés d'impureté[7]. Le deuxième degré ne se communiquait pas. Mais si quelqu'un était impur au second degré, il ne pouvait plus manger le prélèvement sacerdotal. Donc, selon les Pharisiens, le prêtre qui touchait un livre saint devait jeûner toute la journée. La déclaration d'impureté des Livres saints aurait donc été, de la part des Pharisiens, une disposition destinée à gêner leurs adversaires.

Une précieuse indication de la Mishna nous achemine vers l'examen du point de vue sadducéen. Il est stipulé que « tous les Livres saints souillent les mains, sauf celui du Temple »[8]. Comme

---

1. *Yad.* IV 6 ; *Kel.* XV 6. Voir aussi *Ed.* V 3 ; *Zabim* V 12 ; *Yad.* III 5.
2. Nous reprenons l'essentiel du développement de Lisowsky, *Jadajim*, pp. 50-51.
3. b. *Shab.* 14[a].
4. Commentaire de *Zabim* V 12, mentionné par Lisowsky.
5. Solution de Schuerer, II, p. 371, n. 18.
6. Lisowsky, *op. cit.*, p. 51.
7. Voir plus bas § 207.
8. *Kel*, XV 6.

ce rouleau du Temple était utilisé par le grand prêtre le Jour de kippour, il ne pouvait être déclaré impur.

153. Voici la discussion qui figure en finale du traité *Yadayim* [1].

« Les Sadducéens disaient : Nous vous reprochons, Pharisiens, de dire que les Livres saints souillent les mains, mais que les ' livres haméram ' [2] ne souillent pas les mains.

« Rabban Yohanan ben Zakkay († vers 80) répliqua : N'avons-nous rien d'autre que cela contre les Pharisiens ? Car, voyez, ils [= les Pharisiens] disent [aussi] : les os d'un âne sont purs, mais les os de Yohanan [= Jean Hyrkan] le grand prêtre sont impurs.

« Ils [= les Sadducéens] lui répliquèrent : C'est par suite de la vénération [3] qu'on leur porte [que vient] leur impureté, afin que personne ne fasse des cuillères avec les os de son père ou de sa mère.

« Il [Yohanan] leur [les Sadducéens] dit : Pour les Livres saints aussi, c'est par suite de la vénération qu'on leur porte [que vient leur impureté. Les ' livres haméram ', par contre, qui ne sont pas vénérés, ne souillent pas les mains. »

Ce texte présente une première difficulté. Yohanan ben Zakkay semble être un ennemi des Pharisiens, à tel point que certains n'ont pas hésité à dire qu'il était, ici, partisan des Sadducéens [4] ;

---

1. *Yad.* IV 6.
2. Ou « de Mérôn ». Il y a là un difficile problème, à la fois pour la critique textuelle et pour l'interprétation (voir Lisowsky, *Jadajim, ad loc.*). Voici les leçons des principaux manuscrits (le terme figure deux fois dans cette mishna ; nous disons donc 1 et 2). Ms. Kaufmann : *myrwn* (sans *h*), 1 et 2 ; ms. Cambridge : *hmyrm*, 1 et 2 (c'est bien hmyrm [voir W. H. Lowe, *The Mishnah*, Cambridge, 1883, dans l'édition de ce ms., p. 249 a, ligne 1] et non pas *hmyrs*, comme le dit Strack, *Einleitung*, p. 64, n. 2) ; ms. de Rossi : *hmrwm*, 1 et 2 ; ms. d'Oxford : *hmrs*, 1 ; *hmyrs*, 2 ; Gueniza du Caire, fragment a : n'existe pas pour 1 ; *hmrm*, 2 ; fragment b : *hmr*[..], 1 (la finale est perdue ; *hammèr*ʳ*as*, 2 (vocalisé). On a donc les formes : *myrwn* ; *hmrm, hmyrm, hmrwm* ; *hmrs, hmyrs, hammèr*ʳ*ras*. La finale *-s* ne semble pas à retenir (paraît correction, facilitante, de *-m*, voir un peu plus loin dans cette note.) Par contre, la leçon avec *h-* en tête et finale *-m* est attestée par trois mss ; elle semble préférable. Lisowsky et Lévy, *Wörter-buch*, III, 245 a, qui choisissent *m(y)rwn*, voient dans ce terme un nom propre d'hérétique, inconnu de nous. Si on choisit la leçon *hmyrm*, on peut comprendre de deux façons. Ou bien l'article devant un adjectif (solution de Goldschmidt, *Der babyl. Talmud*, trad. allemande seule, XII, 1936, p. 852 et n. 26 : « Livres profanes ») ; ou bien un nom propre, *Haméram* (solution de D. Hoffmann, dans ses *Mischnajot*, VI, 1933, p. 655 : « Les livres ' Hame-ram ' »). Certains adoptent la leçon avec la finale *-s*, et voient là une mention d'Homère. Ainsi le Gaon Hay ben Sherira († 1038) ; Benjamin Mussa-fia († 675) dans ses ajouts au *Shulhan Aruk* (ces deux auteurs, cités par Lisowsky, *Jadajim*, p. 74) ; Billerbeck, IV, p. 348 ; S. Liebermann, *Hellenism in the Jewish Palestine*, New-York, 1950, pp. 106-114 ; Albeck, dans son édition de la Mishna, tome VI (1958) *in loco*. Sur Homère dans la littérature rabbinique, voir, outre Liebermann indiqué à l'instant, les citations et la bibliographie dans S. Krauss, *Griech. und latein. Lehnwörter*, II, 1899, p. 230 a.
3. *hibbah*, amour, estime, vénération, honneur.
4. Par exemple B. D. Eerdmans, dans *the Expositor* VIIIᵉ série, 8 (1914), p. 307.

c'est une erreur. La première répartie de Yohanan, où il renchérit dans l'attaque contre les Pharisiens, est un élément introduit artificiellement, dans ce texte rabbinique, pour en accroître l'aspect polémique.

L'impureté des ossements humains est une halaka biblique (Nb 19, 16). Du temps du grand prêtre Anne (6-15), quelques Samaritains, pendant la nuit de Pâque, se glissèrent dans l'enceinte du Temple ; ils répandirent des ossements humains pour souiller le sanctuaire et le rendre ainsi impraticable pour le service liturgique [5]. Les prêtres firent la purification. Cela montre leur sévérité extrême pour tout ce qui touchait à la pureté du Temple, et la façon dont ils considéraient que les ossements humains souillaient le lieu sacré [6]. Plus tard, dans un cas analogue, les Pharisiens s'opposèrent à la déclaration d'impureté [7].

Nous n'avons pas de précision permettant de savoir qui sont les prêtres en scène lors de l'événement du temps du grand prêtre Anne. Il est probable qu'il s'agit de Sadducéens ou de Boéthusiens. On peut donc conclure, semble-t-il, que, sur cette question de l'impureté des os humains, les Pharisiens sont moins sévères que les Sadducéens ou Boéthusiens.

Revenons au récit de *Yad.* IV 6. Il est curieux d'entendre Yohanan ben Zakkay parler des « os de Yohanan [Jean Hyrkan] le grand prêtre ». Pourquoi ne dit-il pas, tout simplement, les os humains ? On a supposé qu'il parlait ainsi par méchanceté pour les Sadducéens [8]. Mais, puisque les Pharisiens, dit Yohanan ben Zakkay, déclarent impurs les os du grand prêtre Jean Hyrkan, c'est donc qu'ils estiment beaucoup ce grand prêtre.

154. Dans leur réponse, les Sadducéens parlent uniquement des os humains en général, en donnant comme exemple, cependant, les os « de son père ou de sa mère ».

L'essentiel est qu'ils reconnaissent l'impureté des ossements humains. Cependant, il n'est pas question ici de justification bibli-

---

5. *Ant.* XVIII 30.
6. Les précisions que nous ajoutons dans cet alinéa (en reprenant DERENBOURG, *Essai*, p. 196) ne sont pas dans Josèphe.
7. Tos. *Ed.* III 3 (459, 24) : « Rabbi Shiméon ben Azzay (vers 110) dit : Un jour, on trouva des ossements à Jérusalem [au Temple] dans la Salle au bois, et les docteurs voulaient purifier Jérusalem. — Rabbi Yoshua [ben Hananya, lévite, vers 90] dit : Ce serait une honte et une disgrâce de purifier nos demeures. Où sont les morts du déluge ? Où sont ceux qui ont été tués par Nabuchodonosor ? Où sont ceux qui ont été tués dans le combat ? » Yoshuma veut dire : des ossements humains qui ne sont plus recouverts de chair n'entraînent pas l'impureté après eux (DERENBOURG, *Essai*, p. 196, n. 1).
8. LISOWSKY, *Jadajim*, p. 74, n. 7.

que. Il y a seulement un raisonnement : l'impureté des os humains provient de la vénération qu'on leur porte [1].

Mais cette question de l'impureté des os humains, dans ce récit de *Yad.* IV 6, est introduite uniquement comme élément pour renforcer la thèse pharisienne de l'impureté des Livres saints. Yohanan ben Zakkay contraint les attaquants à la défensive en mettant sur le tapis un principe que les Sadducéens eux-mêmes reconnaissent (il y a des os purs et des os impurs). Les paroles de Yohanan reviennent donc à ceci : puisque les Sadducéens reconnaissent ce principe, ils doivent également admettre la thèse pharisienne sur la pureté des livres ordinaires et l'impureté des Livres saints [2].

Finalement, le récit ne nous fournit pas l'ultime réplique que nous attendrions, de la part des Sadducéens, pour justifier leur rejet de l'impureté des Livres saints [3]. Leur argumentation, du reste, devait être simple : cette impureté n'est pas biblique.

155. Yohanan ben Zakkay apparaît dans un autre texte [1].

« Rabban Yohanan ben Zakkay leur [= les Sadducéens ? [2]] dit : A la vénération que l'on porte [3] aux livres *hmwrys* [4] correspond leur impureté, afin que l'on n'en fasse pas des couvertures pour le bétail. » [5]

1. D. Hoffmann, dans ses *Mischnajot* VI, 1933, p. 656, n. 52 : « Cette justification vulgaire (en allemand « platte ») de la prescription de la Tora est sadducéenne ». — Cette qualification de vulgaire est-elle vraiment exacte ? Et peut-on dire qu'elle est sadducéenne ? Lisowsky, *op. cit.*, p. 75, n. 8, pense que cette réponse des Sadducéens a un son très pharisien, car elle met une égalité de principe entre impur et de moindre valeur : déclarer quelque chose impur pour le protéger d'un mauvais usage est une idée foncièrement rabbinique.

2. Lisowsky, *op. cit.*, p. 74, n. 7. Il ajoute qu'on trouve un même genre de justification dans Mt 12, 10-11.

3. Geiger, *Urschrift*, pp. 145-146, voit dans cette mishna de *Yad.* IV 6 une allusion politique à Hérode. Nous retrouverons plus loin (§ 156) cet essai d'explication allégorique à propos du *niṣṣôq*.

1. Tos. *Yad.* II 19 (684, 2).

2. Le texte de la Tosefta ne précise pas qui sont les gens désignés par « leur ». En II 16 (683, 18), il est question des *zqynym hr'shwnym* ; en II 20 (684, 3), des Boéthusiens ; en II 20 (684, 6), de « ceux qui prennent un bain à l'aurore ». C'est le contenu de II 19 qui fait supposer qu'il s'agit des Sadducéens (Lisowsky, dans la *Tosefta* de Stuttgart, VI/3, 1967, p. 266, n. 198).

3. Le ms. de Vienne porte *ḥyybtn* ; c'est sans doute une graphie exceptionnelle pour *ḥybtn*, à vocaliser *ḥibbatan* (Lisowsky-Rengstorf, Tosefta de Stuttgart, VI/3, pp. 198-199, note). Pour le terme de *ḥibbah*, voir plus haut § 153, n. 3.

4. Leçon du ms. de Vienne, dans l'apparat de Zuckermandel ; il s'agit des « livres d'Homère ». Selon Lisowsky-Rengstorf, *op. cit.*, p. 360, ce ms. de Vienne porte *hmwrym* (-*m* final) ; ils traduisent : « livres des maîtres ». Le ms. d'Erfurt donne la leçon *ktby qwdsh*, « livres saints », qui n'est sûrement pas originale.

5. Sur ce genre de couverture, voir S. Krauss, *Talmudische Archäologie*, II, 1911, pp. 126 et 264.

Ce texte de la Tosefta ne donne aucune indication sur le point de vue sadducéen au sujet de ces livres.

Les Pharisiens accordaient une grande importance à la pureté rituelle. Leur idéal à ce sujet les avait conduits à instaurer une pratique, celle de la purification des mains, et à déclarer impurs les Livres saints. Les Sadducéens rejetaient sûrement cette impureté et n'ont sans doute jamais accepté la pratique de la purification des mains, car il s'agissait là de deux éléments sans base biblique directe.

E. *Impureté du niṣṣôq.*

156. Voici ce que nous trouvons en *Yad.* IV 7 :

> « Les Sadducéens disaient : Nous vous reprochons, Pharisiens, de déclarer pur le *niṣṣôq*.
> « Les Pharisiens répliquaient : Nous vous reprochons, Sadducéens, de déclarer pur le canal des eaux venant d'un cimetière. »

Que signifie ici le terme *niṣṣôq* [1] ? Avant de présenter l'interprétation courante, faisons état de deux solutions particulières. Selon Finkelstein, le terme signifie aqueduc [2]. Leszynsky [3], suivi par Revel [4], a proposé de traduire par miel ; il s'agirait du miel d'insectes [5]. Ces deux explications ne paraissent pas satisfaisantes.

L'interprétation ordinaire, qui se trouve dans tous les anciens commentateurs, est basée sur le rapprochement entre *Yad.* IV 7 et *Maksh.* V 9, où il est question de pureté et d'impureté dans le cas de transvasement de liquides. On donne à *niṣṣôq* le sens de jet, flux.

On comprend donc cette mishna de *Yad.* IV 7 de la façon suivante. « Nous vous reprochons, Pharisiens, de déclarer pur le jet [de liquide versé d'un vase pur dans un vase impur (voir *Toharot* VIII 9)]. » Et, selon cette explication, les Sadducéens déclaraient à l'opposé : l'impureté que le jet reçoit quand il touche un vase impur se communique nécessairement aussitôt à l'ensemble du jet.

Les arguments échangés entre Pharisiens et Sadducéens parais-

1. De *yasaq*, verser. En *Toharot* VIII 9, *nissôq* veut dire « jet de liquide »,
2. FINKELSTEIN, *Pharisees*, 1962, p. 813 ; depuis 1929, il maintient que *nissôq* signifie aqueduc.
3. *Sadduzäer*, pp. 38-42.
4. Dans *JQR* n. s. 7 (1916-1917), p. 438.
5. Bien entendu, Leszynsky traduit aussi par miel en *Maksh.* V 9. Il voyait un confirmatur de son hypothèse en *CD* 12, qu'il traduisait « gâteaux de miel d'abeilles », ᶜgly hdbwrym. Mais ᶜgly signifie très probablement larves.

sent des positions extrêmes, et plus ou moins caricaturées, atteintes dans une discussion sur la contagion de l'impureté. Nous ne connaissons pas les termes exacts de la polémique, mais nous pouvons la deviner. Il s'agissait de savoir si le jet qui tombe sur l'impur contamine ce dont il sort, ou ce qui sort de l'impur contamine le pur (position sur laquelle auraient insisté les Pharisiens). Tout ce qui sort de l'impur est impur (adage pharisien).

La seconde partie de cette mishna de *Yad.* IV 7 fait état de l'opinion sadducéenne au sujet d'un canal venant d'un cimetière : il est pur. Nous n'avons aucune autre donnée permettant de confirmer ou d'infirmer cette indication ; on peut seulement rappeler que les Sadducéens, comme les Pharisiens, déclaraient impurs les ossements humains (*Yad.* IV 6, voir plus haut § 153-154).

Du reste, dans cette discussion de *Yad.* IV 7, la position des Pharisiens au sujet du canal sortant d'un cimetière n'est pas claire. Selon certains [6], ils le considéraient comme impur ; selon d'autres [7], ils le déclaraient pur.

Comme cette question de la pureté ou de l'impureté d'un canal sortant d'un cimetière ne se trouve pas ailleurs dans la littérature rabbinique, on a proposé d'interpréter cette mishna de *Yad.* IV 7 de façon allégorique. Geiger pensait que le reproche des Pharisiens aux Sadducéens voulaient dire ceci : vous, Sadducéens, vous vous attachez à la dynastie d'Hérode qui est parvenue au pouvoir à travers des cadavres [8]. Derenbourg a repris cette explication [9]. Nous retrouverons plus loin cette hypothèse de l'explication allégorique, à propos de la responsabilité du maître pour son esclave (§ 179) et de l'héritage de la fille (§ 236), deux questions soulevées dans le même contexte que celle de la pureté du canal sortant d'un cimetière. Disons seulement ici que nous n'oserions rejeter totalement la possibilité d'une telle explication pour le canal, bien qu'elle paraisse peu vraisemblable.

F. *Pourim et Pâque.*

157. Les origines de la fête de pourim sont très obscures, et la date de son apparition dans le judaïsme reste discutée [1]. Selon certains, cette fête, née dans la Diaspora orientale, ne s'introduisit

---

6. Ainsi S. KRAUSS, *Talmudische Archäologie*, II, 1911, p. 489, n. 535 a ; il conclut cela de b. *Meg.* 29ᵃ.
7. Ainsi LISOWSKY, *Jadajim*, p. 76, n. 5.
8. GEIGER, *Urschrift*, p. 147. Et le reproche des Sadducéens aux Pharisiens (déclarer pur le *niṣṣôq*) voudrait dire, selon Geiger (même page) : vous, Pharisiens, vous vous attachez aux faibles descendants des Asmonéens, car ils sont issus d'une souche illustre.
9. DERENBOURG, *Essai*, p. 134.
1. DE VAUX, *Institutions*, II, pp. 425-429.

en Palestine qu'au second siècle avant notre ère [2]. Mais il est possible que cela ait eu lieu antérieurement, car il semble exclu qu'une fête si profane ait été admise après la révolte des Maccabées [3].

Dans son éloge des pères (Si ch. 44-50), le Siracide ne mentionne pas Mardochée. L'auteur du premier livre des Maccabées, de tendance sadducéenne (voir § 62), quand il parle de la fête de Nicanor (1 M 7, 43. 49), ne fait pas mention de la fête de pourim s'y rattachant directement. A Qoumrân, jusqu'à présent, on n'a pas trouvé d'attestation du livre d'Esther. Par contre, l'auteur du second livre des Maccabées, de tendance pharisienne, nomme le Jour de Mardochée (2 M 15, 36).

Nous n'avons aucune indication sur l'attitude des Sadducéens vis-à-vis de cette fête de pourim. Mais ce que nous venons de dire de 1 M et de Qoumrân conduit à supposer qu'ils ne l'acceptaient pas.

Nous avons peut-être un petit souvenir de leur opposition dans une baraïta de Rabbi Yonathan (vers 220) rapportée par Rabbi Shemuel ben Nahman (vers 260) [4] : le rouleau d'Esther et la fête de pourim semblent considérés comme une halaka de Moïse au Sinaï, donc sans fondement biblique direct [5].

158. Quelques détails sur la fête de Pâque vont enfin retenir note attention : l'usage du vin, la question de l'heure de l'immolation de la victime, et celle de savoir si le repos sabbatique prime le sacrifice pascal.

Dans la Tora, il n'est pas question de vin dans les prescriptions au sujet de la Pâque. La première mention que nous avons de l'usage de vin à Pâque se trouve dans *Jubilés* 49, 6 ; et il faut noter que, parallèlement, les Jubilés ne parlent pas des herbes amères prescrites par la Loi [1] (Ex 12, 8 ; Nb 9, 11).

Mais s'agit-il bien d'herbes amères ? Le terme qui figure dans les deux textes du Pentateuque que nous venons de citer est *merorîm*. Dans ce terme, il n'y a pas l'idée d'herbes, qui est une

---

2. DE VAUX, *op. cit.*, p. 429.

3. LESZYNSKY, *Sadduzäer*, p. 67, note 1 (continuée de la p. 66). Du reste, cette fête, du moins dans ses origines (liaison avec la fête de nouvel an) n'est sans doute pas aussi profane que le dit Leszynsky.

4. j. *Meg.* I 7, 70ᵈ 47 (IV/1, 206-207) : 85 anciens, et, parmi eux, plus de 30 prophètes, se donnent beaucoup de mal au sujet de cela [sans doute l'institution de la fête de pourim], car Moïse a prescrit de ne rien innover. Or Mardochée et Esther « veulent introduire une nouveauté pour nous, *mbqshyn lḥdsh lnw dbr* » (ligne 51). Mais Dieu fait comprendre que le livre d'Esther est prévu par la Tora.

5. Sur le sens de l'expression « *halakah lᵉmoshé mi-sinay* », voir J. NEWMAN, *Halachic Sources from the Beginning to the Ninth Century*, Leyde, 1969, pp. 22-24.

1. Dans le dernier repas de Jésus avec les siens, il y a du vin. La tradition évangélique ne fait pas mention d'herbes amères. Y en eut-il ?

addition de la tradition. Les rapprochements avec la Bible (Dt 32, 32 ; Lm 3, 15) et le *ḥarosèt* dont il est question dans la halaka pharisienne [2] conduisent à supposer que *mᵉrorîm* désigne peut-être une boisson [3].

C'est donc un breuvage, et non des herbes, que la Tora aurait prescrit pour la Pâque. Les Jubilés donneraient le sens exact de la prescription biblique. Il serait donc possible que les Sadducéens, pour la Pâque, ait fait usage de vin et non d'herbes.

159. A propos de l'heure de l'immolation de la victime pascale, nous constatons, dans le judaïsme, une variété d'interprétations de la prescription biblique.

La Tora ordonne que cette immolation se fasse « entre les deux soirs, *bén haᶜarᵉbayîm* » (Ex 12, 6 ; Lv 23, 5 ; Nb 9, 3. 5. 11 ; Dt 16, 6 : « le soir, au coucher du soleil » ; Jos 5, 10 : « le soir »).

Le Targoum d'Onqélos traduit partout *bén haᶜarᵉbayîm* par *bén shimshayya'* ; le Targoum Yerushalmi I par *béné shimsheta'*. Ces expressions des deux targoums correspondent à la tournure rabbinique *bén hashᵉmashôt*, « le temps du crépuscule du soir ».

Dans cette même ligne, les Samaritains voient dans l'expression « entre les deux soirs » la désignation du moment allant du coucher du soleil à la fin du jour. On trouve la même explication chez les Qaraïtes et les Falashas [1].

La halaka pharisienne, par contre, prescrit d'immoler la victime à partir de 15 heures environ, donc beaucoup plus tôt [2]. Les Jubilés sont sûrement opposés à une immolation au coucher du soleil, mais il n'est pas sûr qu'ils soient en accord avec la halaka pharisienne [3].

Nous ne possédons aucune donnée sur la halaka sadducéenne à ce sujet [4]. On est porté à supposer que les Sadducéens fixaient l'heure de l'immolation tout à la fin du jour.

---

2. *Pes.* X 3. Il s'agit d'un genre de marmelade de fruits, avec condiments et vinaigre ; le vinaigre (quelque chose d'amer) est essentiel.

3. LESZYNSKY, *Sadduzäer*, pp. 207-208, suivi par Revel, dans *JQR* n. s. 6 (1916-1917), p. 438.

1. CHWOLSON, *Das letzte Passamahl*, pp. 37-39.

2. Elle était immolée après le *tamîd* de l'après-midi. Or ce *tamîd* était célébré vers 14 h 30. La halaka pharisienne est attestée par JOSÈPHE, *Guerre* VI 423, et par PHILON, *De spec. leg.* II 145.

3. *Jubilés* 49, 10 : « à la troisième partie du jour », donc entre 14 et 18 h. Selon ALBECK, *Buch der Jubiläen*, p. 13, cela n'est pas en accord avec la halaka pharisienne ; du reste, dit Albeck, l'auteur, en 49, 12, semble polémiquer contre ceux qui immolent la victime pascale trop tôt.

4. CHARLES, *Apocrypha*, II, p. 80, dans sa note à *Jubilés* 49, 12, affirme que les Sadducéens immolaient la victime pascale entre le coucher du soleil et la nuit, mais il ne cite aucune référence. VAN GOUDOEVER, *Fêtes*, p. 24 et n. 8, dit la même chose, en citant Charles, mais ne peut, bien entendu, invoquer aucun texte dans ce sens.

160. Dans le calendrier lunaire, Pâque tombe à n'importe quel jour de la semaine. Si Pâque est le dimanche, l'immolation de la victime pascale, la veille, a donc lieu, en principe, à la fin du sabbat. Mais peut-on violer le repos sabbatique pour immoler cette victime ?

Voici ce que raconte, à ce sujet, la tradition rabbinique [1]. Une année, vers 20 avant notre ère, la Pâque tombait le dimanche. Il y eut alors une discussion entre Hillel et les bené Bathyra. Hillel disait que le sacrifice pascal primait le sabbat ; et donc que l'on pouvait immoler ce sacrifice à la fin du jour du sabbat. Les bené Bathyra, par contre, étaient de l'avis contraire. Ils refusèrent les arguments mis en avant par Hillel. Celui-ci répondit que c'était une tradition reçue de ses maîtres de Babylonie qu'il avait quittés récemment. Alors, les bené Bathyra l'acceptèrent, et déclarèrent Hillel *nasi*, chef.

Parmi les nombreux arguments mis en avant par Hillel figure celui de l'analogie. Le sacrifice du *tamîd* est, selon le point de vue pharisien (§ 140), offert par la communauté. Il en va de même pour la Pâque. Or, le *tamîd* prime le sabbat ; donc la Pâque, elle aussi, prime le sabbat.

161. La question principale est de savoir si ce récit est historique. Certains le pensent [1]. Mais, à la suite de Chwolson, on peut raisonnablement le considérer comme légendaire [2]. Cependant, il est intéressant de chercher à préciser quels sont ces bené Bathyra.

Notons tout d'abord que les Falashas [3] et certains Qaraïtes

1. j. *Pes.* VI 1, 33ᵃ 1 (III/2, 81-82) ; version un peu différente, et plus claire, dans b. *Pes.* 66ᵃ. Dans Tos. *Pes.* IV 1-2 (162, 21), il n'est pas question des bené Bathyra.
1. On pourrait rapprocher de ce récit ce que b. *Pes.* 70ᵇ raconte de Rabbi Juda ben Dortay et de son fils, vers 20 avant J.-C. Ils quittèrent Jérusalem pour s'enfuir vers le sud, car ils ne pouvaient suivre leur principe selon lequel le sacrifice d'une fête de pèlerinage (Pâque, Pentecôte, soukkôt) prime le sabbat.
2. CHWOLSON, *Das letzte Passahmahl*, pp. 26-31 : ce récit est invraisemblable. De plus, nous avons une discussion, vers 140 de notre ère, entre Rabbi Yoshiya et Rabbi Jonathan (*Mek.* Ex 12, 6 [I 41] ; *Sifré* Nb 9, 2 § 65 [61, 15] ; *Sifré* Nb 28, 2 § 142 [188, 18] ; *Yalkout Shiméoni* I § 196 [63ᵃ 14] ; tout se passe, dit Chwolson, comme si la prétendue victoire d'Hillel vers 20 avant notre ère n'avait pas eu lieu. Ce n'est qu'après la ruine du Temple, selon Chwolson, que le principe « la Pâque prime le sabbat » fut érigé en norme. Mais à cette époque, il n'y avait plus d'immolation de la Pâque. — Chwolson note (p. 31) que DERENBOURG, dans la revue *Orientalia*, Amsterdam 1 (1840), pp. 184 ss., disait déjà que ce principe n'avait été mis en lumière que postérieurement à Hillel (je n'ai pu avoir cette revue entre les mains). En 1867, par contre, DERENBOURG, *Essai*, pp. 178-179, admet l'authenticité de fond de l'histoire d'Hillel et des bené Bathyra.
3. W. LESLAU, *Falasha Anthology*, New Haven, 1951, p. XXVI.

anciens[4] interdisent, également, d'immoler la victime pascale le sabbat.

Dans la littérature talmudique, les bené Bathyra apparaissent une seule fois en dehors du récit relatif à la Pâque ; il s'agit d'une dispute entre Yohanan ben Zakkay († vers 80) et les bené Bathyra au sujet du Nouvel an tombant le sabbat[5]. Notons qu'il s'agit également de la question du repos sabbatique. On est donc porté à supposer que ces bené Bathyra étaient une commission du Temple chargée de l'application des lois sur le repos sabbatique[6].

En l'absence de toute autre précision sur ces bené Bathyra[7], il est très difficile de les identifier purement et simplement aux Sadducéens[8].

Les Boéthusiens nous sont déjà apparus comme des gens particulièrement stricts sur ce repos sabbatique (§ 145). Il est donc assez tentant de les rapprocher des bené Bathyra, sans qu'il soit possible, dans l'état de notre documentation, de voir le rapport exact entre les deux groupes[9].

La littérature rabbinique fournit des renseignements sur les positions boéthusiennes et sadducéennes au sujet de certains points de la liturgie et des pratiques rituelles.

Les Boéthusiens apparaissent avec une halaka différente de celle des Pharisiens sur trois points : la fixation du jour de l'offrande de la première gerbe, le *ḥibbûṭ ḥarayôt* à la fête de soukkot, la confection des tephillin.

En accord avec une halaka ancienne, les Boéthusiens fixaient l'offrande de la première gerbe au dimanche qui suit le jour de la Pâque. A la fête de soukkot, les années où la cérémonie du *ḥibbûṭ ḥrayôt* tombait le jour du sabbat, ils interdisaient cette cérémonie sabbatique. Pour la confection des tephillin, ils n'acceptaient pas que l'on se serve d'une peau de bête « crevée » ou « déchirée ».

La halaka sadducéenne nous est connue avec certitude dans le cas du *tamîd* ou sacrifice quotidien. Selon les Sadducéens, ce sacri-

4. B. Revel, dans *JQR* n. s. 3 (1912-1913), p. 349.
5. b. *R.H.* 29[b].
6. L. Finkelstein, *The Pharisees and the Men of the Great Synagogue*, New-York, 1950, pp. vii-viii du résumé anglais. Il pense pouvoir préciser que cette commission aurait été nommé par Hérode.
7. Josèphe (*Ant.* XVII 26) parlé d'une bourgade de Trachonitide appelée Bathyra. Cette localité a-t-elle un rapport avec le nom de ben Bathyra ?
8. Comme le font, par exemple, Lagrange, *Judaïsme*, p. 306 ; Jeremias, *Jérusalem*, p. 353.
9. Derenbourg, *Essai*, p. 181 : les bené Bathyra « sont de la famille des Boéthusiens ».

fice devait être payé par les particuliers ; les Pharisiens au contraire disaient qu'il devait être payé par la caisse du Temple.

Il est probable que les Sadducéens n'avaient pas accepté la loi de l'*ᶜérûb* ni la possibilité d'annuler des vœux. Ils rejetaient la pratique de la purification des mains et l'idée selon laquelle les Livres saints souillent les mains. Ils ne devaient pas accepter la fête de pourim, et, pour la Pâque, faisaient peut-être usage de vin et non d'herbes amères.

CHAPITRE X

DOMAINE JUDICIAIRE

I. Le « livre des décrets » n'est pas un code de lois sadducéen.

162. Nous trouvons, dans la liste des jours de la fête de la *Megillat taanit* 12 la notice suivante[1] :

> « Le 4 tammuz[2], le 'Livre des décrets' cessa [= fut abrogé], '*d' spr gzrt'*[3]. »

Le substantif *gᵉzérah* (hébreu *gazar*) qui vient du verbe *gazar* (décréter, ordonner, interdire), signifie décret, ordonnance, interdiction, sentence légale. Dans la notice en question, il s'agit du « livre » des décrts. Vu la présence de ce terme de livre, il paraît préférable de vocaliser comme un pluriel *(gᵉzérata')* et non comme un singulier *(gᵉzerta')*[4]. Quel est donc ce « livre des décrets » ?

163. Le commentaire hébreu de la *Megillat taanit* 12, qui date du moyen âge, donne l'explication suivante[1].

> A. « En effet, il avait été écrit et déposé chez les Sadducéens un Livre des décrets *(gzrwt)* [dans lequel on disait] : Voici ceux qui seront lapidés, et voici ceux qui seront brûlés, et voici ceux qui seront exécutés [décapités par l'épée], et voici ceux qui seront étranglés [ce sont les quatre genres de mise à mort que les Pharisiens connaissaient également].

1. Texte dans Lichtenstein, *HUCA* 8-9 (1931-1932), p. 319.
2. On trouve aussi comme date, pour cette notice, soit le 7, soit le 10, soit le 14 tammuz ; voir l'apparat critique de Lichtenstein.
3. C'est la graphie de Lichtenstein. Dalman, *Aramäische Dialektproben*, 1927, p. 1, ligne 17, et Billerbeck, II, p. 819, donnent la graphie *gzyrt'*.
4. Ordinairement, les auteurs modernes choisissent le singulier. — M. Schwab, *Actes du 11ᵉ congrès international des orientalistes*, Paris, 1898, p. 234, reprenant P. Cassel (je ne connais ces deux auteurs que par Moore, *Judaism*, III, p. 46), traduit « le livre de l'ordre ».
1. Texte dans Lichtenstein, *op. cit.*, p. 331.

« Et quand ils étaient assis [pour juger], si quelqu'un demandait, ils regardaient pour cela dans le livre. S'il leur disait : D'où
[savez-vous] qu'un tel mérite la lapidation, et un tel la combustion, et un tel l'exécution [par décapitation], et un tel la strangulation ?, — ils ne savaient pas apporter de preuve de la Tora.

« Les docteurs [pharisiens] leur dirent : N'est-il pas écrit :
'Selon la Tora qu'ils t'auront enseignée, etc.' (Dt 17, 11). Cela
apprend que l'on ne doit pas mettre par écrit les halakôt dans un
livre — *sh'yn kwtbyn hlkwt bspr*.

B. « Une autre histoire. Le Livre des décrets [est ainsi appelé]
car les Boéthusiens disaient : 'Œil pour œil, dent pour dent'
(Ex 21, 24). Si quelqu'un brise une dent à un autre, on lui brise
une dent ; s'il crève un œil à un autre, on lui crève un œil, car ils
doivent être égaux mutuellement.

« 'Et ils déploieront le linge devant les anciens de la ville'
(Dt 22, 17). Les [= ces] paroles [doivent être prises] selon leurs
lettres [= au sens littéral] — *dbrym kktbn*.

« 'Et elle crachera au visage' (Dt 25, 9). Cela veut dire qu'elle
doit lui cracher [réellement] au visage.

« Les docteurs [pharisiens] leur dirent : N'est-il pas écrit :
'La Loi et le commandement que j'ai écrit pour les instruire'
(Ex 24, 12). [Cela veut dire qu'il y a d'une part] la Tora que j'ai
écrite, et [d'autre part] le commandement de les instruire. Il est
écrit aussi : 'Et maintenant, écrivez pour votre usage le cantique
que voici, et enseigne-le aux enfants d'Israël, mets-le dans leur
bouche' (Dt 31, 19). 'Et enseigne-le aux enfants d'Israël', c'est
l'Écriture ; 'mets-le dans leur bouche', ce sont les halakôt.

« Le jour où ils le [= le Livre des décrets] supprimèrent, ils
en firent un jour de fête. »

164. Comme on le voit, ce commentaire comprend deux parties, que nous avons appelées A et B. La première concerne les
Sadducéens, la seconde les Boéthusiens[1].

Selon ce commentaire, les Sadducéens avaient un « Livre des
décrets » ; c'est un code pénal. La critique pharisienne, dans ce
commentaire, est double. D'autre part, elle prétend que les Sadducéens ne pouvaient « apporter de preuve de la Tora » pour justifier le choix de tel ou tel mode de mise à mort. Ce reproche est
un cliché de polémique antisadducéenne (§ 77), qui est plaqué ici
de façon assez arbitraire.

1. Pour ce commentaire hébreu, le ms. *pé* (seul témoin de la recension
espagnole) ne connaît, pour l'ensemble de la M.T., que les Sadducéens.
Ici, il a donc seulement la partie A, et la toute dernière phrase (« le jour ...
fête »). Pour la recension italienne : le ms. *aleph*, dans l'ensemble de la
M.T., ne connaît que les Boéthusiens. Ici, il donne le texte dans sa totalité,
mais, au début, il se présente ainsi (Boéthusiens à la place des Sadducéens) :
« En effet, les Boéthusiens mettaient par écrit les halakôt dans un livre,
et, si quelqu'un demandait [une explication], on regardait pour cela dans
le livre (suite du texte comme dans notre traduction). » Les autres témoins
de cette recension italienne donnent le texte complet, avec mention des
Sadducéens dans la première partie, des Boéthusiens dans la seconde. Pour
tout cela, voir l'apparat critique de LICHTENSTEIN, p. 331.

Par ailleurs, les Pharisiens reprochent aux Sadducéens le fait même d'avoir mis par écrit les décrets, car « il ne faut pas mettre par écrit les halakôt dans un livre »[2].

Nous avons là l'expression d'une donnée essentielle de la vie pharisienne ; il était interdit, pour les Pharisiens, de mettre par écrit la halaka et la aggada. Certes, il n'y eut pas d'interdiction générale, décrétée officiellement, de la mise par écrit de cette halaka, encore moins de la aggada. Cependant, il y eut une forte opposition contre la mise par écrit, en particulier pour la halaka. Cela visait, du reste, la mise par écrit en vue d'un usage public[3].

La seconde partie du commentaire de la *Megillat taanit* concerne les Boéthusiens. Il y a là à leur propos, en somme, deux thèmes enchevêtrés artificiellement : application à la lettre des stipulations de la Bible (Ex 21, 24 ; Dt 22, 17 ; 25, 9), sur lesquelles nous allons revenir en détail ; mise par écrit de la halaka.

Le Pharisien critique les Boéthusiens pour cette mise par écrit. Cela justifie, à ses yeux, que le jour de la suppression du « Livre des décrets » soit un jour de fête.

165.   Nous avons donc, finalement, pour la question essentielle qui nous occupe ici, deux données majeures dans ce commentaire : les Pharisiens interdisent de mettre par écrit la halaka ; les Sadducéens (Boéthusiens) ont un code de lois contenant par écrit cette halaka.

La première donnée est historiquement certaine. Qu'en est-il de la seconde ? Autrement dit, le « Livre des décrets » dont parlait le texte araméen de la *Megillat taanit* 12 est-il vraiment un code de lois sadducéen ?

Notons tout d'abord que, pour cette partie du commentaire hébreu de la *Megillat taanit,* il n'y a aucun texte rabbinique parallèle qui aurait pu servir de source au rédacteur du moyen âge[1]. L'égalité entre « Livre des décrets » et code de lois sadducéen est donc uniquement attestée dans ce commentaire. Ajoutons à cela la date très tardive de ce commentaire. Par conséquent, à notre avis, cette donnée est une inférence sans base historique réelle ; elle n'a pas de valeur[2]. Nous dissocions donc totalement le texte

---

2. LICHTENSTEIN, p. 331, ligne 6 s. Comme nous l'avons vu dans la n. précédente, le ms. *aleph* commence tout de suite par l'affirmation relative aux Boéthusiens.

3. Voir STRACK, *Einleitung*, pp. 9-16. Notre alinéa reprend les conclusions de Strack, p. 14. Voir aussi J. NEWMAN, *Halachic Sources*, Leyde, 1969, pp. 30-31.

1. Sur les 36 notices du commentaire hébreu, 16 sont dans ce cas (LICHTENSTEIN, p. 259).

2. Les auteurs modernes, dans leur quasi-totalité, continuent à voir dans les « Livre des décrets » un code de lois sadducéen. C'est encore le point de vue d'E. URBACH, dans *Tarbiz* 27 (1957-1958), pp. 180-181.

araméen de *Megillat taanit* 12 (« Le ' Livre des décrets ' cessa ») et
le commentaire (ce livre est un code de lois sadducéen) ; nous rejetons par conséquent l'équivalence entre le « Livre des décrets » et
un code de lois sadducéen[3]. Mais cela ne veut pas dire qu'il n'y
avait pas de code de lois sadducéen[4].

Il reste maintenant à expliquer le texte araméen. Quel est donc
ce « Livre des décrets » qui fut aboli ? A notre avis, la solution
consistant à y voir un code de lois païen est satisfaisante[5]. Mais il
est difficile de préciser s'il s'agit de décrets des Syriens[6], ou d'autres chefs étrangers[7].

Cette solution présente seulement une toute petite difficulté.
Si l'on voit dans ce verset 12 de la *Megillat taanit* l'abrogation de
décrets païens, cela ne fait-il pas un doublet avec le verset 14
(notice du 24 ab), où il est dit que « nous revînmes à notre droit »
(texte étudié § 234) ? Une réponse pleinement justifiée à cette question ne pourrait être donnée qu'au terme d'un examen d'ensemble
de toutes les données de la *Megillat taanit*. Disons seulement ici
que la présence de doublets dans ce texte araméen paraît certaine ;
il n'y a donc pas de difficulté sérieuse pour la solution adoptée au
sujet du verset 12.

*
* *

La *Megillat taanit* 12 parle de l'abrogation du « Livre des
décrets ». Il s'agit d'ordonnances de princes étrangers imposées aux
juifs. Selon le commentaire du moyen âge sur ce verset de la

---

3. Comme historiens rejetant l'identification entre le « Livre des
décrets » et un code de lois sadducéen, je ne vois à citer que deux noms :
LESZYNSKY, *Sadduzäer*, p. 80 ; P. WINTER, *On the Trial of Jesus*, Berlin, 1961,
p. 69. — Quant à la genèse du texte du commentaire hébreu, Leszynsky,
pp. 79-80, en a tenté une explication qui paraît très hypothétique.

4. Leszynsky et Winter (cités à la n. précédente) identifient deux néga-
tions : celle de l'identité entre le « Livre des décrets » et un code de
lois sadducéen ; celle de l'existence de tout code de lois sadducéen (LES-
ZYNSKY, p. 80 ; WINTER, p. 70). A notre avis, il faut distinguer ces deux néga-
tions. Winter met en avant deux raisons pour nier l'existence de tout code
pénal chez les Sadducéens : d'une part, avant 70, il n'était pas nécessaire
d'avoir un code écrit ; en effet, le grand Sanhédrin était facilement en rapport avec les tribunaux locaux pour indiquer le droit (WINTER, p. 68) ; d'autre
part, les Sadducéens rejetaient l'autorité de la tradition orale. Ces deux
raisons ne semblent pas décisives pour nier toute existence d'un code de
lois sadducéen.

5. Solution de ZEITLIN, CASSEL, MOORE (voir les deux n. suivantes),
I. BAER, dans *Zion* 27 (1962), p. 122, n. 8.

6. Solution de Cassel et Zeitlin (connus par LICHTENSTEIN, *op. cit.*, p. 295) :
abrogation des ordonnances des Syriens ; sous Jonathan (152-143/2), Alexandre Balas et Démétrius Ier favorisent les juifs.

7. MOORE, *Judaism*, III, p. 27, rejette la solution consistant à y voir des
ordonnances séleucides, mais il ne précise pas à quel code de lois étranger
il songe. P. WINTER, *On the Trial of Jesus*, Berlin, 1961, p. 69 : décret d'un
gouvernement étranger (il ne précise pas plus).

Megillat taanit, ce « Livre des décrets » était un code de lois sadducéens. Cette explication nous est apparue sans fondement. Il faut donc la rejeter, afin de ne pas continuer à brouiller la discussion au sujet de la halaka sadducéenne.

II. APPLICATION A LA LETTRE DU TALION ET DES PRESCRIPTIONS SUR LA VIRGINITÉ ET LE LÉVIRAT.

166. Il nous faut maintenant examiner en détail les autres éléments de ce commentaire hébreu de *Megillat taanit* 12 : d'une part, les données relatives aux Boéthusiens, d'autre part celles qui concernent les Sadducéens. Nous parlerons de ces dernières un peu plus loin (§ 184).

Selon ce commentaire, les Boéthusiens auraient appliqué à la lettre les trois prescriptions suivantes de la Tora : la loi du talion (Ex 21, 24) ; la règle au sujet de la femme soupçonnée de ne pas avoir été vierge au moment de son mariage (Dt 22, 17 : « Ils déploieront le linge ») ; la prescription relative au lévirat (Dt 25, 9 : « elle lui crachera au visage »).

167. Déjà à l'intérieur de l'Ancien Testament lui-même, la loi du talion « semble avoir perdu de sa force et affirmer seulement le principe d'une compensation proportionnée »[1].

Cependant, le talion est strictement appliqué dans un cas : le meurtrier coupable doit mourir (Nb 35, 31). Cette application littérale, dans le cas du meurtrier, se retrouve dans le livre des Jubilés[2].

Philon approuve la loi du talion en général[3], et surtout pour le dommage causé à l'œil[4]. Quant à Josèphe, il affirme que le talion est pratiqué, à moins que l'estropié ne veuille accepter une compensation pécuniaire[5].

Selon la tradition rabbinique ancienne[6], la compensation pécuniaire est admise[7], sauf dans le cas du faux témoin[8]. Mais, selon

1. DE VAUX, *Institutions*, I, p. 231.
2. *Jubilés* 4, 31 (cf. 21, 20) : Caïn a tué Abel avec une pierre ; il sera tué à son tour par une pierre. L'application du principe du talion est poussée ici jusque dans le détail du genre de mise à mort du meurtrier. Par contre, le Talmud de Jérusalem (j. *Sanh.* VII 3, 24ᵇ 61 ; VI/2, 4) rejette la nécessité d'une égalité entre la façon dont le meurtrier a tué un homme, et la façon dont il va être mis à mort.
3. *De spec. leg.* III 182.
4. *Ibid.* 195.
5. *Ant.* IV 280.
6. Dossier rabbinique sur le talion dans BILLERBECK, I, pp. 337-341.
7. *Sifra* Lv 24, 20 (100ᵇ 14) = b. *B.Q.* 83ᵇ (dans ce texte, peut-être deux étage de la législation [BONSIRVEN, *Judaïsme*, II, p. 246, n. 31] ; *Mek.* Ex 21, 23-24 (III 67-68). Pour la période ancienne, on peut citer *Ass. Moïse* 5, 5 (cela vise les Pharisiens, voir § 57 et n. 1-2).
8. *Makkot* I 6.

toute probabilité, il s'agit seulement d'une possibilité ; si la personne lésée refusait le paiement, le talion était alors strictement appliqué [9]. Certains pharisiens, du reste, maintenaient que le talion devait être appliqué à la lettre, sans qu'il soit possible d'accepter une compensation pécuniaire [10].

En dehors de ce commentaire hébreu de la Megillat taanit, nous n'avons aucune donnée rabbinique au sujet de la position des Boéthusiens ou des Sadducéens sur le talion. Selon ce commentaire, les Boéthusiens exigeaient l'application du talion à la lettre. Cette indication est-elle exacte ?

Dans le Talmud de Babylone, la justification de la compensation pécuniaire est très longue et très détaillée [11] ; cela montre que ce point de vue devait avoir des opposants [12]. Ce n'est pas étonnant. En effet, la volonté de s'en tenir au mot de la Tora (Ex 21, 24) conduisait à exiger l'application littérale du talion. Mais rien ne nous permet de préciser quels étaient les juifs qui s'en tenaient à cette littéralité [13]. Était-ce les Sadducéens ? uniquement les Sadducéens ? Pourquoi le commentaire hébreu de *Megillat taanit* 12 parle-t-il des Boéthusiens, et non des Sadducéens ? Autant de questions qui, dans l'état actuel de notre information, ne peuvent recevoir de réponse.

168. Selon la Tora, une femme accusée faussement par son mari de ne pas avoir été vierge au moment du mariage est défendue de la façon suivante. Le père de la femme apporte aux anciens de la ville le linge taché de sang, attestant que sa fille était bien vierge au moment de son mariage ; « et ils déploieront le linge devant les anciens de la cité » (Dt 22, 17).

A l'époque moderne, on trouve encore des groupes de juifs qui

9. ALBECK, *Buch der Jubiläen*, p. 53, n. 177.
10. b. *B.Q.* 84[a] : « Rabbi Éliézer ben Hyrkanos (vers 90 après J.-C.) disait : ' œil pour œil' (Ex 21, 24 [doit être appliqué] littéralement, *mmsh.* »
11. b. *B.Q.* 53[b]-54[a].
12. GRAETZ, *Geschichte*, III, 1878, pp. 652-653.
13. Dans tout ce qui précède, nous avons vu uniquement la théorie. Qu'en était-il de la pratique ? Ceux qui s'en tenaient à l'interprétation littérale de la loi du talion pouvaient-ils, au Ier siècle de notre ère, faire encore appliquer leur point de vue ? Voici la conclusion que BILLERBECK, I, pp. 340-341, croit pouvoir avancer au terme de son examen du dossier : « ... on ne pourra contester que, au temps de Jésus, le *jus talionis* était encore appliqué à la lettre. Les efforts des maîtres de la Mishna au IIe siècle pour montrer l'impossibilité de l'application littérale de ' œil pour œil ' et pour fonder bibliquement la transposition des paroles en dédommagement pécuniaire parlent aussi en faveur de l'hypothèse selon laquelle la nouvelle pratique halachique, à cette époque, était encore passablement récente. Mais les preuves positives en font défaut. » On préférera ce jugement de Billerbeck à celui de LICHTENSTEIN, *op. cit.*, p. 296 : les Sadducéens (Boéthusiens) appliquaient le talion à la lettre, mais « bien entendu, seulement en théorie ».

appliquent littéralement cette prescription biblique [1]. Mais on comprend facilement que, dès les derniers siècles avant notre ère, un affinement des mœurs ait conduit à y renoncer.

On trouve l'explication figurée chez Rabbi Ishmaël ben Élisha († vers 135 de notre ère) : déployer le linge, cela veut dire qu'ils « doivent rendre l'affaire propre [= claire] comme un linge [blanc] » [2]. Ishmaël présente également l'interprétation littérale. Mais il ne précise pas quels sont les tenants de l'interprétation figurée, ni quels sont les tenants de l'application littérale ; il ne parle ni des Pharisiens, ni des Sadducéens. Cependant, la mention de l'interprétation figurée est caractéristique sous sa plume ; en effet Rabbi Ishmaël « n'aime guère à s'écarter de la lettre du texte [de la Bible] et s'accorde souvent, comme prêtre, avec les opinions des Sadducéens » [3]. Il fait exception pour le linge de Dt 22, 17.

L'interprétation littérale se trouve chez Rabbi Éliézer ben Hyrkanos (vers 90 après J.-C.) : « Les paroles [de Dt 22, 17 sont à prendre] littéralement ; [il s'agit d'] un linge réellement » [4].

Nous voyons donc que, au tournant de notre ère, certains juifs s'en tenaient à l'explication littérale de cette prescription. Le commentaire de *Megillat taanit* 12 attribue cette exégèse aux Boéthusiens. Nous ne pouvons vérifier l'exactitude de cette attribution.

169. Dans la réglementation au sujet du lévirat (Dt 25, 5-10), la Tora prescrit le détail suivant, au cas où le beau-frère refuse de remplir le devoir du lévirat : la belle-sœur « s'approchera de lui en présence des anciens, lui ôtera sa sandale du pied, lui crachera au visage » (Dt 25, 9). Avant d'examiner la question du crachat, il faut dire quelques mots au sujet du déchaussement.

Selon Rt 4, 7, c'était autrefois la coutume en Israël de valider toute affaire par le déchaussement. Or, le Targoum sur Rt 4, 7

---

1. K. Braun-Wiesbaden, *Eine türkische Reise*, Stuttgart, 1876, II, p. 235 : chez les juifs de Salonique, lors de la cérémonie de noces, on apporte un drap taché de sang comme preuve de la virginité. R. Patai, *L'amour et le couple aux temps bibliques*, trad. française M. King, Paris, 1967, p. 76 : chez les juifs de Perse, un drap taché de sang était déposé dans la demeure des parents de l'épouse ; chez les juifs du Kurdistan, des femmes, parentes de l'épouse, vont voir le drap taché de sang (Patai ne précise pas à quelle époque, dans la période moderne, ces coutumes étaient encore en usage). — M. Vajda me signale qu'en Afrique du Nord, vers 1952, le fait se produisit une fois.
2. *Mek.* Ex 21, 19 (III 54, 45) ; même texte dans *Mek.* Ex 22, 2 (III 102, 17), et j. *Ket.* IV, 28c 13 (V/1, 52).
3. Derenbourg, *Essai*, p. 139, n. 2.
4. b. *Ket.* 46a ; *Sifré* Dt 22, 17 § 237 (270, 3). Mais il n'est pas certain qu'Éliézer s'y rallie. I. Halévy, *Dorot harischonim*, I/3, 1906, p. 415 ss. (connu seulement par Leszynsky, *Sadduzäer*, p. 78, n. 1) le nie. Billerbeck, IV, p. 350, affirme que Rabbi Éliézer est bien un partisan de l'interprétation littérale.

stipule que l'homme « ôtait le gant de sa main droite » [1]. Cette
mention du gant au lieu de celle de la chaussure est unique dans
toute la littérature targoumique et rabbinique. Nous avons déjà
rencontré ce Targoum de Ruth à propos de la date de moissonnage
de la première gerbe (§ 125, n. 5). Pour le gant, ce Targoum a une
halaka qui est absolument particulière ; elle s'écarte totalement
du texte de la Bible. Selon Schlesinger (même note 5), ce Targoum
est probablement d'origine sadducéenne. Cette hypothèse ne paraît
pas solide. En effet, il serait étrange que les Sadducéens aient
changé en gant la sandale indiquée dans la Tora [2].

170. La belle-sœur doit cracher « au visage — b^epanaw » du
beau-frère qui refuse le lévirat (Dt 25, 9). L'application littérale de
cette prescription se trouve indirectement attestée dans le Testament des douze patriarches [1]. Mais le Targoum donne une interprétation lénifiante. Le Yerushalmi I et le Yerushalmi II Neofiti
sur Dt 25, 9, 9 rendent, tous les deux, le b^epanaw de la Bible par
$qdqwy$, « devant lui ». On comprend facilement l'apparition de
cette interprétation lénifiante ; en effet, en hébreu b^epanaw peut
signifier aussi « devant lui ».

La même explication lénifiante est bien attestée dans la tradition rabbinique [2]. Sur ce point, les Qaraïtes sont d'accord avec les
Pharisiens [3].

Selon le commentaire de la *Megillat taanit* 12, les Boéthusiens
s'en tenaient à l'interprétation littérale de cette prescription au
sujet du crachat. C'est là une attestation isolée. Elle est historiquement vraisemblable. Mais est-elle vraie ?

1. A. SCHLESINGER, *The Targum to Ruth, a Sectarian Document*, dans son
volume *Researches in the Exegesis*, Jérusalem, 1962, pp. 12-17 (en hébreu),
étudie ce texte, pp. 16-17.
2. SCHLESINGER, *op. cit.*, p. 17, souligne le parallélisme de cet emploi du
gant avec la cérémonie chrétienne d'investiture. « Si [le Targum de Ruth]
4, 7 fait allusion à la cérémonie chrétienne d'investiture..., il faudrait
admettre des passages très récents dans ce Targoum » (R. LE DÉAUT, *Introduction à la littérature targumique*, ronéotypé, Rome, I, 1966, p. 145, n.).
1. *Test. Zabulon* 3, 4-7 (au v. 4, rappel de la loi du lévirat, Dt 25, 9) ;
avec le prix de la vente de Joseph, ses frères avaient acheté des sandales
(v. 2) ; mais, en Égypte, on leur les vole et on crache sur eux (v. 7).
2. j. *Yeb.* XII 13ᵃ 9 (IV/2, 176) : « elle crachera devant nous » ; b. *Yeb.*
106ᵇ : Abayé († 338/339) interprète le « au visage » de Dt 25, 9 par « devant
ses yeux ». Dans certains textes, il y a, purement et simplement, le même
terme b^epanaw que dans la Bible : Targoum d'Onqélos sur Dt 25, 9 ; *Yeb.*
XII 6 ; *Sifré* Dt 25, 9 § 291 (310, 1) ; b. *Yeb.* 101ᵇ. On pourrait donc hésiter,
dans ces textes, pour la traduction « au visage » ou « devant lui ». Mais,
à notre avis, comme la tradition pharisienne en faveur de « devant lui »
est bien attestée, il faut, dans les textes en question choisir également
cette traduction.
3. REVEL, dans *JQR* n. s. 3 (1912-1913), p. 338.

171. Au terme de l'examen détaillé des pratiques juives en ce qui concerne le talion, l'emploi du linge comme preuve de la virginité et la façon de cracher, nous constatons que l'affirmation du commentaire de la *Megillat taanit* 12 constitue une donnée entièrement isolée. Selon ce commentaire, les Boéthusiens appliquaient à la lettre des trois prescriptions.

Or nous n'avons aucun recoupement à ce sujet ; d'autre part, ce commentaire hébreu est très tardif (haut moyen âge). Pour ces deux raisons, nous sommes portés à dire que cette affirmation du commentaire est une inférence sans base précise, faite à partir de ce que l'auteur croyait savoir des Boéthusiens : ces gens-là s'en tiennent à la lettre de la Tora.

172. En appendice, signalons un dernier petit point. La Tora prescrit la restitution d'un objet volé (Lv 5, 23).

La Mishna[1] prévoit le cas où quelqu'un a volé une poutre, puis l'a insérée dans une maison en construction ; elle déclare que, en pareil cas, on se contentera d'exiger du voleur la valeur de ladite poutre.

Mais nous apprenons, par le Babli[2] et la Tosefta[3], que, pour un tel cas, il y avait discussion entre l'école de Shammay et celle d'Hillel. Selon les Shammaïtes, il fallait détruire la maison et récupérer la poutre ; les Hillélites se contentaient d'exiger la restitution en argent. Les Shammaïtes, apparemment, interprètent Lv 5, 23 à la lettre. On a supposé[4] que, sur ce point, ils suivaient peut-être le point de vue sadducéen.

III. DIVERGENCES POUR LA MISE A MORT DES FAUX TÉMOINS.

173. Nous lisons dans la Mishna[1] :

« Des faux témoins ne sont mis à mort que lorsque le jugement [contre celui qui est accusé faussement par eux] est porté.

« En effet, les Sadducéens disaient : Seulement une fois que [celui qui a été faussement condamné] a été exécuté, car il est dit : 'Vie pour vie' (Dt 19, 21).

« [Mais] les docteurs [pharisiens] leur dirent : N'est-il donc pas dit : 'Vous le traiterez comme il méditait de traiter son frère' (Dt 19, 19) ? Par conséquent, son frère doit être encore en

1. *Git.* V 5.
2. b. *Git.* 55ª.
3. Tos. *B.Q.* X 5 (367, 3).
4. A. BUECHLER, *Studies in Sin and Atonement*, Londres, 1928, = New-York, 1967, p. 386.
1. *Makkot* I 6. Même texte, mais en plus bref, dans *Sifré* Dt 19, 19 § 190 (231, 4).

vie [et cependant, vous voulez agir avec lui comme il pensait agir avec son frère].

« S'il en est ainsi, pourquoi est-il dit : 'Vie pour vie'? Cela peut vouloir dire : dès que leur [faux] témoignage a été reçu, ils sont exécutés. C'est pourquoi l'Écriture dit : 'Vie pour vie'; ils ne sont donc mis à mort que lorsque le jugement [contre celui qui a été faussement accusé] est porté, [car celui qui est condamné à mort est considéré comme un homme mort]. »

La divergence entre Pharisiens et Sadducéens[2] porte donc sur le moment où il faut mettre à mort les faux témoins. Selon les Pharisiens, ils doivent être exécutés dès que la sentence de condamnation a été prononcée contre celui qui a été faussement accusé ; pour les Sadducéens par contre, ils ne peuvent être mis à mort qu'après la mise à mort de celui qui a été faussement accusé. Les Pharisiens sont donc plus sévères que les Sadducéens[3].

La justification du point de vue sadducéen fait appel au principe du talion (Dt 19, 21). Mais, sur la base de ce seul texte biblique, il est impossible de dirimer la controverse.

Les Pharisiens invoquent Dt 19, 19 : « Vous le traiterez comme il méditait de traiter son frère — zamam laᶜaśôt. » La traduction de la Septante présente une interprétation intéressante pour cette discussion[4] : « Vous le traiterez comme il a fait dans un méchant projet contre son frère — ποιήσετε αὐτῷ ὃν τρόπον ἐπονηρεύσατο ποιῆσαι. » Les Sadducéens, comme plus tard les Qaraïtes[5], ont sans doute compris le texte de la Bible comme s'il y avait : zamam wᵉᶜašah, « comme il songeait et fit »[6].

Philon ne cite jamais la loi relative aux faux témoins (Dt 19, 19) ; c'est curieux. Mais, pour lui, l'homme qui a seulement l'intention de tuer doit être mis à mort[7]. Donc, nous pouvons supposer que, pour la mise à mort des faux témoins, il avait le même point de vue que les Pharisiens[8].

On trouve la halaka pharisienne dans le cas de Suzanne, au livre de Daniel. Les deux faux témoins sont mis à mort, bien que

2. Pour l'ensemble de cette question, voir l'excursus de S. KRAUSS, *Sanhedrin-Makkot* (« Mischna » de Berlin), 1933, pp. 322-325.

3. Selon D. DAUBE, dans *the Jewish Journal of Sociology* 3 (1961), pp. 10-11, les Pharisiens sont plus sévères que les Sadducéens.

4. C'est I. H. WEISS, *Dor Dor wedorshaw*, I, Vienne, 1871, p. 111 (je le connais par LESZYNSKY, *Sadduzäer*, p. 304) qui a remarqué la chose.

5. KRAUSS, *Sanhedrin-Makkot*, p. 325.

6. KRAUSS, même p. — LESZYNSKY, *Sadduzäer*, p. 82, avait déjà conjecturé que les Sadducéens devaient traduire : « Vous le traiterez comme il a fait dans un méchant projet contre son frère. »

7. B. RITTER, *Philo und die Halaka*, Leipzig, 1879, p. 25. Pour justifier cette dernière affirmation, Ritter (p. 23) renvoie à *De spec. leg.* III 209 ; mais, dans ce texte, Philon parle seulement, de façon générale, de l'assimilation entre les actions bonnes et leurs auteurs.

8. RITTER, *op. cit.*, p. 26 et n. 1.

Suzanne ait été seulement condamnée à mort, mais pas exécutée (Dn 13, 62). On a donc supposé avec vraisemblance que le but visé dans ce récit de Suzanne était, entre autres, une satire des Sadducéens [9].

174. Un récit du Talmud de Jérusalem [1] donne un écho direct de la polémique entre Pharisiens et Sadducéens au sujet de l'exécution des faux témoins. Il est du reste assez obscur.

Ce récit est destiné à illustrer la vengeance des Sadducéens contre Shiméon ben Shatah (vers 90 avant notre ère) qui avait fait exécuter un certain nombre de Sadducéens comme faux témoins.

Une bande d'impies se concertent pour porter un faux témoignage contre le fils de Shiméon ben Shatah. Le malheureux est condamné à mort. Les faux témoins avouent avoir menti. Le père veut réviser la sentence. Mais le fils s'offre en victime : « Père, si tu désires que le salut vienne par ta main, fais de moi un marchepied [= fais-moi mourir]. »

Ce texte est difficile. Pourquoi le père ne révise-t-il pas la sentence ? Comment peut-il être un artisan de salut ? On peut donc supposer que les circonstances ont été différentes de celles présentées par le récit actuel. Voici une explication possible [2].

Les Sadducéens accusent le fils d'avoir témoigné faussement contre l'un d'eux ; ils veulent ainsi prendre Shiméon à son propre piège. En effet, le principe des Pharisiens exige que le père fasse exécuter son fils, bien que le Sadducéen accusé faussement soit encore en vie et n'ait pas été exécuté. Shiméon ne pouvait sauver son fils qu'en acceptant l'opinion des Sadducéens soutenant que l'exécution du fils ne devait avoir lieu qu'une fois le Sadducéen mis à mort. Mais, du coup, les Sadducéens auraient triomphé. L'amour paternel l'emporte chez Shiméon ; il veut rétracter son opinion et accepter celle des Sadducéens. Mais le fils s'offre en sacrifice : « Si tu veux anéantir les Sadducéens, dit-il à son père en substance, fais-moi mourir, et continue à condamner comme auparavant, selon le principe pharisien. »

175. La tradition rabbinique contient plusieurs autres textes relatifs à cette querelle entre Pharisiens et Sadducéens. Mais dans ces textes, parallèles entre eux, deux questions sont enchevêtrées : celle du moment où il faut exécuter les faux témoins, et celle de savoir s'il faut un ou deux faux témoins. Commençons par exa-

---

9. D. M. KAY, dans CHARLES, *Apocrypha*, I, p. 644. D. DAUBE, dans *the Jewish Journal of Sociology* 3 (1961), pp. 12-13, voit dans ce texte une œuvre pharisienne qu'il date du 1er siècle avant notre ère.

1. j. *Sanh.* VI 5, 23b 71 (VI/1, 280).

2. Donnée par R. LESZYNSKY, *Simon ben Schétah*, dans *REJ* 63 (1912), pp. 228-229 (hypothèse avancée très prudemment, dit-il p. 230).

miner la Mekilta [1], car, à la différence des autres textes que nous allons examiner, elle parle uniquement de la seconde question [2].

« Un jour, Shiméon ben Shatah (vers 90 avant J.-C.) fit exécuter un [seul] témoin [découvert comme] faux [témoin].

« Juda ben Tabbay lui dit : Je le jure [3] ! Tu as répandu le sang innocent, car la Tora dit : Mets à mort sur le dire de témoins (Dt 17, 6), mets à mort les faux témoins. De même que les témoins [doivent être] deux (cf. Dt 17, 6), de même les faux témoins [doivent être] deux — *hrwg ᶜl py ᶜdym, hrwg (ᶜl py)* [4] *zwmmym ; mh ᶜdym shnym, 'p zwmmym shnym.* »

Il est donc nécessaire qu'il y ait deux faux témoins pour que l'on puisse procéder à leur exécution ; dans cette question, la Mekilta ne parle pas de l'opinion des Sadducéens. La tradition rabbinique postérieure a sanctionné cette nécessité.

Voyons maintenant les autres textes, où cette question est mêlée à celle du moment où l'on peut mettre à mort ces faux témoins.

Nous avons trois récits parallèles : Tosefta [5], Yerushalmi [6] et Babli [7]. Par rapport au texte de la Mekilta, la situation est renversée. Pour éviter de mettre une faute sur le compte de Shiméon ben Shatah qui, dans la tradition rabbinique, est devenu le grand docteur de cette période [8], les rôles sont inversés. C'est Juda ben Tabbay qui a condamné un faux témoin, et c'est Shiméon ben Shatah qui lui fait des reproches [9].

Nous citons uniquement le texte de la Tosefta. Les deux autres sont presque identiques, sauf quelques différences dont, un peu plus loin (§ 176), nous examinerons les principales.

« Juda ben Tabbay dit : Que je ne voie pas la consolation [d'Israël] [10] si je n'ai fait exécuter un faux témoin, pour faire

---

1. *Mek.* Ex 23, 7 (III 170, 31).
2. C'est la forme la plus ancienne et la plus courte (GEIGER, *Urschrift*, pp. 140, 141, n. 1 ; jugement repris par FINKELSTEIN, *Pharisees*, 1962, p. 843, n. 76).
3. La formule *'r'h bnḥmh* est un euphémisme pour *l' 'r'h bnḥmh*. Mot-à-mot = « que je voie (que je ne voie pas) la consolation [d'Israël] », c'est-à-dire le salut futur. Parfois, c'est une formule de serment : « je le jure ».
4. A la suite de GEIGER, *Urschrift*, p. 141, n. 1, nous supprimons ce second *ᶜl py*, superflu.
5. Tos. *Sanh.* VI 6 (424, 29).
6. j. *Sanh.* VI 5, 23ᵇ 67 (VI/1, 279-280).
7. b. *Makkot* 5ᵇ.
8. Voir DERENBOURG, *Essai*, pp. 96-98, 102-104.
9. Shiméon ben Shatah et Juda ben Tabbay sont, dans la tradition rabbinique, la troisième des « paires » (*Abot* I 8). FINKELSTEIN, *Pharisees*, 1962, p. 843, n. 76 : dans ces trois formes récentes, Shiméon ben Shatah a une opinion qui est celles des Sadducéens (c'est Juda ben Tabbay dans la forme ancienne).
10. Sur cette expression, voir plus haut n. 3.

sortir du cœur des Boéthusiens [= les décourager] qui disent :
[Les faux témoins sont exécutés] seulement après qu'ait été exécuté celui qui a été [faussement] accusé.

« Shiméon ben Shatah dit : Je le jure[11] ! Tu as répandu le
sang innocent ; car, vois, la Tora dit : 'Sur le dire de deux ou
trois témoins, il mourra' (Dt 17, 6). De même que les témoins
[doivent être] deux, de même les faux témoins [doivent être] deux.

« Depuis ce temps, Juda ben Tabbay prit sur lui [= décida]
qu'il ne porterait plus de halaka si ce n'est en présence de Shiméon ben Shatah. »

176. Comme nous venons le lire dans ce texte de la Tosefta,
les adversaires des Pharisiens sont les Boéthusiens. Par contre,
dans le texte parallèle du Babli, il s'agit des Sadducéens. Quant au
Yerushalmi, il dit simplement : « ils » ; ce sont probablement les
Sadducéens.

Selon Billerbeck, la mention des Boéthusiens, dans ce récit,
n'est pas historique[1]. En effet, les Boéthusiens n'apparaissent que
postérieurement à l'époque de Shiméon ben Shatah, en activité
vers 90 avant notre ère (§ 256). Mais ce raisonnement de Billerbeck
ne vaudrait que si la mention des adversaires, dans ce récit, était
authentique. Or, la forme primitive, celle de la Mekilta, ne fait pas
allusion au point de vue des opposants des Pharisiens (§ 175). C'est
plus tard que la tradition a inséré dans ce récit la mention des
adversaires. Nous sommes donc libres de discuter pour savoir
laquelle des deux précisions, Boéthusiens ou Sadducéens, il faut
préférer pour ce récit. A vrai dire, le choix est difficile.

Mais quoiqu'il en soit de la précision des adversaires dans la
forme tardive de cette tradition, il est certain que la querelle entre
Pharisiens et adversaires au sujet de la mise à mort des faux
témoins remonte très haut[2].

Dans les trois formes du texte, la déclaration de ces adversaires est identique : les faux témoins ne sont exécutés que postérieurement à la mise à mort de celui qui a été faussement accusé[3].
Nous retrouvons exactement le même principe que celui qui leur
est attribué dans la Mishna (§ 173).

11. Même renvoi qu'à la n. précédente.
1. BILLERBECK, IV, p. 350.
2. Tout porte à croire qu'elle existait déjà au temps de Shiméon ben
Shatah (voir plus haut § 174 le récit de sa vengeance contre les Sadducéens et l'interprétation que nous avons cru pouvoir en donner). Peut-on
supposer que c'est Shiméon ben Shatah qui a établi la règle pharisienne ?
C'était l'hypothèse de FINKELSTEIN en 1938 (voir ses *Pharisees*, 1962³, p. 844,
note 76, qui donne son texte de la première édition, 1938). Mais en 1962
(*Pharisees*, p. 697), il rejette cette explication de 1938. L'Écriture dit-il, est
claire en faveur de l'opinion pharisienne classique. — Il est inexact de
dire que Dt 19, 19 est clair en faveur du point de vue pharisien.
3. Tos. *Sanh.* VI 6 (424, 30) ; j. *Sanh.* VI 5, 23ᵇ 68 (VI/1, 279) ; b. *Makkot*
5ᵇ.

L'examen des quatre textes que nous venons d'étudier ne fournit pas d'autre élément scripturaire que celui relevé dans le passage en question de la Mishna. La Tora n'avait pas précisé à quel moment les faux témoins devaient être exécutés. Les Sadducéens rejetaient l'argument des Pharisiens basé sur Dt 19, 19 ; les Sadducéens interprétaient peut-être le texte d'une façon différente de celle du texte massorétique (§ 173). Mais ce sont surtout les circonstances historiques qui ont dû avoir une influence [4].

Sous Alexandre Jannée (103-76), les Pharisiens furent persécutés (§ 187). Un certain nombre d'entre eux prirent la fuite pour échapper à la mort ; ce fut, par exemple, le cas de Juda ben Tabbay. Sous la reine Alexandra (76-67), ils parvinrent au pouvoir et prirent donc leur revanche (§ 187). A partir de ces faits, on peut proposer l'explication suivante. Sous Jannée, beaucoup de Pharisiens furent faussement accusés par les Sadducéens ; les Pharisiens qui s'enfuirent réussirent à éviter la mort. Sous Alexandra, les Sadducéens se trouvèrent en accusation pour faux témoignage. Mais, selon les Sadducéens, comme les Pharisiens qui ont fui sont encore en vie, il n'y a pas à condamner les Sadducéens coupables d'avoir été faux témoins. Par contre, selon les Pharisiens, du simple fait que la sentence de condamnation ait été portée, les Sadducéens faux témoins doivent être exécutés. Josèphe raconte la mise à mort de juifs ; selon toute vraisemblance, ce sont des Sadducéens.

Signalons enfin pour terminer que, dans cette question de l'exécution des faux témoins, une influence du droit romain sur les Sadducéens avait été affirmée par Hölscher [5]. Finkelstein a repris cette explication [6]. Mais elle a été, à bon droit, semble-t-il, rejetée [7].

Pour la mise à mort des faux témoins, la halaka sadducéenne était différente de celle des Pharisiens. Selon la halaka pharisienne,

---

4. L'alinéa suivant reprend Leszynsky, *Sadduzäer*, p. 84.

5. Hoelscher, *Sadduzäismus*, pp. 31-32. Du reste, Hölscher reconnaît que, pour sa thèse de l'influence du droit romain sur les Sadducéens, ce point est beaucoup moins net que pour la question de l'héritage des filles (§ 237) et pour celle de la responsabilité du maître pour son esclave (§ 179). Voici son explication. Dans la Loi des douze tables, le faux témoin est condamné à la peine capitale. Plus tard, quand le faux serment ne fut plus puni juridiquement, cette sévère prescription tomba en désuétude, et demeura seulement dans le droit guerrier. La *Lex Cornelia de sicariis* prévoit seulement la peine de mort pour le faux témoignage donné dans un procès capital. Dans ce cas, il est non seulement supposé, mais dit expressément que l'accusé par le faux témoin a été réellement exécuté.

6. Finkelstein, *Pharisees*, 1962, pp. 144 et 696.

7. S. Krauss, *Sanhedrin-Makkot* (« Mischna » de Berlin), 1933, p. 325 : d'après tout ce que nous savons, il ne s'agissait pas, pour les Sadducéens, que de l'explication de la Tora.

le faux témoin était exécuté dès que la condamnation avait été prononcée contre celui qui avait été faussement accusé ; pour les Sadducéens par contre, le faux témoin ne pouvait être exécuté qu'après la mise à mort de celui qui avait été faussement accusé.

Le Pentateuque ne contient aucune donnée au sujet des conditions de la mise à mort des faux témoins. Si l'on en croit la Mishna, les Sadducéens invoquaient en faveur de leur halaka le principe du talion ; mais cette justification scripturaire n'a pas de valeur. La halaka pharisienne se trouve pour le cas de Suzanne, dans la finale du Livre de Daniel. La halaka sadducéenne est bien attestée par la Mishna. Par ailleurs, plusieurs récits relatifs à Shiméon ben Shatah (vers 90 avant notre ère) montrent clairement que dès cette époque, la divergence de halaka à ce sujet avait une importance pratique considérable.

IV. CONDITIONS POUR LA RÉVISION DES SENTENCES CRIMINELLES.

177.   Selon la Mishna [1], le juge qui a, dans son procès criminel, jugé quelqu'un coupable, peut ensuite le déclarer innocent, pour réparer une erreur de sa part ; mais l'inverse n'est pas possible.

La guemara babylonienne donne l'explication suivante [2].

« Rabbi Hiyya bar Abba (vers 280) au nom de Rabbi Yohanan († 279) : Cela [vaut] seulement si [le juge s'est trompé] en une matière *(dabar)* que les Sadducéens ne reconnaissent pas. Mais si c'est en une matière que les Sadducéens reconnaissent, alors il doit aller à l'école. »

Dans un autre passage du Babli [3], la même règle est mise sous le nom de Shemuel ; la suite du texte montre que cette règle repose sur une baraïta venant de l'école de Rabbi Ishmaël († vers 135) [4].

Quelle est cette « matière que les Sadducéens ne reconnaissent pas », et cette « matière qu'ils reconnaissent » ? Très probablement, nous avons là exprimé l'opposition entre les lois écrites contenues dans la Tora [5] et le droit traditionnel des Pharisiens (voir plus bas § 289).

1. *Sanh.* IV 1.
2. b. *Sanh.* 33[b].
3. b. *Hor.* 4[a].
4. BILLERBECK, IV, p. 351.
5. J. Z. LAUTERBACH, *Rabbinic Essays*, 1951, n. 33, n. 13 (texte de 1913), propose l'explication suivante. Cette « matière que les Sadducéens reconnaissent » est premièrement la Tora, les lois écrites ; mais cette expression désigne également « certaines lois traditionnelles acceptées par les Sadducéens », et considérées par eux comme obligatoires au même titre que les lois écrites de la Tora. Sur la seule base de ce texte du Babli (*Hor.* 4[a] et *Sanh.* 33[b]), il nous paraît difficile d'affirmer que les Sadducéens reconnaissaient certaines lois traditionnelles non contenues dans le Pentateuque.

V. Responsabilité du maître pour son esclave.

178. La Bible parle de la responsabilité d'un propriétaire dans le cas d'un dommage causé par son bétail (par exemple Ex 21, 29). Mais elle ne dit rien au sujet de l'esclave. Il n'y a rien à tirer de ce silence [1].

Selon la Mishna [2], cette question de la responsabilité du maître pour son esclave divisait Pharisiens et Sadducéens :

« Les Sadducéens disaient : Nous vous reprochons, Pharisiens, [ce qui suit. Le texte de la plainte a été supprimée, car la conséquence tirée de cette plainte montre clairement ce qui est visé [3] : Si, pour mon bœuf ou mon âne, pour lesquels je suis cependant responsable en ce qui concerne le dommage [causé] par eux (cf. Ex 21, 29), ainsi, pour mon serviteur ou ma servante, pour lesquels je suis responsable en ce qui concerne les commandements, ne devrais-je pas être responsable en ce qui concerne le dommage [causé] par eux ?

« Ils [= les Pharisiens] leur répliquèrent : Non. Si vous dites [quelque chose] au sujet de mon bœuf ou de mon âne, privés de raison voulez-vous [aussi le] dire au sujet de mon serviteur ou de ma servante, doués de raison ? Car, si je l'ai irrité, il pourrait s'en aller et allumer les gerbes d'autrui, et alors, je serai tenu de réparer. » [4]

Selon cette mishna, les Pharisiens n'admettaient pas la responsabilité du maître pour son esclave [5] ; les Sadducéens, par contre, la reconnaissaient.

Le cas n'était pas prévu par la Tora. Les Sadducéens, si l'on en croit ce texte [6], le résolvaient en appliquant au serviteur (esclave)

<hr>

1. Finkelstein, *Pharisees*, 1962, p. 699 : le silence de la Bible ne peut avoir qu'un sens : le maître n'est pas responsable. Cette interprétation de l'argument du silence n'est pas certaine.
2. *Yad.* IV 7.
3. Lisowsky, *Jadajim* (« Mischna » de Berlin), 1956, p. 77 (il insère cette explication dans sa traduction).
4. Cette dernière phrase est « sans portée » (Lisowsky, *op. cit.*, p. 78, n. 8) ; en effet, explique Lisowsky, elle n'est pas un principe, mais fait état d'un cas particulier d'un esclave voulant se venger. Il faut donc, ajoute-t-il, la considérer comme une glose. C'était la solution de Finkelstein dans sa première édition (*Pharisees*, 1938, p. 684).
5. Sur ce point, les Qaraïtes sont d'accord avec les Pharisiens (Revel, dans *JQR* n. s. 3 [1912-1913], p. 338).
6. Faut-il voir dans la solution pharisienne une tendance à relever la valeur de l'esclave ? — A propos de ce point de vue sadducéen, Leszynsky, *Sadduzäer*, p. 85, parle de la « nécessaire inconséquence du Sadducéisme », s'en tenant par principe à la seule Tora. En effet, dit-il, les Sadducéens devaient créer des lois qui ne s'opposaient en rien à la Tora, mais qui, d'un autre côté, s'opposaient aux enseignements pharisiens, peut-être principalement à cause de l'opposition entre les deux groupes. — Ce raisonnement de Leszynsky semble pécher par deux côtés. D'une part, il n'est pas

ce que la Tora disait des animaux. Mais nous ne sommes pas assurés que ce texte de la Mishna reflète exactement le détail du point de vue sadducéen. La justification que les Sadducéens y donnent de leur thèse est, en effet, « sans portée » et entièrement bâtie d'après les idées pharisiennes [7].

179. Quoiqu'il en soit de la justification scripturaire, il semble bien que les Sadducéens, en fait, soutenaient la responsabilité du maître pour son esclave. L'ancienne halaka paraît avoir été en ce sens. Une historiette racontée par le Talmud de Babylone [1] permet de l'entrevoir.

Il y est question du roi Alexandre Jannée (103-76) qui avait commis un meurtre. Shiméon ben Shatah fait comparaître le roi devant le tribunal, en fonction du texte d'Ex 21, 29 (responsabilité du maître pour son bétail). Par châtiment du ciel, un ange frappe mortellement les juges.

Shiméon ben Shatah a un point de vue analogue à celui des Sadducéens [2]. Mais, pour comprendre ce récit du Babli, il faut sans doute le considérer comme un doublet de ce que raconte Flavius Josèphe [3].

Il nous dit que le jeune Hérode (le futur roi), responsable de la Galilée, avait fait exécuter sans jugement Ézéchias et sa bande, accusés de brigandage. Le Sanhédrin cite Hérode devant lui. Hyrkan II (grand prêtre et ethnarque de 63 à 40) préside. Hérode comparaît en grand apparat. Seul le Pharisien Saméas a le courage de blâmer Hyrkan II de songer à absoudre Hérode.

Nous aurions donc les équivalences suivantes [4] : Alexandre Jannée = Hyrkan II ; le serviteur de Jannée = Hérode [5] ; le meurtre = Ézéchias mis à mort ; Shiméon ben Shatah = Saméas.

L'allusion politique semble certaine dans le récit du Talmud

---

sûr que les Sadducéens considéraient comme une inconséquence le fait d'avoir une halaka développant ou complétant la Tora. Par ailleurs, dans le cas présent, il semble faux de parler d'une loi nouvelle. Comme nous allons le voir dans un instant, les Sadducéens devaient tout bonnement continuer, sur ce point, l'ancienne halaka. Selon D. DAUBE, dans *the Jewish Journal of Sociology* 3 (1961), p. 12, les Sadducéens introduisaient sur ce point une nouveauté par conclusion *a fortiori* ; cette conclusion, dit Daube, était très libérale.

7. LISOWSKY, *Jadajim*, p. 77, n. 4.

1. b. *Sanh* 19[a-b].

2. Nous avons déjà rencontré une pareille coïncidence chez Shiméon, à propos de la condamnation des faux témoins (§ 175, note 9).

3. *Ant.* XIV 163-180.

4. GEIGER, *Urschrift*, p. 144, n. 2 ; DERENBOURG, *Essai*, pp. 148 et 134 ; LESZYNSKY, *Sadduzäer*, p. 87.

5. Selon les Pharisiens, les Hérode n'avaient pas hérité des Asmonéens ; ils étaient leurs esclaves (GEIGER, *Urschrift*, p. 144). On peut voir dans ce sens, dit Geiger, b. *R.H.* 3[b] (Hérode esclave).

de Babylone ainsi expliqué ; nous avions trouvé une pareille résonnance allégorique en *Yad.* IV 7 (§ 156). Mais il ne s'agit pas d'allusion ; il paraît impossible de réduire ces données rabbiniques à une allégorie. Cette question de la responsabilité du maître pour son esclave avait une portée pratique dans la vie quotidienne. Il est tout naturel que la halaka s'en soit occupée.

Pour expliquer le point de vue des Sadducéens sur un cas non prévu par la Bible, Hölscher avait cru pouvoir affirmer une influence du droit romain [6]. Mais on a dit de cette hypothèse qu'elle n'était « pas nécessaire » [7] ; cela semble exact.

VI. La fille de prêtre condamnée pour prostitution est brûlée de l'extérieur.

180. La fille de prêtre qui se livre à la prostitution doit être « brûlée par le feu » (Lv 21, 9). Josèphe [1], présentant cette législation biblique, dit « brûlée vive ». C'est la bonne explication.

A propos du cas de relations sexuelles d'un homme avec sa belle-fille ou sa belle-mère (punition par le feu en Lv 20, 14), les Jubilés précisent qu'il faut effectivement brûler la coupable de l'extérieur [2]. On peut se demander si cette insistance n'est pas une réaction contre ceux qui, déjà à cette époque (Ier siècle avant notre ère) brûlaient la coupable de l'intérieur.

Avant d'examiner les témoignages les plus anciens en ce sens, notons la pratique pharisienne telle qu'elle est attestée dans la Mishna, vers 200 de notre ère. Pour brûler quelqu'un, on lui introduit, par la bouche, une mèche dans le ventre et on l'allume [3].

Nous avons déjà une attestation du désir de ne pas brûler tota-

---

6. Hoelscher, *Sadduzäismus*, pp. 30-31. Voici sa démonstration. Le dommage pour lequel le responsable n'est pas celui qui l'a commis, mais un tiers, est appelé en droit romain *noxa*. Dans ce cas, le tiers, pour se décharger de sa responsabilité, peut soit réparer le dommage *(noxam sarcire)*, soit donner à celui qui l'a subi ce qui a causé le dommage *(noxae* ou *ob noxam dare)*. Dans cette dernière catégorie rentrent les cas suivants. Une personne soumise à un maître dans une maison (fils, esclave, etc.) a causé un dommage à quelqu'un. Le maître a deux possibilités : soit, par équivalence, payer la compensation, soit donner le coupable à celui qui a été lésé. Autre cas : les dégats causés par les animaux *(pauperies* ou *noxia*, voir la *Loi des douze tables* VIII 5). Cette équivalence entre esclave et bête correspond au principe du droit romain selon lequel l'esclave est une chose, *res*. Hölscher ajoute : les Pharisiens, en vertu de la Tora, s'élevaient contre cette assimilation de l'esclave à une chose.

7. Lisowsky, *Jadajim*, p. 78, n. 5.

1. *Ant.* IV 248.

2. *Jubilés* 41, 25 (cf. 20, 4).

3. *Sanh.* VII 2, la guemara babylonienne (b. *Sanh.* 52ᵃ) parle de plomb fondu.

lement le corps, de l'extérieur, dans le Targoum, et peut-être même déjà dans la Bible. Dans le récit relatif au châtiment de Nadab et Abihou, fils d'Aaron, il est dit qu' « une flamme de feu les dévora » (Lv 10, 2) ; mais on peut emporter leurs corps « dans leurs propres tuniques » (10, 5). Josèphe[4] dit que le feu brûla la poitrine et le visage ; c'est à mi-chemin entre être brûlé vif et être brûlé de l'intérieur. Quant au Targoum Yerushalmi I de Lv 10, 2, voici comment il s'exprime : « la flamme de feu entra dans leurs narines et brûla leurs âmes, mais leurs corps ne furent pas brûlés »[5].

Le dernier témoignage est d'un intérêt tout particulier[6] :

> « Rabbi Éléazar ben Sadoq raconte : Une fois, une fille de prêtre se prostitua (verbe *zanah* comme en Lv 21, 9). Alors, on l'entoura de fagots de sarments et on la brûla [de l'extérieur]. — Alors, ils lui dirent : [Cela arriva] parce que le tribunal en ce temps-là n'était pas instruit *(bqy).* »

Dans la Tosefta[7], Rabbi Éléazar fournit les précisions suivantes au début de son récit, quand il raconte cet événement : « J'étais bambin et je me trouvai à califourchon sur les épaules de mon père... »

Les indications sur l'âge de Rabbi Éléazar et le fait qu'un tribunal juif pouvait s'occuper sans entrave d'une exécution capitale semblent bien indiquer que l'événement eut lieu du temps où Agrippa Ier était roi des juifs[8] (41-44).

181. Brûler quelqu'un de l'extérieur apparut donc aux Pharisiens vers le milieu du Ier siècle de notre ère, comme une chose anormale. La Mishna[1] en donne comme raison que « le tribunal n'était pas instruit ». Rab Joseph († 333) commente ainsi ce dire[2] : « C'était un tribunal de Sadducéens. »

Cette inférence, quoiqu'attestée tardivement, paraît juste. En effet, il s'agit de l'application littérale de Lv 21, 9. Par ailleurs, c'est une fille de prêtre. Pour ces deux raisons, il semble exact de penser à un tribunal qui suivait la halaka sadducéenne[3].

On ne peut pas dire que c'est pour adoucir la peine que les Pharisiens transformèrent la combustion de l'extérieur en combus-

---

4. *Ant.* III 209.
5. « âme », n[e]shama. Sur le sens de ce terme, voir plus haut § 92, n. 16 ; c'est ce qui survit de l'homme après la mort.
6. *Sanh.* VII 2.
7. Tos. *Sanh.* IX 11 (429, 30). Même texte, pour l'ensemble du récit, sauf quelques petites différences de détail, dans j. *Sanh.* VII 2, 24[b] 51 (VI/2, 4) et b. *Sanh.* 52[b].
8. JEREMIAS, *Jérusalem*, p. 247 et n. 222.
1. En finale du texte de *Sanh.* VII 2, traduit § 180.
2. b. *Sanh.* 52[b].
3. FINKELSTEIN, *Pharisees*, 1962, pp. 733-734, pense que c'était un tribunal de prêtres. C'est possible, mais la preuve de cette précision fait défaut.

tion de l'intérieur[4]. Les raisons qui jouèrent dans cette transformation sont doubles.

D'une part, il y eut l'influence de la croyance à la résurrection[5]. Si on brûlait quelqu'un de l'extérieur, son corps était entièrement détruit. Cette destruction totale fit difficulté pour les Pharisiens, à cause de leur croyance à la résurrection. Nous allons voir (§ 185) également qu'ils introduisirent comme mode d'exécution la pendaison, non prévue par la Tora ; elle aussi épargnait le corps en lui conservant toute son intégrité.

D'autre part jouèrent des facteurs politiques[6]. Brûler quelqu'un de l'intérieur, en lui versant du plomb fondu dans la bouche, était moins spectaculaire que de brûler de l'extérieur ; cela était important, à une époque où les Romains exerçaient la juridiction criminelle.

Au Ier siècle de notre ère, si une fille de prêtre se livrait à la prostitution, la halaka pharisienne ordonnait de la brûler de l'intérieur. Dans le Pentateuque, la coupable, en pareil cas, était brûlée vive, de l'extérieur. C'est surtout la croyance à la résurrection qui entraîna un changement dans la halaka : brûler le corps de l'intérieur permettait de ne pas détruire le cadavre.

Or, au cours du Ier siècle, sans doute pendant le règne d'Agrippa Ier (41-44), à Jérusalem, une fille de prêtre coupable fut brûlée de l'extérieur. Selon toute probabilité, le tribunal qui la condamna était un tribunal sadducéen.

4. Pour nous modernes, les deux façons de faire paraissent égales en cruauté. Certes, il ne faut pas trop rapidement inférer, à partir de notre façon de voir actuelle, ce qu'était la sensibilité des juifs du Ire siècle de notre ère. Mais, sur ce point précis, rien ne nous permet de penser que les Pharisiens avaient conscience d'adoucir la peine en brûlant de l'intérieur. Faudrait-il dire que, pour les assistants, cette façon de faire était moins horrible ?

5. La mise en lumière de ce facteur dans l'évolution de la halaka est due à N. BRUELL, dans la revue *Beth Talmud* 4 (1886-1887), pp. 7 ss. (je ne connais cet article que A. BUECHLER, *Die Todesstrafen der Bibel in der jüdisch-nachbiblischen Zeit*, dans *MGWJ* 50 [1906], p. 558). BUECHLER, *op. cit.*, p. 558, avait avancé cette hypothèse avant de connaître l'étude de Brüll repérée seulement après l'achèvement de son texte. D. DAUBE, *The N. T. and Rabbinic Judaism*, Londre, 1956, p. 307, a, mieux encore que Brüll et Büchler, senti l'importance de cette croyance à la résurrection dans le changement de la halaka sur ce point.

6. DAUBE, *op. cit.*, pp. 306-307 ; P. WINTER, *On the Trial of Jesus*, Londres, 1961, pp. 73-74.

VII. « QUARANTE COUPS MOINS UN ».

182. Dans le châtiment d'un coupable, le fait de se limiter à 39 coups est bien attesté pour le Ier siècle de notre ère, à la fois par le Nouveau Testament (2 Co 11, 24) et par Josèphe [1]. Cette prescription figure dans la Mishna [2].

C'est là une précision nouvelle par rapport à la Bible (Dt 25, 3 : pas plus de 40 coups). Elle fut introduite « sans doute par crainte de se tromper » en dépassant 40 coups [3].

Nous ne savons pas quand cette nouveauté fit son apparition. En usage au Ier siècle de notre ère, était-elle, à cette époque, générale ? Peut-on dire [4] que nous avons là une « règle habituelle » du « judaïsme prémichnique », donc acceptée, entre autres, par les Sadducéens [5] ? L'absence complète de données au sujet de leur position sur ce point ne permet pas de répondre.

VIII. LES SADDUCÉENS, PLUS SÉVÈRES QUE LES PHARISIENS ?

183. Au dire de Josèphe [1], les Sadducéens « sont, dans leurs sentences au tribunal, les plus sévères de tous les juifs ». Et il complète cette indication en disant des Pharisiens [2] qu'ils « agissent, par nature, de façon modérée en matière de châtiments ».

Qu'en est-il exactement de cette sévérité des Sadducéens ? C'est à propos de l'exécution de Jacques, frère du Seigneur, et de quelques autres, par le grand prêtre Anan le Jeune (62 après J.-C.) que Josèphe donne l'indication de la sévérité des Sadducéens. Cette exécution avait soulevé la réprobation des « habitants de Jérusalem

---

1. *Ant.* IV 238 et 248.
2. *Makkot* III 10.
3. H. St. THACKERAY, note à *Ant.* IV 238, dans « Loeb », IV, 1930, p. 599, n. 1.
4. A. JAUBERT, dans *RHR* 167 (1965), p. 21.
5. JAUBERT, *op. cit.*, pp. 21-22, fait le raisonnement suivant. Cette règle habituelle était acceptée par les Sadducéens. Donc, ou bien il s'agit d'une influence des Pharisiens sur les Sadducéens, ou bien les Sadducéens eux-mêmes ont fait une déduction à partir de Dt 25, 3 (et Jaubert généralise cette hypothèse : les Pharisiens peuvent être tout simplement témoins de coutumes traditionnelles qui étaient déjà celles des Sadducéens). Il se peut que cette limitation à 39 coups soit très ancienne. Parmi les trois solutions envisagées par Jaubert (cette limitation est une invention des Pharisiens, ou une invention des Sadducéens, ou est antérieure à l'existence des deux groupes), la première et la troisième nous semblent seules à retenir. Notons que, vers 150 de notre ère, Rabbi Juda s'en tenait encore à 40 « exactement » (*Makkot* III 10) ; cela semble un reste d'ancienne halaka.
1. *Ant.* XX 199 ; sur ce texte, voir plus haut § 33, et § 28 n. 6.
2. *Ant.* XIII 294.

qui étaient les plus modérés et les plus attachés à la Loi » [3]. Et c'est précisément pour expliquer cette exécution brutale que Josèphe indique la sévérité des Sadducéens [4].

N'y a-t-il pas là une généralisation à partir du cas de la mise à mort de Jacques et de ses compagnons ? Nous n'avons pas d'autres exemples de condamnation de ce genre de la part des Sadducéens. On peut seulement faire état ici de la condamnation de Jésus, car, selon toute probabilité, le grand prêtre Caïphe était sadducéen.

On ne peut invoquer, ici, les cruautés que les Pharisiens et les Sadducéens exercèrent, chacun à leur tour, les uns contre les autres, pendant les luttes sous Alexandre Jannée (103-76) et Alexandra (76-67) ; il ne s'agit pas là, en effet, d'actions judiciaires mais de vengeances politiques [5].

Par contre, on peut sans doute signaler le comportement de Shiméon ben Shatah (vers 90 avant J.-C.), le chef des Pharisiens : selon la Mishna, il fit pendre 80 femmes à Ascalon sans autre forme de procès [6]. Mais cette tradition est-elle historiquement solide [7].

184. Avec Shiméon ben Shatah, nous sommes à une période ancienne. C'est, semble-t-il, entre 100 avant J.-C. et la ruine de 70 qu'il y eut un adoucissement dans certains domaines de la législation.

Nous avons vu (§ 167) que les Sadducéens, ou les Boéthusiens, s'en tenaient peut-être à une application littérale de la loi du talion, alors que les Pharisiens permettaient une compensation pécuniaire. La même tendance à l'adoucissement se manifeste dans le genre de mise à mort des condamnés. Certes, il ne peut être question de dire qu'il y a adoucissement pour la victime lorsque les Pharisiens brûlent le coupable de l'intérieur, et non plus de l'extérieur (§ 181, n. 4). Mais il est manifeste dans d'autres cas.

Selon la Mishna [1], les quatre genres d'exécution, rangés par ordre de cruauté décroissante [2], sont les suivants : lapidation, com-

3. *Ant.* XX 201.
4. Selon LESZYNSKY, *Sadduzäer*, p. 78, cette sévérité des Sadducéens concerne non pas la nature des peines et condamnation à mort, mais leur nombre. Cette explication du texte de Josèphe ne semble pas exacte. — Bonne remarque de LAGRANGE, *Judaïsme*, p. 303 : « Leur sévérité dans les jugements est un caractère des Sénats aristocratiques : Carthage, Rome, Venise, en font foi. »
5. *Ant.* XIII 380 et 410.
6. *Sanh.* VI 4. Ce texte parle de 80 *femmes* ; il est question de 80 *sorcières* dans la guemara palestinienne, j. Sanh. VI 8, 23ᶜ 47 (pas traduit en VI/1, 281, qui renvoie à IV/1, 279).
7. SCHUERER, I, p. 289, le nie.
1. *Sanh.* VII 1.
2. Les deux guemaras sur cette mishna, la babylonienne et la palestinienne, montrent très clairement que l'énumération suit un ordre de sévérité décroissante.

bustion, décapitation, pendaison (strangulation). Notons, tout d'abord, qu'il n'est pas question de la crucifixion. Cela n'a rien d'étonnant ; en effet, ce n'était pas un genre de mise à mort juif, bien que des juifs l'aient employé contre des gens de leur peuple [3].

Sur ce point, nous rencontrons de nouveau le Targoum de Ruth, déjà examiné à propos de l'offrande de la première gerbe (§ 125, n. 5) et du déchaussement (§ 169). Pour Ruth 1, 17, ce Targoum énumère les quatre genres de mise à mort de la façon suivante : lapidation, combustion, décapitation, crucifixion — ṣᵉlîbat qésa' [4].

Cette liste ne mentionne pas la pendaison ; ce n'est pas étonnant. En effet, ce genre de mise à mort ne figure pas dans la Tora. Selon Schlesinger [5], la mention de la crucifixion peut venir d'une interprétation de la prescription de Dt 21, 22-23. Dans ce texte biblique, il s'agit de la pendaison d'un homme déjà mort ; on aura interprété cette prescription comme s'appliquant non pas à un mort, mais à un homme qu'il faut mettre à mort.

Cette explication est possible ; Paul cite Dt 21, 23 à propos de Jésus crucifié (Ga 3, 13). Il n'en reste pas moins que cette mention de la crucifixion parmi les modes d'exécution pratiqués par les juifs est curieuse. Schlesinger pense que ce Targoum de Ruth est probablement d'origine sadducéenne (§ 125, n. 5). Nous avons cru devoir rejeter cette hypothèse à partir de l'examen du gant substitué à la sandale pour le déchaussement (§ 169). Nous le faisons également ici pour la crucifixion. Rien ne permet d'affirmer que la halaka sadducéenne prévoyait la crucifixion [6].

Rappelons que, dans le commentaire hébreu de *Megillat taanit* 12, figure, à propos des Sadducéens, comme quatrième genre d'exécution, la pendaison (strangulation) et non la crucifixion (texte § 163). Mais l'on ne peut guère s'appuyer sur ce texte ; en effet, il figure à titre d'extrait du « Livre des décrets » que ce commen-

---

3. Sur l'ensemble de cette question de la crucifixion, on consultera l'excellent exposé d'E. STAUFFER, *Jerusalem und Rom im Zeitalter Jesu Christi*, Munich et Berne, pp. 123-127 : « La crucifixion dans la Palestine ancienne. »

4. Dans le livre d'Esther (2, 23 ; 5, 14 ; 6, 4 ; etc.), pour « crucifier », l'hébreu emploi le verbe *talah*, pendre, suspendre, élever. Le Targoum d'Esther et le midrash d'Esther utilisent soit ce verbe, soit le verbe *ṣalab*, plus précis, qui figure pour la crucifixion de Jésus dans les textes juifs tardifs et dans l'Évangéliaire syro-palestinien (STAUFFER, *op. cit.*, p. 161, n. 4).

5. A. SCHLESINGER, *The Targum to Ruth, a Sectariam Document*, dans ses *Researches in the Exegesis*, Jérusalem, 1962, pp. 12-17 en hébreu) ; ici, pp. 12-15.

6. J. HEINEMANN, *The Targum of Ex 22, 4 and the Ancient Halakha*, dans *Tarbiz* 38 (1968-1969), pp. 294-296 (en hébreu), résumé anglais p. v : le Targoum de Ruth 1, 17 reflète une halaka vraiment ancienne (Heinemann ne parle pas d'origine sadducéenne).

taire considère comme un code de lois sadducéen, ce qui est faux (§ 165).

185. Lapidation, combustion et décapitation étaient prévues par la Bible. Ces trois genres d'exécution entraînaient une mutilation du cadavre. La pendaison, par contre, le laissait intact. Le fait de préférer la pendaison a eu pour cause d'une part la croyance à la résurrection, d'autre part la situation politique (§ 181). Là non plus, on ne peut parler d'adoucissement.

Mais l'adoucissement est manifeste dans le cas de la lapidation. La Tora ne précisait pas quel genre de mort devait subir celle qui avait commis un adultère (Lv 20, 10 ; Dt 22, 22). Éz 16, 40 parle de lapidation dans ce cas. Or, la halaka pharisienne prescrit, pour l'adultère, la strangulation [1]. Dans la aggada pharisienne on trouve deux réminiscences du temps où les adultères étaient lapidées. Il s'agit d'un passage du traité *Dèrèk èrès rabba* [2] et d'un texte du *Midrash des dix commandements* [3]. On peut également rappeler ici Jn 8, 4-5 [4]. Par ailleurs, il faut noter que les Targoums sur Lv 24, 16 et Nb 15, 35 gardent tous (Onqélos, Yerushalmi I, Yerushalmi II fragments, Yerushalmi II Neofiti) la mention de la lapidation. Le remplacement, pour le cas d'adultère, de la lapidation par la pendaison représente, dans la halaka pharisienne, un adoucissement. Et lorsque la Mishna maintient la lapidation, elle prescrit un genre de mise à mort très adoucie : au lieu de lapider en rigueur de terme, on précipitait le condamné dans une fosse ; s'il n'était pas mort dans la chute, on le couvrait de pierres [5].

---

1. *Sanh.* IX 1. Rappelons-nous que la strangulation (pendaison) était, des quatre genres de mort, le moins cruel (§ 184 et n. 2).

2. *Dèrèk èrès rabba* XI (APTOWITZER, dans *JQR* n. s 15 [1924-1925] p. 81, dont nous reprenons ici l'exposé, dit, par suite d'une erreur typographique, *Dèrèk èrès zuta* [D.E.Z. pour D.E.R.]), dans le texte du manuscrit d'A. EPSTEIN, *Mi-Qadmniot ha-Yehudim*, Vienne, 1887, p. 115 (nous n'avons pu avoir ce volume sous la main). Aptowitzer donne le texte hébreu et une traduction anglaise : « Ben Azzay (vers 110 de notre ère) a dit : Celui qui hait sa femme est quelqu'un qui répand le sang, car il est dit : ' et lui impute des choses déshonorantes ' (Dt 22, 14). [Car] finalement, il produit de faux témoins et la fait livrer *à la lapidation*. » Le manuscrit d'Epstein porte, pour cette finale, *lsqylh*. Les éditions donnent *lbyt hsqylh* ; cette dernière expression signifierait mot-à-mot « au lieu de la lapidation » ; mais, en fait, elle désigne la place où l'on exécutait les condamnées, quel que soit le genre de mise à mort (voir *Sanh.* VI 1 - VII 3, où cette expression est fréquente).

3. Texte dans Ad. JELLINEK, *Bet ha-midrasch*, I, Leipzig, 1853, pp. 81-83. La rédaction date probablement du Xe siècle. C'est une histoire légendaire de Rabbi Meïr (vers 150 de notre ère). Accusé d'adultère, il est condamné à être déchiré par les bêtes sauvages. Or, dit APTOWITZER, *op. cit.*, p. 82, être déchiré par les bêtes sauvages est équivalent d'être lapidé (voir par exemple b. *Sanh.* 37b).

4. APTOWITZER, *op. cit.*, p. 80, dit tout rondement : dans ce récit de l'évangile, les « Pharisiens » (voir Jn 8, 3 : « les scribes et les Pharisiens ») sont des « Sadducéens ».

5. *Sanh.* VI 4.

On pourrait faire état d'autres points de cette halaka pharisienne qui présentent également une tendance à la modération. Citons-en deux ou trois. Les conditions pour qu'il y ait, de la part d'un fils, faute de rébellion, sont si nombreuses et si minutieuses que ce cas est extrêmement rare ; on peut dire que jamais personne n'a subi la peine prévue, à savoir la mise à mort[6].

Par ailleurs, la Mishna recommande d'éprouver à fond les témoins et de ne pas solliciter leurs témoignages[7]. D'autre part, les condamnations à mort, au dire de la Mishna, étaient extrêmement rares. En effet, un Sanhédrin qui a condamné à mort un homme en sept ans est qualifié de destructeur[8].

Mais il y a un point où les Pharisiens restaient plus sévères que les Sadducéens : ils exécutaient les faux témoins dès que la sentence de condamnation contre celui qui avait été faussement accusé était portée ; les Sadducéens, par contre, exigeaient que la mise à mort de ce dernier ait déjà eut lieu (§ 173-176).

186. Rassemblons les points où les Sadducéens apparaissent plus sévères que les Pharisiens dans les prescriptions théoriques de leur halaka. Ils ne sont guère nombreux, se réduisant à deux. De plus, nous ne sommes pas absolument certains que, en fait, les Sadducéens s'en tenaient à ces prescriptions : d'une part, le talion appliqué à la lettre (§ 167 fin) ; d'autre part, la lapidation de celle qui avait commis l'adultère, ancienne halaka que les Sadducéens devaient suivre (§ 185).

Il y avait, peut-être, bien d'autres points où les Sadducéens apparaissaient, pour un juif du Ier siècle de notre ère, plus sévère que les Pharisiens dans l'exercice de la justice. Mais, dans l'état de notre documentation, ils nous sont inconnus.

IX. Influence croissante des Pharisiens dans le Sanhédrin sous Salomé Alexandra (76-67).

187. Josèphe raconte la rupture de Jean Hyrkan (134-104) avec les Pharisiens[1]. Mais cet événement n'est pas historiquement certain ; il se peut qu'il faille préférer la tradition rabbinique, qui raconte la chose d'Alexandre Jannée (103-76) (§ 39 fin).

6. *Sanh.* VIII 1-4.
7. *Sanh.* V 1-2.
8. *Makkot* I 10.
1. *Ant.* XIII 289-296.

L'hostilité de Jannée envers les Pharisiens est certaine. Bombardé par le peuple avec des cédrats, lors d'une fête de soukkôt, il fit périr plus de 6.000 juifs pour se venger[2]. Il dut y avoir beaucoup de Pharisiens parmi les victimes.

Il y eut ensuite une longue période de guerre civile. Entre autres faits de violence, Jannée fit crucifier 800 juifs[3], vraisemblablement des Pharisiens. Mais, sur son lit de mort, il conseilla à sa femme, Alexandra, de donner quelque pouvoir aux Pharisiens[4].

Cette recommandation ne tomba pas dans l'oreille d'une sourde. Les neuf ans de règne de la veuve (76-67) furent, pour les Pharisiens, une période de grande puissance. « Suivant les recommandations de son mari, elle parla aux Pharisiens et leur laissa toute liberté pour disposer du cadavre et de la royauté ; elle apaisa ainsi leur colère contre Alexandre [Jannée] et se concilia leur bienveillance et leur amitié »[5].

Les Pharisiens en profitèrent pour rétablir les ordonnances qui avaient été abolies auparavant, sous Jannée ou sous Hyrkan[6]. Tout cela permet de comprendre pourquoi la tradition rabbinique se plaît à présenter le règne de Salomé Alexandra comme un âge d'or[7].

Mais les Pharisiens, dans leur enthousiasme pour ce renversement de la situation, ne surent éviter les excès. Ils usèrent de représailles contre les Sadducéens ; les grands se plaignirent auprès de la reine des violences qu'ils subissaient de la part des Pharisiens[8].

---

2. *Ant.* XIII 372-373.

3. *Ant.* XIII 380 = *Guerre* I 97. C'est sans doute de cela que parle 4 Q *p Nah* I 7 (*DJD* V, 1968, p. 38).

4. *Ant.* XIII 403.

5. *Ant.* XIII. 405. Toute puissance des Pharisiens : XIII 409. Noter la répétition « les Pharisiens » (4 fois) dans ce passage de 408-410.

6. *Ant.* XIII 408. L'abolition par Jean Hyrkan à laquelle il est fait allusion dans ce passage est mentionnée en XIII 296. Nous disons « sous Jannée ou sous Hyrkan », car si l'on pense que la rupture entre les Asmonéens et les Pharisiens a eu lieu sous Jannée, et non pas sous Hyrkan (§ 39 fin), l'abolition des ordonnances pharisiennes doit être attribuée à Jannée.

7. DERENBOURG, *Essai*, p. 111. Retenir en particulier b. *Taan.* 23ᵃ : la prospérité extraordinaire du pays au temps de Shiméon ben Shatah. Selon la tradition rabbinique (voir par exemple b. *Ber.* 48ᵃ), Salomé Alexandra était la sœur de Shiméon ben Shatah. Cette donnée est « difficilement croyable » (JEREMIAS, *Jérusalem*, p. 219, n. 62).

8. *Ant.* XIII 411-413. Les « grands (δυνατοί) dont il est question en XIII 411 sont les partisans d'Aristobule II (mentionné dans le même paragraphe). Notons que le terme « Sadducéens » ne figure pas. Sur l'impossibilité de mettre, à notre avis, l'égalité entre les Sadducéens et les partisans d'Aristobule II, voir plus haut § 31-32.

188. C'est dans le Sanhédrin [1], en particulier, que les Pharisiens durent accroître leur influence. Mais, sur ce point, nous devons nous contenter d'une inférence générale, car les données de détail positives manquent.

Seul, le commentaire hébreu de *Megillat taanit* 26 raconte la victoire des Pharisiens dans le Sanhédrin. Mais il faut examiner de près la valeur de cette donnée.

Le texte araméen de *Megillat taanit* 26 est ainsi formulé [2] :

« Le 28 tébèt, l'assemblée siégea pour le jugement — *ytybt knsht' 'l dyn'*. »

Puisqu'il est question de « jugement », il semble bien qu'il s'agisse d'une assemblée judiciaire [3]. Par conséquent, le terme *knsht'*, qui peut désigner n'importe qu'elle assemblée, est ici employé, semble-t-il, comme appellation du Sanhédrin [4].

Le texte araméen parle donc d'une séance du Sanhédrin fonctionnant comme tribunal. Mais, à l'aide des seuls termes de cette notice araméenne, il n'est pas possible de préciser davantage de quoi il s'agit.

Voici le commentaire hébreu sur cette notice [5] :

« Car les Sadducéens siégeaient dans le Sanhédrin, [Alexandre] Jannée le roi [6], et Salomé [Alexandra] la reine siégeaient à côté l'un de l'autre, et personne d'Israël [= personne d'entre les Pharisiens] ne siégeaient avec eux, sauf Shiméon ben Shatah. Et ils cherchaient des explications et des halakôt, et ils ne savaient pas apporter de preuve de la Tora.

» Shiméon ben Shatah leur dit : Quiconque sait apporter une preuve de la Tora est apte à siéger dans le Sanhédrin.

» Une autre fois, arriva une affaire qui se passa entre eux, et ils ne savaient pas apporter de preuve de l'Écriture, sauf un seul qui balbutia devant lui [= Shiméon ben Shatah] et dit : Donne-moi le temps et, demain, je siègerai.

» Il lui donna le temps ; il alla, s'assit pour réfléchir en lui-même, et il ne pouvait apporter de preuve de la Tora. Le lendemain, il revient siéger au Sanhédrin, et Shiméon ben Shatah fit venir un de ses disciples, et le fit siéger à sa place [à la place du Sadducéen ignare].

» Il [= Shiméon] leur dit : On ne diminue pas [le nombre] de

---

1. Pour la bibliographie sur le Sanhédrin et un exposé d'ensemble, voir l'article d'E. Lohse, dans *TWNT* VII, pp. 858-869.
2. Texte dans Lichtenstein, dans *HUCA* 8-9 (1931-1932), p. 321, ligne 1.
3. Zeitlin (connu par Lichtenstein, p. 297), voyait dans cette « assemblée » le gouvernement révolutionnaire instauré par les Zélotes en 66 (*Guerre* II 562-568). Cela ne paraît guère possible.
4. Dalman, *Aramäische Dialektproben*, 1927, p. 44.
5. Texte dans Lichtenstein, *op. cit.*, pp. 342-343.
6. Le manuscrit *aleph* (recension italienne), qui ne connaît que les Boéthusiens, donne pour ce début : « Car, aux jours de Jannée, le roi... » (voir l'apparat critique de Lichtenstein, p. 342).

71 dans le Sanhédrin. Et ainsi, il agit envers eux, jusqu'à ce qu'ils furent tous évincés. Et le Sanhédrin d'Israël siégea le jour où fut évincé le Sanhédrin des Sadducéens. Et le Sanhédrin d'Israël siégea ; ils en firent un jour de fête. »

Donc, du temps d'Alexandre Jannée (103-76), au dire de ce commentaire, les Pharisiens remportèrent une grande victoire. Le Sanhédrin était jusqu'alors composé uniquement de Sadducéens, ignorants, à l'exception du pharisien Shiméon ben Shatah. Shiméon réussit à évincer tous les Sadducéens et à les remplacer par des Pharisiens.

189. Ce récit n'a aucune source dans la littérature rabbinique [1]. Par ailleurs, on est tout de suite frappé par certains éléments de cette narration : éviction de *tous* les Sadducéens ; désignation des Pharisiens par le terme « Israël » ; ignorance totale des Sadducéens.

Ces éléments conduisent à penser que nous avons là une tradition très tardive, s'étant formée, ou tout au moins cristallisée, à une époque où les rabbins considéraient qu'il allait de soi de dire que « Pharisiens » et « Israël » étaient synonymes, c'est-à-dire postérieurement au IIe siècle de notre ère [2].

Mais peut-on au moins retenir, comme historique, le fait de base : une victoire pharisienne dans le Sanhédrin [3] sous Salomé Alexandra [4] (76-67), ou Alexandre Jannée [5] (103-76), voire peu avant la révolte de 66 [6] ?

A notre avis, le mot à mot de la notice araméenne ne permet pas cette explication. « L'assemblée siégea pour le jugement ». Il s'agit, comme nous l'avons vu (§ 188), du Sanhédrin selon toute probabilité. Mais le verbe employé, et le fait qu'il n'y ait aucune précision interdisent de penser à une victoire des Pharisiens sur les Sadducéens à l'intérieur du Sanhédrin.

Cette notice araméenne parle donc de la restauration de la Loi par Simon [7] (1 M 14, 14), ou de la reprise de l'activité du Sanhédrin après la victoire des Asmonéens [8]. Cette dernière solution paraît plus probable.

---

1. C'est le cas, dans ce commentaire hébreu, de 16 notices sur 36 (LICHTENSTEIN, p. 259).
2. Cela va de pair avec le fait de considérer, à cette époque, les Sadducéens comme des gens qui ne font plus partie du peuple juif (§ 83).
3. C'est l'opinion de beaucoup d'historiens (voir notes suivantes) ; LICHTENSTEIN, *op. cit.*, p. 297 s'y rallie.
4. DERENBOURG, Ed. MEYER (cités par LICHTENSTEIN, p. 298).
5. GRAETZ, APTOWITZER (cités par LICHTENSTEIN, p. 297).
6. Selon LICHTENSTEIN, *op. cit.*, p. 298, c'est l'opinion de beaucoup de chercheurs, dont il ne précise pas les noms.
7. Hypothèse de P. CASSEL (cité par LICHTENSTEIN, p. 297).
8. Solution de M. SCHWAB (cité par LICHTENSTEIN, p. 297).

190. Les petits sanhédrins, sanhédrins locaux, selon la Mishna, se composaient de 23 membres [1]. De ce chiffre, la Mishna donne une explication biblique tirée par les cheveux [2]. Par ailleurs, les auteurs modernes n'ont jamais réussi à donner une explication satisfaisante de ce chiffre de 23 membres [3].

On a donc été conduit à supposer [4] que les Sadducéens n'auraient jamais accepté une exégèse aussi artificielle ; par conséquent, il serait douteux que les tribunaux de 23 membres aient existé du temps où les Sadducéens avaient un rôle dans le Sanhédrin, c'est-à-dire avant 70 de notre ère [5].

Ce raisonnement semble pécher par une inférence trop rapide. Qui dit rôle ne dit pas nécessairement possibilité d'imposer son point de vue.

*
**

Les Sadducéens avaient peut-être un code de lois écrit. Mais une chose nous a semblé certaine : le « Livre des décrets » dont parle la Megillat taanit n'est pas un code de lois sadducéen ; c'est un recueil d'ordonnances païennes.

Il se peut que les Sadducéens aient conservé l'application littérale de la loi du talion, abandonnée par les Pharisiens. Pour la mise à mort des faux témoins, la halaka sadducéenne était différente de celle des Pharisiens. Pour les Sadducéens, il fallait attendre l'exécution de celui qui avait été faussement accusé pour pouvoir mettre à mort les faux témoins. Pour les Pharisiens par contre, cette mise à mort du faux témoin pouvait avoir lieu dès qu'était portée la sentence de condamnation de celui qui avait été faussement accusé. Nous savons avec certitude que, du temps de Shiméon ben Shatah

1. *Sanh.* I 6.
2. *Sanh.* I 6.
3. Voici, par exemple, l'explication de DERENBOURG, *Essai*, pp. 90-91. Le tribunal local comprenait 7 membres [à vrai dire, ce chiffre de 7 n'est pratiquement pas attesté dans la littérature rabbinique ; on trouve seulement une allusion aux 7 « dirigeants » *(ṭôbîm)* d'une ville, en b. *Meg.* 26ª ; voir cependant *Guerre* II 571 : tribunaux de 7 membres]. Or 23 = $(7 \times 3) + 2$ [Derembourg multiplie par trois, dans l'idée qu'un petit sanhédrin était la réunion de trois tribunaux locaux (preuve ?), et ajoute le président et le vice-président]. Il continue : $71 = (23 \times 3) + 2$; il explique ainsi la chose : « Si la tradition de l'existence de trois tribunaux locaux siégeant au Temple était fondée [*Sanh.* XI 2], on devrait alors supposer que le grand Sanhédrin [comprenant 71 membres], n'était que la réunion de ces cours inférieures, qui s'assemblaient dans les grandes circonstances pour former une cour suprême de justice et de législation. »
4. J. BLINZLER, dans *ZNW* 52 (1961), p. 62.
5. Notons que ce chiffre de 23 pour les petits sanhédrins n'est pas absolument assuré, malgré les textes rabbiniques en ce sens. S. FUNK, dans *MGWJ* 55 (1911), p. 39, avait émis l'hypothèse qu'ils se composaient de 45 membres (23 étant le chiffre de la majorité). Mais il a été critiqué par A. J. KLEIN, dans *MGWJ* 57 (1913), pp. 24-31.

(vers 90 avant J.-C.), cette divergence entre les deux halakas avait une importance considérable. Il est probable que les circonstances historiques de cette époque ont eu une influence décisive sur la fixation définitive de la halaka sadducéenne. Sous Alexandre Jannée (103-76), les Sadducéens lancèrent de fausses accusations contre beaucoup de Pharisiens. Parmi ces derniers, certains prirent la fuite à l'étranger pour échapper à la mort. Sous Alexandra (76-67), les Pharisiens revinrent au pouvoir. Des Sadducéens qui, sous le règne précédent, avaient accusé faussement des Pharisiens dirent alors, en vertu de leur halaka : nous n'avons pas à être mis à mort, car ceux que nous avions faussement accusés ne sont pas morts.

En ce qui concerne la responsabilité du maître pour son serviteur, il y avait également divergence entre Pharisiens et Sadducéens. Ces derniers affirmaient la responsabilité du maître. Cette halaka, quoique non biblique, paraît très ancienne.

Au Ier siècle de notre ère, la fille de prêtre qui s'était livrée à la prostitution n'était plus brûlée vive, de l'extérieur : on la brûlait de l'intérieur. Cependant, vers le milieu de ce siècle, sans doute du temps du roi Agrippa Ier (41-44), une fille de prêtre coupable de ce délit fût brûlée de l'extérieur ; il est probable que le tribunal qui la jugea était sadducéen.

Dans les condamnations, la tendance pharisienne à la modération et la sévérité des Sadducéens paraissent avoir été toutes les deux réelles. Mais, dans ce domaine, les cas précis que l'on peut apporter pour concrétiser cette affirmation générale sont rares : les Sadducéens s'en tenaient peut-être à la pratique littérale du talion et à la lapidation de la femme adultère.

Nous manquons de données pour suivre l'évolution de l'influence respective des Pharisiens et des Sadducéens dans le Sanhédrin au cours des deux derniers siècles de vie juive avant la ruine de 70. Un point seulement est historiquement assuré : sous le règne d'Alexandra (76-67), les Pharisiens accrurent leur influence au sein de cette assemblée suprême.

CHAPITRE XI

LE CLERGÉ

I. LE GRAND PRÊTRE.

A. *Au Jour de kippour, il impose l'encens à l'extérieur du Saint des saints.*

191. Le chapitre 16 du Lévitique prescrit les cérémonies que le grand prêtre doit accomplir le Jour de kippour. Parmi les rites indiqués, figure l'entrée du grand prêtre dans le Saint des saints, entrée en rapport avec l'imposition de l'encens :

> « Puis, il prendra plein une cassolette de charbons en feu d'au-dessus de l'autel [des holocaustes], d'au-devant de Yahvé, et plein de ses poings d'encens aromatique en poudre, et il introduira [cela] à l'intérieur du Rideau. Il mettra l'encens sur le feu devant Yahvé et le nuage d'encens couvrira le Propitiatoire qui est sur le Témoignage, de façon qu'il ne meure pas »[1] (Lv 16, 12-13).

Le grand prêtre doit donc imposer l'encens « devant Yahvé »[2]. Cette expression est extrêmement fréquente dans le Pentateuque. Dans le Document sacerdotal, elle désigne l'emplacement devant l'autel des holocaustes (voir par exemple Lv 1, 5 ; 4, 4. 7). A elle seule, elle ne permet pas, par conséquent, de savoir si le grand prêtre doit imposer l'encens avant d'entrer dans le Saint des saints, ou seulement une fois qu'il y est entré.

Dans le récit des deux sacrifices illicites, celui de Nadab et Abihou (Lv 10, 1), et celui de Coré, Dâtan et Abiram (Nb 16, 17-18), l'encens a été mis sur les charbons *avant* d'être présenté « devant

---

1. Traduction d'Éd. DHORME dans la « Bible de la Pléiade », I, 1957, légèrement modifiée.
2. On trouvera un commentaire de base, écrit du point de vue pharisien, dans D. HOFFMANN, *Das Buch Leviticus*, Berlin, I, 1905, pp. 446-447 pour Lv 16, 12-13.

Yahvé ». A partir de ces deux données, on a fait le raisonnement suivant[3]. Il est probable que le même ordre devait être observé pour tous les sacrifices d'encens, licites ou illicites. Donc, en Lv 16, 13, le texte de la Tora prescrit au grand prêtre d'imposer l'encens avant d'entrer dans le Saint des saints.

Ce raisonnement ne semble pas exact. En effet, le Jour de kippour, il y a un élément absolument *sui generis,* l'entrée du grand prêtre dans le Saint des saints[4] ; on ne peut donc raisonner à partir des autres sacrifices d'encens. Et c'est précisément cette entrée dans le Saint des saints dont le détail précis n'est pas indiqué dans le texte de la Bible : à quel moment le grand prêtre doit-il imposer l'encens ?

Leszynsky insiste sur le fait que le grand prêtre ne peut entrer dans le Saint des saints en portant à la fois la cassolette et de l'encens dans ses deux poings ; il est donc nécessaire, dit-il, qu'il impose l'encens avant d'entrer[5]. Cette déduction n'est peut-être pas absolument rigoureuse. Il paraîtrait plus juste de souligner que le texte du Lévitique ne donne pas une explication continue, mais qu'il s'agit là, semble-t-il, d'une « justification postérieure »[6].

Dans sa description du rituel de kippour, le Siracide (Si 50, 5-21), vers l'an 190, ne dit rien de cette cérémonie de l'encens. Mais il est difficile d'interpréter ce silence en concluant que, à son époque, la question n'était pas encore discutée de savoir à quel moment se faisait l'imposition de l'encens[7].

192. Philon[1] comprend le texte du Lévitique de la façon suivante : le grand prêtre « prend avec lui un brasier plein de charbons et d'encens ». C'est donc avant d'entrer dans le Saint des saints, selon Philon, que le grand prêtre impose l'encens. Les Qaraïtes comprennent de la même façon le texte biblique[2].

La halaka pharisienne est connue par la Mishna[3] et les deux guemaras[4]. Le grand prêtre doit imposer l'encens seulement une fois qu'il est entré dans le Saint des saints. Ce rite était considéré

3. Communication orale de J. MORGENSTERN à FINKELSTEIN, reproduite par ce dernier dans ses *Pharisees,* 1962, p. 840, note 30.
4. FINKELSTEIN, après avoir fait état de la suggestion de Morgenstern, la rejette (*Pharisees,* ibid.). L'argument de Morgenstern, dit-il, ne résiste pas à la clarté de Lv 16, 12, qui ordonne de mettre l'encens sur les charbons une fois que le grand prêtre est entré dans le Saint des saints. — C'est toute la question.
5. LESZYNSKY, *Sadduzäer,* p. 61.
6. LESZYNSKY, même page.
7. M. R. LEHMANN, dans *RQ* 3 (1961-1962), n° 9, p. 119, pense que la question n'était pas encore discutée au temps de *ben Sira.*
1. *De spec. leg.* I 72.
2. REVEL, dans *JQR* n. s. 3 (1912-1913), p. 337
3. *Yoma* V 1.
4. b. *Yoma* 49 [a-b] ; j. *Yoma* V 3, 42[b] fin — 42[c] *début* (III/2, 217).

comme l'un des plus difficiles à accomplir [5]. Le grand prêtre tenait dans sa main droite l'encensoir, dans sa main gauche, la cuillère pleine d'encens. Ainsi chargé, il devait se diriger, dans l'obscurité, jusqu'au fond du Saint des saints, guidé uniquement par la lueur des charbons allumés. Il posait alors l'encensoir à terre, et imposait l'encens sur les charbons. Cette imposition devait se faire avec les mains et non avec la cuillère. Il prenait la cuillère avec l'extrémité de ses doigts, ou entre ses dents, et faisait couler l'encens dans les paumes de ses mains, puis sur les charbons [6]. Ajoutons qu'il devait faire attention à ne pas mettre le feu à ses vêtements ou aux courtines. Cette halaka pharisienne, ordonnant d'imposer l'encens à l'intérieur du Saint des saints, est confirmée par un élément aggadique [7].

La halaka sadducéenne, par contre, prescrivait d'imposer l'encens en dehors du Saint des saints. Nous allons examiner les textes rabbiniques qui nous la font connaître, et étudier les justifications que, selon les rabbins, les Sadducéens apportaient à leur point de vue.

193. Nous possédons six textes relatifs à cette question. Pour la facilité de l'exposé qui va suivre les traductions, nous les numérotons de 1 à 6.

N° 1. Le Talmud de Jérusalem, dans un premier passage [1], explique pourquoi le grand prêtre, avant la fête de kippour, se séparait des anciens du sacerdoce en pleurant :

> « Il se séparait et pleurait d'avoir été soupçonné [d'infidélité aux rites]. Et eux [= les anciens du sacerdoce] se séparaient et pleuraient d'être obligés [de l'adjurer] ainsi.
> « Et pourquoi l'adjuraient-ils ? A cause des Boéthusiens, car ils [= les Boéthusiens] disaient : il [= le grand prêtre] fait fumer l'encens en dehors [du Saint des saints] et il entre [ensuite] à l'intérieur.
> « Une fois, l'un d'eux [les Boéthusiens] fit fumer l'encens en dehors [du Saint des saints] et entra [ensuite] dans le Saint des saints.
> » Et, quand il sortit, il dit à son père : Bien que, pendant toute votre vie, vous ayez expliqué l'Écriture [de la façon que je viens de suivre pour le rite de l'encens], vous n'avez [cependant] pas agi [de cette façon], jusqu'à ce que cet homme [= moi] arrive et agisse [ainsi].
> » Il [son père] lui répliqua : Bien que nous ayons [ainsi] expliqué l'Écriture pendant toute notre vie, cependant nous avons

5. b. *Yoma* 49[b].
6. Toute cette description se trouve en b. *Yoma* 49[b].
7. b. *Ber.* 7[a] : Ishmaël ben Élisha était « entré dans le Saint des saints pour faire fumer l'encens ». Pour l'identification de personnage, voir JEREMIAS, *Jérusalem*, p. 268, n. 322 : il s'agit d'Ishmaël ben Phiabi (15-16 environ) ou d'Ishmaël ben Phiabi II (jusqu'en 61).
1. j. *Yoma* I 5, 39[a] 53 (III/2, 170).

agi selon la volonté des docteurs [pharisiens]. Cela m'étonnerait
si cet homme [= toi] vivait [encore] longtemps sur terre.

» On raconte : au bout de quelques jours, il mourut. — Et
d'autres disaient : quand il sortit [du Saint des saints], son nez
laissait échapper du vers[2], et une espèce de sabot de veau[3]
sortait du milieu de son front. »

N° 2-3. Un second passage du Talmud de Jérusalem[4] (texte
n° 2) est identique au Sifra[5] (texte n° 3) :

« 'Qu'il introduira à l'intérieur du Rideau, et il mettra
l'encens sur le feu devant Yahvé' (Lv 16, 12-13). Donc, il ne doit
pas imposer l'encens en dehors [du Saint des saints] et entrer
[ensuite] dans le Saint des saints. Car, voici ce que les Sadducéens disent : il fait fumer l'encens en dehors [du Saint des
saints] et il entre [ensuite dans le Saint des saints].

» [En effet, disent-ils], si en présence d'un homme de chair
et de sang on agit ainsi [on ne paraît pas en sa présence sans
être complètement prêt], à plus forte raison devant le Lieu
[= Dieu]. En [en outre] il est dit : 'Car dans une nuée j'apparaîtrai sur le Propitiatoire' (Lv 16, 2) ; [donc le grand prêtre ne
doit pas entrer dans le Saint des saints sans être protégé par le
nuage d'encens].

» Les docteurs [pharisiens] leur dirent : Est-ce qu'il n'a pas
déjà été dit : 'et il mettra l'encens sur le feu devant Yahvé'
(Lv 16, 13) [donc à l'intérieur du Saint des saints] ? Il ne doit
donc faire cela qu'une fois [entré] dans le Saint des saints.

» [Les Sadducéens firent une contre objection] : S'il en est
ainsi, pourquoi est-il dit : 'car dans une nuée j'apparaîtrai sur
le Propitiatoire' (Lv 16, 2) ?

» [Les Pharisiens répondirent :] Cela enseigne qu'il doit y
ajouter du maʿalèh ʿashan [nom d'une plante qui, lorsqu'on la
brûle, donne une fumée qui monte].

» [Les Sadducéens demandent :] Et d'où vient qu'il doit y
ajouter du maʿalèh ʿashan ?

» [Les Pharisiens répondent :] L'Écriture enseigne : 'et le
nuage d'encens convrira le Propitiatoire qui est sur le Témoignage, de façon qu'il ne meure pas' (Lv 16, 13). Vois, s'il n'y ajoute
pas du maʿalèh ʿashan, ou s'il manque quelqu'une de toutes les
aromates, il est coupable de mort. »

N° 4. La Tosefta[6] :

« Pourquoi se séparait-il [le grand prêtre, des anciens du
sacerdoce] en pleurant ? Parce qu'ils devaient l'adjurer. Et pourquoi se séparaient-ils [les anciens] en pleurant ? Parce qu'ils
devaient l'adjurer.

---

2. Autres exemples de ce thème de la punition du coupable par les vers :
Antiochus Épiphane (2 M 9, 9), Agrippa Iᵉʳ (Ac 12, 23).
3. Il fut frappé, dit-on, par un ange au pied de veau (cf. Éz 1, 7).
4. j. *Yoma* I 5, 39ᵃ 74 (III/2, 171).
5. *Sifra* Lv 16, 13 (68ᵃ 36).
6. Tos. *Yoma* I 8 (181, 1).
7. Voir *Yoma* I 5.

» Et pourquoi devaient-ils l'adjurer ? Parce qu'il arrive une fois qu'un [grand prêtre] Boéthusien fit fumer l'encens alors qu'il était [encore] en dehors [du Saint des saints]. Alors, un nuage d'encens sortit et fit trembler toute la Maison [le Temple].

» Les Boéthusiens disaient en effet : il fait fumer l'encens alors qu'il est [encore] en dehors [8] [du Saint des saints], car il est dit : 'et il recouvrira d'un nuage d'encens le Propitiatoire qui est sur le Témoignage et il ne mourra pas' (Lv 16, 13).

» Les docteurs [pharisiens] leur dirent : Est-ce qu'il n'a pas déjà été dit : 'et il mettra l'encens sur le feu devant Yahvé' (Lv 16, 13) ? Quiconque fait fumer l'encens ne doit donc le faire fumer qu' [une fois entré] à l'intérieur.

» [Les Boéthusiens dirent :] S'il en est ainsi, pourquoi est-il dit : 'car dans une nuée j'apparaîtrai sur le Propitiatoire' [9] (Lv 16, 2) ?

» [Les Pharisiens répondirent :] Cela enseigne qu'il doit y ajouter du *ma^calèh ^cashan*. S'il n'y ajoute pas du *ma^calèh ^cashan*, il est coupable de mort.

» Quand il [le grand prêtre Boéthusien] ressortit, il dit à son père : toute votre vie, vous avez [ainsi] expliqué l'Écriture, [cependant] nous n'avons pas agi [de cette sorte] ; nous écoutons [= obéissons] les paroles [= règles] des docteurs [pharisiens]. Cela m'étonnerait si tu vivais [encore] longtemps [10]. — Avant trois jours, on le mit en terre. »

N° 5. Talmud de Babylone, *Yoma* 53 [a] :

« Les rabbins enseignaient : 'Il mettra l'encens sur le feu devant Yahvé' (Lv 16, 13), donc il ne doit pas imposer [l'encens] en dehors et [ensuite] entrer [dans le Saint des saints. Cela est destiné] à faire sortir de l'esprit des Sadducéens [= les réfuter] qui disent : il fait fumer l'encens en dehors [du Saint des saints] et il entre [ensuite dans le Saint des saints].

» D'où tiraient-ils cela ? [De ce passage de l'Écriture :] 'car dans une nuée j'apparaîtrai sur le Propitiatoire' (Lv 16, 2). Cela enseigne, [disent les Sadducéens,] qu'il doit imposer l'encens au dehors et [ensuite seulement] entrer [dans le Saint des saints].

» Les docteurs [pharisiens] leur dirent : Est-ce qu'il n'a pas déjà été dit : 'et il mettra l'encens sur le feu devant Yahvé' (Lv 16, 13) ?

» [Les Sadducéens dirent :] S'il en est ainsi, pourquoi l'Écriture dit-elle : 'car dans une nuée j'apparaîtrai sur le Propitiatoire' (Lv 16, 2).

» [Les Pharisiens répondirent :] Cela enseigne qu'il doit y ajouter du *ma^calèh ^cashan*.

» [Sadducéens :] Et d'où vient-il qu'il doit ajouter du *ma^calèh ^cashan* ?

8. A la suite de BILLERBECK, IV, p. 345, je choisis la leçon du ms. de Vienne et de l'édition princeps : ^cd shw bḥwṣ. Le ms. d'Erfurt donne ^cl shbḥwṣ, « parce qu'il est dehors ».

9. Telle est la citation scripturaire dans le texte du ms. d'Erfurt. Mais, dans le ms. de Vienne, on a la citation de Lv 16, 13. « Et la nuée [d'encens] couvrira le propitiatoire. »

10. Lire, avec le ms. de Vienne et l'édition princeps : t'ryk ymym, mot à mot « si tu prolongeais des jours ». Le ms. d'Erfurt a seulement t'ryk.

» [Les Pharisiens :] Car il est dit : ' et le nuage d'encens couvrira le Propitiatoire qui est sur le Témoignage, de façon qu'il ne meure pas ' (Lv 16, 13). Vois, s'il n'ajoute pas du ma^calèh ^cashan, ou s'il manque quelqu'une de toutes les aromates, il est coupable de mort. »

N° 6. Talmud de Babylone, *Yoma* 19 ᵇ :

« Il [le grand prêtre] partait en pleurant, parce qu'ils [les anciens du sacerdoce] le soupçonnaient d'être Sadducéen ; et eux partaient en pleurant, car Rabbi Yoshua ben Lévi (vers 250) a dit : Quiconque soupçonne des innocents sera frappé dans son corps[11].

» Et pourquoi tout cela ? Afin qu'il ne fasse pas fumer l'encens en dehors [du Saint des saints] et entre [ensuite seulement à l'intérieur], comme les Sadducéens ont coutume de faire.

» Les rabbins enseignaient : une fois, un [grand prêtre] Sadducéen prépara [l'encens] dehors, et l'introduisit à l'intérieur [du Saint des saints]. Quand il sortit, il était très content. Son père le rencontra et lui dit : Mon fils, bien que nous soyions Sadducéens, nous craignons cependant les Pharisiens [et nous suivons leur halaka].

» Il [le fils] répliqua : Tous les jours de ma vie, je m'affligeais de ce passage de l'Écriture : ' car dans une nuée j'apparaîtrai sur le Propitiatoire ' (Lv 16, 2). Je disais en effet : quand aurais-je l'occasion d'accomplir cela ? [Et] maintenant que j'[en] ai l'occasion, je devrais y renoncer !

» On raconte : peu de jours s'étaient écoulés qu'il [le fils] mourut. Il fut étendu sur un tas de fumier, et des vers sortaient de son nez. »

« Et il y en avait qui disaient : c'est au moment où il sortit [du Saint des saints] qu'il fut frappé.

» Rabbi Hiyya (l'Ancien, vers 200) enseignait en effet : on avait entendu une sorte de bruit dans le parvis du Temple, car un ange vint et le frappa au visage[12]. Quand ses frères les prêtres entrèrent, ils trouvèrent [les marques de] la plante d'une patte de veau entre ses épaules, car il est dit [des anges] : ' et quant à leurs jambes, la jambe était droite et la plante de leurs pieds était comme la patte d'un veau ' (Éz 1, 7). »

194. Le Talmud de Jérusalem, pour cette affaire de l'encens, comprend deux parties. Elles sont séparées par une discussion pour savoir s'il y eut un ou deux grands prêtres à accomplir, contrairement à la halaka pharisienne, les trois rites de la vache rousse, de la libation d'eau à soukkôt et de l'encens[1].

Dans la première partie (texte n° 1), nous avons d'une part le principe de la halaka des Boéthusiens, d'autre part l'histoire

11. Ce début est un commentaire de *Yoma* I 5 fin.
12. Voir, dans Ac 12, 23, l'ange qui frappe Agrippa Ier mortellement.
1. Cette discussion se trouve en j. *Yoma* I 5, 39ᵃ 61 (III/2, 171) = j. *Sukka* IV 8, 54ᵈ 36 (pas traduit en IV/1, 39, qui renvoie à III/2, 171).

(aggada) du jeune grand prêtre boéthusien qui agit en conformité avec cette halaka.

Dans la seconde partie (texte n° 2), identique au Sifra (texte n° 3), il y a d'abord le principe de la halaka des Sadducéens, ensuite une discussion exégétique entre Sadducéens et Pharisiens.

Tout porte à croire que, dans le Talmud de Jérusalem, ces deux parties ont une origine distincte.

Dans la Tosefta (texte n° 4), nous avons d'abord le début de l'histoire (aggada) du grand prêtre boéthusien qui agit selon sa halaka. Le récit est interrompu par la présentation de cette halaka, puis la discussion exégétique entre Boéthusiens et Pharisiens. Ici, cette discussion est incomplète ; en effet, un mot ne cadre plus avec le contexte. La suite de l'histoire du grand prêtre se continue après cette discussion.

Dans le Talmud de Babylone, il y a deux textes. L'un (texte n° 5) présente le principe de la halaka sadducéenne, puis la discussion exégétique. Dans l'autre (texte n° 6), après la présentation de la halaka sadducéenne, nous avons l'histoire (aggada) du jeune grand prêtre sadducéen qui agit en conformité avec cette halaka.

Pour schématiser les données, nous pouvons distinguer :

I. Le principe de la halaka boéthusienne-sadducéenne.

II. La discussion exégétique entre Pharisiens et Boéthusiens-Sadducéens.

III. L'histoire (aggada) du grand prêtre Boéthusien-Sadducéen qui agit selon cette halaka.

Dans les textes 1 et 6, on a I + III ;
dans les textes 2 = 3 et 5, on a I + II ;
dans le texte 4, on a III, I + II, puis III (fin).
Nous voyons donc apparaître deux données de la tradition : I + II d'une part ; I + III d'autre part.

195. Dans le cadre de l'ensemble de notre recherche, il est important de savoir, pour le point I, si la tradition primitive parlait de Boéthusiens ou de Sadducéens.

Les Boéthusiens figurent, pour ce point I, dans les textes 1 et 4 ; les Sadducéens, dans les textes 2 = 3, 5 et 6. Les textes 1 et 4, qui parlent des Boéthusiens, sont à la fois halachiques et aggadiques. Le texte 4 (Tosefta) connaît seulement, pour cette question de l'encens, les Boéthusiens. Le Talmud de Jérusalem, par contre, connaît à la fois les Boéthusiens (texte n° 1) et les Sadducéens (texte n° 2) Pour le rédacteur final de ce Yerushalmi, par conséquent, Boéthusiens et Sadducéens sont en quelque sorte identiques. Mais, comme ces deux parties (textes n°ˢ 1 et 2) du Yerushalmi ont, selon toute probabilité, une origine différente (voir § 194), cela laisse entière la question de savoir qui, des Sadducéens ou des Boéthusiens, étaient en cause pour le point I (principe de la halaka).

Au terme de ce petit examen, nous voyons donc que, pour le principe de la halaka, les Sadducéens figurent dans le Sifra (texte n° 3) et dans le Babli (textes n°ˢ 5 et 6) ; les Boéthusiens, dans la Tosefta (texte n° 4) et la source de la première partie du Yerushalmi (texte n° 1).

Comme l'on s'en rend compte, il est difficile de trancher la question. Sur la seule base de l'étude de ces textes relatifs au rite de l'encens le Jour de kippour, il semble impossible d'entrevoir de qui, Sadducéens ou Boéthusiens, parlait primitivement la tradition rabbinique.

196. Dans les six textes, la halaka contraire à celle des Pharisiens est énoncée d'une manière identique :

> « Il [le grand prêtre] fait fumer l'encens en dehors [du Saint des saints] et [ensuite seulement] il entre [à l'intérieur du Saint des saints]. »

De cette halaka, les Sadducéens donnent tout d'abord une justification rationnelle, qui est un argument *a fortiori*[1] (textes 2 = 3) : devant un grand personnage humain, on ne se présente qu'avec l'encens fumant, tout préparé ; à plus forte raison doit-on agir ainsi devant Dieu.

Cet argument des Sadducéens est présenté par la tradition pharisienne. Il est possible que ce renseignement soit historiquement exact.

Mais de là à dire que l'influence des coutumes profanes au sujet de l'encens a joué un rôle dans la fixation du rite par les Sadducéens[2], il y a un énorme fossé ; nous passons en effet du plan de la constatation d'un état donné à celui de la genèse du rite. Et, avant de nous prononcer sur les étapes de la formation du rite, il nous faut, préalablement, examiner l'ensemble du dossier, pour savoir comment s'est fixée, sur ce point, la halaka sadducéenne.

197. La justification scripturaire fournie par les Sadducéens est essentiellement, selon nos textes rabbiniques, le verset de Lv 16, 2 : « car dans une nuée[1] j'apparaîtrai sur le Propitiatoire. » Nous le trouvons dans les textes 2 = 3, 4 et 5 ; il figure également dans le récit du texte 6.

Pour les Sadducéens, cette nuée est le nuage d'encens préparé au-dehors par le grand prêtre ; selon eux, le grand prêtre ne doit

---

1. Raisonnement par *qôl wahômèr*.
2. Opinion de FINKELSTEIN, *Pharisees*, 1962, p. 655.
1. ʿanan.

pas entrer dans le Saint des saints sans être couvert par le nuage d'encens. Pour les Pharisiens, cette nuée où apparaît Yahvé est la nuée divine à l'intérieur du Saint des saints.

Il est question, en Lv 16, 13, de la nuée [2] d'encens qui couvre le Propitiatoire. Par conséquent, le rapprochement fait par les Sadducéens entre 16, 1 et 16, 13 n'est pas arbitraire [3]. Du reste, il est curieux de constater que les Pharisiens, dans leur explication scripturaire de leur halaka, tout au long de ces six textes, ne citent qu'une seule fois cette finale de Lv 16, 13 relative à la nuée d'encens.

Pour les Pharisiens, le verset décisif est Lv 16, 13 a : « il mettra l'encens sur le feu devant Yahvé. »

En outre, un élément non scripturaire joue un rôle important dans la réponse des Pharisiens aux Sadducéens : l'emploi du macalèh cashan (textes 2 = 3, 4 et 5). Nous ne savons pas quand les Pharisiens introduisirent l'emploi de cette plante. Sa fumée monte facilement quand on la brûle. Il est possible que le fait de mélanger cette plante à l'encens avant de le déposer sur les charbons brûlants avait pour but de rendre la fumée d'encens plus légère, et de lui permettre, dans l'atmosphère confinée du Saint des saints, de monter jusqu'au-dessus du Propitiatoire. Les Sadducéens rejetaient l'emploi de cette plante ; en effet, cela ne leur était pas nécessaire (imposition de l'encens au-dehors) et n'était pas prescrit par la Tora.

De l'ensemble de la discussion, telle qu'elle nous apparaît, il ressort que les deux groupes, Pharisiens et Sadducéens, étaient animés du même désir d'être entièrement fidèles à la Tora. Mais chacun avait son interprétation propre. Et nous pouvons déjà entrevoir que ce n'est pas cette divergence dans l'explication d'un ou deux versets de la Bible qui est à l'origine de la divergence dans l'exécution du rite. Des raisons plus profondes ont dû jouer. Ce n'est que postérieurement, une fois la différence établi entre les deux halakas, que la justification scripturaire se trouva différente. Avant d'essayer de voir les raisons profondes qui ont pu intervenir, il faut dire un mot de l'histoire (aggada) racontée dans ces textes et de son historicité.

198. Dans aucun de ces textes, nous ne trouvons le nom du grand prêtre, boéthusien ou sadducéen, qui accomplit le rite de l'encens contrairement à la halaka pharisienne.

Le fait est raconté de façon identique dans les trois textes

---

2. Même terme canan.
3. A propos de la justification scripturaire mise dans la bouche des Sadducéens, HOELSCHER, *Sadduzäismus*, p. 24, dit qu'elle est sotte. Cela montre, continue-t-il, qu'il ne faut pas la prendre au sérieux ; comme toutes les démonstrations scripturaires des Sadducéens rapportées dans le Talmud, c'est une invention des rabbins (*rabbinische Fiktion*).

(n°s 1, 4, 6) : le grand prêtre exécute le rite selon la halaka sadducéenne, ou boéthusienne ; quand il ressort du Saint des saints, il
parle à son père pour lui reprocher de ne jamais avoir suivi cette
halaka. Le père répond qu'il obéit, en effet, à la halaka pharisienne,
puis prédit à son fils une mort rapide, en châtiment de son acte [1].

Ce dernier élément de l'historiette, le châtiment du fils, est un
thème de la polémique antisadducéenne (§ 77) ; il est légendaire.
Par contre, lorsque nous entendons le vieux grand prêtre qui n'est
plus en fonction dire à son fils qu'il s'est soumis durant toute sa
vie à la halaka pharisienne, nous pouvons nous souvenir de ce
que Josèphe raconte : quand les Sadducéens parviennent aux
magistratures, ils se soumettent aux règles pharisiennes « contre
leur gré et par nécessité » [2].

Dans cette phrase, Josèphe décrit la situation telle qu'il l'a
connue, au Ier siècle de notre ère. Selon toute probabilité, l'événement raconté par la tradition rabbinique au sujet de l'encens doit
se situer en ce siècle. Il est difficile de préciser davantage [3].

199.   Il faut maintenant rechercher comment la halaka s'est
ainsi diversifiée en deux pour ce rite de l'encens, le Jour de kippour.

La Bible, à ce sujet, n'est pas claire. Lv 16, 12 n'est pas explicite, et ne précise pas à quel moment exact le grand prêtre doit
imposer l'encens [1].

Puisque nous constatons deux manières différentes de faire
cette imposition de l'encens (en dehors du Saint des saints, à l'intérieur), nous pouvons raisonnablement supposer que l'une des deux
façons de faire s'est introduite postérieurement à l'autre. La question est de savoir laquelle des deux est la plus ancienne.

---

1. Si l'on examine le détail de l'histoire, on constate qu'il y a deux
formes de la tradition : d'une part n° 1 et 4 ; d'autre part, n° 6. Dans ce
n° 6 (Talmud de Babylone), le dialogue entre le fils et le père est assez
différent. C'est le père qui commence à parler (dans le n° 1 et 4, c'est le
fils qui commence). Le père avoue qu'il « craint les Pharisiens » (en 1 et 4,
mention de l'obéissance aux Pharisiens, sans qu'il soit question de la crainte).
Le fils parle d'une façon un peu différente : il dit, entre autres, qu'il s'est
affligé de ne pouvoir appliquer la prescription de la Tora (pas mention de
cette affirmation en 1 et 4). Ces différentes remarques conduisent à penser
que le texte n° 6 (Babli) représente une forme plus récente de la tradition
que les textes n° 1 (Yerushalmi) et n° 4 (Tosefta).
2. *Ant.* XVIII 17 : ἀκουσίως καὶ κατ᾿ ἀνάγκας.
3. Derenbourg, *Essai*, p. 104, n. 2, y voyait le grand prêtre Anan le Jeune
(en fonction en 62 de notre ère).
1. Les auteurs juifs sont portés à dire que ce verset du Lévitique est en
faveur de la halaka pharisienne ; ainsi J. Z. Lauterbach, *Rabbinic Essays*,
1951, p. 52 et n. 2 (texte de 1927) ; Finkelstein, *Pharisees*, 1962, p. 840, n. 30.
Dans le même sens Hoelscher, *Sadduzäismus*, p. 24 : les Sadducéens enfrei-
gnaient manifestement la Tora. Par contre Leszynsky, *Sadduzäer*, p. 61 : le
texte de la Bible est plutôt en faveur des Sadducéens.

Finkelstein[2] soutient fermement que ce sont les Sadducéens qui ont innové, à une période très ancienne du reste[3] : ils ont introduit le changement dans le rite sous l'influence de trois facteurs : imitation des coutumes profanes, plus grande facilité dans l'imposition de l'encens, désir de se protéger contre une apparition divine[4].

Mais la plupart des auteurs, même juifs, pensent, au contraire, que les Pharisiens sur ce point sont les novateurs[5]. Cependant, certaines raisons mises en avant par des historiens paraissent fausses : volonté des Pharisiens de priver le grand prêtre d'une partie de son prestige, en lui interdisant d'imposer l'encens au-dehors, aux yeux de la foule[6] ; désir des Pharisiens de faire pièce aux Sadducéens en matière de loi[7]. En effet, des raisons de ce genre sont du domaine polémique ; or le stade polémique, pour cette question de l'encens, paraît très tardif, et rien ne nous permet de supposer que, au moment où se dessinèrent les premières divergences entre Pharisiens et Sadducéens[8], il y eut tout de suite polémique pour ce rite de l'encens.

C'est Lauterbach qui, dans une étude lumineuse, a trouvé la clé du problème[9]. La divergence dans le rite a sa source dans une divergence théologique. Selon la notion israélite ancienne, le Tabernacle, puis, plus tard, le Temple de Jérusalem était la résidence de Dieu sur terre. Le Saint des saints, tout spécialement, jouait ce rôle, avec les deux chérubins servant en quelque sorte de trône de Dieu[10].

Les Sadducéens, mainteneurs des anciennes traditions, gardaient dans leur théologie cette notion primitive de la divinité. Le nuage d'encens préparé à l'extérieur du Saint des saints préservait le grand prêtre contre la présence de Yahvé à l'intérieur du Saint des saints, et, éventuellement, contre celle de Satan l'accusateur. L'encens était un écran entre le grand prêtre et Dieu, car, si le

2. *Pharisees*, 1962, pp. 655-660.
3. A l'époque pré-maccabéenne, voire pré-exilique (*op. cit.*, p. 660).
4. Sur ce dernier point, voir, un peu plus bas (n. 9) l'étude de Lauterbach.
5. Par exemple LAUTERBACH, *Rabbinic Essays*, p. 54 : les pharisiens sont les « innovateurs d'une réforme radicale » (développement p. 78) ; R. MARCUS, dans *Journal of Religion* 32 (1952), p. 158 a ; E. R. GOODENOUGH, *Jewih Symbols in the Greco-roman Period*, IV, 1954, p. 199, n. 32.
6. Opinion de MARCUS (cité n. précédente), p. 158 a.
7. Idée de GOODENOUGH (cité n. 5), p. 199, n. 32.
8. Vers la fin du deuxième siècle avant notre ère.
9. J. Z. LAUTERBACH, *A Significant Controverse between the Sadducees and the Pharisees*, dans *HUCA* 5 (1927), pp. 173-205, réimprimé dans ses *Rabbinic Essays*, Cincinnati, 1951, pp. 21-83.
10. *Op. cit.*, p. 60. Notons que, après l'exil, dans le second Temple il n'y avait plus de chérubin.

grand prêtre voyait Dieu, il mourrait ; c'était aussi un moyen d'écarter Satan [11].

Les Pharisiens, par contre, avaient une conception plus épurée de Dieu. Ils croyaient à l'omniprésence divine et réagissaient contre la notion primitive et superstitieuse de la présence de Dieu dans le Saint des saints [12]. Ils furent donc amenés à introduire un changement radical dans le rite de l'encens, bien qu'ils n'aient eu aucun texte de la Tora à invoquer en faveur de cette pratique nouvelle [13].

Cette explication paraît tout à fait juste [14], bien que la présentation de la croyance sadducéenne comme une affaire superstitieuse [15] semble quelque peu forcée.

200. Les Sadducéens nous apparaissent donc, sur ce point du rite de l'encens et de la théologie de la présence divine, comme des gens de tradition s'en tenant aux anciennes conceptions et pratiques d'Israël. Cela cadre absolument avec tout ce que nous avons déjà mis en lumière de leurs positions.

Au Ier siècle de notre ère, cette halaka sadducéenne au sujet de l'encens ne devait plus être comprise, du fait du changement profond dans la théologie de la présence divine.

201. Il nous reste à examiner quelques rites secondaires de la fête de kippour. Cela va faire apparaître, de façon plus précise, le contrôle des Pharisiens sur la liturgie du Temple.

Pendant la semaine qui précédait le Jour de kippour, « deux scribes [pharisiens], parmi les disciples de Moïse, à l'exclusion des Sadducéens, lui [le grand prêtre] transmettaient [les prescriptions] durant les sept jours, pour l'exercer dans le service liturgique » [1]. La veille de kippour, le grand prêtre devait jurer de ne s'écarter en rien de ces directives pharisiennes [2]. Le jour de la fête, il devait aller fréquemment du nord au sud de l'esplanade du Temple, en

---

11. *Ibid.*, p. 74.
12. *Ibid.*, p. 77.
13. *Ibid.*, p. 78.
14. FINKELSTEIN, dans sa 1re édition de ses *Pharisees*, en 1938 (voir ce texte de 1938 dans la 3e éd., 1962, pp. 120-121) acceptait totalement cette explication de Lauterbach. Dans sa 3e éd. (p. 655), il continue à la retenir, mais il pense que d'autres facteurs ont joué conjointement à cette donnée théologique (nous avons fait état de ces facteurs au début de notre § 199).
15. LAUTERBACH, *op. cit.*, p. 60, emploie ce terme de superstition. On peut lire une présentation simplifiée et un peu caricaturée de l'explication de Lauterbach dans C. GRUBER-MAGITOT, *Jésus et les Pharisiens*, Paris, 1964, p. 107, n. 1.
1. b. *Yoma* 4^a, dire de Resh Laqish (Rabbi Shiméon ben Laqish), vers 250, et de son contemporain Rabbi Yohanan.
2. *Yoma* I 5 : « Monseigneur le grand prêtre, nous sommes les délégués du tribunal, et toi, tu es notre délégué et le délégué du tribunal. Nous t'adjurons, au nom de Celui qui a fait habiter son Nom dans cette demeure [le Temple] de ne pas changer un mot de tout ce que nous t'avons dit. »

particulier pour prendre un bain de purification. Cela était destiné à le dissuader de faire le service « s'il était sadducéen »[3].

Pendant la semaine avant kippour, il devait, durant les sept nuits, s'installer dans la pièce qui lui était réservée au Temple, du côté sud du parvis des prêtres[4]. Dans la pensée des Pharisiens, cela était destiné à écarter toute possibilité d'impureté lévitique, venant en particulier de sa femme[5]. Mais on peut se demander si nous n'avons pas, dans cette explication des rabbins, une justification biblique tardive. Il est possible que la vraie raison de cet isolement du grand prêtre durant sept jours soit à chercher à l'époque asmonéenne ; les grands prêtres asmonéens étaient des guerriers. L'isolement au Temple pendant sept jours aurait été destiné à les écarter des combats au moment de la fête de kippour[6].

La dernière nuit avant la fête, on le tenait éveillé, pour lui éviter une souillure[7]. Il devait, entre autres, lire dans la Bible. S'il n'était pas en mesure de faire lui-même cette lecture, quelqu'un la lui faisait[8]. Ainsi, on lui lisait Job, Esdras, les Chroniques. Zacharya ben Qebutal (Ier siècle de notre ère) raconte que, souvent, il a lu au grand prêtre des textes de Daniel[9].

On a voulu expliquer le choix des livres bibliques retenus pour la lecture au grand prêtre en cette nuit précédant kippour. Meinhold pense que ces livres, rarement lus par ailleurs, captivaient davantage le grand prêtre et l'empêchaient de s'endormir[10]. D'autres songent à des raisons de polémique antisadducéenne. Ainsi, selon Derenbourg, la lecture de Job, livre où l'on voit à l'œuvre la Providence divine, et de Daniel, qui enseigne la résurrection, était destinée à combattre le rejet de la Providence et de la résurrection par les Sadducéens ; quant à Esdras et aux Chroniques, ajoute Derenbourg, c'était, au contraire, pour faire plaisir au grand prêtre[11]. Leszynsky pense que Daniel et Job étaient choisis car ces deux livres enseignent la résurrection ; par ailleurs, dans Esdras et les Chroniques, le rôle du scribe Esdras, grand homme des Pharisiens, est au premier plan ; ces deux écrits étaient donc chers aux Pharisiens[12]. Selon Aptowitzer, Job était cher aux Sadducéens car on y trouve la négation de la survie de l'âme (Jb 7, 9) ; quant

3. b. *Yoma* 19[a], baraïta anonyme.
4. *Yoma* I 1. Chaque soir, il s'y rendait après l'holocauste de l'après-midi, j. *Yoma* I 2, 39[a] 29 (III/2, 168).
5. Voir Jeremias, *Jérusalem*, p. 217.
6. Opinion d'Aptowitzer, *Parteipolitik*, p. 8.
7. Celle prévue en finale de Lv 22, 4.
8. *Yoma* I 6. On peut rappeler ici Est 6, 1-2.
9. *Ibid.*
10. J. Meinhold, *Joma* (« Mischna » de Berlin), 1913, p. 34 n.
11. Derenbourg, *Essai*, pp. 129-130.
12. Leszynsky, *Sadduzäer*, p. 61.

au livre des Chroniques, il n'était pas apprécié des Sadducéens, car il contient une glorification de la maison de David [13].

La diversité de ces opinions d'historiens modernes montre tout de suite leur fragilité. Une seule chose semble certaine dans ces recherches : dans le livre de Daniel, il y a la croyance à la résurrection ; ce livre était donc peu apprécié des Sadducéens, voire même exclu de leur canon (§ 276).

202. Le Jour de kippour, le grand prêtre devait tirer au sort le bouc émissaire (Lv 16, 8-10). Il désignait par le sort le bouc pour Azazel et le bouc pour Yahvé (16, 8).

Au sujet du tirage au sort, la tradition rabbinique fournit les données suivantes. Le commandant du Temple, se tenant à la droite du grand prêtre, ou le chef des prêtres de la section faisant le service, se tenant à la gauche du grand prêtre, devait l'inviter à lever la main dans laquelle le sort pour Yahvé était tombé, et à montrer le résultat à tout le peuple [1].

Selon Aqiba († après 135), c'était une mesure de précaution contre les *mînîm* [2]. D'après certains historiens, il s'agirait des Sadducéens [3] ; c'est possible [4], mais on ne peut le prouver d'une façon certaine.

Le Jour de kippour, le grand prêtre entrait dans le Saint des saints. Le texte du Lévitique relatif à cette cérémonie n'est pas clair sur un point : il ne précise pas à quel moment le grand prêtre doit faire l'imposition de l'encens, avant de pénétrer dans le Saint des saints, ou seulement une fois qu'il y est entré.

La halaka sadducéenne ordonnait au grand prêtre d'imposer l'encens avant qu'il n'entre dans le Saint des saints ; la halaka pharisienne prescrivait qu'il ne devait le faire qu'une fois entré.

Selon toute probabilité, la halaka la plus ancienne est celle des Sadducéens ; la halaka pharisienne est une nouveauté. Ce changement pour le moment de l'imposition de l'encens est sans doute l'effet d'une modification dans la façon de se représenter la présence divine. En effet, la théologie pharisienne développa une conception de la présence de Yahvé qui était moins primitive que celle des anciens israélites dont les Sadducéens étaient les continuateurs.

---

13. APTOWITZER, *Parteipolitik*, p. xxvi.
1. *Yoma* IV 1.
2. b. *Yoma* 40[b] = Tos. *Yoma* III 2 (185, 10). Sur les *mînîm*, voir § 76 et n. 4-8.
3. C'est, entre autres, l'opinion de JEREMIAS, *Jérusalem*, p. 227, n. 106.
4. Voir l'explication de JEREMIAS, *Jérusalem*, même note.

La littérature rabbinique contient six textes parallèles relatifs à la discussion entre Sadducéens et Pharisiens au sujet de cette cérémonie de l'encens. Dans chacun de ces textes, il y a tout à la fois la présentation des deux halakas, avec réfutation de la halaka sadducéenne, et un récit aggadique.

Dans cette historiette, on voit un jeune grand prêtre sadducéen, ou boéthusien, qui, une année, se décida résolument à ne plus obéir aux Pharisiens et à imposer l'encens selon sa halaka. Son père, grand prêtre n'étant plus en fonction, le reprend à l'issue de la cérémonie pour lui annoncer un châtiment prochain ; la mort du fils arrive en effet dans un bref délai.

Cette histoire du châtiment frappant un Sadducéen pour le punir de sa désobéissance aux Pharisiens est un thème légendaire de la polémique rabbinique. Par contre, l'intervention du jeune grand prêtre agissant, de façon résolue, en conformité avec sa halaka a toute chance d'être historique. Nous retrouverons cet élément quand nous tenterons d'esquisser, au chapitre XVI, l'histoire des Sadducéens au Ier siècle de notre ère. Il témoigne en faveur d'un regain de puissance des Sadducéens à cette époque.

B. Divergence pour la purification du grand prêtre quand il brûle une vache rousse.

203. La Bible raconte (Nb 19) qu'Éléazar, fils d'Aaron, brûla une vache rousse ; à l'aide des cendres, il fit une « eau [pour purifier] de la souillure — *mê niddah* »[1] (Nb 19, 9).

Pour connaître la cérémonie de la vache rousse, dans le judaïsme jusqu'en 70, notre unique source est la littérature rabbinique[2]. La première caractéristique de cette combustion est qu'elle n'eut lieu que très rarement. Selon les rabbins[3], neuf vaches rousses furent brûlées, en tout et pour tout, entre le temps de Moïse et l'an 70. Voici les noms des grands prêtres qui brûlèrent une ou deux vaches. Moïse, 1 ; Esdras, 1 ; Simon le Juste, 2 ; Yohanan, 2 ; Élioenay, fils de ha-Qôph, 1 ; Hanamel l'Égyptien, 1 ;

---

1. Pour les données bibliques au sujet de la vache rousse, de Vaux, *Institutions*, II, 1960, pp. 355-356. « Les origines païennes et magiques de ce rite sont certaines « (p. 355). Cette cérémonie présente « le paradoxe d'un rite d'apparence archaïque qui se serait conservé en marge de la religion officielle, et même en marge de la vie ordinaire du peuple, avant d'être incorporé tardivement dans la législation sacerdotale » (p. 356).
2. Sur le caractère des données rabbiniques à ce sujet, J. Blau, *The Red Heifer : a Biblical Purification Rite in Rabbinic Literature*, dans *Numen* 14 (1967), pp. 70-78.
3. *Para* III 5.

Ishmaël ben Phiabi, 1. Selon Rabbi Meïr[4] (vers 150 de notre ère), il n'y en eut que 5 (et non pas 7) de brûlées après Esdras.

L'identification des derniers personnages cités n'est pas absolument assurée. Simon le Juste est le grand prêtre Simon, en charge vers 200 avant notre ère[5]. Yohanan est sans doute Jean Hyrkan (134-104). Élioenay, fils de ha-Qôph, est peut-être Élionaios, fils de Kanthéras[6] (grand prêtre vers 44 de notre ère). Hanamel l'Égyptien est probablement identique à Ananel (37-36, puis à partir de 34), connu par Josèphe[7]. Quant à Ishmaël ben Phiabi, il s'agit d'Ishmaël II[8] (grand prêtre jusqu'en 61) plutôt que d'Ishmaël Ier [9] (grand prêtre de 15 environ à 16).

Notons que si l'on admet les identifications qui viennent d'être signalées, la liste ne suit pas l'ordre chronologique pour les trois derniers grands prêtres.

Ajoutons que nous n'avons aucune possibilité de contrôler l'exactitude de cette liste, figurant une seule fois dans toute la littérature rabbinique. Du reste, l'opinion de Rabbi Meïr, différente de celle des rabbins (5 vaches, au lieu de 7, après Esdras) fait entrevoir la fragilité de l'affirmation des rabbins. Le fait certain qui ressort de ces données est qu'aucune vache ne fut brûlée entre Moïse et l'exil de Babylone. Cela est confirmé par l'absence de toute indication à ce sujet dans l'Ancien Testament.

204. On brûlait une vache rousse pour avoir les cendres nécessaires à la préparation de l'eau de purification. Selon la Mishna[1], une fois la vache brûlée, on divisait la cendre en trois parties : l'une était mise dans le Temple, l'autre au Mont des oliviers, la troisième était distribuée aux classes sacerdotales. Il y avait donc au Temple une réserve de cendres[2].

Nous avons, dans ce rite de la combustion d'une vache rousse, une cérémonie prévue par la Tora et ayant lieu de temps en temps, sans aucune périodicité fixe. Si je ne me trompe, ce cas est unique dans la vie religieuse du judaïsme.

Une autre caractéristique de ce rite est fort importante : il avait lieu non pas au Temple, mais en dehors, au Mont des oli-

4. *Ibid.*
5. Selon toute probabilité, il n'y a qu'un seul grand prêtre de ce nom, Simon le Juste (voir § 47, n. 1).
6. Voir JEREMIAS, *Jérusalem*, p. 138, n. 95, et p. 310, n. 65.
7. *Ant.* XV 22 et 39.
8. Solution de JEREMIAS, *Jérusalem*, p. 310, n. 65.
9. Solution de D. HOFFMANN, *Die erste Mischna*, Berlin, 1882, p. 21 (nous n'avons pu avoir ce livre entre les mains ; connu par Ch. ALBECK, *Untersuchungen über die Redaktion der Mischna*, Berlin, 1936, p. 93).
1. *Para* III 11.
2. *Para* III 5 : « Si on ne trouve pas [au Temple, faut-il sans doute ajouter] de cendres des 7 [vaches rousses antérieures], on peut se servir de celles de 6 ou de 5, ou de 4, ou de 3, ou de 2, ou de 1. »

viers [3]. Pour conduire la vache rousse du Temple au Mont, il y avait un grand pont enjambant la vallée du Cédron [4]. Selon la tradition rabbinique, un grand prêtre qui était sur le point de brûler une vache rousse faisait démolir le pont construit par son prédécesseur qui avait brûlé une vache rousse [5]. Mais on peut se demander si les substructures ne restaient pas en place de façon permanente ; seul le tablier aurait été reconstruit chaque fois [6].

Ce pont était en bois ; il était supporté par une série d'arches compliquées, destinées à ne pas créer un sol ferme en liaison avec la terre en bas, de peur que le grand prêtre ne se souille en passant sur un sol ferme contenant un tombeau ignoré [7]. Mais de telles explications sont sans doute des réflexions de rabbins relativement tardives.

A Qoumrân, on trouve la mention de « l'eau [pour purifier] de la souillure » [8]. La combustion de la vache rousse se faisait en dehors du Temple de Jérusalem, au Mont des oliviers. En se basant sur cette mention de l'eau de purification à Qoumrân, on a donc avancé l'hypothèse que ces gens brûlaient pour eux la vache rousse à Qoumrân [9]. Cette idée a été acceptée par plusieurs historiens [10]. Mais, dans l'état actuel de notre documentation, la base d'inférence paraît trop étroite.

205. La Mishna [1] explique en détail de quelle façon il fallait procéder pour préparer l'eau de purification avec les cendres de la vache rousse. A l'entrée du Temple, les cendres se trouvaient dans une cruche. On prenait un agneau ; on lui liait les cornes avec une corde. A l'autre extrémité de cette corde, on fixait un bâton ; on

---

3. *Para* III 7.
4. *Para* III 6 ; Tos. *Sheq.* II 6 (176, 1) ; Tos. *Para* III 7 (632, 14) ; j. *Sheq.* IV 3, 48ª 41 (III/2, 285). Quelle est donc la part historique dans cette description du grand pont enjambant la vallée du Cédron ?
5. Tos. *Sheq.* II 6 (176, 1), dire d'Abba Shaoul (vers 150 de notre ère ; j. *Sheq.* IV 3, 48ª 41 (III/2, 285), dire de Rabbi Hanina (vers 225) (seul, Simon le Juste, vers 200 avant notre ère, consentit à faire passer deux vaches rousses sur le même pont) ; *Pesiqta* IV 7 (73, 8) (reprend les deux dires d'Abba Shaoul et de Rabbi Hanina, mais, pour le dernier, met Rabbi Aha bar Hanina [vers 300]) ; *Pesiqta rabbati* XIV, 63ª 25 (même texte que dans la *Pesiqta* citée à l'instant, mais, au lieu de Rabbi Aha ber Hanina, dit : Rabbi Aha au nom de Rabbi Hanina).
6. Hypothèse de K. H. RENGSTORF, dans l'édition critique de la *Tosefta* de Stuttgart, VI/2 (1965), p. 35, n. 83.
7. FINKELSTEIN, *Pharisees*, 1962, p. 667.
8. 1 Q S III 4 et 9 ; voir IV 21.
9. Hypothèse apparue en même temps chez W. H. BROWNLEE, dans *The Scrolls and the N.T.*, volume collectif édité par K. STENDAHL, Londres, 1958, p. 37, et chez J. BOWMAN, *Did the Qumran Sect burn the Red Heifer ?*, dans *RQ* 1 (1958-1959), n° 1, pp. 75-84.
10. A. JAUBERT, *La notion d'alliance*, 1963, p. 150, et, semble-t-il, K. H. RENGSTORF, dans la *Tosefta* de Stuttgart, VI/2, p. 36, n. 91.
1. *Para* III 3.

lançait la corde dans la cruche de cendres, puis on frappait l'agneau. Il reculait et répandait ainsi de la cendre. Un enfant prenait de la cendre par terre et la versait dans de l'eau pour faire de l'eau de purification.

Nous voyons tout de suite que l'ensemble de ces précautions minutieuses était dictée par le souci de pureté rituelle. On évite de prendre directement de la cendre dans la cruche ; c'est un enfant qui prend de la cendre sur le sol, donc quelqu'un dont on est sûr qu'il n'a pas été souillé par un épanchement séminal [2]. Il est douteux que cette façon de faire très compliquée ait été déjà en usage à la période perse [3].

Mais ce qui nous intéresse le plus ici, c'est l'attitude de non-Pharisiens en face d'une pareille complication. La Mishna, qui décrit le détail de cette cérémonie, contient, en finale du texte, la remarque suivante [4] :

> « Rabbi Yosé (ben Halaphta, vers 150 de notre ère) disait :
> Ne donne pas occasion aux *mînîm* de dominer [5] [= d'argumenter
> de façon victorieuse en faveur de leur opinion] ; il faut donc
> plutôt prendre [directement] de la cendre [dans la cruche] et la
> mélanger à l'eau. »

Yosé blâme la multiplication des rites de pureté dans cette affaire. Qui sont ces *mînîm* qui rejetaient ces excès de purification ? Nous ne pouvons affirmer qu'il s'agit, ici, certainement des Sadducéens, et des Sadducéens seuls. Mais il est très probable que les Sadducéens devaient sourire en voyant les Pharisiens exiger de telles précautions pour la préparation de l'eau de purification.

206. La Tora prescrit que le prêtre qui a brûlé la vache rousse doit se purifier (Nb 19, 7).

Le dernier état de la halaka pharisienne à ce sujet est ainsi présenté par la Mishna [1] :

> « Et ils [les gens qui, parmi les assistants, étaient Pharisiens]
> souillaient le [grand] prêtre qui brûlait la vache rousse, à cause
> des Sadducéens, afin qu'ils [les Sadducéens] ne puissent pas dire [2] :

2. FINKELSTEIN, *Pharisees*, 1962, p. 666.
3. H. DANBY, *The Mishna*, 1933, p. 700, n. 4, fait état de l'opinion de certains commentateurs juifs : cette façon de faire très compliquée était, selon eux, nécessaire quand les exilés revinrent de Babylone, où ils s'étaient souillés, et désiraient faire usage de cendres de la vache rousse laissées dans le Temple, cachées en lieu sûr, au moment de l'exil.
4. *Para* III 3.
5. *lrdwt*, du verbe *rdh*. Dominer est la traduction de LEVY, *Wörterbuch*, IV, 427ᵇ, et de BILLERBECK, II, p. 204. G. MAYER, *Para* («Mischna» de Berlin), 1964, à *Para* III 3, précise de la sorte : *rdh* signifie fouler aux pieds (mot à mot entrer dans le pressoir), d'où dominer. — Autre sens selon JASTROW, *Dictionary*, II, 1541 b : « Se rebeller » (argumenter en faveur de leur hérésie).
1. *Para* III 7-8.
2. *mpny hṣdwqym shl' yhyw 'wmrym*. Le fragment *a* de Cambridge (voir

elle [la vache rousse] aurait dû être faite [seulement] par ceux qui ont attendu le coucher du soleil [pour être complètement purs].

» Ils posaient les mains sur lui [pour le souiller] et lui disaient : Monseigneur le grand prêtre, baigne-toi une fois !

» Il descendait [dans le bain de purification] se baigner, remontait et s'essuyait [et brûlait alors la vache rousse]. »

Pour le début de ce texte, on trouve un libellé semblable, sauf quelques petites divergences, dans la Tosefta [3] et dans le Babli [4].

Pour comprendre cette halaka pharisienne, il faut expliquer le détail de la conception pharisienne au sujet des deux degrés de pureté rituelle.

Dans la mishna que nous venons de traduire, nous voyons les Pharisiens rendre impur le grand prêtre de façon artificielle pour le forcer à prendre un bain supplémentaire de purification ; les Sadducéens, par contre, déclarent que cela n'est pas nécessaire.

Regardons d'abord l'ensemble des prescriptions de la Bible relatives à la purification des personnes qui s'occupent de la combustion de la vache rousse [5].

Quatre personnes, au moins, sont en scène dans le chapitre 19 des Nombres. Le prêtre, qui dirige l'ensemble de la cérémonie, fait l'aspersion du sang (Nb 19, 4) et jette dans le feu du bois de cèdre, de l'hysope et du rouge de cochenille (v. 6). Celui qui tue la vache ; de ce personnage, il est qu'il immole [6] la vache « devant lui [= le prêtre] » (v. 3). Celui qui brûle la vache (v. 5). Celui qui répand les cendres (v. 9). Ces deux derniers sont impurs (v. 8 et 10) ; de même aussi, semble-t-il, celui qui tue la vache.

Le prêtre est déclaré impur (v. 7). Or le prêtre ne touche pas la vache ; il ne touche même pas les cendres (v. 18). Voici le mot à mot de ce verset 7 :

« Puis il [= le prêtre] nettoiera ses vêtements, *le prêtre*, et se baignera le corps dans l'eau; après quoi, il rentrera au camp, mais il sera impur, *le prêtre*, jusqu'au soir. »

Dans ce verset, nous avons, deux fois, la mention « le prêtre ». Or, la première fois, « le prêtre » est heurté dans la construction de la phrase ; la seconde fois, « le prêtre » est superflu, car le verset précédent, 6, parle déjà de lui. On peut donc supposer que nous avons là deux choses. Primitivement, dans ce verset 7, on ne voyait

l'édition critique de MAYER, *Para*, p. 136) ne contient pas *shl'* ; il dit donc : « à cause des Sadducéens ; ils disaient ». La leçon *shl'* est confirmée par le passage parallèle Tos. *Para* III 7 (632, 17). Le Babli (b. *Yoma* 2ª) porte : « pour faire sortir du cœur des Sadducéens qui disaient ».

3. Tos. *Para* III 7 (632, 17).
4. b. *Yoma* 2ª.
5. Nous reprenons l'exposé de LESZYNSKY, *Sadduzäer*, pp. 44-45.
6. La Septante a le pluriel : σφάξουσιν.

pas de qui il était question. C'est peut-être une divergence de conception au sujet de la purification du prêtre qui a entraîné l'apparition de ces deux gloses [7].

Une fois que la glose double fut introduite depuis longtemps dans le texte, on ne comprit plus la procédure exacte. Et le prêtre fut obligé de se baigner deux fois. La première fois, parce qu'on l'avait souillé artificiellement ; la seconde fois, parce qu'il devait se purifier après avoir touché la vache rousse [8].

207.   Toute la discussion pharisienne au sujet du prêtre qui brûle la vache rousse est centrée sur les deux degrés de pureté dans la halaka pharisienne [1]. Le premier degré est celui du *ṭebûl yôm* ; le second, celui du *meᶜôrab shèmèsh*.

Le *ṭebûl* [2] *yôm* est « celui qui a pris un bain de purification dans la journée » [3]. Le *meᶜôrab* [4] *shèmèsh* est « celui qui est devenu pur au coucher du soleil ».

Un homme a été souillé d'une impureté rituelle majeure. Il prend, dans la journée, un bain pour se purifier. Après ce bain, il reste impur jusqu'au soir ; mais dès ce moment, il n'est plus atteint que d'une impureté mineure, il est *ṭebûl yôm*. Telle est la halaka pharisienne. Comme nous le verrons bientôt, les Sadducéens rejetaient cette conception. Selon eux, même après avoir pris un bain de purification dans la journée, l'homme en question restait souillé d'une impureté majeure. Il ne devenait pur qu'au coucher du soleil, au moment où il est *meᶜôrab shèmèsh*. Les Sadducéens avaient donc une conception plus sévère de l'impureté rituelle.

A coup sûr, il y a dans la Bible des cas d'impureté où il suffit d'attendre la fin du jour pour être automatiquement pur (par exemple Lv 11, 24). La Tora ne prévoyait le bain, au cours de la journée, que dans certains cas [5]. Les Pharisiens exigèrent ce bain dans tous les cas d'impureté. Ils lui donnèrent ainsi une signification qui « était en contradiction avec le naturel du coucher du soleil et ôta toute vraie raison à sa pratique » [6].

Par ailleurs, la controverse entre Sadducéens et Pharisiens au sujet de la pureté rituelle prit une grande importance du fait qu'elle mettait en question toute la conception de la vie pharisienne. En effet, selon les Pharisiens, les lois de pureté rituelle s'appliquaient

7. Leszynsky, p. 45.
8. *Ibid.*
1. Pour cette question de base, voir l'exposé, écrit du point de vue pharisien, dans Finkelstein, *Pharisees*, 1962, pp. 661-692.
2. Du verbe *ṭabal*, se baigner, pour prendre un bain de purification.
3. L'expression n'est pas biblique.
4. Ce terme vient de ᶜèrèb, soir. L'expression n'est pas biblique (voir cependant Lv 22, 7), mais, comme nous allons le dire, le concept a un fondement biblique.
5. Par exemple Lv 22, 7.
6. G. Lisowsky, *Tosefta* de Stuttgart, VI/2 (1965), p. 31, n. 53.

dans l'ensemble de la vie quotidienne en dehors du Temple. Pour
les Sadducéens, au contraire, ces prescriptions de pureté rituelle ne
s'appliquaient qu'à l'intérieur du Temple [7]. Nous n'avons pas de
texte qui nous affirme la chose. Mais toute la discussion, entre Pharisiens et Sadducéens, au sujet du *ṭebûl yôm*, ne devient intelligible
que si nous supposons que telle était la position sadducéenne. Elle
ne fait, du reste, que suivre la législation de la Bible.

Or, précisément, ce qui rendit la controverse si irritante entre
les deux groupes au sujet de la vache rousse, c'est que, dans ce cas,
il s'agissait d'un rite accompli à l'extérieur du Temple, au Mont des
oliviers.

208. Nous sommes maintenant en mesure de comprendre le
long texte de la Tosefta. Il comporte deux parties, séparées par une
discussion sur le pont du Cédron [1]. Du reste, ces deux parties sont
très différentes l'une de l'autre, et proviennent, sans doute, de deux
sources distinctes.

La première partie [2] concerne le grand prêtre Ismaël ben
Phiabi ; après l'examen du texte, nous verrons de quel Ishmaël il
s'agit, Ishmaël Ier ou II.

> « Ishmaël ben Phiabi [fit brûler] deux [vaches rousses], l'une
> par celui [3] qui avait pris un bain de purification dans la journée
> (un *ṭebûl yôm*), et l'autre par ceux qui étaient devenus purs au
> coucher du soleil (des *mecôrebé shèmèsh*).
> » [En ce qui concerne] celle qui avait été faite par ceux qui
> avaient pris un bain de purification dans la journée, ils [= les
> scribes pharisiens] jugèrent [discutèrent] avec lui.
> » Ils lui dirent : La dîme est mangée par ceux qui ont pris un
> bain de purification dans la journée, à bien plus forte raison lui
> ajoute-t-on de la sainteté ! Les saintetés supérieures sont mangées
> en un jour, et les saintetés moindres en deux jours. Les saintetés
> moindres qui sont mangées en deux jours, à bien plus forte raison
> leur ajoute-t-on de la sainteté !
> » Ils [les scribes pharisiens] lui dirent : Si [sans tenir

---

7. FINKELSTEIN, *Pharisees*, 1962, p. 664.

1. Tos. *Para* III 6-8 (132, 6). C'est en III 7 (632, 14) que se trouvent les
données relatives au pont sur le Cédron (voir plus haut § 204, n. 4) ; ce paragraphe 7 de la Tosefta se termine par la mention de la halaka sadducéenne
(voir plus haut § 207, n. 3).

2. Tos. *Parra* III 6 (632, 6). Nous suivons le texte critique de LISOWSKY,
dans la *Tosefta* de Stuttgart, VI/2, pp. 191-192 de la partie hébraïque. Ce texte
est très difficile. Nous nous sommes servis de la traduction de Lisowsky,
pp. 29-34 de la partie allemande, qui, outre les notes de Lisowsky, en contient
aussi de K. H. RENGSTORF. On peut voir aussi une traduction anglaise dans
V. EPPSTEIN, *When and how the Sadducees were excommunitated ?*, dans
JBL 85 (1966), pp. 213-224 ; traduction p. 221, n. 42, qui reflète les idées
d'Eppstein (discutées plus bas § 212). Sur ce texte de la Tosefta, on peut
voir aussi A. BUECHLER, *Das Synedrion in Jerusalem*, Vienne, 1902, pp. 67-68
et 95-96.

3. Le texte porte le singulier, *ṭbwl*. Il faut sans doute lire le pluriel
ṭbwly (LISOWSKY, p. 30 de la partie allemande, n. 39 a).

compte de ce qui vient d'être dit] nous les[4] [ceux qui suivent votre point de vue] reconnaissions, nous condamnerions les prédécesseurs[5] qui disaient : elles [les vaches rousses][6] sont impures.

» Ils [le Sanhédrin sous la pression des Pharisiens, ou les scribes pharisiens] portèrent un décret à son sujet, et il la [la cendre déjà préparée] répandit, et il recommença et fit [faire] une autre [vache rousse] par ceux qui avaient pris un bain de purification dans la journée. »

La littérature rabbinique ne fournit aucun texte parallèle à ce récit. On peut seulement indiquer la simple allusion contenue dans le Yerushalmi[7]. Il raconte de façon détaillée comment un grand prêtre exécuta, de façon contraire à la halaka pharisienne, le rite de l'encens le Jour de kippour, et le rite de la libation d'eau à soukkôt. Entre ces deux récits, il fait allusion à la façon dont un grand prêtre agit contrairement à la halaka pharisienne pour la vache rousse ; il discute pour savoir si, dans ces trois cas, ce fut le même grand prêtre ou s'il y en eut deux.

209. L'enjeu de la discussion est clair dans le récit de la Tosefta : les Pharisiens sont d'avis que la vache rousse peut être préparée par des gens qui ont « pris un bain de purification dans la journée », des *ṭebûlé yôm* ; par contre, les Sadducéens exigent qu'elle soit préparée par des gens qui « sont devenus purs au coucher du soleil », des *mecôrebé shèmèsh*.

Mais, le détail du récit, dans le déroulement des actes du grand prêtre Ishmaël, présente des difficultés. Nous avons déjà, en donnant des explications nécessaires dans les notes, pris parti, en certains cas, dans la traduction elle-même.

Une difficulté importante se rencontre dès le début du texte. Nous avons traduit : Ishmaël ben Phiabi [fit brûler] deux [vaches rousses]. » Cette phrase ne comporte pas de verbe. Dans une partie des manuscrits, on trouve, en ajout, le verbe *hwrh*[1]. Notons que ce n'est ni le verbe *cśh*, faire, qui figure, pour le grand prêtre, en finale dans ce texte[2], ni le verbe *śrp*, brûler, que nous trouverons dans le second texte de la Tosefta[3].

On traduit ordinairement ce verbe *hwrh* par « décida » :

4. *'tm* ; c'est un masculin. Il ne peut donc s'agir des vaches.
5. *hr'shwnym*.
6. Celles préparées par des *mecôrebé shèmèsh*, on les deux brûlées par Ishmaël. Les vaches rousses, remarque LISOWSKY, op. cit., p. 33, n. 70, ne pouvaient devenir impures. RENGSTORF, dans cette même note 70, explique l'emploi de cet adjectif pour les vaches rousses de la façon suivante : les vaches ne pouvaient plus remplir leur rôle ; leurs cendres ne peuvent plus purifier.
7. j. *Yoma* I 5, 39ª 61 (III/2, 171) : j. *Sukka* IV 8, 54ᵈ 36 (pas traduit en IV/1, 39, qui renvoie à III/2, 171).
1. C'est la leçon donnée par ZUCKERMANDEL, 632, 6.
2. Ishmaël « fit [faire] une autre [vache rousse] ».
3. Voir plus bas § 214.

« Ishmaël ben Phiabi décida [de brûler] deux [vaches rousses] ». Eppstein, dans une étude qu'il nous faudra examiner un peu plus loin, choisit une toute autre traduction [4] : « Ishmaël ben Phiabi prit une décision [sur] deux [vaches rousses]. » Cette traduction nous paraît fausse. Du reste, il n'y a pas à s'appesantir sur ce verbe, puisqu'il est une glose.

Revenons au texte sûrement primitif. « Ishmaël ben Phiabi [fit brûler] deux [vaches rousses]. « La forme de cette phrase, qui ne comporte pas l'essentiel (le verbe faire ou brûler) montre que nous avons là une observation sur une thèse déterminée. Cette thèse, nous la trouvons en *Para* III 5 : Ishmaël a brûlé *une* vache rousse. Notre texte de la Tosefta dit : Non, il en a brûlé *deux* [5].

Dans la finale du texte, nous avons traduit : « Ils portèrent un décret à son sujet. » Ce « ils » désigne soit le Sanhédrin, sous la pression des Pharisiens, soit les scribes pharisiens. De toute façon, nous avons là une affirmation de la puissance des Pharisiens pour contrôler la liturgie du Temple.

Étant donné le début du texte (phase sans verbe, qui commence une observation sur une thèse connue), et la finale qui parle, peut-être, d'une décision du Sanhédrin, Rengstorf [6] est amené à l'hypothèse suivante : nous aurions, dans ce texte de la Tosefta, « un fragment du protocole d'une séance du Sanhédrin », où chaque opinion est d'abord présentée, et qui se termine par la victoire des Pharisiens.

210. Selon toute probabilité, le grand prêtre Ishmaël ben Phiabi qui est ici en scène est Ishmaël II [1] (en fonction jusqu'en 61), et non pas Ishmaël Ier (en fonction de 15 environ à 16). Nous avions déjà fait la même supposition à propos de *Para* III 5 (§ 203).

Cet Ishmaël II est peut-être, à deux reprises, l'objet de louange de la part des rabbins. Selon *Sota* IX 15, à sa mort « cessa la gloire du sacerdoce » (voir plus haut § 75 et n. 4). D'autre part, selon une baraïta anonyme dans b. *Pes.* 57[a], il est appelé « élève de Pinhas » ; c'est un compliment si ce Pinhas et le petit-fils d'Aaron (Nb 25, 7) et non pas le fils du prêtre Éli de Silo [2] (1 S 2, 31-35).

Il y a, il est vrai, en sens contraire, dans la complainte d'Abba

4. *JBL* 85 (1966), p. 221, n. 41.
5. LISOWSKY, *Tosefta* de Stuttgart, VI/2, p. 29 n. 48 à sa traduction de *Para* III 6.
6. Vers le début de la n. 54 (les sept lignes entre crochets carrés), p. 31 de la *Tosefta* de Stuttgart, VI/2.
1. Opinion de BUECHLER, *Synedrion*, p. 95 ; RENGSTORF, Tosefta de Stuttgart, VI/2, p. 30, n. 49 ; EPPSTEIN, dans *JBL* 85 (1966), pp. 219-220.
2. Mais il n'est pas sûr que, dans ces deux textes (*Sota* IX 15 ; b. *Pes.* 57[a]), il s'agisse d'Ishmaël II. Ce pourrait être Ishmaël Ier.

Shaoul [3], la malédiction contre la famille de Phiabi : « Malheur à
moi à cause de la famille d'Ishmaël ben Phiabi, malheur à moi
à cause de leur poing ! » [4]. Si les deux textes cités dans notre alinéa
précédent sont bien une louange, et non un blâme, voici ce qu'il
faut dire de cette malédiction contre la famille de Phiabi : ou bien
elle ne vise pas personnellement Ishmaël II [5], ou bien nous avons,
dans cette complainte d'Abba Shaoul, une autre tradition, à propos
de la famille de Phiabi, que celle de *Sota* IX 15 et b. *Pes.* 57ª, tradition hostile et non favorable.

Josèphe [6] donne une indication au sujet d'Ishmaël II. En 61,
une affaire opposa les grands de Jérusalem (οἱ προύχοντες) à
Agrippa II. Le roi suréleva son palais pour pouvoir observer ce qui
se passait sur l'esplanade du Temple. En riposte, les grands de
Jérusalem firent construire, sur l'esplanade, un mur destiné à
cacher la vue au roi. Agrippa et le procurateur Festus (60-62) en
furent irrités ; Festus ordonna la destruction du mur. Les notables
obtinrent de Festus la permission d'envoyer, auprès de l'empereur
Néron, une ambassade pour plaider la cause. Le grand prêtre
Ishmaël II en fit partie. Ils obtinrent gain de cause, mais Ishmaël
fut retenu à Rome comme otage.

Dans cette affaire, Ishmaël II apparaît lié aux aristocrates de
Jérusalem, qui, selon toute vraisemblance, sont des Sadducéens.
Donc Ishmaël était vraisemblablement sadducéen.

211. Les données de Josèphe d'une part, celles de la littérature rabbinique d'autre part, présentent donc une image assez
cohérente du grand prêtre Ishmaël II. Sadducéen, il a sans doute
laissé dans une partie de la tradition rabbinique un souvenir favorable.

Tout cela permet de comprendre le récit de Tos. *Para* III 6, que
nous étudions. En effet, en ce qui concerne l'élément aggadique du
texte, l'essentiel paraît clair : Ishmaël brûle d'abord une vache
rousse selon le rite sadducéen ; puis, rappelé à l'ordre par les
Pharisiens, il en brûle une seconde selon le rite pharisien. Seule
cette dernière fut reconnue valide par les Pharisiens.

3. b. *Pes.* 57ª = Tos. *Men.* XIII 21 (533, 33). Traduction française dans JERE-
MIAS, *Jérusalem*, pp. 267-268.
4. Dans la Tosefta (533, 35), ces huit derniers mots ne figurent pas, car ils
se trouvent déjà dans la phase précédente (relative à la famille d'Élisha, qui
figure seulement dans la Tosefta). Nous donnons donc la traduction du
texte de b. *Pes.* 57ª.
5. RENGSTORF, *Tosefta* de Stuttgart, VI/2, p. 30, n. 49. Rengstorf fait remarquer que, dans b. *Yoma* 9ª, Ishmaël ben Phiabi ne figure pas parmi les grands
prêtres impies ; dans ce dernier texte, trois grands prêtres sont distingués
des prêtres impies : Simon le Juste, Jean (sans doute Jean Hyrkan) et
Ishmaël ben Phiabi (sans doute Ishmaël II).
6. *Ant.* XX 189-195.

Le début du texte présente une difficulté à ce sujet. En effet, il mentionne les deux vaches rousses brûlées par Ishmaël en les indiquant dans l'ordre suivant : l'une fut brûlée selon la halaka pharisienne (par des *ṭebûlé yôm*) ; l'autre fut brûlée selon la halaka sadducéenne (par des *mecôrebé shèmèsh*). Cet ordre d'énumération est contraire à l'ordre selon lequel Ishmaël procéda. Mais il n'y a pas lieu de supposer que ce début du texte, dans son état actuel, est bouleversé, et de restituer l'ordre soi-disant primitif à l'aide du *Midrash gadôl* sur les Nombres [1]. En effet, comme nous avons, dans ce paragraphe de la Tosefta, un texte rédigé par un pharisien, il semble compréhensible qu'il énumère, en ce début, les deux vaches selon l'ordre de préférence pharisienne, en mettant en premier la combustion conforme à la halaka des Pharisiens.

212. Il nous reste à essayer de préciser la valeur historique de ce récit et de le situer dans le contexte du deuxième tiers du Iᵉʳ siècle.

Eppstein a donné de l'événement une interprétation entièrement nouvelle [1]. Voici comment il comprend le texte de la Tosefta. Ishmaël décide [2] que le prêtre chargé de brûler la vache rousse doit attendre le coucher du soleil. En tant que grand prêtre, il avait le droit de porter une telle sentence ; mais il est possible qu'il était, aussi, membre du Sanhédrin [3].

Les docteurs pharisiens discutent. Ils déclarent que la cendre préparée par un tel prêtre ne peut être utilisée. Ishmaël se soumet à leur décision. Il porte donc un second décret ordonnant que le prêtre chargé de brûler la vache rousse doit être seulement *ṭebûl yôm* [4], purifié par un bain au cours de la journée.

Les docteurs pharisiens n'acceptent donc pas que le grand prêtre prépare les cendres selon une manière qui les rende valides aux yeux des Sadducéens. Ces docteurs arrivent à imposer leur façon de voir : les cendres sont préparées de telle manière que les Sadducéens les considèrent comme sans valeur, et ne peuvent, par conséquent, les utiliser pour se purifier. Donc, « ce ne fut pas une victoire dans une discussion en matière de lois ; ... mais une société religieuse dans laquelle les Sadducéens ne pouvaient exister » [5].

---

1. Solution de BUECHLER, *Synedrion*, p. 96 ; il donne le texte hébreu de ce *Midrash gadol* sur Nb 19, 9.
1. V. EPPSTEIN, *When and how the Sadducees were excommunicated ?*, dans *JBL* 85 (1966), pp. 213-224.
2. Sur la façon dont Eppstein comprend le début du texte, voir plus haut § 209 et n. 4.
3. *Op. cit.*, p. 220.
4. *Ibid.*, p. 221.
5. *Ibid.*, p. 222.

Ishmaël accepta de se soumettre au plan de ces docteurs, qui voulaient ainsi éliminer les Sadducéens par un « coup de main »[6].

Cette explication d'Eppstein est commandée par le sens qu'il donne à la première phrase du texte : « Ishmaël ben Phiabi prit une décision [sur] deux [vaches rousses] ». Nous avons vu plus haut (§ 209) que cette façon de comprendre le verbe semble fausse ; du reste, ce verbe manque dans la forme originale du texte, comme nous l'avons expliqué à cet endroit.

Par ailleurs, au moment où se situe l'événement (en 61 sans doute), la double halaka au sujet de la combustion de la vache rousse, celle des Pharisiens et celle des Sadducéens, devait exister depuis longtemps. Il semble donc impossible de songer à une discussion théorique, du temps d'Ishmaël II, destinée à fixer une halaka qui aurait été encore inexistante ou imprécise.

Ces deux raisons conduisent à rejeter l'explication d'Eppstein. Il ne paraît donc pas possible de donner à cet événement les dimensions d'une exclusion totale et définitive des Sadducéens de la vie liturgique au Temple.

213. Rengstorf présente une interprétation beaucoup plus satisfaisante. Ishmaël, la même année, brûla deux vaches rousses l'une après l'autre, une première selon le rite pharisien, une seconde selon le rite sadducéen. Il voulait ainsi éviter de prendre parti pour l'un ou l'autre des deux groupes qui se querellaient à ce sujet. Des deux vaches brûlées au cours de la même cérémonie, il mêla les cendres[1]. Bien entendu, les docteurs pharisiens ne purent accepter la chose. Ils obligèrent donc Ishmaël à brûler une troisième vache, selon le rite pharisien[2].

Par cette explication, Rengstorf essaye de rendre compte de l'ensemble du texte de la Tosefta, y compris la première phrase qu'il considère comme le début de l'action ; il insiste spécialement sur le féminin singulier qui se trouve vers la fin du récit[3].

Mais, à notre avis, la première phrase n'est pas l'indication du début de l'action, du début des faits et gestes d'Ishmaël. C'est, selon nous, une présentation globale de ce qu'a fait Ishmaël (voir

6. *Ibid.*, p. 223. A la p. 216, Eppstein dit qu'il y eut une sorte d'excommunication *de facto*, que cette excommunication ne fut pas imposée par les Pharisiens, mais « par les *Sadducéens* eux-mêmes ». Eppstein songe par là à la manière dont ils refusèrent de reconnaître valides les cendres d'une vache rousse préparée par *ṭᵉbûl yôm*, donc ne purent plus se purifier et ne purent entrer dans le Temple.
1. RENGSTORF, *Tosefta* de Stuttgart, VI/2, p. 29, n. 48 et p. 34, n. 74.
2. RENGSTORF, *op. cit.*, p. 34, n. 74.
3. Ishmaël « *la* répandit » (la cendre préparée, voir le texte plus haut § 208). Cela montre, dit Rengstorf, que, des deux parts de cendres venant de deux vaches rousses, on n'avait fait qu'une cendre. A notre avis, ce pronom au singulier peut tout aussi bien se comprendre s'il s'agit seulement de la cendre d'une seule vache.

plus haut § 211, au sujet de l'ordre des deux vaches dans cette phrase). Le déroulement du détail de ses gestes et des discussions qui s'ensuivirent commence seulement à la deuxième phrase. Jusqu'à plus ample informé, nous pensons donc qu'Ishmaël brûla seulement deux vaches, et non pas trois.

Quoiqu'il en soit, une chose est certaine. Cet événement montre le contrôle qu'exerçaient les Pharisiens, en ce deuxième tiers du Ier siècle, sur la liturgie. Ils obligent le grand prêtre à suivre la halaka pharisienne pour la combustion de la vache rousse.

A ce sujet, nous avons, vers la finale du texte, une phrase importantes : « Ils [les scribes pharisiens] lui dirent : Si nous les reconnaissions [= ceux qui suivent votre point de vue], nous condamnerions les prédécesseurs — hr'shwnym — qui disaient : elles [les vaches rousses] sont impures. »

Selon Rengstorf [4], les prédécesseurs en question ne sont pas des anciens rabbins, mais des générations précédentes du peuple, pour lesquelles la combustion de la vache rousse doit être faite par des gens ayant pris un bain dans la journée, des ṭebûlé yôm. « La façon de faire sadducéenne, continue Rengstorf [5], apparaît donc, vraisemblablement à juste titre, comme une ' coutume nouvelle '. »

A notre avis, il faut tenir grand compte d'une chose. Cette phrase de la Tosefta donne l'état de la réflexion pharisienne au deuxième siècle de notre ère. Il paraît impossible de faire fond sur cette phrase pour dégager une image historiquement vraie de la situation vers l'an 60, et donc pour affirmer que la halaka sadducéenne était, vraisemblablement, une coutume nouvelle.

214. Nous allons terminer l'examen du dossier par l'étude du second texte de la Tosefta [1]. C'est un récit aggadique.

« Une fois, un [grand prêtre] sadducéen attendit le coucher du soleil [afin d'être un meʿôrab shèmèsh] et arriva pour brûler la vache rousse.

« Mais [avant qu'il ait réalisé son dessein [2]], Yohanan ben Zakkay (+ vers 80 après J.-C.) apprit cela, et il arriva et posa ses deux mains sur lui et lui dit : Monseigneur le grand prêtre, que

4. Dans la *Tosefta* de Stuttgart, VI/2, p. 33, n. 69.
5. Même n. 69.
1. Tos. *Para III* 8 (632, 18). Nous suivons le texte critique de LISOWSKY, *Tosefta* de Stuttgart, VI/2, p. 192. Nous nous sommes servis de sa traduction allemande, *op. cit.*, pp. 36-38, qui, outre ses notes, en contient aussi de RENGSTORF. On peut voir aussi la traduction de V. EPPSTEIN, dans *JBL* 85 (1966), p. 222, n. 44, et celle de J. NEUSNER, avec commentaire, dans *Kairos* 11 (1969), pp. 308-309. Cet acte de Tos. *Para III* 8 est encore plus difficile à comprendre que celui de III 6, que nous venons d'étudier.
2. Tel est, semble-t-il, le sens du texte ; rien ne permet de penser que, en fait, il put réaliser son dessein de brûler la vache rousse.

c'est beau pour toi d'être grand prêtre[3]; descends [dans la piscine] et prends un bain de purification.

» Il descendit et prit un bain de purification et remonta. Après qu'il fut remonté, il [Yohanan Zakkay] lui [le grand prêtre] fendit l'oreille.

» Il [le grand prêtre] lui dit : ben Zakkay, quand je serai libéré [de mes obligations], alors[4] [nous nous expliquerons].

» Il [Yohanan] lui répondit : Quand tu seras libéré [de tes obligations]... !

» Avant trois jours, on le porta en terre. Son père vint trouver Rabban Yohanan ben Zakkay pour lui dire : Mon fils est libéré[5] [de ses obligations = il est mort]. »

Pour sa partie aggadique, ce récit de la Tosefta n'a pas de parallèle dans la littérature rabbinique. Pour l'élément halachique (les Pharisiens forcent le grand prêtre à prendre un bain de purification), nous avons vu plus haut (§ 206) cette prescription formulée dans la Mishna[6].

Ce texte de la Tosefta est extrêmement difficile à traduire. Certaines difficultés de détail ont déjà été examinées dans les notes jointes à la traduction que nous venons de donner. Trois problèmes sont plus importants.

Tout d'abord, il n'est pas sûr qu'il faille traduire *kohén gadôl* par grand prêtre. En effet, il pourrait s'agir d'un prêtre en chef[7].

---

3. *mh n'h 'th lhywt khn gdl*. Nous avons là une moquerie. On peut la traduire de deux façons : « Que c'est beau pour toi d'être grand prêtre ! », ou « Quel beau grand prêtre tu fais ! ». RENGSTORF, *Tosefta* de Stuttgart, VI/2, p. 37, n. 92, explique ainsi cette moquerie. Elle ne vise pas l'ignorance du grand prêtre dans les questions rituelles, mais son état d'impureté involontaire où il s'est mis, état qu'il doit ressentir de façon pénible et dont il doit souhaiter sortir le plus vite possible.

4. *lksh'pnh lk*. C'est le piel de *panah* avec la détermination *lksh*. On trouve cette même forme dans *Abot* II 5 : « Ne dis pas : Si j'ai du temps, j'étudierai, car, peut-être, tu n'auras jamais le temps. ». Dans notre texte de la Tosefta, le *lk* est difficile à comprendre. RENGSTORF, *op. cit.*, p. 37, n. 97, tente l'explication suivante, après avoir fait remarquer que cette parole du grand prêtre à Yohanan ben Zakkay est une moquerie ou une menace. Si l'on choisit le sens de menace, dit-il, on peut comprendre *lk* comme le début d'une phrase de menace, au sens de *lakah* (impératif de *halak*, aller), voir 2 Ch 25, 17 (*lᵉka*), et 2 R 14, 8 (*lᵉkah*). Ce serait donc, ajoute Rengstorf, l'annonce d'une démonstration de puissance, à un moment donné, contre l'impertinence de quelqu'un prétendant tout savoir mieux que les autres.

5. *npnh bny*. C'est le même verbe *panah* que dans l'expression étudiée au début de la note précédente. Il y a un jeu de mot. Donc, remarque RENGSTORF, *op. cit.*, p. 38, n. 99, on peut penser que, dans la réponse de Yohanan (« quand tu seras libéré... ») qui précède immédiatement, il y a un souvenir de l'idée que personne ne peut disposer de soi pour faire une menace dans le genre de celle adressée par le grand prêtre (quand je serai libéré »).

6. *Para* III 8.

7. RENGSTORF, *Tosefta* de Stuttgart, VI/2, p. 37, n. 91, pense qu'il s'agit plutôt d'un « prêtre en chef » (sur les deux sens de *kohén gadôl*, grand prêtre et prêtre en chef, voir JEREMIAS, *Jérusalem*, pp. 243-249).

Mais, à notre avis, grand prêtre paraît ici préférable [8]. En effet, dans la finale du récit, il est question du père de ce *kohén gadôl* ; par ailleurs, son fils subit le châtiment d'une mort soudaine, en punition de sa désobéissance. Ces deux thèmes, présence du père et châtiment du fils, se trouvent plusieurs fois ailleurs dans la littérature rabbinique ; chaque fois, c'est à propos d'un grand prêtre.

Une deuxième difficulté est importante. Yohanan ben Zakkay impose ses mains sur le grand prêtre. On dit ordinairement que ce geste est destiné à souiller le grand prêtre [9]. Mais Schlatter [10], suivi par Rengstorf [11], songent, au contraire, à un geste destiné à livrer le grand prêtre aux mains du Dieu juge. Cette explication ne semble pas préférable à la solution courante.

Il y a enfin une troisième difficulté à propos des rapports entre les deux personnages, une fois que le grand prêtre est remonté du bain. Le texte porte : *ṣrm lw b'znw*. Deux questions se posent, liées entre elles : quel est le sujet de ce verbe, Yohanan ou le grand prêtre ? Quel est le sens exact de ce verbe ?

Ce verbe est surtout employé, dans la littérature rabbinique, avec comme complément oreille. Il signifie fendre, mutiler l'oreille d'une bête destinée au sacrifice, pour la rendre invalide [12]. Dans le cas d'un homme, on a le texte de *B.Q.* VIII 6, qui est une discussion sur les dommages corporels. Dans ce dernier texte, s'agit-il de « fendre l'oreille à quelqu'un », ou de le « tirer par l'oreille » ? A notre avis, cette dernière traduction est une solution lénifiante, peu en rapport avec le contexte de cette mishna.

C'est en se basant sur la traduction « tirer par l'oreille » en

---

8. Dans le récit de Nb 19, 3, c'est Éléazar, fils d'Aaron, qui dirige la cérémonie de combustion de la vache rousse. Rappelons-nous qu'Éléazar est l'ancêtre des grands prêtres sadocides (§ 46). Il est vrai que, à plusieurs reprises, nous entendons des discussions (dans la littérature rabbinique, pour savoir si la vache rousse doit être préparée par un grand prêtre ou par autre prêtre : Tos. *Para* IV 6 (632, 6) ; Mishna *Para* IV 1 ; *Sifré* Nb 19, 3 § 123 (153, 15). Et l'opinion s'est imposée, chez les rabbins, que tout prêtre pouvait fonctionner pour la vache rousse. RENGSTORF, *op. cit.*, p. 36, n. 91, après avoir cité ces textes, dit que cela correspond exactement à la pratique et à la théorie, et il invoque pour cela l'exemple de Qoumrân (mais il ne semble pas probant, voir § 104 fin).

9. On rapproche de ce texte de la Tosefta celui de la Mishna *Para* III 8 (traduit § 206), et l'on voit, dans les deux cas, une souillure. Ainsi G. MAYER, *Para* (« Mishna » de Berlin), 1964, note à *Para* III 8 ; J. NEUSNER, *A. Life of Rabban Yohanan ben Zakkai*, Leyde, 1962, p. 52.

10. A. SCHLATTER, *Jochanan ben Zakkai der Zeitgenosse der Apostel*, Gütersloh, 1899 (réimprimé dans A. SCHLATTER, *Synagogue und Kirche bis zum Bar-Kochba-Aufstand*, Stuttgart, 1966), p. 48, n. 1.

11. RENGSTORF, *op. cit.*, p. 36, n. 90. Il cite en faveur de cette explication *Yoma* IV 1 et VI 2 (le grand prêtre impose les mains sur le bouc émissaire), qu'il rapproche de Lv 1, 4 et 4, 15 (imposition des mains sur la victime).

12. Voir les références dans les dictionnaires de LEVY et JASTROW, *sub verbo*.

B.Q. VIII 6, que l'on choisit la même traduction pour notre passage de la Tosefta [13] : « il le tira par l'oreille », « il lui tira l'oreille ».
Mais je ne vois pas bien quel peut être, dans ce cas, le sens du
geste. En marque de punition, dit-on [14], ou de moquerie [15]. Cela ne
semble pas une explication satisfaisante.

Nous en arrivons donc, tout naturellement, à la seconde question. Quel est le sujet de ce verbe *ṣrm* ? Grammaticalement, ce peut
être aussi bien le grand prêtre que Yohanan. Si on penche pour le
sens de tirer dans la traduction du verbe, on peut penser que c'est
le grand prêtre qui tire l'oreille à Yohanan, ou que c'est Yohanan
qui tire l'oreille au grand prêtre. Par contre, si on donne au verbe
le sens de fendre, il faut alors, semble-t-il, faire nécessairement de
Yohanan le sujet ; Yohanan fend l'oreille du grand prêtre pour le
rendre inapte au service (cf. Lv 21, 17-18). Nous préférons cette
solution [16] ; à notre avis, elle cadre très bien avec le déroulement de
toute la scène [17].

215.   Ce texte de Tosefta *Para* III 8 a un caractère polémique
très accentué. Dès la première ligne, on trouve le terme « Sadducéen » tout seul, sans aucune autre précision, telle que *kohén gadôl*
par exemple. Sous la plume d'un rédacteur pharisien du IIIe siècle
de notre ère, l'emploi d'un pareil terme révèle déjà l'animosité
pharisienne contre le groupe des Sadducéens, considéré à cette
époque comme n'ayant plus part au monde futur (§ 83).

D'autre part, en finale, la mention du châtiment soudain du
grand prêtre, puni de sa désobéissance aux Pharisiens, est un thème
de polémique pharisienne (§ 77), de caractère légendaire.

Ce récit est destiné à glorifier Yohanan ben Zakkay. Ce fait,
joint au caractère polémique du texte, explique que le grand prêtre
ne soit pas nommé par son nom. On peut donc se demander si
l'ensemble de ce récit ne serait pas légendaire. En effet, aux éléments dont nous venons de faire état, on peut ajouter ceci. Il est
difficile de comprendre comment le grand prêtre espérait pouvoir
accomplir le rite de la combustion selon la halaka sadducéenne,
sans être dénoncé par les Pharisiens. En effet, cette combustion de
la vache rousse était une cérémonie publique, importante. L'arrivée

---

13. Solution de Levy, *Wörterbuch, sub verbo* ; Schlatter, *Jochanan ben
Zakkai*, p. 48 ; Billerbeck, IV, p. 347 ; S. Liebermann, dans son commentaire
en hébreu de la Tosefta (cité par Lisowsky, *Tosefta* de Stuttgart, VI/2, p. 37,
n. 95) ; Rengstorf, *op. cit.*, p. 38, n. 97.
14. Rengstorf, *op. cit.*, p. 38, n. 97.
15. Rengstorf, dans cette même note 97.
16. A la suite de Jastrow, *Dictionary*, au mot *ṣrm* ; Eppstein, dans *JBL*
85 (1966), p. 222, n. 44.
17. On a donc la traduction donnée plus haut au début du § 204. On peut
rappeler ici qu'Hyrkan II (grand prêtre de 70 à 67 et de 63 à 40), ayant eu
les oreilles déchirées, devint impropre au souverain pontificat (*Ant.* XIV 366).

impromptue de Yohanan, pour empêcher le grand prêtre de réaliser son plan, paraît historiquement invraisemblable [1].

Étant donné ce caractère presque sûrement légendaire du récit [2], il est donc assez vain et superflu de se demander qui est le grand prêtre en question [3]. Une seule chose est à retenir. La façon dont, au temps de Yohanan ben Zakkay, c'est-à-dire dans les dernières décades avant la ruine de 70, les Pharisiens s'efforcèrent de contrôler la liturgie. Cet élément du récit de la Tosefta est historiquement vraisemblable.

*
* *

La combustion de la vache rousse était un rite essentiel pour la vie du judaïsme ; en effet, ses cendres servaient à préparer l'eau de purification, nécessaire à tout juif.

Cette cérémonie de combustion présente deux caractéristiques tout à fait propres par rapport aux autres rites : d'une part, elle n'avait lieu que très rarement (selon les rabbins, depuis la mort d'Esdras jusqu'à la ruine de 70, il n'y eut que cinq ou sept vaches brûlées) ; d'autre part, la combustion avait lieu non pas au Temple mais sur le Mont des oliviers.

Selon les Pharisiens, les lois de pureté rituelle s'appliquaient à l'ensemble de la vie quotidienne en dehors du Temple ; les Saddu-

---

1. EPPSTEIN, dans *JBL* 85 (1966), p. 222, n. 44, pense que ce récit est une « pure fantaisie ». Aux indices que nous venons de signaler pour étayer cette opinion, il en ajoute quelques autres.

2. Par contre, SCHLATTER, *Jochanan ben Zakkai*, 1899, p. 48, est d'avis que ce récit est historique : « Cet événement est d'un grand intérêt historique. On n'attache pas une réelle valeur à la différence entre le prêtre et le maître. Cela importe peu que la vache soit brûlée pendant le jour [halaka pharisienne] ou dans la nuit [halaka sadducéenne]. Toutefois, le plus grand pathétique anime le heurt des deux hommes. Il s'agit du principe de ne permettre de la part du prêtre aucune déviation arbitraire de l'ordre liturgique. Toute la valeur du culte réside en ce qu'il est accompli de façon exacte, selon les exigences de l'Écriture et de la pratique. C'est pourquoi le maître rencontre le prêtre comme quelqu'un qui assure l'exécution exacte et se sait, pour cela, porté par la force de Dieu qui punit. »

3. Selon GRAETZ, *Geschichte*, III, 1888, p. 747, il s'agit d'Anan le Jeune (grand prêtre en 62). BUECHLER, *Synedrion*, p. 141, fait le raisonnement suivant. En Tos. *Para* III 8 (notre récit), les Pharisiens ont été surpris par la façon de faire du grand prêtre. Donc, cela a eu lieu après qu'ils eurent contraint Ishmaël ben Phiabi II à brûler la vache rousse selon leur halaka (Tos. *Para* III 6). Le grand prêtre anonyme est donc postérieur à Ishmaël II. Il s'agit soit de Joseph Kabi (grand prêtre jusqu'en 62), soit d'Anan le Jeune (en 62), soit de Jésus, fils de Damnée (62-63 environ). Finalement Büchler préfère Anan le Jeune. NEUSNER, *A Life of R. Johanan ben Zakkai*, 1962, p. 52, fait exactement le même raisonnement pour la date de Tos. *Para* III 8 par rapport à Tos. *Para* III 6 (à notre avis, un tel raisonnement est faux, car il place sur le même plan historique deux textes de nature tout à fait différente). Mais Neusner refuse de proposer un nom pour le grand prêtre anonyme de III 8. JEREMIAS, *Jérusalem*, p. 310, n. 65, dit, sans hésitation qu'il s'agit d'Ishmaël ben Phiabi II.

céens refusaient cette extension des lois de pureté en dehors du sanctuaire. Par ailleurs, les Pharisiens avaient développé ces lois en distinguant deux degrés de pureté. Si quelqu'un prenait un bain de purification dans la journée, il n'était plus atteint que d'une impureté mineure. Selon les Sadducéens au contraire, même après avoir pris un bain de purification dans la journée, il restait atteint d'une impureté majeure et ne devenait pur qu'au coucher du soleil.

Ces deux aspects de la halaka pharisienne au sujet de la pureté expliquent la divergence entre Sadducéens et Pharisiens au sujet du grand prêtre qui brûlait une vache rousse. Selon les Sadducéens, le grand prêtre devait attendre le coucher du soleil pour brûler la vache rousse ; selon les Pharisiens, il pouvait la brûler dès qu'il avait pris, dans la journée, un bain de purification.

A propos de cette cérémonie de la vache rousse, la Tosefta parle du grand prêtre Ishmaël ; il s'agit probablement d'Ishmaël II (en fonction jusqu'en 61). Il brûla une vache rousse selon la halaka sadducéenne, puis une seconde selon la halaka pharisienne. Cela atteste tout à la fois le désir d'un grand prêtre sadducéen d'agir en conformité avec la halaka, et le contrôle que les Pharisiens exerçaient sur la liturgie.

C. Histoire du grand prêtre souillé par un crachat.

216. La tradition rabbinique a retenu avec une prédilection toute particulière l'histoire d'un grand prêtre qui, la veille du Jour de kippour, fut souillé par un crachat et dut, en conséquence, se faire remplacer pour la liturgie de la fête.

Nous possédons au moins treize textes parallèles de cette histoire : Tosefta, Abot de Rabbi Natan, Babli (2 textes), Yerushalmi (3 textes), Lévitique rabba, Nombres rabba, Pesiqta, midrash Tanhuma, Tosefta de nouveau, et encore un du Babli [1].

1. Pour la commodité de l'exposé, nous numérotons ces textes :
n° 1 : Tos. *Yoma* IV 20 (189, 13).
n° 2 : *A.R.N.* rec. A, ch. 35 (105, col. a 19).
n° 3 : b. *Yoma* 47[a], premier texte.
n° 4 : b. *Yoma* 47[a], second texte.
n° 5 : j. *Yoma* I 1, 38[d] 8 (III/2, 164).
n° 6 : j. *Meg.* I 12, 72[a] 58 (pas traduit en IV/1, 220 qui renvoie à III/2, 164).
n° 7 : j. *Hor.* III 5, 47[d] 13 (pas traduit en VI/2, 274 qui renvoie à III/2, 164).
n° 8 : *Lv. R.* 20, 11 sur 16, 1-2 (31[b] 28).
n° 9 : *Nb. R.* 2, 26 sur 3, 4 (7[a] 24).
n° 10 : *Pesiqta* XXV 10 (398, 11).
n° 11 : *Tanhuma* B, aḥaré môt § 7, 24 (33[a] 10).
n° 12 : Tos. *Nidda* V 3 (645, 24).
n° 13 : b. *Nidda* 33[b].

L'examen de ces treize formes permet de les répartir en deux groupes : n⁰ˢ 1-11 d'une part ; n⁰ˢ 12-13 de l'autre.

Regardons d'abord le premier groupe. Les textes n⁰ˢ 4-11 mettent en scène le grand prêtre Shiméon, fils de Qamith [2] (en fonction en 17-18). Les textes n⁰ˢ 1-3 parlent du grand prêtre Ishmaël, fils de Qamith [3].

Dans tous les textes de ce premier groupe, le grand prêtre suppléant est le frère du grand prêtre rendu impur par le crachat et inapte au service. Mais le nom de ce frère varie : dans les textes n⁰ˢ 5-11, il s'appelle Juda. Par contre, dans les textes n⁰ˢ 1-2, il est anonyme ; il s'appelle Yeshebab dans le texte n⁰ 3, et Yoseph dans le texte n⁰ 4.

Dans les textes n⁰ˢ 1-11, le personnage qui crache sur le grand prêtre est un païen. Aux n⁰ˢ 3, 6, 8, 9-11, il s'agit d'un arabe ; aux n⁰ˢ 2, 4, 5, 7, rien n'est précisé de son caractère païen. Ce personnage est appelé cheick *(mèlèk)* dans les textes n⁰ˢ 1, 5-11 ; prince *(sar)* dans le texte n⁰ 2, et seigneur *('adôn)* dans le texte n⁰ 4. Il s'agit bien du même personnage. Il n'est pas certain que la qualification « arabe » soit primitive dans la forme originale du texte [4] ;

---

2. Selon Jeremias, *Jérusalem*, p. 217, c'est peut-être à la suite de cette souillure du grand prêtre Shiméon que l'on décréta l'isolement du grand prêtre au Temple, pendant la nuit, au cours de la semaine précédant kippour (voir plus haut § 201 et n. 5).

3. Dans le texte n⁰ 1, le ms. d'Erfurt porte « Ishmaël, fils de Qamit » ; le ms. de Vienne : « Shiméon, fils de Qamit ». Il n'y a pas d'Ishmaël, fils de Qamith, dans la liste des grands prêtres donnés par Josèphe. On connaît seulement Ishmaël fils de Phiabi (Ishmaël Iᵉʳ, de 15 environ à 16 ; Ishmaël II, jusqu'en 61). Y aurait-il eu, dans la tradition représentée par ces textes 1-3, une erreur de lecture (confusion entre *yshm'l* et *shmᶜn*) ? De toute façon, la leçon « Shiméon, fils de Qamith » est à retenir, car elle est bien attestée par les textes 4-11.

4. Il y a un délicat problème de critique textuelle. Nous avons dans le texte n⁰ 5, identique au texte n⁰ 7 : le grand prêtre parle « avec le roi, le soir [la veille au soir] de kippour, ᶜm hmlk ᶜrb ywm hkypwrym ».

Dans le texte n⁰ 6 : « avec un roi arabe, le soir de kippour, ᶜm mlk ᶜrby ywm kpwrym ».

S. Buber (note 127 dans son édition de la *Pesitqta* [Lyck, 1868], réimpression, avec pagination différente, Vilna, 1925, folio 156ᵃ) pense que la leçon primitive est ᶜrby, et que *ywm hkypwrym* est une correction tardive et fautive. Par contre, Graetz, *Geschichte*, III, 1888, p. 738, affirme que la leçon primitive est ᶜrb *ywm hkypwrym*, et que ᶜrby est une correction par dittographie. A. Schwarz, dans *MGWJ* 64 (1920), p. 40, considère la leçon d'*A.R.N.* (texte n⁰ 2) comme primitive : il y est question d'un *hgmwn* (c'est le grec ἡγεμών), sans aucune précision du moment de la journée (cette précision, dit Schwarz, est inutile ; comme son frère remplace le grand prêtre pour la cérémonie, il est clair qu'il s'agit du Jour de kippour). Et Schwarz, p. 41, explique ainsi la corruption du texte. On a corrigé *hgmwn* en *mlk*. On a ajouté ᶜrb *ywm hkypwrym*, pour que ce ne soit plus le Jour même de kippour, mais la veille au soir. Plus tard, on a laissé tomber *ywm hkypwrym*, et il est resté *mlk* ᶜrb, qui est devenu *mlk* ᶜrby. A Buechler, dans *JQR* n. s. 17 (1921-1927), p. 8, retient lui aussi la leçon *hgmwn* comme primitive. A notre avis, le manque d'édition critique pour les trois textes 5-7 (tous trois du Yerushalmi) rend impossible, pour le moment, une solution ferme.

il est donc difficile de préciser de qui il s'agit historiquement[5].

La Tora ne contient aucune donnée relative à la souillure que provoquerait le crachat d'un païen. Büchler[6] y voit l'extension de la loi de Lv 15, 8 : on est souillé par le crachat d'un Israélite qui a un épanchement séminal[7].

217. Pour trouver un autre essai d'explication à cette souillure du grand prêtre par un crachat, il faut examiner le second groupe de textes (n°s 12 et 13). Dans ces deux textes, qui sont du reste identiques, le récit relatif à la souillure du grand prêtre est inséré dans un texte relatif aux filles des Sadducéens (§ 238). En finale du récit de la souillure du grand prêtre, ce dernier fait questionner la femme du Sadducéen pour savoir si elle suit les règles de pureté pharisienne.

C'est que, en effet, dans cette forme du récit, le crachat est lancé par un Sadducéen[1]. Ajoutons, pour caractériser cette seconde forme de la tradition, que le grand prêtre est anonyme, et qu'il n'est pas question de son remplacement par un autre grand prêtre pour la cérémonie de kippour.

Ces différentes caractéristiques de cette forme de la tradition montrent que nous avons là une version transformée de l'histoire. C'est une adaptation tardive, faite pour constituer un élément de polémique antisadducéenne[2].

Il n'y a donc pas à retenir cette donnée comme renseignement historique au sujet des Sadducéens. Du reste, on ne pourrait pas comprendre pourquoi un grand prêtre ait dû se considérer comme

---

5. DERENBOURG, *Essai*, p. 197, n. 3, pensait que le *mlk ʿrby* était probablement Arétas IV, roi des Nabatéens de − 8 à + 40, dont Hérode Antipas épousa une fille (*Ant.* XVIII 109) vers l'an 20. A. BUECHLER, dans *JQR* n. s. 17 (1926-1927), p. 8, qui choisit la leçon *hgmwn* (voir notre n. précédente), pense qu'il s'agit probablement du procurateur Valerius Gratus, en charge de 15 à 26.

6. BUECHLER, *op. cit.*, p. 8.

7. Voici comment l'on peut justifier cette explication de Büchler. Pour les Pharisiens, les ʿammé ha'arèṣ et les païens étaient impurs comme celui qui a un épanchement séminal, et la salive de tous les gens impurs rendait impur.

1. En Tos. *Nidda* V 3 (texte n° 12), l'édition de Zuckermandel (645, 24) dit : « une sadducéenne ». Mais la bonne leçon est « un sadducéen » (voir l'édition critique de la *Tosefta* de Stuttgart par E. SCHERESCHEWSKY, VI/2, *ad locum*) ; c'est du reste la leçon de l'édition de Zolkiev, qui est confirmée par le texte de b. *Nidda* 33[b] (texte n° 13). Comme la phrase précédente, en Tos. *Nidda* V 2 (645, 23) parlait des filles des Sadducéens, on comprend facilement que cette corruption textuelle de « un sadducéen » en « une sadducéenne » ait pu s'introduire.

2. Ce caractère polémique apparaît dès le début du texte. Il commence en effet : « Un jour, un Sadducéen parla... » Par contre, dans l'autre forme de la tradition (textes n°s 1-11), on commence par mentionner le grand prêtre : « Un jour, le (ou : un) grand prêtre parla... »

souillé par un crachat d'un Sadducéen[3]. Certes, il est exact que, selon la halaka pharisienne, quelqu'un ayant des rapports sexuels avec une menstruée, une *nidda*, était rituellement impur[4], et pouvait donc communiquer son impureté, par exemple par un crachat. Mais cela ne concerne pas spécialement les Sadducéens. D'autre part, dans cette forme de la tradition, la distinction entre le Sadducéen qui crache sur le grand prêtre, et le grand prêtre lui-même est historiquement déconcertante, car les grands prêtres étaient en général Sadducéens.

Revenons à l'essentiel de ce récit dans les deux formes. Le grand prêtre se considère souillé par un crachat. Cette tradition pharisienne atteste donc indirectement le sérieux avec lequel les grands prêtres suivaient les règles de pureté[5].

II. LES PRÊTRES.

A. *Les Sadducéens opposés à la libation d'eau à soukkôt ?*

218. Dans le judaïsme au tournant de notre ère, la fête de soukkôt[1] était extrêmement populaire[2]. Pendant les sept nuits de la fête, il y avait des réjouissances pour le peuple. Dans le parvis des femmes, appelé, pour cette occasion, le « lieu de puisage »[3], on voyait des illuminations, avec musique par les lévistes et chants ; il y avait de véritables numéros de cirque[4]. Si bien que ce cri d'admiration sort de la bouche du juif[5] : « Qui n'a pas vu les

---

3. JEREMIAS, *Jérusalem*, p. 217, n. 51 : « Il est tout à fait invraisemblable qu'un grand prêtre ait dû se considérer comme souillé par le crachat d'un Sadducéen au point de ne plus pouvoir officier le Jour des expiations, d'autant plus que les Sadducéens observaient très rigoureusement la loi, — mais bien entendu selon l'exégèse sadducéenne au texte de la Bible — et que les grands prêtres étaient eux-mêmes Sadducéens. » — On peut cependant rapprocher de ce récit le texte de Nb 12, 14.

4. *Kel.* I 3.

5. On connaît un autre cas de remplacement du grand prêtre le Jour de kippour. Le grand prêtre Mathias, fils de Théophile (5-4 avant J.-C.), fut remplacé, en l'an 5, par un parent, Joseph fils d'Ellem (*Ant.* XVII 166 ; j. *Yoma* I 1, 38[d] 2 [III/2, 1964] ; Tos *Yoma* I 4 [180, 14] ; b. *Yoma* 12[b]). En effet, dans la nuit qui précéda kippour, il crut en rêve avoir une relation avec sa femme. Il s'agit là de l'application d'un précepte biblique (impureté lévitique prévue en finale de Lv 22, 4).

1. Sur la législation biblique relative à cette fête, de VAUX, *Institutions*, II, p. 397-409.

2. Les détails qui suivent se trouvent dans *Sukka* V 1-5.

3. Voir Is 12, 3.

4. On peut lire une description détaillée, dans Tos. *Sukka* IV 4 (198, 14), du numéro que faisait Rabban Shiméon ben Gamaliel (un fils de Gamaliel l'Ancien), mort en 70 : il dansait avec huit torches allumées, baisait le sol et se relevait sans s'appuyer sur ses bras.

5. *Sukka* V 1.

réjnuissances du ' lieu de puisage ' n'a pas vu de réjouissance de sa vie. »

Chacun des sept jours de la fête, il y avait une libation d'eau, *niṣṣûq hamayîm* [6]. Au lever du jour, des prêtres se rendaient à la fontaine de Siloé pour remplir une sorte de bouteille contenant trois *log*, environ deux litres au total. Ils montaient au parvis du Temple par la porte des eaux ; à cet endroit, des prêtres sonnaient de la trompette. La libation d'eau sur l'autel des holocaustes avait lieu lors du sacrifice du *tamîd* du matin.

Le prêtre tiré au sort pour ce service du *tamîd* montait sur la rampe de l'autel des holocaustes. Sur l'autel se trouvaient deux petites coupes d'argent, l'une pour recevoir l'eau de la libation, l'autre pour le sacrifice de l'offrande de vin. Le prêtre versait l'eau amenée de Siloé dans la coupe prévue. Cette coupe avait une ouverture par où pouvait s'échapper son contenu. Il faut supposer que cette ouverture restait fermée jusqu'à ce que toute l'eau ait été versée dans la coupe. Alors, par l'ouverture désormais ouverte, l'eau coulait à la base de l'autel puis allait sous terre.

Au moment de la libation, par trois fois, retentissait une sonnerie de trompette [7]. La libation était faite par un prêtre, et non par le grand prêtre [8].

Nous ignorons à quelle époque cette cérémonie de la libation d'eau s'introduisit dans le rituel de la fête de soukkôt. Le livre des Jubilés n'en parle pas [9], mais son silence à ce sujet ne permet pas d'affirmer que le rite n'existait pas encore au moment de la composition de ce livre, au Ier siècle avant notre ère. La Tora ne contient rien à ce sujet [10], mais il se pourrait que cette libation soit un rite très ancien. N'y avait-il pas, sur ce point, une halaka sadducéenne que nous ignorons ? La tradition pharisienne considère cette libation comme une halaka de Moïse au Sinaï [11], ce qui est le cas des rites sans base scripturaire précise.

On peut seulement signaler, en Za 14, 16-19, la mention du don de la pluie à propos de la fête de soukkôt. Cela permet, peut-être, d'entrevoir l'un des aspects de la signification de la libation à soukkôt. En effet, ce rite avait sans doute pour but, entre autres,

6. Dossier rabbinique dans BILLERBECK, II, pp. 799-805. Étude fondamentale de D. FEUCHTWANG, *Das Wasseropfer und die damit verbundenen Zeremonien*, dans *MGWJ* 54 (1910), pp. 535-552, 711-729 ; 55 (1911), pp. 43-63.
7. On trouvera facilement, pour chacun des détails de cette libation que nous venons de mentionner, les textes dans le dossier cité à la n. précédente.
8. *Yoma* II 5 ; *Sukka* IV 9.
9. FINKELSTEIN, *Pharisees*, 1962, p. CIV, pense qu'il y a mention de la libation à la fête de Pâque dans *Jubilés* 49, 22. C'est une erreur.
10. Pour la libation d'eau comme rite populaire, voir 2 S 23, 16 (cf. 1 S 7, 6).
11. b. *Taan.* 3a. Mais, en j. *Shebiit* I 7, 3b 59 (II/ 1, 331) on la considère comme une ordonnance des premiers prophètes.

de contribuer à ce que les pluies soient bénéfiques. Cependant, très tôt, il semble que l'on ait introduit un lien entre cette libation et des textes prophétiques annonçant pour la fin des temps l'abondance de l'eau avec toutes les satisfactions qu'elle procure (Is 12, 3 ; Éz 47, 1-12 ; Za 13, 1 ; 14, 8-9) [12].

219. Quatre textes rabbiniques fournissent des indications au sujet de l'attitude des Sadducéens vis-à-vis de ce rite. Rappelons auparavant la triple sonnerie de trompette [1] ; il est possible que cette sonnerie ait été introduite par les Pharisiens pour donner plus d'éclat, aux yeux du peuple, à un rite que les Sadducéens rejetaient peut-être [2], comme nous allons le voir.

Le premier texte, dans la Mishna [3], précise un détail de la cérémonie : « A celui [des prêtres] qui faisait la libation, on disait : ' Lève la main '. En effet, une fois, il répandit l'eau sur ses pieds et tout le peuple le bombarda avec ses étrogs (citrons ou cédrats). »

Comme nous le voyons, le prêtre qui ne respecte pas la règle pour la libation n'est pas autrement déterminé ; le texte dit seulement « il ».

Deux autres textes permettent de préciser de qui il s'agit. Une baraïta anonyme, dans le Babli [4], enseigne :

« Une fois, un Sadducéen versa la libation sur ses **pieds**. Alors, tout le peuple le bombarda avec ses étrogs. »

Le texte continue en faisant mention d'une corne de l'autel des holocaustes qui fut brisée à cette occasion, à coup sûr au cours de la bagarre.

Un autre texte du Babli [5] raconte également la libation manquée ; mais, comme la Mishna, il dit « il » pour le prêtre en question, et ne parle pas de la corne brisée.

Le texte de la Tosefta [6] est ainsi rédigé :

« Il arriva qu'un Boéthusien versa l'eau sur ses **pieds**, et tout le peuple le bombarda avec ses étrogs. »

La suite raconte, comme dans le premier texte du Babli cité à l'instant, la brisure d'une corne de l'autel.

---

12. BILLERBECK, II, p. 800.
1. j. *Sukka* IV 6, 54[c] 70 (IV/1, 37), dire de Rabbi Yosé ben Hanina (III[e] siècle).
2. Rabbi Yosé (cité à la n. précédente) dit : «[C'était] afin de donner une grande solennité — *pwmpy* [c'est le grec πομπή] à la chose [à la cérémonie]. » Remarque de BILLERBECK, II, p. 801 : Plus les Sadducéens se montraient réticents envers cette cérémonie, plus les Pharisiens cherchaient à lui donner de l'importance.
3. *Sukka* IV 9.
4. b. *Sukka* 48[b].
5. b. *Yoma* 26[b].
6. Tos. *Sukka* III 16 (197, 22).

Quant au Yerushalmi [7], il ne mentionne que par allusion le manquement du prêtre [8] au rite de la libation, mais raconte la brisure de la corne de l'autel [9].

Nous avons donc les données suivantes au sujet du prêtre. Mishna et premier texte du Babli : « il », sans précision. Babli, premier texte : un Sadducéen. Tosefta : un Boéthusien. La phrase qui raconte le manquement au rite et la révolte du peuple est identique dans les quatre textes. Il faut chercher quelle est la forme primitive de la tradition en ce qui concerne le prêtre : anonyme, Sadducéen ou Boéthusien.

Avant de tenter une réponse, examinons ce que raconte Josèphe [10]. Alexandre Jannée (103-76) était sur le point, une année, de sacrifier à l'autel pour la fête de soukkôt. Le peuple le bombarda de citrons et l'injuria, en lui reprochant d'être descendant de captive, donc grand prêtre illégitime [11].

Ce récit est incomplet. En effet, il n'explique pas pourquoi le peuple bombarde Jannée avec des cédrats. Les textes rabbiniques examinés à l'instant permettent de compléter les données de Josèphe. Il est probable, en effet, que nous avons le même événement dans les deux cas (Josèphe et sources rabbiniques). C'est donc un manquement au rite de la libation qui entraîne le peuple à bombarder Jannée.

Il semble permis de considérer cet événement comme historique [12]. Si donc c'est bien Alexandre Jannée (103-76) qui, officiant à la fête de soukkôt, a mal fait le rite de la libation, la question de savoir de qui il était question dans la forme primitive de la tradition rabbinique (un prêtre anonyme, ou un Sadducéen, ou un Boéthusien) reçoit alors une solution : il s'agit d'un grand prêtre sadducéen, Alexandre Jannée [13].

7. j. *Sukka* 8, 54^d 36 (pas traduit en IV/1, qui renvoie à III/2, 171) ; j. *Yoma* I 5, 39^a 62 (III/2, 171).

8. Dans ces deux textes du Yerushalmi, il s'agit, en fait, d'un grand prêtre ; en effet, ce manquement à la libation est au milieu d'une discussion sur le comportement d'un ou deux grands prêtres qui n'obéirent pas à la halaka pharisienne pour le rite de l'encens, celui de la vache rousse et celui de la libation de soukkôt.

9. *Sukka*, ligne 43 ; *Yoma*, ligne 68.

10. *Ant.* XIII 372.

11. Selon Josèphe, le même reproche d'illégitimité avait déjà été adressé à Jean Hyrkan (134-104) (voir plus haut §§ 35, 36, 39). Ce reproche, fondé sur le fait que la mère a été prisonnière de guerre, semble être plus ou moins légendaire ; c'est sans doute un stade postérieur de la tradition (§ 39, n. 3).

12. Rappelons que, à notre avis, la rupture entre les Pharisiens et l'Asmonéen eut lieu sous Alexandre Jannée plutôt que sous son père Jean Hyrkan (§ 39 fin). — HOELSCHER, *Sadduzäismus*, p. 88, considérait cette anecdote de la libation manquée comme une légende.

13. Intéressante remarque de LESZYNSKY, *Sadduzäer*, p. 66, n. 1 : ce cas est précieux, car il nous montre que ce qui, dans certains récits, est présenté comme boéthusien est, en fait, historiquement du fond des anciens Sadducéens.

220. Qu'a fait exactement le prêtre au moment de la libation ? Selon les textes de la tradition rabbinique (Josèphe omet ce détail), il versa l'eau « sur ses pieds ».

Le peuple remarqua que la libation n'avait pas été faite comme de coutume, que l'eau n'avait pas été versée sur l'autel. Il considéra cela non seulement comme une profanation, mais, sans doute également, comme un grave danger. En effet, comme nous l'avons vu (§ 218), il y avait probablement un lien entre la libation de soukkôt et le don de la pluie ; le peuple, par conséquent, put craindre que la pluie, au cours de l'année à venir, ne soit compromise, et, par le fait-même, les récoltes peu abondantes [1].

Le prêtre ne suivit donc pas la coutume, c'est-à-dire le rite pharisien. Ordinairement, les historiens modernes s'en tiennent à la donnée contenue dans les textes rabbiniques et la considèrent comme historiquement exacte : le prêtre versa l'eau sur ses pieds. Ils pensent donc que le prêtre, en tant que Sadducéen, était opposé à cette libation et la méprisa volontairement.

Mais il se pourrait qu'Alexandre Jannée ait fait la libation à la base de l'autel, selon un rite différent de celui qui était prescrit et attendu par le peuple. Il n'y aurait donc pas eu chez lui rejet de la libation par mépris. Par conséquent, il n'est pas possible de considérer cet événement comme une preuve certaine du rejet, par les Sadducéens, de la libation d'eau à soukkôt.

221. Les autres éléments que l'on peut glaner à ce sujet dans la littérature rabbinique ne sont guère nombreux. Ils se réduisent à deux indications qu'il faut, peut-être, expliquer en fonction du rejet, par les Sadducéens, de la libation de soukkôt.

Dans la seconde bénédiction du *Shemoné esré*, recension babylonienne, on s'adresse à Dieu « qui ressuscite les morts » ; puis, immédiatement après, pendant la saison d'hiver, de soukkôt à nisan, on parle de lui comme de celui « qui fait souffler le vent et tomber la pluie » [1].

La mention de la résurrection, dans cette prière, est un ajout pharisien [2]. Finkelstein suppose que la mention de Dieu « qui fait souffler le vent et tomber la pluie » est également un ajout pharisien. Les Pharisiens auraient introduit cette addition pour faire

---

1. R. PATAI, dans HUCA 14 (1939), p. 276.
1. Texte dans D. HEDEGÅRD, *Seder r. Amram Gaon Part* I, Lund, 1951, partie hébraïque, p. 34 (traduction anglaise, p. 85 de l'autre partie). Dans la recension palestinienne (texte de la gueniza du Caire, dans I. ELBOGEN, *Der jüdische Gottesdien st*, 1931³ = Hildesheim, 1967, p. 517), cette mention de la pluie ne figure pas ; il est seulement question de la rosée (Dieu « qui fait souffler le vent et tomber la rosée »).
2. Voir plus haut § 117, n. 8.

prévaloir leur idée au sujet de la libation de soukkôt, liée, selon eux, au don de la pluie [3].

En *Sanh.* IX 6, la Mishna prévoit certains délits punis par les « zélés » [4]. Il est question, entre autres, de quelqu'un qui « a volé le vase sacré *(qswh)* ».

En Ex 25, 29, la *qaśwah* est une coupe destinée à une libation. Nous retrouvons le même mot dans cette mishna. Selon la baraïta de b. *Sukka* 48[b], il y avait deux vases *(qšw')* pour la libation de soukkôt, l'un pour le vin, l'autre pour l'eau. Comme les Sadducéens étaient peut-être opposés au rite de la libation de soukkôt, il se pourrait que le vol du vase, mentionné dans la mishna, soit le fait d'un Sadducéen [5].

Pour terminer, il est bon de faire mention du point de vue qaraïte. Les Qaraïtes étaient opposés à la libation d'eau à la fête de soukkôt. C'est, du reste, le seul point d'accord, pour la halaka, entre eux et les Sadducéens [6], à supposer que les Sadducéens la rejetaient.

222.   Comme on le voit au terme de cet examen, les données certaines au sujet de la position sadducéenne sur la libation de soukkôt manquent. En effet, l'élément principal est la tradition rabbinique au sujet du prêtre qui versa l'eau sur ses pieds. Or, comme nous l'avons vu, il est possible qu'il s'agisse là d'Alexandre Jannée ; et il se pourrait qu'il aît versé l'eau non pas sur ses pieds par mépris, mais à la base de l'autel, pour accomplir la libation d'une façon différente de celle que prévoyait la coutume pharisienne.

Les autres données sont des indices faibles ; ils ne prennent une certaine valeur que groupés ensemble. Nous avons relevé les éléments suivants : rejet de cette libation par les Qaraïtes ; insistance des Pharisiens sur la solennité du rite (triple sonnerie de trom-

---

3. FINKELSTEIN, *Pharisees*, 1962, p. 112. — La formule de la recension babylonienne (« qui fait ... tomber la *pluie*) est identique à la recension palestinienne (« qui fait ... tomber la *rosée* ») sauf pour le dernier mot. Le problème paraît donc se poser en termes différents de ceux affirmés par Finkelstein. Il semble que « pluie » soit une modification de « rosée ». La formule de la recension palestinienne, avec la mention de la rosée, n'avait pas de lien avec la pluie. Mais, cela dit, il reste possible que l'introduction du terme « pluie » soit due aux Pharisiens (pour le lien, chez les rabbins, entre la pluie qui vivifie la terre et la résurrection, voir par exemple b. *Taan.* 2[a] : Dieu a en moins trois clés, celles de la pluie, de la vie [naissance des hommes] et de la résurrection des morts).

4. *qn'yn.*

5. Cette explication a été lancée par A. GEIGER, dans la *Jüdische Zeitschrift* 5 (1897), p. 108 (voir le développement, p. 106-109). Elle est acceptée, comme hypothèse vraisemblable, par LEVY, *Wörterbuch*, IV, p. 345 a ; BILLERBERK, I, p. 537, n. 1 ; D. HOFFMANN, *Mischnajot*, IV, 1925², p. 187 n. 49 ; S. KRAUSS, *Sanhedrin-Makkot* (« Mischna » de Berlin), 1933, pp. 260-261 (note 1).

6. B. REVEL, dans *JQR* n. s. 3 (1912-1913), p. 352.

pette) ; vol d'un vase, qui est peut-être le fait d'un Sadducéen ; mention de la pluie dans la deuxième bénédiction du *Shemoné esré*, qui pourrait être un ajout pharisien.

Il faut ajouter à cela que cette libation de soukkôt n'avait aucune base biblique. A partir de ces différentes données, on peut donc supposer que les Sadducéens la rejetaient ; mais nous n'en avons pas la certitude.

B. *Les prêtres ne sont pas tenus de payer l'impôt du demi-sicle.*

223. Au tournant de notre ère, tous les juifs, à partir de l'âge de vingt ans, étaient tenus de payer un impôt annuel se montant à un didrachme. Comme nous l'avons vu (§ 140 début), cette loi n'avait pas de base dans le Pentateuque. Il n'est donc pas étonnant que certains se soient considérés comme n'étant pas tenus de payer cet impôt. Il semble que les prêtres, en particulier, se soient soustraits à cette obligation.

En effet, la discussion contenue dans *Sheq.* I 3-4 permet d'entrevoir l'évolution de la halaka au sujet des prêtres [1]. Autrefois, les prêtres ne payaient pas le *shèqèl*, sicle, et l'on enseignait que c'était pour eux un péché de l'acquitter. Au moment de la destruction du Temple, on osa enseigner que ce n'était pas un péché s'ils le payaient. Enfin, on affirma qu'ils devaient le payer. La halaka, cependant, prévoyait qu'on ne devait pas imposer des gages aux prêtres, « pour le bien de la paix » [2].

Nous n'avons pas d'autre donnée rabbinique à ce sujet ; il n'est jamais fait mention des Sadducéens pour cette question. Mais ce que nous venons de dire dans l'alinéa précédant au sujet des prêtres conduit à penser que ces prêtres qui, au tournant de notre ère, refusaient de payer l'impôt devaient être sadducéens [3]. Par contre, nous ne savons pas quelle était l'attitude des Sadducéens laïques vis-à-vis de cette obligation d'un impôt sans base biblique.

---

1. L'explication suivante est reprise de GEIGER, *Urschrift*, p. 113.
2. *Sheq.* I 3. Dans j. *Sheq.* I 3, 46ᵃ 70 (III/2, 263), la mishna figure sous cette forme : « pour les honorer ». Selon GEIGER, *Urschrift*, p. 113, n. 1, le Yerushalmi pensait que c'était blessant pour la dignité des prêtres d'être contraints de payer l'impôt ; il a donc changé « paix » en « honneur ».
3. FINKELSTEIN, *Pharisees*, 1962, p. 711 : l'engagement de payer l'impôt annuel d'un tiers de sicle (Né 10, 33) figure dans un document signé par les Israélites, les prêtres et les lévites (Né 10, 1) ; donc, ajoute Geiger, les prêtres sadducéens qui refusaient de payer l'impôt annuel s'opposaient clairement à cette prescription. — Le flottement de la halaka pharisienne, au Iᵉʳ siècle de notre ère, en ce qui concerne l'obligation pour les prêtres de payer cet impôt, montre clairement, à notre avis, que l'on ne considérait pas Né 10, 33 comme texte décisif. Cela, du reste, n'est pas pour nous étonner ; en effet, le rapprochement que fait Finkelstein entre Né 10, 33 et 10, 1 n'est pas concluant.

C. *Les prêtres ont-ils le droit de manger l'offrande de farine ?*

224. La *Megillat taanit* 21 donne, pour le 27 marheshvân, la notice suivante [1] :

« La fleur de farine fut de nouveau brûlée sur l'autel — *tbt slt' lmsq ᶜl mdbḥ'.* »

Le commentaire tardif, en hébreu [2], explique ainsi la chose.

« A cause des Sadducéens qui disaient : [les prêtres] mangent l'offrande végétale du [jointe au] sacrifice animal.
» Rabban Yohanan ben Zakkay (+ vers 80 de notre ère) leur dit : D'où [savez-]vous cela ? — Et ils ne surent apporter de preuve de l'Écriture, si ce n'est un [Sadducéen] qui balbutia devant lui et dit : Parce que Moïse aimait Aaron, il dit : il ne mangera pas de la viande seule, mais il mangera de la farine et de la viande, comme un homme dit à son compagnon : voici pour toi de la viande, voici pour toi de la nourriture tendre.
» Rabban Yohanan ben Zakkay lui dit : ' Et ils arrivèrent à Élim, et là, il y avait douze sources d'eau et soixante dix palmiers ' (Ex 15, 27) [c'est pris allégoriquement : abondance de la sagesse. à comprendre ironiquement à l'adresse des Sadducéens : oui vraiment chez toi il y a beaucoup de sagesse !].
» Il [le Sadducéen] lui répliqua : Pourquoi une source à côté de l'autre ?
» Il [Yohanan] lui dit : Crétin, notre Tora parfaite n'est pas comme votre bavardage inutile. Et n'est-il pas dit : ' Il y aura un holocauste, et son oblation et leurs libations d'agréable odeur par le feu à Yahvé ' (Lv 23, 18). »

Ce commentaire n'a aucun parallèle dans la littérature rabbinique [3]. Mais nous avons là une discussion entre Yohanan ben Zakkay et les Sadducéens bâtie selon un modèle dont nous avons plusieurs exemples (§ 127, 233). Par ailleurs, on peut mentionner, pour le détail, l'argument eudémonique (Moïse aimait Aaron, etc.) que nous avons déjà rencontré (§ 127 et n. 8-9) à propos de la date de l'offrande de la première gerbe (Moïse aimait Israël...).

Selon ce commentaire, les Sadducéens affirment que les prêtres pouvaient manger l'offrande de farine accompagnant l'offrande d'animaux (Nb 15, 4-12). Yohanan croit pouvoir déduire de Lv 23, 18 qu'il faut brûler cette offrande de farine [4].

Vraisemblablement, les Sadducéens s'appuyaient sur Lv 6, 9-16 : les prêtres peuvent manger tous les sacrifices alimentaires, à la seule exception de celui qui est offert pour eux-mêmes [5] (Lv 6, 16).

---

1. Texte dans LICHTENSTEIN, *HUCA* 8-9 (1931-1932), p. 320, ligne 21.
2. Texte, *ibid.*, p. 338.
3. C'est le cas pour 16 des 36 notices de ce commentaire (LICHTENSTEIN, *op. cit.*, p. 259).
4. Même point de vue dans *Men.* VI 2 : l'offrande de farine doit être brûlée entièrement.
5. LESZYNSKY, *Sadduzäer*, p. 70. Voir aussi WELLHAUSEN, *Pharisäer*, p. 61 :

En dehors de cette discussion halachique, le commentateur a dans l'idée une victoire des Pharisiens sur les Sadducéens, victoire qui justifie l'existence d'un jour de fête. Mais il ne donne aucun élément permettant d'entrevoir à quelle époque se situerait cette victoire. Les auteurs modernes qui s'en tiennent à l'historicité de ce commentaire songent soit au règne de Salomé Alexandra [6] (76-67), soit à la période de peu antérieure à la ruine de 70 après J.-C. [7].

225. Mais il est extrêmement douteux que le commentaire donne l'explication exacte de la notice araméenne de la *Megillat taanit*. En effet, s'il s'agissait bien de cela, le texte araméen aurait dit [1] : « L'offrande de farine a été de nouveau complètement brûlée sur l'autel [et non pas partiellement, comme le voulaient les Sadducéens]. »

Il est difficile de retrouver la situation historique qui explique cette notice araméenne. Il s'agit peut-être d'une famine pendant un siège ; après la délivrance, il fut de nouveau possible d'offrir la farine sur l'autel [2].

Quoi qu'il en soit du détail de l'explication de la notice araméenne, il n'y a rien à tirer de ce texte araméen pour connaître le point de vue sadducéen. Et comme nous n'avons aucune autre donnée, à ce sujet, en dehors du commentaire hébreu de Megillat taanit, nous ne pouvons pas conclure de façon certaine en ce qui concerne la position sadducéenne. Il se pourrait que le principe de la halaka sadducéenne qui y est indiqué soit historiquement vrai : les prêtres ont le droit de manger l'offrande de farine.

D. *Un trait d'ironie sadducéenne.*

226. Le développement des règles de pureté par les Pharisiens trouva l'un de ses champs d'application au Temple. Voici ce que la Mishna prescrit [1] :

---

la loi est très claire. De l'offrande alimentaire, une poignée est brûlée sur l'autel ; le reste appartient au prêtre (Lv 2, 2.3 ; 6, 9 ; 7, 9). Donc, conclut Wellhausen, il n'y a jamais pu exister d'opposition entre Sadducéens et Pharisiens à ce sujet. Cette conclusion semble oublier une évolution de la halaka pharisienne dont nous avons une attestation en *Men.* VI 2, cité à la n. précédente.

6. Graetz, Geiger, Derenbourg (voir les références dans Lichtenstein, *op. cit.*, p. 298).

7. Lichtenstein, même page, qui hésite entre cette solution et celle que nous venons de signaler (sous Salomé Alexandra).

1. Leszynsky, *Sadduzäer*, p. 71, n. 1.

2. Leszynsky, même page. Cassel et Zeitlin (références dans Lichtenstein, *op. cit.*, p. 298) songeaient à la reprise des sacrifices par Judas Maccabée (1 M 4, 53, cf. 2 M 1, 8).

1. *Hag.* III 7-8.

« Une fois la fête passée [l'un des trois fêtes de pélerinage, Pâque, Pentecôte, Soukkôt], on enlevait les ustensiles pour purifier le parvis...

» Comment enlevait-on les ustensiles pour purifier le parvis ? On baignait les ustensiles se trouvant dans le sanctuaire, et on leur [les prêtres] disait : Attention de ne pas toucher à la table [des pains de proposition] (et au chandelier [à sept branches] en or [2]) [, ce qui les rendrait impurs].

» Tous les ustensiles du Sanctuaire se trouvaient en deux ou trois exemplaires ; de la sorte, si les premiers exemplaires devenaient impurs, on pouvait prendre, à leur place, les seconds exemplaires.

» Tous les ustensiles du Sanctuaire étaient soumis au bain de purification, sauf l'autel d'or [l'autel des parfums] et l'autel de cuivre [l'autel des holocaustes], car ils sont comme le sol. — Ce sont les dires de Rabbi Éliézer [ben Hyrkanos, vers 90 de notre ère]. Mais les rabbins disaient : Car ils sont recouverts [de métal]. »

Dans la Bible, il est question d'impureté rituelle à propos des ustensiles en bois, cuir, étoffe, argile (Lv 11, 32-33 ; Nb 31, 20). Mais il n'y a aucune prescription au sujet des ustensiles en métal ou en verre. La chose se comprend facilement. A l'époque de l'élaboration des lois bibliques, le métal et le verre n'étaient pas des matières courantes, chez les Israélites puis les juifs, pour les objets de la vie quotidienne.

Selon la tradition rabbinique [3], les objets en verre furent déclarés soumis à l'impureté au temps de Yosé ben Yohanan et Yosé ben Yoézer (vers 150 avant notre ère). Quant aux objets en métal, cette tradition rabbinique [4] en attribue la déclaration d'impureté à Shiméon ben Shatah (vers 90 avant notre ère). Les Sadducéens refusèrent, très probablement, ces dispositions nouvelles. Une donnée amusante permet de confirmer la chose en ce qui concerne les objets en métal.

227. Le Yerushalmi raconte en effet [1] :

« Un jour, ils [les prêtres chargés des purifications dont nous avons parlé au début de notre paragraphe 226] plongèrent dans un bain de purification le chandelier [à sept branches en or]. Les Sadducéens dirent : Voyez, les Pharisiens soumettent au bain de purification le globe du soleil. »

La Tosefta contient exactement le même récit [2], mais il porte,

---

2. « Et au chandelier en or » se trouve seulement dans certains témoins (DANBY, *The Mishna*, 1933, p. 216, n. 4).
3. j. *Shab.* I 5, 3[d] 43 (III/1, 20) ; b. *Shab.* 14[b].
4. j. *Ket.* VIII 11, 32[c] 5 (V/1, 110) ; b. *Shab.* 16[b]. Mais on parle également, au sujet de Shiméon ben Shatah, de la déclaration d'impureté pour les objets en métal (dans ces deux textes du Yerushalmi et du Babli).
1. j. *Hag.* III 8, 79[d] 31 (IV/1, 302).
2. Tos. *Hag.* III 35 (238, 23).

pour la moquerie des Sadducéens : « Voyez, les Pharisiens soumettent au bain de purification la lumière de la lune [3]. »

Dans cette critique des Sadducéens, il n'y a pas à chercher, de leur part, un rejet du mysticisme astral [4]. Il faut tout simplement la comprendre comme l'expression ironique de leur rejet de principe des lois pharisiennes sur l'impureté des objets en métal.

Ce trait d'ironie est extrêmement précieux, pour trois raisons. D'une part, il a toute chance d'être historique, car on ne voit pas comment les Pharisiens auraient pu inventer l'historiette qui les condamne. D'autre part, la tradition pharisienne n'a pas hésité à la retenir ; cela dénote, chez les rabbins, une calme confiance dans la solidité de leur position, confiance qui ne craint pas de rapporter une critique sévère venant des adversaires. Enfin, cette ironie amusante, chez les Sadducéens, révèle un aspect de leur attitude qui ne paraît guère dans l'ensemble des autres données.

Grâce aux données de la littérature rabbinique, nous possédons des indications au sujet de la halaka sadducéenne relative au grand prêtre et aux prêtres.

Pour l'imposition de l'encens le Jour de kippour, cette halaka prescrivait que le grand prêtre devait accomplir ce rite avant d'entrer dans le Saint des saints, et non après y être entré comme le disaient les Pharisiens. Sans doute, les Sadducéens suivaient la halaka ancienne ; ce sont les Pharisiens qui furent les novateurs, introduisant le changement très probable sous l'influence de leurs idées nouvelles au sujet de la présence de Dieu.

La combustion de la vache rousse avait lieu en dehors du Temple, au Mont des oliviers. En ce qui concerne la pureté rituelle, les Pharisiens se distinguaient des Sadducéens sur deux points essentiels : d'une part, ils appliquaient les lois bibliques sur la pureté à l'ensemble de la vie quotidienne en dehors du Temple, d'autre part, ils distinguaient deux degrés de pureté. Si quelqu'un avait pris un bain de purification dans la journée, il était, selon eux, atteint seulement d'une impureté mineure ; les Sadducéens ordonnaient dans un pareil cas d'attendre le coucher du soleil pour être purifié de l'impureté majeure qui demeurait après le bain de purification pris

3. Il est difficile de dire quelle est la forme primitive du logion, « soleil » ou « lune ».
4. BARON, Histoire d'Israël, II, p. 648 : les Sadducéens blâmaient cette purification, car ce rite impliquait, ne fut-ce que d'une manière éloignée, un mysticisme astral. Et Baron (p. 1063, n. 52) invoque les relations entre les sept branches de ce chandelier et les sept planètes (Ant. III 146 ; PHILON, Quis rerum 221).

dans la journée. Les Sadducéens ordonnaient donc au prêtre qui brûlait la vache rousse d'attendre le coucher du soleil pour faire la cérémonie.

En ce qui concerne les prêtres, la halaka sadducéenne n'avait sans doute pas accepté le rite de la libation d'eau à soukkôt. Cette halaka n'imposait pas aux prêtres l'impôt du didrachme et devait sans doute leur permettre de manger l'offrande de farine. Enfin, la littérature rabbinique nous a conservé un précieux trait d'ironie sadducéenne critiquant l'excès de pureté dont faisaient preuve les Pharisiens.

CHAPITRE XII

LES FEMMES

I. Influence des Pharisiens sur les femmes.

228. Le règne de Salomé Alexandra (76-67) fut un âge d'or pour les Pharisiens (§ 187). Ils eurent, à cette époque, un grand pouvoir. Dans la tradition rabbinique, la reine tient une place privilégiée. Nous constatons l'une des manifestations de la vénération des Pharisiens pour la reine par le détail suivant : leur tradition fit de Shiméon ben Shatah, représentant officiel des Pharisiens à cette époque, un frère de Salomé Alexandra [1].

Le prestige de cette femme chez les Pharisiens fut, à coup sûr, l'une des raisons pour lesquelles, dans les siècles suivants, ils eurent tant d'influence chez les femmes.

De cette influence, nous avons un témoignage précis pour la fin du règne d'Hérode. Au dire de Josèphe, en effet, le gynécée royal leur était soumis [2].

Dans ce gynécée, en 5 avant J.-C., nous trouvons, entre autres, la femme de Phéroras, frère cadet d'Hérode Ier, la belle-mère de Phéroras et sa belle-sœur, et Doris, femme d'Hérode et mère d'Antipater. Antipater s'était attaché ces quatre femmes [3].

La fin du règne d'Hérode Ier fut dominé par la lutte contre son fils Antipater, qu'il finira par faire assassiner. Dans cette lutte, Hérode avait avec lui sa sœur Salomé [4]. Antipater soutenu par les quatre femmes dont nous venons de parler, pouvait compter sur le soutien des Pharisiens, hostiles à Hérode [5].

Ces différentes données fournies par Josèphe permettent de comprendre son assertion relative à la domination des Pharisiens

---

1. Cette donnée n'est sans doute pas historique (§ 187, n. 7).
2. *Ant.* XVII 41.
3. *Ant.* XVII 33-41.
4. *Ant.* XVII 36.
5. *Ant.* XVII 41-42.

sur le gynécée royal, et de se rendre compte qu'elle doit correspondre à la réalité, même s'il faut faire la part d'une certaine exagération dans la généralisation de la formule de Josèphe.

229. A la mort d'Hérode, en 4 avant J.-C., sa sœur Salomé
mit en liberté les prisonniers arrêtés par le roi peu auparavant [1].
Parmi ces prisonniers devaient se trouver des Pharisiens [2].

La *Megillat taanit* 27 donne, pour le 2 shebat, la notice araméenne suivante [3] :

> « Jour de fête, *ywm ṭôb* ».

Cette notice ne contient aucune autre explication destinée à
renseigner sur la signification de ce jour festif. Notons tout de
suite que la même chose se retrouve pour la notice de *M.T.* 23, du
7 kisleu [4] : « Jour de fête. » Ce sont les deux seuls cas, pour les
36 notices de cette *M.T.*, où la raison de la fête n'est pas indiquée.

Dans le commentaire hébreu tardif, on trouve, pour le 2 shebat,
l'explication suivante [5] :

> « On raconte que, quand le roi Jannée (103-76) fut malade,
> il envoya arrêter 70 anciens parmi les anciens d'Israël, les saisit
> et les jeta en prison. Et il ordonna au chef de la prison, s'il
> mourait, de mettre à mort les anciens, car les Israélites, se
> réjouissant [de la mort de Jannée], seraient en deuil de leurs
> maîtres.
>
> » On raconte : Il [Jannée] avait une femme bonne, du nom
> de Salminôn [= Salomé]. Quand il fut mort, elle enleva l'anneau
> de la main du roi et l'envoya au chef de la prison. Elle lui dit :
> Ton maître libère les anciens.
>
> » Les anciens furent libérés et ils rentrèrent chez eux, et
> après cela, elle dit : Le roi Jannée est mort. — Du jour où mourut
> le roi Jannée, on fit un jour de fête. »

Ce récit présente des ressemblances très grandes avec celui de
la mort d'Hérode chez Josèphe [6]. Dans les deux cas, on a les détails
suivants : arrestation, par le roi, d'un certain nombre de juifs ; le
roi est décidé à les faire exécuter pour que le peuple, qui sera
content de la mort du roi, ait un sujet de lamentation dans la
perte de ces juifs ; présence, à côté du roi, d'une femme bonne ;
dès que le roi est mort, avant de faire officiellement part de cette
mort, elle ordonne la libération des juifs emprisonnés ; ensuite seulement, elle annonce la mort du roi.

---

1. *Ant.* XVII 193 = *Guerre* I 666.
2. Dans *Ant.* XVII 174, ces prisonniers sont « les juifs les plus notables
de tout le peuple » ; dans *Guerre* I 659, « des citoyens notables de tous les
bourgs de Judée ».
3. Texte dans LICHTENSTEIN, *HUCA* 8-9 (1931-1932), p. 321, ligne 27.
4. *Ibid.*, p. 320, ligne 23.
5. Texte dans LICHTENSTEIN, *op. cit.*, p. 343, ligne 4-10.
6. *Ant.* XVII 174-177 et 193-194 = Guerre I 659-660 et 666.

On peut donc supposer, à la vue de ces parallélismes, que, dans le commentaire de *Megillat taanit*, 2 shebat, il faut comprendre « Hérode » à la place de « Jannée ». Mais cela crée une double difficulté. En effet, d'une part Hérode n'est pas mort au mois de shebat, mais fin adar ou début de nisân [7]. D'autre part, dans le commentaire hébreu de *M.T.* 23, pour le 7 kisleu, on a le texte suivant [8] : « C'est le jour où Hérode mourut, car Hérode haïssait Israël. »

On ne voit pas comment donner une explication satisfaisante de chacun des deux textes de ce commentaire, 2 shebat et 7 kisleu. On ne peut guère retenir la donnée de la mort à la date du 7 kisleu. Certains pensent que, dans le texte du 7 kisleu, il serait en fait question de la mort de Jannée [9]. Mais cette solution, destinée à éviter un doublet (deux fois la mort d'Hérode), n'est basée sur aucun élément solide. Concluons en disant que l'auteur, ou les auteurs, de ces deux textes du commentaire, écrivant à une période très tardive, au début du moyen âge, n'avaient plus aucune indication précise et ont donné des explications sans valeur historique.

Au terme de cette analyse, retrouvons le texte araméen de *Megillat taanit* 27 et 23 : pour le 2 shebat et le 7 kisleu, il y a la même mention d'un « Jour de fête » ; dans les deux cas, sa signification est inconnue [10].

230. Revenons à la question de l'influence des Pharisiens sur les femmes. Une dernière donnée de la tradition rabbinique est relative à Agrippa Ier (41-44) et à sa femme Cypros. Le Talmud de Babylone raconte deux historiettes [1]. Dans la première, un roi et une reine font immoler par des serviteurs les victimes de la Pâque. Ils tuent un agneau et un chevreau. Le roi envoie les serviteurs à la reine. Celle-ci les envoie à Gamaliel qui dit : le roi et la reine ayant été indifférents quant au choix, ils mangeront la victime qui a été sacrifiée la première.

La seconde historiette, qui suit immédiatement dans le Talmud de Babylone [2], raconte que, au cours d'un festin, on trouva un lézard dans la cuisine royale. On voulait déclarer impures toutes les nourritures. Mais on questionna le roi à ce sujet. Il renvoya les demandeurs à la reine, qui les renvoya à Gamaliel. Ce dernier déclara qu'il n'y avait pas à s'inquiéter. Ainsi « le roi dépendait

---

7. Schuerer, I, p. 415, n. 167.
8. Lichtenstein, p. 339 lignes 1-2 de la seconde notice de cette page.
9. Ainsi Graetz, III, 1878, p. 606 ; Schwab ; Aptowitzer (voir les références dans Lichtenstein, p. 294).
10. C'est le point de vue de Dalman, *Aramäische Dialektproben*, 1927, p. 43 (pour le 7 kisleu), et p. 44 (pour le 2 shebat).
1. b. *Pes.* 88ᵇ, baraïtas anonymes.
2. *Ibid.*

de la reine, et la reine dépendait de Rabban Gamaliel ; tout le repas dépendait de Rabban Gamaliel ».

Dans ces deux récits, le roi et la reine sont anonymes. Mais la mention de Gamaliel permet de donner leur identité [3]. En effet, il ne peut s'agir que de Gamaliel Ier, en activité dans les années 30-40. Nous avons donc en scène Agrippa Ier et sa femme Cypros. Les deux anecdotes montrent l'emprise de Gamaliel sur la reine. Ces deux récits sont sans doute des légendes. Mais ils montrent de quelle façon la tradition pharisienne soulignait l'influence de Rabban Gamaliel sur une femme.

Nous trouverons plus loin (§ 238) un autre trait relatif au prestige des docteurs pharisiens chez les femmes : les Sadducéennes venaient volontiers consulter ces docteurs au sujet des prescriptions de pureté rituelle.

Enfin, on peut, semble-t-il, faire état ici de la donnée de Mt 27, 19 relative à la femme de Pilate. Les paroles qu'elle dit à son mari au sujet de Jésus, « ce Juste », ne seraient-elles pas un écho d'une influence pharisienne [4] ?

231. Nous ignorons les raisons de la grosse influence des Pharisiens sur les femmes. Elles ont dû être multiples. Nous avons signalé (§ 228) le prestige de Salomé Alexandra dans le souvenir des Pharisiens. On peut sans doute faire état également de la piété des Pharisiens. En effet, ce n'est peut-être pas par hasard que Josèphe, dans la petite notice où il parle de la puissance des Pharisiens sur le gynécée royal d'Hérode, fait mention de leur « grand zèle pour la divinité » [?].

Nous n'avons pas de données sur l'attitude théorique et le comportement pratique des Sadducéens vis-à-vis des femmes ; nous entendons seulement dire par un rabbin (§ 238) que les femmes sadducéennes allaient volontiers consulter les docteurs pharisiens.

Mais les éléments que nous venons de recueillir sur le prestige des Pharisiens chez les femmes, au Ier siècle de notre ère, atteste de façon indirecte le peu d'influence des Sadducéens auprès d'elles.

On peut s'interroger sur les raisons de cette désaffection des femmes pour les Sadducéens. La réponse nous échappe [2].

---

3. DERENBOURG, Essai, p. 210.

4. Dans les *Acta Pilati* II 1 (édition A. DE SANTOS, « Biblioteca des autores cristianos » volume 148, Madrid 1956, p. 434), la femme de Pilate est θεοσεβής, « craignant Dieu » ; ce terme désigne une prosélyte.

1. *Ant.* XVII 41 : « il y avait un groupe (μόριον) de juifs qui se vantait d'observer très strictement les lois de leurs pères et affectait un grand zèle pour la divinité (καὶ οἷς χαίρει τὸ θεῖον προσποιούμενον), [groupe] auquel était soumis le gynécée ». Le texte est difficile. R. Marcus, dans « Loeb », 8, 1963, lit : καὶ νόμων οἷς χαίρει, etc., et traduit : « and claiming to observe the laws of which the Deity approves ».

2. Une misogynie particulièrement accentuée aurait-elle existé chez les Sadducéens ? — Les familles de l'aristocratie de Jérusalem, au tournant de

II. Divergence pour le droit d'héritage de la tante et de la nièce.

232. Dans la Tora, la règle fondamentale est que seuls les fils ont droit à l'héritage. L'unique cas où la fille hérite est celui où le père ne laisse pas de fils à sa mort (Nb 27, 9).

La législation de la Mishna, en *B.B.* VIII, 2, donne l'ordre d'héritage suivant : les fils, puis ses descendants, masculins ou féminins, puis les filles. Ainsi, les filles du fils héritent avant les propres filles (les nièces avant les tantes). Cela exclut pratiquement les tantes de l'héritage.

La Tora n'avait pas parlé du cas où la tante et la nièce se trouvaient devant un héritage. Face à la halaka pharisienne que nous venons d'indiquer (la nièce hérite, et non la tante), la halaka sadducéenne prévoyait que la tante et la nièce héritaient à part égale.

Plusieurs textes attestent cette halaka des Sadducéens. Dans le Talmud de Jérusalem [1], nous trouvons la discussion suivante :

« Les Sadducéens disent : la fille du fils et la fille [héritent toutes] deux [à parts] égales. — En effet, ils donnent l'explication [suivante] : Si la fille de son [lire : mon] fils, qui est issue de moi [2], hérite de moi, à plus forte raison ma fille, qui est issue de moi, hérite de moi.

» Ils [les Pharisiens] leur dirent : Non. Si vous le dites de la fille du fils, qui n'est pas issue des frères, vous voulez le dire [aussi] de la fille qui n'est pas issue du père ! »

Ce texte de Yerushalmi se trouve, bien à sa place, dans un long exposé relatif aux droits d'héritage. Un texte presque semblable figure dans la Tosefta [3], mais il est inséré, de façon quelque peu artificielle, dans une suite de reproches adressés aux Pharisiens par les Boéthusiens et par « ceux qui prennent un bain à l'aurore » :

« Les Boéthusiens [4] disaient : Nous vous reprochons, Phari-

notre ère, devaient être en grande partie sadducéennes. Mais nous manquons de renseignements sur la situation de la femme dans ces familles, et nous ne savons pas si elle y était différente de ce qu'elle était dans les familles pharisiennes. Dans son *Jérusalem* Jeremias ne donne aucun élément, car il font défaut. Il signale seulement, pp. 139-140, des exemples de richesse chez des femmes de l'aristocratie.

1. j. *B.B.* VIII 1, 16ᵃ 5 (VI/1, 202-203).
2. Nous allons retrouver à plusieurs reprises dans les textes cette expression *bw' mkḥ*, mot à mot « vient de la puissance ». Il peut s'agir soit de la puissance d'engendrer, soit de la puissance juridique (pour cette dualité, Billerbeck, IV, p. 351). Dans le premier cas, on traduit « est issu de » ; dans le second, « vient en vertu du droit ». Dans la *Tosefta* de Stuttgart, VI/3, p. 268, n. 207, Lisowsky et Rengstorf optent pour le sens biologique.
3. Tos. *Yad.* II 20 (684, 3). Nous suivons le texte critique de Lisowsky et Rengstorf, dans la *Tosefta* de *Stuttgart*, VI/3, pp. 359-360 de la partie hébraïque.
4. Le ms. de Vienne donne : *byt syyn* (« la maison de Siyyan » ?), qui est incompréhensible. Le ms. d'Erfurt : *btwtyym* (leçon curieuse). Il s'agit des Boéthusiens (voir Lisowsky et Rengstorf, *op. cit.*, p. 267, n. 205).

siens [, de dire que la petite-fille hérite et non pas la fille] ; si [en effet] la fille de mon fils, qui est issue de mon fils issu de moi, hérite de moi, à plus forte raison ma fille qui est issue de moi hérite de moi.

» Les Pharisiens répliquèrent : Non. Si vous le dites de la fille du fils qui hérite avec les [= ses] frères, vous voulez le dire [aussi] de la fille qui n'hérite pas avec les frères ! »

233. Le Talmud de Babylone [1] contient à ce sujet une très longue discussion entre Yohanan ben Zakkay († vers 80) et les Sadducéens. Elle est introduite par la présentation du principe des Sadducéens et la citation d'une notice de la *Megillat taanit* que nous examinerons après avoir regardé ce texte du Babli.

« Rab Huna (+ 297) a dit au nom de Rab (+ 247) : Si quelqu'un dit : la fille hérite avec la fille du fils, même si c'est le patriarche en Israël, on ne l'écoute pas, car c'est seulement une pratique des Sadducéens. Il est enseigné en effet : 'Le 24 tébèt, nous revînmes à notre droit' (*Megillat taanit* 14). En effet, les Sadducéens disaient : la fille hérite avec la fille du fils.

« Rabban Yohanan ben Zakkay (+ vers 80) alla les trouver et leur dit : Crétins, d'où [tirez-] vous cela ? — Et personne ne put lui répondre, à l'exception d'un *zaqén* [2] qui balbutia [3] devant lui et dit : Si la fille de son fils, issue de son fils, hérite de lui [le grand père], à bien plus forte raison sa fille issue de lui.

« Alors il [Yohanan] lui lut ce passage : 'Voici les fils de Séïr le Horite, les indigènes du pays : Lotân et Shobal et Cibéôn et Ana' (Gn 36, 20). Et il est écrit [ailleurs] : 'Voici les fils de Cibéôn : Ayya et Ana' (Gn 36, 24). Cela nous apprend que Cibéôn coucha avec sa mère et engendra Ana. »

Après cinq lignes de discussion pour expliquer qu'il n'y a pas deux Ana, le texte du Babli continue :

« Il [le *zaqén*] lui dit : Rabbi, avec cela, veux-tu me congédier [en considérant la chose comme réglée] ?

» Il [Yohanan] lui répliqua : Crétin, notre Tora parfaite n'est-elle pas autant que votre bavardage inutile ? Ce qui vaut de la fille du fils qui est héritière comme les frères, cela, tu veux le dire d'une fille dont le droit d'hériter n'est pas fondé à côté de ses frères !

» Alors ils [les Sadducéens] furent vaincus, et on fit de ce jour un jour de fête. »

Nous avons, dans ce texte, un genre de discussion entre les Sadducéens et Yohanan ben Zakkay que nous avons déjà rencontré (§ 127, 224) : présentation des Sadducéens comme des gens bêtes ; un seul, un *zaqén*, essaie de bredouiller quelque chose ; essai de justification, par Yohanan, de la halaka pharisienne par des arguments scripturaires ; déclaration de la supériorité de la Tora sur

---

1. b. *B.B.* 115ᵇ-116ᵃ.
2. Ancien ou vieillard (voir plus bas § 271).
3. Pour le sens de ce verbe, voir § 77, n. 4.

le bavardage inutile des Sadducéens. On peut légitimement douter de l'historicité de cette discussion au sujet de l'héritage des filles [4].

234. Comme nous venons de le dire, la victoire de Yohanan ben Zakkay sur les Sadducéens à propos de l'héritage des filles fut commémoré, au dire du Babli, par un jour de fête ; ce jour, c'est le 24 tébèt, où « nous revînmes à notre droit ».

Dans le texte de la notice araméenne de *Megillat taanit*, « nous revînmes à notre droit » figure non pas au 24 tébèt, mais au 24 ab [1] (*M.T.* 14).

Pour ce 24 ab, le commentaire hébreu tardif présente une caractéristique unique qui ne se retrouve pour aucune autre notice de la *M.T.* : il donne deux explications l'une à la suite de l'autre. Voici la première [2] :

> « Dans les jours de la royauté grecque, les jugements [avaient lieu] selon les jugements des païens. Mais quand se furent fortifiées les mains de la maison des Asmonéens, on les abrogea, et l'on recommença à juger selon les jugements d'Israël. Et de ce jour où ils furent abrogés, on fit un jour de fête. »

Cette explication est bonne. Elle donne bien le sens du texte araméen.

La seconde explication [3] est la reprise textuelle du long texte du Babli [4] que nous avons lu à l'instant [5].

Ces deux explications sont incompatibles l'une avec l'autre. La première est la plus ancienne. Par la suite, on y ajouta la seconde, à partir du Babli [6] ; elle n'a pas de valeur historique [7]. Par contre,

---

4. Dans la littérature rabbinique, cette discussion ne se retrouve que dans le *Yalkout shiméoni* I § 140 (44[b] 6). Il n'y a aucune mention de ce débat dans *Gn. R.* 82, 14 sur 36, 20-24 (993-994).

1. Texte dans LICHTENSTEIN, *HUCA* 8-9 (1931-1932), p. 319, ligne 14.

2. LICHTENSTEIN, p. 334, lignes 1-3. Cette première explication ne figure pas dans le ms. *pé*, qui donne la recension espagnole dont il est le seul témoin.

3. LICHTENSTEIN, p. 334, lignes 4-13. Il imprime cette seconde explication en petits caractères (ce qui indique, dans son édition, la couche la plus récente de ce commentaire). Elle ne figure pas dans le ms. *aleph*, donnant la recension italienne, qui ignore les Sadducéens et connaît seulement les Boéthusiens (LICHTENSTEIN, p. 262).

4. b. *B.B.* 115[b]-116[a], repris avec quelques modifications.

5. Dans le texte actuel de b. *B.B.* 115[b], en tête de la discussion (traduite § 233), il est question du 24 tébèt et non pas du 24 ab. L'explication de cette erreur du Babli est facile (LICHTENSTEIN, p. 278). En effet, dans la *M.T.*, il y a d'abord une notice pour le 15 ab. Pour le 24 ab, la *M.T.*, selon son habitude, ne répète pas le nom du mois ; elle dit seulement : « Le 24 du mois ». Rabbi Samuel ben Meïr (XII[e] siècle) lut « le 24 du mois » et le rapporta, par erreur, au mois de tébèt. Cette fausse lecture passa ensuite dans le Babli.

6. LICHTENSTEIN, *op. cit.*, p. 278.

7. Le problème posé par la mention de la notice de *M.T.*, 24 ab, dans le texte de b. *B.B.* 115[b]-116[a] a été examiné par A. SCHWARZ, *La victoire des Pharisiens sur les Sadducéens en matière de droit successoral*, dans *REJ* 63

il n'y a rien à redire, historiquement, à la première : il s'agit de la restauration du droit judiciaire juif par Judas Maccabée [8].

Ce cas du commentaire hébreu de *Megillat taanit* 14 (24 ab) est extrêmement précieux pour notre recherche. A plusieurs reprises, nous avons déjà rencontré, dans ce commentaire, des explications antisadducéennes (nous résumerons les résultats plus loin, § 246). Or, dans tous les cas examinés, nous avons été amenés à rejeter la valeur de ces explications antisadducéennes, grâce à l'examen du texte araméen des notices. Ici, pour le 24 ab, c'est la première partie du commentaire qui fournit elle-même l'explication exacte, et montre, par le fait même, le caractère légendaire de l'explication antisadducéenne.

235. Il faut maintenant chercher les raisons de la divergence entre Pharisiens et Sadducéens au sujet de l'héritage des filles. Remarquons d'abord qu'il s'agit d'un cas très précis. Un homme a eu un fils et une fille. Son fils est déjà mort. Ce fils a eu une fille. L'homme en question vient à mourir. Il y a donc deux héritières : la tante et la nièce. Il faut donc, pour que ce cas existe, des conditions spéciales : le fils meurt avant son père ; à la mort du père, il n'y a que des filles comme survivantes, le père n'ayant pas eu d'autre fils, et le fils n'ayant pas de fils. La mort d'un fils avant son père n'est pas extraordinaire ; par contre l'absence de tout mâle survivant à la mort du père est assez extraordinaire, étant donné que les familles israélites et juives étaient des familles nombreuses. Le cas en question paraît donc rare.

Nous avons examiné les trois textes qui donnent le point de vue des adversaires des Pharisiens : Talmud de Jérusalem, Tosefta, Talmud de Babylone [1]. Dans les deux Talmuds, ces adversaires sont les Sadducéens. Dans la Tosefta, par contre, ce sont les Boéthusiens. Comme le texte de la Tosefta est identique à celui du Yerushalmi,

---

(1912), pp. 51-62 (ici p. 56). Voici le raisonnement de Schwarz. En finale du texte du Babli, il est dit que la victoire des Pharisiens sur les Sadducéens fut commémoré par un jour de fête. Ce jour de fête, c'est le 24 ab (24 tébèt dans le Babli, par erreur, voir plus haut, n. 5), cité en tête du texte du Babli. Or, dans ce début, Rab Huna (+ 297) rapporte un dire de Rab (+ 247), affirmant que, même si le patriarche (autorité suprême dans le judaïsme après 135) accorde part égale d'héritage à la tante et à la fille, il ne faut pas l'écouter. Ces paroles de Rab, dit Schwarz, « obligent à admettre *qu'il n'y a jamais eu de jour commémoratif rappelant la victoire remportée sur les Sadducéens en matière de droit d'héritage* (c'est lui qui souligne) ». Par conséquent, dans le texte de b. *B.B.* 115[b]-116[a], la mention, au début et à la fin, de la *M.T.* n'est pas primitive.

8. LICHTENSTEIN, p. 278. On verra, dans cette page de Lichtenstein, les autres dates proposées pour cette restauration du droit juif ; elles ne sont pas à retenir.

1. Nous laissons maintenant de côté la seconde explication du commentaire de *M.T.*, car elle est seulement une copie du Babli.

on peut supposer que Boéthusiens, ici, est synonyme de Sadducéens.

Dans les trois textes, la discussion se termine par une réplique des Pharisiens. Il faut la prendre comme une ironie qui rejette la position sadducéenne[2]. Quant à l'essai de justification scripturaire que les Pharisiens donnent dans le Babli, il est faible. En bloquant deux textes (Gn 36, 20 et 36, 24), et en faisant de Ana, fils de Séïr (36, 20) le même personnage que le Ana fils de Cibéon (36, 24), il considère cet Ana à la fois comme fils et comme petit-fils de Séïr. Donc fils et petit-fils sont égaux en droit, et cela prouve, pensent les Pharisiens, que la droit du fils passe totalement à la fille.

Mais cet argument identifie deux personnages, deux Ana, qui sont différents[3]. Par ailleurs, l'inférence du cas du petit-fils à celui de la petite-fille paraît sans fondement. On comprend facilement que les Sadducéens aient rejeté une pareille démonstration[4].

En ce qui concerne les Sadducéens, nous n'avons malheureusement aucune précision sur la justification qu'ils donnaient de leur point de vue. Les trois textes rabbiniques examinés donnent uniquement leur principe : la nièce hérite avec la tante. Ils n'avaient pas à invoquer de texte d'Écriture, puisque la Tora est muette sur ce cas. Leur raisonnement devait être le suivant : les petites-filles sont comme les filles. Nous avons là un cas où les Sadducéens avaient dû, pour répondre à un problème concret, forger une halaka.

236. Pourquoi, sur ce point, qui n'avait pas de base scripturaire, Pharisiens et Sadducéens avaient-ils une halaka opposée ? Finkelstein invoque des motifs d'ordre sociologique. Les Pharisiens étaient de petits propriétaires ; ils voulaient éviter le partage des héritages, et donc, déclaraient que seule la petite-fille était héritière. Par contre, les Sadducéens, gros propriétaires, ne voyaient pas

2. « Si vous le dites de la fille du fils qui hérite avec les [ses] frères, vous voulez le dire [aussi] de la fille qui n'hérite pas avec les frères » (texte de la Tosefta). Le « vous voulez le dire » est égale à « vous n'avez pas le droit de le dire ».
3. Schwarz (article cité § 234, n. 7), p. 62, pense que Yohanan ben Zakkay, en affirmant cette identité, s'inspira non de son imagination, mais d'une légende accréditée depuis longtemps. Cela paraît tout à fait vraisemblable.
4. Schwarz (article cité § 234, n. 7) donne une explication totalement différente de la démonstration de Yohanan ben Zakkay. La réponse de Yohanan, dit-il (p. 59), est étonnante. Au lieu de démonter tout de suite son adversaire, il répond par la conciliation de deux versets de l'Écriture qui paraissent se contredire. « Sans doute, c'était sa méthode avec les Sadducéens, justement parce qu'ils tenaient aveuglément à la lettre de l'Écriture, de les embarrasser au moyen de versets » (p. 59). Mais la référence à la généalogie de Séïr ne réfute pas la règle sadducéenne [notons que cette discussion exégétique a peu de chance d'être historique]. Un peu plus loin (p. 62), Schwarz ajoute que la réponse de Yohanan n'est pas une réfutation, mais une confirmation, ironique, de la thèse sadducéenne. Vous avez raison, leur dit-il, mais votre principe ne s'applique pas dans ce cas.

d'inconvénient à ce que les héritages soient divisés entre tante et nièce [1].

Ce facteur a dû avoir un rôle ; mais il ne semble pas avoir été déterminant. En effet on ne comprendrait pas bien pourquoi, si telle avait été la raison essentielle de la divergence entre les deux groupes, pourquoi elle se serait manifestée uniquement dans ce cas qui, comme nous l'avons dit, paraît rare. C'est du reste à partir de ce caractère de rareté du cas que l'on a été amené à envisager une explication totalement différente. Cette discussion sur un cas d'héritage aurait une signification d'ordre historique et politique.

C'est Geiger qui a lancé cette explication [2]. Hérode Ier avait épousé, entre autres femmes, Mariamme, petite-fille d'Hyrkan II. Par ailleurs, il avait supprimé tous les descendants mâles des Asmonéens. Par cette double action, il pensait être le seul héritier de la royauté asmonéenne, à condition toutefois qu'on admette que l'héritage asmonéen lui était parvenu par Mariamme. Les Sadducéens l'admettaient ; les Pharisiens le niaient. En effet, il devait y avoir, dit Geiger, des petites-filles d'Hyrkan II nées d'un fils d'Hyrkan II, frère d'Alexandra, la mère de Mariamme [3]. Selon les Pharisiens, seules ces petites-filles étaient héritières ; Mariamme n'avait aucun droit. Les Sadducéens, au contraire, pensaient que l'héritage d'Hyrkan II était parvenu à la fois à Mariamme et à ces petites-filles. C'est donc pour justifier leur point de vue sur cette question politique que les Sadducéens auraient établi leur halaka au sujet de l'héritage de la petite-fille.

Cette explication d'ordre allégorique semble trouver un confirmatur dans le fait de la place de la discussion sur ce point dans la Tosefta [4]. Elle figure en effet en Tos. *Yad.* II 20 (684, 3), immédiatement après la discussion, en II 19 (684, 2), au sujet des mains souillées. Or, dans la Mishna, nous trouvons, en *Yad.* IV 6-7, la succession suivante dans le développement : mains souillées, *niṣṣôq*, responsabilité du maître pour son esclave. Pour ces deux derniers points, nous avons déjà rencontré un semblable essai d'explication allégorique. L'impureté du *niṣṣôq*, affirmée par les Pharisiens, signifierait que la dynastie d'Hérode est impure, car elle est parvenue au pouvoir au travers d'un monceau de cadavres (§ 156). Dans le cas de la responsabilité du maître pour son esclave, affirmée par

---

1. FINKELSTEIN, *Pharisees*, 1962, p. 694 (1938, pp. 138-139). Explication reprise par J. NEUSNER, *A Life of R. Yohanan ben Zakkai*, 1962, p. 55.
2. GEIGER, *Urschrift*, pp. 143-144 ; suivi par DERENBOURG, *Essai*, p. 135 et APTOWITZER, dans *HUCA* 5 (1928), p. 285.
3. GEIGER, *Urschrift*, p. 143, n. 1 : le fait n'est pas certain, mais vraisemblable. Selon *Ant.* XV 263 (cf. 260 et 266), les membres de la famille de Baba sont descendants d'Hyrkan II. Il s'agit vraisemblablement, dit Geiger, d'une descendance féminine d'un fils ou d'un petit-fils d'Hyrkan II.
4. GEIGER, *Urschrift*, p. 147.

les Sadducéens et niée par les Pharisiens, la portée allégorique serait la suivante : Hyrkan II, grand prêtre et ethnarque, doit-il être considéré comme responsable des agissements du jeune Hérode, stratège de Galilée ? Nous avons vu (§ 179) que, dans cette discussion sur la responsabilité du maître, l'allusion politique semblait réelle, mais que cette question avait une portée pratique dans le domaine proprement juridique.

Pour le cas de l'héritage de la tante et de la nièce, l'explication allégorique donnée un peu plus haut ne semble aller qu'à moitié. En effet, même si l'on pense que l'existence de petites-filles d'Hyrkan II nées d'un frère d'Alexandra historiquement certaine [5], il reste que nous avons là non pas une tante et une nièce, mais des petites-filles qui sont cousines germaines (Mariamme, fille d'Alexandra, et des filles d'un frère d'Alexandra). Il paraît donc difficile de penser que la divergence de la halaka au sujet de la tante et la nièce ait eu pour origine cette situation politique du règne d'Hérode, et la différence d'attitude des Pharisiens et des Sadducéens vis-à-vis du roi.

237. Reprenant une suggestion de Jost [1], Hölscher pensa expliquer ce point de la halaka sadducéenne en faisant appel à une influence du droit romain [2]. Finkelstein a repris cette explication [3]. Mais elle ne semble pas à retenir [4]. C'est dans une certaine survivance du matriarcat qu'Aptowitzer cherchait la solution [5] ; mais cette explication reste conjecturale.

Les Qaraïtes sont d'avis que la fille a un droit d'héritage égal à celui du fils [6]. Or, au second siècle de notre ère, certains docteurs pharisiens soutenaient que, pour l'héritage de la *mère*, les filles avaient même droit que les fils [7]. Mais ces docteurs, pour respecter

---

5. Voir plus haut n. 3.
1. J. M. Jost, *Geschichte des Judentums*, Leipzig, I, 1857, p. 223, n. 1 : les Romains (égalité d'héritage pour les filles et les fils) ont appliqué leur droit successoral aux juifs ; la querelle entre Pharisiens et Sadducéens pour la question d'héritage n'eut lieu que quand on laissa de nouveau aux Pharisiens la liberté d'appliquer leur droit.
2. Hoelscher, *Sadduzäismus*, p. 30.
3. Finkelstein, *Pharisees*, 1962, p. 694 (1938, p. 139).
4. Voici la démonstration d'Hölscher. Dans le droit successoral justinien, le principe de la *cognatio* est appliqué dans toutes ses conséquences ; il inclut une égalité des deux sexes pour l'héritage. Mais déjà dans le droit successoral ancien de l'intestat, qui, dans le droit des Douze tables, repose de la manière la plus absolue sur l'*agnatio*, la fille a part à l'héritage aussi longtemps qu'elle est restée *sua*, c'est-à-dire enfant de la maison de celui qui laisse un héritage au moment de sa mort.
5. V. Aptowitzer, *Spuren des Matriarchats im jüdischen Schriften*, dans *HUCA* 5 (1928), p. 227, et l'Excursus 5 (pp. 283-289) : « Le droit d'héritage des filles chez les Sadducéens ».
6. Aptowitzer, *op. cit.*, p. 283.
7. b. *B.B.* 111[a] : beaucoup de juges, dans les questions d'héritage décident suivant la théorie de Rabbi Zacharya ben ha-qassab (vers 150 ?) ; on

la stipulation de Nb 27, 9, n'appliquaient pas ce point de vue à l'héritage paternel. Pourtant, il n'y a pas de raison, ni sur le plan logique ni sur le plan juridique, de faire une différence entre l'héritage maternel et l'héritage paternel [8].

Il est difficile, dans l'état de notre documentation, d'affirmer que les Sadducéens, même pour l'héritage paternel, mettaient les filles et les fils sur le même pied [9], et donc, accordaient plein droit d'héritage à la fille. Leur façon d'accorder égalité de part d'héritage à la tante et à la nièce semble être l'expression, sur un point particulier, de la tendance générale à reconnaître le droit d'héritage à la fille. Car, si ne nous trompons pas, l'aspect essentiel de la discussion entre Pharisiens et Sadducéens au sujet de l'héritage de la tante et de la nièce concerne la tante, en tant qu'elle est la fille du père défunt.

Pour l'héritage des filles, nous rencontrons une curieuse divergence entre Sadducéens et Pharisiens. En effet cette divergence porte uniquement sur un cas très précis, et sans doute rare : une tante et une nièce, sans qu'il y ait à côté d'elles d'héritier mâle vivant, se trouvent en présence d'un héritage. Selon la halaka pharisienne, seule la nièce est héritière ; d'après la halaka sadducéenne, la tante et la nièce héritent toutes deux à part égale.

Ce cas n'était pas prévu par la Tora. Les Sadducéens avaient donc dû créer une halaka nouvelle. Nous entrevoyons mal les raisons qui ont pu amener une divergence entre les deux groupes rivaux. Certes a dû jouer le souci d'égalité des Pharisiens, face aux gros propriétaires sadducéens qui ne jugeaient pas dommageable le partage de grands héritages. Mais cette raison ne semble pas avoir été la seule.

Une explication d'ordre allégorique ne paraît devoir être retenue. Selon cette explication, les Sadducéens auraient prévu cette halaka de l'héritage des filles pour affirmer qu'Hérode Ier, mari de Mariamme l'Asmonéenne, avait hérité de la succession asmonéenne.

les rejette par la force et par le ban (même chose dans j. *B.B.* VIII 1, 16[a] 26 [VI/1, 203]). Rabbi Jannée (vers 225) rejette vigoureusement cette opinion, soutenue ici par Rabbi Yosé ben Juda (vers 180) et Rabbi Éléazar ben Yosé (vers 180). APTOWITZER, *op. cit.*, p. 285, suppose que la raison de l'opposition à ce principe, pourtant soutenu par des tannaïtes célèbres, entre autres Shiméon ben Yokay (vers 150), est son origine hétérodoxe, c'est-à-dire sadducéenne.

8. APTOWITZER, *op. cit.*, p. 285.
9. APTOWITZER, même page, l'affirme.

III. Divergence pour la pureté rituelle de la femme.

238. Dans le traité mishnique *Nidda*, on trouve, en IV 1, des stipulations relatives à l'impureté rituelle des femmes samaritaines. Puis, en IV 2, il est question des femmes sadducéennes :

> « Les filles des Sadducéens, tant qu'elles suivent les coutumes de leurs pères, sont comme des Samaritaines [considérées comme impures au suprême degré dès le berceau]. Si elles se séparent pour suivre les coutumes d'Israël, elles sont comme des Israélites.
>
> » Rabbi Yosé [ben Halaphta, vers 150] dit : Elles sont toujours comme des Israélites, jusqu'à ce qu'elles se séparent pour suivre les coutumes de leurs pères. »

Au traité *Nidda* de la Tosefta, on a, en V 1 (645, 21), le même texte sur les Samaritaines que dans la Mishna *Nidda* IV 1. Puis en Tos. *Nidda* V 2 (645, 23), il est prévu ceci :

> « Les filles des Sadducéennes, tant qu'elles suivent les coutumes de leurs pères, [sont à considérer comme] conduites [1] [par elles]. Si elles se séparent [pour suivre] les coutumes d'Israël, elles sont comme des Israélites. »

Nous le voyons, ce texte de la Tosefta est presque identique à celui de la Mishna que nous venons de traduire, à l'exception de deux différences. La première porte sur un mot : la Tosefta dit *mkwwnwt*, « conduites » ; la Mishna donne *kkwtywt*, « comme des Samaritaines ».

La seconde différence réside dans le fait que la Tosefta ne comporte pas, en finale, le dire de Rabbi Yosé ben Halaphta. Or Rabbi Yosé, dans ces paroles, est le témoin d'une attitude opposée à celle qui s'exprime dans le texte de la Mishna et celui de la Tosefta. *A priori*, dit-il, les Sadducéennes sont considérées comme des Israélites. Nous touchons là du doigt une évolution de l'attitude des Pharisiens vis-à-vis des Sadducéens [2] (voir § 83).

La Tosefta *Nidda* V 3 (645, 24) continue :

---

1. Leçon du ms. de Vienne : *mkwwnwt* ; ce terme, qui vient de *kwn*, signifie « conduites », « dirigées ». Le ms. d'Erfurt donne *kkwtywt*, « comme des Samaritaines ». Cette dernière leçon est une tentative pour préciser le difficile *mkwwnwt*, en s'appuyant sur *Nidda* IV 2. On peut supposer que ce terme difficile représente la leçon originale, et donne une tradition plus ancienne que celle de *Nidda* IV 2 (RENGSTORF, *Tosefta* de Stuttgart, VI/2, p. 202, n. 19).

2. RENGSTORF, *op. cit.*, p. 202, n. 17, discute le sens de « filles » dans l'expression « filles des Sadducéens » (Tos. *Nidda* V 2, et Mishna *Nidda* IV 2). Il pense qu'elle signifie ici « adhérentes des Sadducéens » ; il rapproche cela de Mt 12, 27 = Lc 11, 19 : « vos fils », qui signifie probablement « disciples des Pharisiens », et de Ac 23, 6, où c'est vraisemblablement le même sens. Mais la littérature rabbinique ne contient aucun texte où « ben N » aurait le sens de « disciple de N ».

« Un jour, un Sadducéen parlait avec un grand prêtre. Et un crachat sortit de sa bouche et tomba sur les vêtements du grand prêtre. Alors, le visage du grand prêtre blêmit [3].

» Ils allèrent questionner la femme du Sadducéen [pour savoir si, en période de menstruation, elle suivait les prescriptions pharisiennes]. Elle répondit : Monseigneur prêtre, bien que nous soyons sadducéennes [4], cependant nous allons questionner un docteur [pharisien au sujet des règles de pureté].

» Rabbi Yosé [ben Halaphta, vers 150] dit : Nous connaissons le comportement des Sadducéennes mieux que personne [5] ; toutes, en effet, vont interroger un docteur [pharisien], sauf l'une d'entre elles qui [à cause de cela] mourut [6]. »

Le même texte figure dans le Babli, avec seulement quelques différences de détail [7].

239. Il y avait donc, au sujet de la pureté de la femme, divergence entre Pharisiens et Sadducéens. Essayons de préciser sur quels points particuliers elle portait. Il n'est pas inutile d'évoquer ici ce que la Mishna évoque au sujet des divergences entre Hillélites et Shammaïtes [1]. « Les plus scrupuleux de l'école d'Hillel, dit-elle, observaient les règles de l'école de Shammay. » La façon dont certains Hillélites suivaient les prescriptions des Shammaïtes est, d'une certaine façon, parallèle à la façon dont, au dire des trois textes cités à l'instant, les femmes Sadducéennes suivaient la halaka pharisienne au sujet de la pureté.

L'impureté sexuelle de la femme qui a ses règles est traitée en Lv 15, 19-30. La prescription de la Tora est claire : pendant sept jours, à compter du début de ses règles, elle est impure (15, 19). Si elle a un écoulement en dehors de ses règles, elle doit, après la fin de sa maladie, compter sept jours pendant lesquels elle est impure (15, 28).

Concrètement, cela posait beaucoup de questions pour savoir s'il s'agissait de règles normales ou bien d'une maladie, si l'on avait affaire à une blessure ou à un ulcère. Dans ces deux derniers cas, il

---

3. Sur cet événement, voir notre étude § 217. Pour la leçon « Sadducéen » et non « Sadducéenne » dans la première phrase, § 217, n. 1.
4. Le ms. de Vienne donne *nshy ṣdwqywt* ; le ms. d'Erfurt : *nshy ṣdwqwt*. Le mot *nshy* n'est donc pas à l'état construit, ce qui pose un problème, vu cette forme de *nshy*. Il faut donc ou bien la considérer comme un araméen pluriel, ou bien lire *nshy"* (avec le signe d'abréviation *"* en finale) = *nshym*. Mais il n'y a aucune trace d'abréviation dans aucun des deux mss. En b. *Nidda* 33[b], on a, correctement, *nshym ṣdwqym* (tout cela d'après SCHERESCHEW-SKY, *Tosefta* de Stuttgart, VI/2, p. 204, n. 28).
5. Selon GOLDSCHMIDT, *Der babyl. Talmud* (trad. allemande seule), XII, 1936, p. 454, n. 72, il habitait dans leur voisinage.
6. Nous retrouvons ici un trait déjà rencontré : punition divine en châtiment de la désobéissance à la halaka pharisienne. C'est un élément légendaire de la polémique pharisienne contre les Sadducéens (§ 77 et n. 6-9).
7. b. *Nidda* 33[b].
1. *Demai* VI 6.

n'y avait pas d'impureté. Les Pharisiens avaient établi un grand nombre de prescriptions de détail ; on en trouve l'essentiel dans le traité *Nidda* de la Mishna et dans les deux guemaras palestinienne et babylonienne.

Selon la Tora la femme qui enfante est impure pendant sept jours, puis durant les 33 jours qui suivent, s'il s'agit d'un garçon ; pendant 14 jours, puis durant les 66 jours qui suivent, s'il s'agit d'une fille (Lv 12, 2-5).

Soulignons, pour la clarté de l'exposé qui va suivre, un petit détail de vocabulaire. Dans la Bible, l'impureté causée par les règles est appelée *niddah* ; dans l'hébreu post-biblique, ce terme *niddah* désigne la femme elle-même au moment de ses règles.

Il n'y a pas à retenir le reproche global fait aux Sadducéens d'avoir des relations sexuelles avec une *niddah*. Il était faux. C'est Raba († 352) lui-même qui en lave les Sadducéens [2].

Leszynsky [3] voyait dans le Testament des douze patriarches [4] un reproche aux femmes sadducéennes de ne pas suivre les prescriptions de la Tora pour les purifications. Mais cette explication est inexacte.

Selon la Mishna [5], un tribunal est coupable s'il absout « celui qui a des relations sexuelles avec une femme devant attendre, après un jour [d'impureté], un jour [de pureté] [6]. » La Tora avait prescrit sept jours d'impureté (Lv 15, 19). Pendant les onze jours [7] qui suivaient ces sept premiers jours, elle était impure si elle avait un écoulement ; elle ne se retrouvait pure que si elle restait un jour entier sans écoulement. Si quelqu'un avait des relations avec elle pendant cette nouvelle impureté, il était déclaré coupable.

Le reproche d'avoir des relations sexuelles avec une femme pendant ses règles se trouve peut-être dans les Psaumes de Salomon [8], et sûrement dans le Document de Damas [9].

---

2. b. *Nidda* 33ᵇ-34ᵃ.

3. *Sadduzäer*, p. 245.

4. *Test. Lévi* 14, 6.

5. *Hor.* I 3.

6. « Une femme devant attendre un jour après un jour » : cette formule est fréquente dans la Mishna (voir par exemple *Pes.* VIII 5 ; *Meg.* II 4 ; *Nidda* IV 7 ; *Zabim* I 1).

7. Voir b. *Nidda* 73ᵃ.

8. *Ps. Salomon* 8, 13 : les prêtres « pendant le flux menstruel, profanaient les victimes, comme des viandes communes ». Il s'agit de femmes rituellement impures du fait de leurs règles. Le texte peut avoir deux sens. Selon la première explication (c'est celle de J. VITEAU, *Les Psaumes de Salomon*, 1911, p. 295), les prêtres toléraient la présence au Temple de femmes rituellement impures, et en acceptaient les sacrifices, qui se trouvaient donc souillés. Selon la seconde explication (c'est celle de G. B. GRAY, dans CHARLES, *Apocrypha*, II, p. 640, suivi par Ch. RABIN, *Zad. Document*, note sur V 7), les prêtres avaient des rapports sexuels pendant les jours d'impureté de leurs femmes, et ils étaient donc, eux-mêmes, rituellement impurs.

9. *CD* V 7 : reproche aux prêtres de coucher « avec celle qui voit le

Pour la question de l'impureté d'une femme qui vient d'enfanter, les Jubilés comportent un texte important. Au milieu d'une petite section consacrée à cette question, il y a un verset évoquant le moment où Adam et Ève furent introduits au Paradis [10]. Il indique clairement que la mère, pendant les 40 jours qui suivent la naissance d'un fils (ou les 80 jours qui suivent celle d'un fille), ne peut avoir de relations sexuelles avec son mari [11].

Or, selon la halaka pharisienne, pendant les 33 jours faisant suite aux sept jours d'impureté légale (ou les 66, après les 14 jours, dans le cas d'une fille), la mère peut avoir des relations sexuelles [12]. Par contre, les Samaritains et les Qaraïtes l'interdisent [13]. On en conclut souvent que les Sadducéens l'interdisaient également [14]. Cela n'est pas absolument certain. Mais on peut au moins affirmer avec certitude, en se basant sur la donnée des Jubilés examinée dans l'alinéa précédent et sur une curieuse baraïta du Babli [15], que cette interdiction des relations sexuelles pendant les 33 jours (ou

sang de son écoulement ». Le cas dont il est question ici est peut-être le même que celui dont traite *Ed.* V 6 : Aqabya ben Mahalalel (vers 70 de notre ère) est resté fidèle à l'opinion selon laquelle l'accouchée est considérée comme de nouveau impure si, durant les 33 (ou 66 pour une fillette) jours d'impureté après la naissance, elle a eu des écoulements. Il fut mis au ban pour cela (tout le chapitre V du traité mishnique *Eduyot* est sans doute une addition postérieure à la rédaction de la Mishna [Ch. ALBECK, *Untersuchungen über die Redaktion der Mischna*, Berlin, 1936, p. 116] ; le passage de *Ed.* V 6 sur l'accouchée a son parallèle dans *Nidda* II 6). Or les Samaritains ont une position identique à celle d'Aqabya (LESZYNSKY, *Sadduzäer*, p. 74). Elle se trouve déjà dans *Jubilés* 3, 11. — La divergence entre la halaka pharisienne et celle qui se trouve dans les Jubilés, chez les Samaritains et Aqabya vient d'une lecture différente des consonnes de Lv 12, 4 : « elle restera ... dans le sang *ṭhrh* ». La Septante a lu comme si le *hé* final était le possessif : « le sang de *sa* purification » ; même chose dans *Jubilés* 3, 11. Cette traduction veut dire : le sang nécessaire pour sa purification, laquelle, par conséquent, n'existe qu'à la fin de ce temps. Au contraire, le Texte massorétique et la tradition pharisienne, qui se reflète dans ce Texte massorétique, ont lu un adjectif : « dans le sang *pur* », créant ainsi un mot nouveau (DERENBOURG, *Essai*, p. 141, n. 1). Lu de cette façon, le texte du Lévitique veut dire exactement le contraire de ce qu'il signifie dans la première interprétation (« sang de sa purification »). Ce problème a été mis en lumière pour la première fois par A. GEIGER, dans la revue *he-Ḥaluṣ* 5 (1860), p. 29 ; 6 (1861), p. 28 (nous n'avons pu avoir cette revue entre les mains), et dans la *Jüdische Zeitschrift* 1 (1962), p. 51.

10. *Jubilés* 3, 8-10 : loi relative à l'impureté de la femme après la naissance de son enfant. En 3, 9, le texte rappelle le moment où Adam et Ève furent admis au jardin d'Éden : pour Adam, ce fut 40 jours après la création, pour Ève, 80 jours après.

11. Et, bien entendu, pendant ce temps, ne peut entrer au Temple.

12. *Sifra* Lv 12, 5 (51ᵃ 12).

13. FINKELSTEIN, *Pharisees*, 1962, p. 737.

14. Ainsi FINKELSTEIN, *ibid.*

15. b. *Shab.* 55ᵇ : les fils d'Éli, le prêtre de Silo, n'ont pas péché (1 S 2, 22 dit qu'ils ont péché), mais « ils retardaient l'offrande de pigeons de purification (Lv 12, 6) et ainsi empêchaient les femmes d'avoir des relations avec leurs maris ».

66, dans le cas d'une fille) était une ancienne tradition sacerdotale, dépassant les exigences de la Tora.

Selon la Mishna, les Sadducéens, au sujet de la pureté rituelle des femmes, avaient des prescriptions différentes de celles des Pharisiens. Il n'y a pas de raison de mettre en doute l'exactitude historique de cette donnée. Mais, quand nous essayons de savoir sur quels points précis portaient ces différences, nous restons sur notre faim. Nous avons seulement un cas : selon une halaka ancienne, la femme qui venait d'enfanter ne pouvait avoir de relations sexuelles avant la fin des 33 jours (ou 66 pour une fille) d'impureté légale faisant suite aux 7 jours d'impureté prévus par la Tora (14 pour une fille). Il est possible que les Sadducéens suivaient cette ancienne halaka, différente de celle des Pharisiens.

IV. DIVERGENCE POUR LE LÉVIRAT ?

240. Selon la loi du lévirat (Dt 25, 5-10), la veuve sans enfant mâle est épousée par son beau-frère. Cette législation était encore en usage au temps de Jésus [1].

Dans le récit évangélique relatif à la résurrection [2] (Mc 12, 18-27 et parallèles), les Sadducéens n'attaquent pas cette loi du lévirat [3].

Nous ne connaissons pas avec certitude la position sadducéenne dans une question délicate qui, à propos du lévirat, passionna beaucoup les esprits à Jérusalem au Ier siècle de notre ère [4]. Un homme avait deux femmes, dont l'une était sa nièce, fille de son frère. Il vint à mourir. Son frère, bien entendu, ne put épouser sa propre fille. Mais qu'en était-il de l'autre femme de son frère défunt ? Les Hillélites interdirent le mariage ; par contre, les Shammaïtes le permirent. Il est possible que les Sadducéens, en pareil cas, avaient une position semblable à celle des Shammaïtes.

Certains Qaraïtes interdisaient complètement le lévirat [5]. Les

1. JEREMIAS, *Jérusalem*, p. 486, n. 115, qui rejette l'opinion contraire de Rengstorf.
2. Étudié plus haut § 17-19.
3. Par contre GEIGER, dans *Jüdische Zeitschrift* 1 (1862), pp. 29-30, suivi par S. POZNANSKI, dans *REJ* 45 (1902), p. 64, affirme que, dans ce texte, les Sadducéens rejettent le lévirat.
4. b. *Yeb.* 15[b].
5. A. GEIGER, *Die Levirats-Ehe, ihre Entstehung und Entwicklung*, dans *Jüdische Zeitschrift* 1 (1862), pp. 19-30, ici p. 28 : les Qaraïtes interdisent le lévirat. Cette affirmation globale n'est pas exacte (voir REVEL, dans *JQR* n. s. 3 [1912-1913], p. 346 : certains Qaraïtes suivaient la halaka samaritaine).

Samaritains, ainsi que d'autres Qaraïtes, l'avaient limité au cas où le frère défunt était seulement fiancé, mais non pas marié [6]. Cette limitation apparaît déjà dans les Testaments des douze patriarches [7] et dans les Jubilés [8]. En s'appuyant sur cette pratique samaritaine et ces deux attestations d'écrits intertestamentaires, on en a parfois conclu que les Sadducéens, eux aussi, acceptaient cette limitation pour le lévirat [9]. Mais cela est inexact. D'une part, en effet, on ne peut faire une inférence pure et simple à partir de la halaka samaritaine pour trouver la halaka sadducéenne [10]. D'autre part, comme le note Revel [11], si les Sadducéens avaient limité le lévirat au cas du fiancé, les mariages entre Pharisiens et Sadducéens auraient été prohibés, comme ils l'étaient entre Pharisiens et Samaritains [12] acceptant pareille limitation [13].

V. Point de vue particulier des sadducéens sur le mariage avec la nièce, la polygamie, le divorce ?

241. La Bible interdit le mariage entre la tante et le neveu (Lv 18, 13), mais ne dit rien au sujet du mariage entre l'oncle et la nièce.

6. Geiger, *op. cit.*, p. 27. Ils avaient trouvé dans l'Écriture un appui pour cette opinion, détournant un mot de son sens (Dt 25, 5) : *haḥûṣah* « au dehors », compris comme désignant une personne non mariée (voir j. *Yeb.* I 6, 3ᵃ 35 [IV/2, 17] et b. *Qid.* 75ᵇ-76ᵃ). Les Samaritains, naturellement, considéraient que la loi de Lv 18, 16 et 20, 21 (interdiction de se marier avec la femme de son frère) était absolument générale et ne comportait aucune exception.
7. *Test. des 12 patriarches*, *Juda* 13, 3 : Juda appelle Tamar la « fiancée » de son fils (νυμφηθεῖσαν, leçon de la famille β des mss grecs, de l'arménien et de la première recension slave). La famille α des mss grecs donne νύμφην, « épouse ». C'est une correction, car on ne comprend pas comment on serait passé de « épouse » à « fiancée » (Leszynsky, *Sadduzäer*, p. 240 ; il précise : correction pharisienne).
8. *Jubilés* 41, 2 : Er n'a pas eu de relation avec sa femme Tamar (Onan, son frère, accomplira vis-à-vis de Tamar son devoir de beau-frère) ; or la Genèse 38, 6-7, ne dit rien de tel.
9. Ainsi Geiger, dans *Jüdische Zeitschrift* 1 (1862), p. 28 ; Leszynsky, *Sadduzäer*, p. 76 : les Sadducéens suivaient, peut-être, cette prescription ; mais nous ne savons pas, continue Leszynsky, si cela était spécifiquement sadducéen ou représentait le point de vue de « nombreuses sectes sadducéennes ».
10. C'était l'erreur de Geiger pour un certain nombre de points de la halaka sadducéenne. Leszynsky, *Sadduzäer*, p. 76, fait la remarque suivante : dire que Dt 25, 5 concerne la fiancée (voir plus haut n. 6) et Lv 18, 16 ; 20, 21, la femme mariée, en soit, tout à fait compréhensible ; mais l'explication sur laquelle l'harmonisation est basée est si forcée que l'on ne pourrait l'attribuer à un Sadducéen.
11. Revel, dans *JQR* n. s. 3 (1912-1913), p. 346.
12. b. *Qid.* 75ᵇ-76ᵃ.
13. Geiger, *Urschrift*, p. 148, affirmait que beaucoup de Pharisiens étaient hostiles au mariage entre Pharisiens et Sadducéens. Cela n'est pas prouvé. Voir, en sens contraire, L. Loew, *Gesammelte Schriften*, III, p. 160 (connu seulement par Revel, dans *JQR* n. s. 3 [1912-1913], p. 346).

Le Document de Damas interdit le mariage entre oncle et nièce[1]. Pour cela, il étend la loi de Lv 18, 13 aux femmes[2]. Il n'y a pas lieu de songer à une influence de la loi romaine pour expliquer cette interdiction du Document de Damas[3].

On retrouve pareille interdiction de l'union entre oncle et nièce chez les Qaraïtes, les Samaritains et les Falashas[4].

Les mariages entre oncle et nièce furent très fréquents dans la famille d'Hérode Ier[5]. C'est en fonction d'un mariage de ce genre qu'il faut peut-être comprendre le reproche de Jean Baptiste à Hérode Antipas[6]. Le pharisien Josèphe donne deux exemples précis de mariage entre oncle et nièce. Il présente Sara comme la nièce d'Abraham[7], et nous parle du Tobiade Joseph qui, au début du IIe siècle avant notre ère, épousa sa nièce[8].

Dans la Jérusalem du temps de Jésus, le Talmud de Babylone[9] raconte le cas de deux grandes familles de l'aristocratie sacerdotale dont furent issus des grands prêtres[10] : dans l'une et l'autre, une jeune fille épousa son oncle paternel. Puisqu'il s'agit de familles de

1. CD V 7-11.
2. Bien entendu, cette extension n'a pas de base biblique.
3. S. Krauss, *Die Ehe zwischen Onkel und Nichte*, dans *Studies issued in Honour of Prof. K. Kohler*, Berlin, 1913, p. 174 : la défense portée par le Document de Damas (selon Krauss, p. 165, c'est un écrit sadducéen) a été promulguée à la suite d'une loi romaine de 49 de notre ère permettant à une femme de se marier avec le frère de son père *(patruus)*, mais le lui interdisant avec le frère de sa mère *(avunculus)*. — Le Document de Damas n'est pas aussi récent que le dit Krauss ; il date sans doute du Ier siècle avant notre ère.
4. Krauss, *op. cit.*, p. 167.
5. Voir la liste de tous les cas dans Jeremias, *Jérusalem*, p. 480, n. 69 (mariages avec la fille du frère) et n. 70 (avec la fille de la sœur).
6. Mc 6, 18 = Mt 14, 4. Hérode Antipas s'était marié une première fois avec une fille d'Arétas IV, roi de Nabatène (— 8 à + 40) ; il divorça et épousa ensuite l'une de ses nièces, Hérodiade, petite-fille d'Hérode Ier, et femme de son frère (*Ant.* XVIII 109-110). Cette Hérodiade s'était mariée une première fois avec son oncle, Hérode, fils d'Hérode Ier (*Ant.* XVIII 110), et frère d'Hérode Antipas. Dans l'Évangile, il y a confusion entre Hérode, fils d'Hérode Ier et de Mariamme l'Asmonéenne, et Philippe, fils d'Hérode Ier et de Cléopâtre. Hérode Antipas épousa la femme de son frère. Mais la Tora (Lv 20, 21) avait seulement prévu, en pareil cas, que c'était une « impureté » et que l'union serait stérile ; Jean Baptiste, dans sa condamnation totale de ce mariage avec la femme de son frère, qui est en même temps la nièce d'Hérode Antipas, « ou bien considère qu'il y a eu adultère et prohibe le divorce, ou bien, avec les sadocites-karaïtes, durcit les lois sur le mariage, les interdits matrimoniaux du Pentateuque » (H. Cazelles, dans *DBS* V, col. 928).
7. *Ant.* I 151 : selon Josèphe, Aram, père de Sara, est un frère d'Abraham (en Gn 11, 29, Aram est sans lien de parenté avec Abraham). Dans Gn 20, 12, Sara est la demi-sœur d'Abraham. — La tradition rabbinique, elle aussi, fait de Sara une fille du frère d'Abraham (voir b. *Sanh.* 58b).
8. *Ant.* XIII 186 : c'était la fille de son frère Solymias.
9. b. *Yeb.* 15b.
10. Celle d'Akmay et celle de Qouphaé. Cette dernière est peut-être la famille de Caïphe (Jeremias, *Jérusalem*, p. 138, n. 95).

l'aristocratie sacerdotale, on peut supposer qu'il s'agissait de Sadducéens.

Malheureusement, nous n'avons aucune donnée permettant de voir quelle était la position de principe des Sadducéens au sujet du mariage entre oncle et nièce. La position pharisienne est connue. En ce qui concerne le mariage avec la nièce maternelle, non seulement les docteurs pharisiens le permettaient, mais ils l'encourageaient, en le considérant comme une œuvre pieuse [11]. Quant au mariage avec la nièce paternelle, il semble qu'ils l'aient également permis [12].

242. La polygamie était permise par la Tora. A l'époque de Jésus, elle était encore pratiquée ; nous en avons plusieurs exemples à Jérusalem et en Palestine [1].

Chez les Pharisiens, la polygamie était admise, voire recommandée dans certains cas [2]. Par contre, nous constatons, dans les derniers siècles avant la ruine de 70, une nette tendance à la monogamie. Signalons d'abord le cas des Asmonéens. A l'exception d'Alexandre Jannée (103-76), qui eut plusieurs concubines à côté d'une épouse principale [3], les autres souverains asmonéens furent monogames. Par ailleurs, les Jubilés recommandent indirectement la monogamie [4] ; quant au Document de Damas, il

---

11. Voir les textes dans JEREMIAS, *Jérusalem*, p. 479, n. 62-64. V. APTOWITZER, dans *HUCA* 4 (1927), pp. 236-237, donne l'explication suivante de cette préférence pour le mariage avec la fille du frère. Avant la législation mosaïque les mariages avec les parents étaient permis (traces de cette coutume très ancienne dans *Sifré* Nb 11, 10 § 90 [91, 1], traduction allemande annotée de KUHN, pp. 224-245 ; voir également Targoum Yerushalmi I sur Nb 11, 10 : « Moïse entendit le peuple pleurant *ʿl qrybt'*, sur la parenté » ; APTOWITZER, p. 236, cite d'autres textes rabbiniques attestant cette pratique du mariage avec les parents). Parmi ces mariages, on préférait celui avec la fille de la sœur. Cela s'explique par le lien entre mariages avec parents et matriarcat. Dans le matriarcat, la parenté suit la mère. Donc dans le cas de l'union avec la fille de la sœur, l'union reste du côté maternel. Si, par contre, il y a mariage avec la fille du frère, l'union suit la mère de la fille, par conséquent une autre famille. Plus tard, quand le patriarcat s'installa, il y eut interdiction de mariage avec les parents, et l'exogamie fut pratiquée. Mais il reste du matriarcat la préférence pour le mariage avec la sœur.

12. Les cas connus sont beaucoup plus rares (cités par JEREMIAS, *Jérusalem*, p. 479, n. 65). Sur l'ensemble de cette question du mariage avec la fille du frère ou de la sœur, voir S. KRAUSS (cité plus haut dans notre n. 3), p. 168-172. L'exposé de Ch. RABIN, *Qumran studies*, 1957, p. 92, est erroné (comme il fait du Document de Damas un écrit pharisien, et comme cet écrit interdit le mariage avec la nièce, ainsi que nous l'avons dit dans notre n. 1, Rabin affirme que le mariage avec la nièce n'existait pratiquement pas chez les Pharisiens).

1. Cités par JEREMIAS, *Jérusalem*, pp. 138-139.

2. Textes dans BILLERBECK, III, pp. 648-650.

3. *Ant.* XIII 380 ; *Guerre* I 97.

4. *Jubilés* XIX 11. Abraham, dit l'auteur, prit une troisième femme, car Agar était déjà morte (il la fait mourir avant Sara) .

l'interdit catégoriquement [5]. Enfin la traduction du verset de Gn 2, 24 fournit un élément important. On constate ce que Leipoldt a appelé la forme antipolygamique du texte [6] : « Ils seront *deux* en une seule chair. » Ce mot « deux » est absent du Texte massorétique ; par contre, il figure dans toutes les versions anciennes : Septante, Targoum [7], Syriaque, Vulgate.

En ce qui concerne les Sadducéens, nous n'avons pas de donnée à leur sujet. Il faut se contenter de la remarque suivante. La Bible permet la polygamie ; en l'absence de renseignement sur les Sadducéens, on peut donc supposer, à titre d'hypothèse, que des gens aussi soucieux de suivre les prescriptions de la Tora continuaient à admettre la polygamie.

243. Au sujet du divorce, il y avait, dans le judaïsme pharisien du Ier siècle, deux tendances. Les Hillélites étaient larges et permettaient le divorce pour n'importe quel motif. Par contre, les Shammaïtes étaient plus sévères, et d'une double façon : le mari ne peut divorcer que pour cause d'adultère de la femme ; dans ce cas, il *doit* divorcer [1].

Jésus condamne le divorce, en invoquant comme justification scripturaire le verset de Gn 2, 24, cité selon sa forme antipolygamique [2] (Mc 10, 8 = Mt 19, 5).

L'incise qui figure dans le Premier évangile (Mt 5, 32 : παρεκτὸς λόγου πορνείας ; 19, 9 : μὴ ἐπὶ πορνείᾳ) constitue une exception à la loi du divorce. Il est possible que les expressions employées ici par Matthieu fasse directement écho à la discussion entre Hillélites et Shammaïtes au sujet du divorce [3]. Mais la différence entre Jésus et les Shammaïtes, de toute façon, est très grande. Même si le mari a écrit un billet de divorce, le mariage existe toujours, et celui qui épouse une telle femme soi-disant divorcée commet un adultère. Aucun Pharisien n'avait tiré une telle conséquence [4].

Sur ce point, Jésus aurait-il été influencé par les Sadducéens ? On l'a supposé. Mais la preuve manque, car nous ignorons leur position au sujet du divorce. On trouve peut-être un écho de l'opinion sadducéenne dans un texte de la Mishna. Selon *Git.* IX 1, il est mentionné, sur l'acte de divorce, que la femme ne peut épouser tel

---

5. *CD* IV 20 — V 2.
6. Leipoldt, *Jesus und die Frauen*, Leipzig, 1921, p. 60 (nous n'avons pu avoir ce volume entre les mains).
7. Targoum Yerushalmi I ; Targoum Yerushalmi II Neofiti.
1. Détails dans *DBS* VII, col. 1099.
2. Voir plus haut § 242, n. 6.
3. *DBS* VII, col. 1099. Pour l'explication de ces deux textes de Matthieu, voir J. Moingt, Le « divorce » *pour motif d'impudicité* (Mt 5, 32 ; 19, 9) dans *RSR* 56 (1968), pp. 337-384.
4. Leszynsky, *Sadduzäer*, pp. 294-295.

homme. Il pourrait s'agir du complice. Nous aurions là une trace de halaka sadducéenne.

244. Puisque nous venons de parler d'adultère, mentionnons un dernier élément. La Tora prévoyait que, si une épouse était soupçonnée d'adultère, on lui faisait boire les « eaux amères » pour voir si elle était vraiment coupale (Nb 5, 11-31). Cette pratique du jugement de Dieu tomba en désuétude[1]. Selon la tradition rabbinique, c'est Yohanan ben Zakkay († vers 80) qui supprima cette loi[2] ; la raison donnée est du reste curieuse : les adultères étaient devenus trop nombreux[3]. Nous ne savons pas quelle fut, dans cette affaire, l'attitude des Sadducéens. C'est bien dommage, car la suppression pure et simple d'une loi biblique devait poser un problème à des gens désireux de suivre en tout les prescriptions de la Bible.

Au Ier siècle de notre ère, le prestige des Pharisiens auprès des femmes était très grand. Il atteste, directement, la désaffection des femmes pour les Sadducéens. Nous ne connaissons pas les raisons pour lesquelles les Sadducéens n'avaient plus qu'une influence minime auprès d'elles

Un cas précis, et sans doute assez rare, de législation sur les héritages divisait les Pharisiens et les Sadducéens. Pour les Pharisiens, quand une tante et une nièce se trouvaient, seules, devant un héritage, sans qu'il y ait d'héritier mâle, seule la nièce héritait ; pour les Sadducéens, la tante et la nièce recevaient une part égale d'héritage.

On peut retenir comme historique la donnée de la Mishna selon laquelle les Sadducéens avaient une halaka différente des Pharisiens pour les prescriptions de pureté des femmes. Mais nous ne savons pas sur quels points précis portaient ces divergences. Un seul cas nous est connu. Les Pharisiens permettaient à la femme qui vient d'enfanter d'avoir des relations sexuelles dès la fin des 7 jours de purification prévus par la Tora, sans attendre 33 jours (ou 66 dans le cas d'une fille) supplémentaires de purification. Selon une ancienne halaka, les relations sexuelles étaient, pour une

---

1. Dans le *Protévangile de Jacques* 16, 2 (édition É. AMANN, 1910, p. 240), le grand prêtre fait boire l'eau amère à Marie soupçonnée d'avoir eu des relations avec un autre homme que Josèphe. Ce texte date du milieu du second siècle de notre ère. Mais c'est une composition de scribe écrivant en fonction de la législation biblique ; il n'y a rien à en tirer comme argument en faveur de la continuation de cette pratique au IIe siècle de notre ère.

2. *Sota* IX 9 ; Tos. *Sota* XIV 2 (320, 11) ; *Sifré* Nb 5, 31 § 21 (26, 2).

3. D'autres raisons ont dû jouer, en particulier un certain affinement des mœurs qui ne put supporter une pratique aussi difficile à comprendre et si peu efficace.

femme qui venait d'enfanter, interdites pendant ces 33 jours. Il est possible que les Sadducéens aient suivi cette halaka.

Les Sadducéens continuaient à observer la loi biblique du lévirat ; il est fort peu probable qu'ils l'aient limité à la fiancée, comme le faisaient les Samaritains. Nous ne savons pas quelle était la halaka sadducéenne au sujet du mariage entre oncle et nièce, dont la Bible ne parlait pas, mais qui était fréquent chez les juifs au tournant de notre ère.

En ce qui concerne la polygamie, tout porte à croire que les Sadducéens en conservaient la pratique prévue par la Tora, bien qu'un fort courant, dans les deux derniers siècles avant la ruine de 70, se soit manifesté en faveur de la monogamie.

QUI SONT LES SADDUCÉENS ?
TENTATIVE POUR CERNER LEUR MYSTÈRE

245. Dans les deux premières parties, nous avons examiné critiquement toutes les données qui, de près ou de loin, peuvent fournir des renseignements sur les Sadducéens. Après cette étude analytique détaillée, il faut tenter une synthèse.

Bien entendu, nous ferons entrer dans cette synthèse tous les éléments élaborés précédemment. Mais, la plupart du temps, il faudra brièvement rappeler le degré de certitude de chacun d'eux du point de vue historique. Cela est nécessaire pour ne pas donner une image fausse de la réalité.

Les renvois aux développements des deux premières parties seront donc très fréquents. Par ailleurs, pour éviter de surcharger cette dernière partie, nous ne citerons de nouveau que très rarement les textes, nous contentant, sur ce point également, de renvois aux exposés précédents.

Après un premier chapitre d'ordre méthodologique sur le caractère fragmentaire et unilatéral de notre documentation (ch. XIII), nous présenterons, en deux grands volets, d'une part les caractéristiques du groupe sadducéen (ch. XIV), d'autre part ses idées principales (ch. XV). Il ne nous restera plus ensuite qu'à tenter une esquisse historique (ch. XVI), et à signaler, dans un appendice, de quelle façon les Sadducéens se situent par rapport aux origines du christianisme.

CHAPITRE XIII

CARACTÈRE FRAGMENTAIRE ET UNILATÉRAL
DE NOTRE DOCUMENTATION

246. La première constatation est que nous n'avons pas d'écrits sadducéens. Cette affirmation, à elle seule, fait entrevoir que la synthèse tentée dans les pages suivantes sera partielle, que le tableau esquissé comportera beaucoup d'ombres et de pointillés.

Il dut y avoir une littérature sadducéenne [1] ; elle a entièrement disparu après la catastrophe de 70 [2]. Peut-on espérer que, dans l'avenir, des fouilles ou des trouvailles fortuites mettront au jour des écrits sadducéens ? En attendant, nous en sommes réduits aux données fournies par leurs adversaires.

Nous pouvons glaner, dans les textes de ces adversaires, quelques phrases qui ont des chances d'être des paroles prononcées par des Sadducéens. Avant de faire ce petit glanage, disons quelques mots de la Megillat taanit.

Il n'y a pas à retenir la citation que le commentaire hébreu tardif de la Megillat taanit fait du code de lois sadducéen (§ 163). En effet, le « Livre des décrets » dont il est question dans le texte araméen de la notice de *M.T.* 12 n'est pas un code de lois sadducéen [3] (§ 165).

247. Dans le texte araméen de la Megillat taanit, il est fait mention de six fêtes qui, dans le commentaire hébreu, sont pré-

---

1. P. Kahle, dans la revue *Das Altertum* 3 (1957), p. 42 : « Ce qui a existé en fait d'écrits sadducéens fut détruit par les rabbins. »
2. Les raisons de cet anéantissement furent sans doute diverses. Kahle (à la même page de l'article cité dans notre note précédente), mentionne l'hostilité des rabbins. Parmi les autres raisons majeures, on peut, sans doute, signaler la disparition du groupe même des Sadducéens. Songeons que beaucoup de textes de la littérature intertestamentaire ne nous sont parvenus que par des traductions faites par des chrétiens.
3. Le texte araméen date, pour l'essentiel d'avant 70 ; le commentaire hébreu est du moyen âge (§ 78).

sentées comme des fêtes antisadducéennes, des jours de victoire des Pharisiens sur les Sadducéens.

— *M.T.* 3 : « Du 1er au 8 nisan, le *tamîd* fut institué. » Commentaire hébreu (§ 142) : victoire des Pharisiens sur les Boéthusiens ; le *tamîd* doit être payé par la communauté et non par les particuliers.

— *M.T.* 4 : « Du 8 à la fin de la fête, la Fête fut rétablie. » Commentaire hébreu (§ 128) : victoire des Pharisiens qui rétablissent la fête des semaines selon leur halaka ; donc elle tombe n'importe quel jour de la semaine.

— *M.T.* 12 : « Le 4 tammuz, le 'Livre des décrets' cessa. » Commentaire hébreu (§ 163) : abrogation par les pharisiens du code de lois sadducéen (boéthusien).

— *M.T.* 14 : « Le 24 ab, nous revînmes à notre droit. » Commentaire hébreu, seconde partie (§ 234) : victoire des Pharisiens au sujet de l'héritage des filles.

— *M.T.* 21 : « Le 27 marheshvan, la fleur de farine fut de nouveau brûlée sur l'autel. » Commentaire hébreu (§ 224) : victoire des Pharisiens interdisant aux prêtres de manger l'offrande de farine.

— *M.T.* 26 : « Le 28 tébèt, l'assemblée siégea pour le jugement. » Commentaire hébreu (§ 188-189) : sous Alexandre Jannée (103-76), les Pharisiens évincent du Sanhédrin tous les Sadducéens.

Or, pour chacun des six textes de ce commentaire hébreu, nous sommes arrivés à la conclusion que le commentaire ne donnait pas une explication exacte du texte araméen primitif (voir chacun des paragraphes indiqués entre parenthèses pour les six fêtes). Nous avons donc été amené à faire une séparation totale entre le commentaire et le texte araméen. Et, finalement, dans les six notices araméennes, nous n'avons trouvé aucun élément antisadducéen.

Voici à quoi, en effet, nous sommes arrivés pour les six fêtes.

— *M.T.* 3 : « Du 1er au 8 nisan, le *tamîd* fut institué. » Le texte primitif est très probablement : « Le 1er nisan, le *tamîd* fut institué. » Il s'agit peut-être de la consécration du second Temple, en 515 (§ 141).

— *M.T.* 4 : le texte primitif est peut-être : « Du 8 [nisan] à la fête, la Fête fut rétablie. » Il s'agit peut-être d'une préparation à la fête de la Pâque (§ 128).

— *M.T.* 12 : « Le 4 tammuz le 'Livre des décrets' cessa [= fut aboli]. » Abrogation de décrets païens, syriens ou autres (§ 165).

— *M.T.* 14 : « Le 24 ab, nous revînmes à notre droit. » Après la victoire des Asmonéens, les juifs recommencent à juger selon leur droit (§ 234).

— *M.T.* 21 : « Le 27 marheshvan, la fleur de farine fut de nouveau brûlée sur l'autel. » Peut-être reprise du sacrifice après une famine pendant un siège (§ 225).

— *M.T.* 26 : « Le 28 tébèt, l'assemblée siégea pour le jugement. » Ou bien restauration de la Loi par Simon l'Asmonéen, ou plus probablement, reprise de l'activité du Sanhédrin après la victoire des Asmonéens (§ 189).

Donc, à notre avis, le texte araméen de la Megillat taanit ne contient pas le moindre élément antisadducéen [1].

248. Voici les paroles que, après un sévère tri critique, nous pouvons considérer comme prononcées effectivement par des Sadducéens.

Il y a d'abord deux critiques adressées aux Pharisiens :

« Les Sadducéens disaient : C'est une tradition chez les Pharisiens de se mortifier en ce monde ; mais, dans l'autre monde, il n'y a rien du tout [à avoir] pour eux [1]. » (§ 80).

« Voyez [dirent les Sadducéens], les Pharisiens soumettent au bain de purification le globe du soleil [2] (*ou* : la lumière de la lune [3]) » (§ 227). Critique formulée par les Sadducéens le jour où,

---

1. C'était l'opinion de Leszynsky, *Sadduzäer*, p. 37, et de S. Zeitlin, *Nennt Megillat Taanit antizadduzäische Gedenktage ?*, dans *MGWJ* 81 (1937), pp. 351-355 (dans cet article, il maintient totalement contre Lichtenstein, 1931, que nous allons mentionner, sa thèse de 1922). Pour la discussion au sujet du prétendu caractère antisadducéen de la M.T. A. Schwarz, dans *REJ* 63 (1912), p. 62, donne un excellent argument en faveur de la position que nous adoptons. Il le présente uniquement à propos de la question de l'héritage des filles (*M.T.* 14, présenté dans le commentaire hébreu comme une victoire pharisienne), mais on peut étendre son raisonnement à l'ensemble des notices : « Les Pharisiens ont eu d'autant moins l'idée d'en faire un jour de demi-fête qu'ils auraient seulement par là grandi leurs adversaires. » A l'inverse de Leszynsky et de Zeitlin, H. Lichtenstein, dans *HUCA* 8-9 (1931-1932), pp. 290-298, maintient qu'il y a dans la M.T. six jours de fête antisadducéennes. Outre *M.T.* 3, 12, 21, 26 (il ne retient pas 4 et 14), il compte en ce sens *M.T.* 23 et 36. Or *M.T.* 23 (« Le 7 kisleu est un jour de fête ») n'est pas à retenir comme antisadducéen (le sens de cette notice nous échappe, voir § 229 fin). Quant à *M.T.* 36, voici son texte : « Les païens se dressèrent contre le reste des scribes au pays de Chalcis, à Bet Zabday, mais ils furent sauvés » (texte dans Lichtenstein, *op. cit.*, p. 322). Dans le commentaire hébreu (texte dans Lichtenstein, pp. 347-348), il s'agit de la persécution d'Alexandre Jannée contre les docteurs [pharisiens] (voir *Ant.* XIII 383, où du reste il ne s'agit que de l'exil volontaire de 8.000 juifs). Mais cette explication du commentaire ne paraît pas pouvoir rendre compte du mot à mot de la notice araméenne, en particulier du terme du début (« les païens »). Cependant, la plupart des auteurs modernes s'en tiennent à cette explication (voir les noms dans Lichtenstein, p. 322). La notice araméenne de *M.T.* 36 contient des précisions topographiques qui semblent historiques, mais, à notre avis, il est impossible de savoir à quelle période se situe l'événement en question.

1. *A.R.N.* rec. A, ch. 5 (26 col. a, 13).
2. j. *Hag.* III 8, 79^d 31 (IV/1, 302)
3. Leçon de Tos. *Hag.* III 35 (238, 23).

au Temple, les Pharisiens ordonnèrent de soumettre au bain de purification le chandelier à sept branches.

Nous avons par ailleurs une parole d'un Boéthusien : « Notre maître Moïse aimait Israël et il savait que la fête de clôture [la fête de Pentecôte] ne [durait] qu'un jour ; il intervint donc et décida de la placer le lendemain du sabbat, afin que les Israélites puissent passer deux jours dans la joie » [4] (§ 127).

Nous relevons ensuite cette déclaration expliquant pourquoi les Sadducéens considèrent comme impurs les ossements humains : « C'est [disent les Sadducéens] par suite de la vénération qu'on leur porte [que vient] leur impureté, afin que personne ne fasse des cuillères avec les os de son père ou de sa mère » [5] (§ 153).

Dans les textes rabbiniques relatifs à l'imposition de l'encens par le grand prêtre le Jour de kippour, nous avons un dialogue entre un grand prêtre à la retraite et son fils, grand prêtre en exercice (textes étudiés § 193-198). Ces récits rabbiniques présentent certains éléments légendaires, mais les paroles du père à son fils sont peut-être des paroles effectivement prononcées par un Sadducéen : « Bien que nous ayons [ainsi] expliqué l'Écriture pendant toute notre vie [selon la halaka sadducéenne], cependant, nous avons agi selon la volonté des docteurs [pharisiens] » [6] (§ 193). Les paroles du fils à son père ont moins de chance d'être authentiques [7].

Dans la discussion au sujet de la combustion de la vache rousse, le texte de la Tosefta contient peut-être, suppose Rengstorf, « un fragment du protocole d'une séance du Sanhédrin » (§ 209 fin).

Enfin, nous pouvons retenir quatre déclarations introduites, dans les citations qu'en font les textes rabbiniques, par la formule : « Les Sadducéens (ou : Boéthusiens) disent ». Ce sont des principes de la halaka sadducéenne. Citons-les ici ; ils nous serviront au chapitre XV, où nous les reprendrons en détail.

« Le moissonnage de la première gerbe ne [doit] pas [se faire] à la fin du [premier] jour de la fête [pascale] » [8] (§ 127).

---

4. b. *Men.* 65[a]. Dans ce récit du Babli, la parole en question est prononcée par un *zaqén* (ancien ou vieillard) boéthusien qui discute avec Yohanan ben Zakkay (+ vers 80). Il n'est pas du tout certain que cette discussion soit historique, mais la parole, elle, a toute chance d'être un vrai dire boéthusien.

5. *Yad.* IV 6.

6. j. *Yoma* I 5, 39[a] 53 (III/2, 170). Forme presque identique de cette parole en Tos. *Yoma* I 8 (181, 8), traduit § 193 n° 4. Dans le texte du Babli (b. *Yoma* 19[b], traduit § 193, n° 6), le père dit : « Bien que nous soyons Sadducéens, nous craignons cependant les Pharisiens [et nous suivons leur halaka]. » Cette forme du Babli semble une tradition plus récente (§ 198, n. 1).

7. On les trouvera avant, ou après, les paroles du père dans les textes cités à la note précédente.

8. *Men.* X 3.

« Des faux témoins sont exécutés seulement après qu'ait été exécuté celui qui a été [faussement] condamné »[9] (§ 176 et n. 3).

Le grand prêtre, le Jour de kippour, « fait fumer l'encens en dehors [du Saint des saints] et il entre [ensuite] à l'intérieur »[10] (§ 196).

« La fille du fils et la fille [héritent toutes] deux [à parts] égales »[11] (§ 232).

Dans le domaine de la aggada, nous pouvons retenir la déclaration au sujet de la résurrection. Parmi ceux qui n'ont pas part au monde futur figure « celui qui dit : Il n'y a pas de résurrection des morts »[12] (§ 118). Rapprochons-en l'historiette des sept frères, inventée par les Sadducéens pour ridiculiser la croyance en la résurrection (Mt 22, 24-28 et par.).

Ajoutons la parole du grand prêtre Caïphe : « Il vaut mieux qu'un homme meure pour le peuple et que la nation ne périsse pas toute entière » (Jn 11, 50) ; elle a une résonnance sadducéenne[13] (§ 25, n. 4).

Il faut enfin faire état de l'une des paroles d'Éléazar ben Poïra au roi Alexandre Jannée 103-76) : « Vois, elle [la Tora] est enroulée et déposée dans un coin ; quiconque veut étudier, qu'il vienne et étudie » (b. *Qid.* 66ª ; voir § 38). Il se pourrait que ce soit une parole sadducéenne (§ 38, n. 6) ; tout le monde peut étudier la Tora, sans le secours d'un maître ou d'une tradition. Mais, du point de vue historique, il faut préciser une chose : il n'est pas du tout certain que cette parole ait été prononcée au temps de Jannée, par Éléazar ben Poïra.

249. Ces quelques phrases que nous venons de rassembler constituent tout ce que, dans l'état de notre documentation, nous connaissons comme paroles authentiques des Sadducéens. Les textes rabbiniques, à maintes reprises, présentent des dialogues entre des Pharisiens, spécialement Yohanan ben Zakkay, et un ou des Sadducéens (ou Boéthusiens). Souvent la position sadducéenne présentée dans ces dialogues est historiquement vraisemblable

---

9. b. *Makkot* 5ᵇ. Le principe sadducéen est cité de façon identique dans les deux autres textes indiqués § 176, n. 3 (Tosefta et Yerushalmi), ainsi, du reste, que dans la Mishna (*Makkot* I 6, traduit § 173).

10. Les six textes rabbiniques (traduits § 193) qui présentent la discussion au sujet de l'encens citent de façon identique ce principe sadducéen.

11. j. *B.B.* VIII 1, 16ª 5 (VI/1, 202). Même forme du principe sadducéen dans b. *B.B.* 115ᵇ (cité § 233) : « La fille hérite avec la fille du fils. »

12. *Sanh.* X 1. En finale de notre § 118, nous avons fait remarquer que cette phrase (« celui qui dit ») désigne très probablement, de façon globale, les Sadducéens et d'autres juifs niant, comme eux, la résurrection.

13. Pour comprendre cette déclaration de Caïphe, il faut se rappeler le contexte historique. En lisant Josèphe, on voit qu'il y eut des milliers de morts après les différents mouvements messianiques de l'époque. Dans l'histoire du peuple juif, la mort de Jésus fut un fait divers.

(voir notre ch. XV), mais on ne peut retenir comme historique le détail de ces dialogues. En particulier, la démonstration scripturaire qui figure au cours de ces discussions dans la bouche des Sadducéens est inventée, ou réinventée, par les Pharisiens (détails ch. XV).

L'essentiel de nos renseignements sur les Sadducéens vient de Josèphe et de la littérature rabbinique. Josèphe, selon toute probabilité, était de famille sadducéenne (§ 14). Il est devenu pharisien (§ 15), et, après ce changement d'orientation, il n'aima guère, semble-t-il, les Sadducéens (§ 41). Quant à la littérature rabbinique, elle est l'œuvre de rabbins pharisiens. La mise par écrit des textes rabbiniques commença vers la fin du IIe siècle de notre ère, à une époque où les Pharisiens considéraient les Sadducéens comme des gens totalement coupés de la vie du peuple juif (§ 83).

Donc, notre documentation présente un caractère unilatéral ; elle est l'œuvre de gens ou peu favorable (Josèphe) ou totalement opposés (les rabbins) aux Sadducéens. Il ne faut pas accepter cette documentation comme argent comptant [1].

D'autre part, cette documentation est extrêmement fragmentaire. C'est là notre plus sérieux handicap. En effet, grâce à nos examens critiques, nous avons pu, en partie, dégager à partir des données hostiles aux Sadducéens la part de vérité historique qu'elles renferment. Par contre, il est impossible à un historien de bâtir sur du vide. Or, si nous jetons un coup d'œil sur la table des matières de notre deuxième partie, nous voyons que les questions sur lesquelles les rabbins fournissent des renseignements sont peu nombreuses. Derrière cette avant-scène que les documents rabbiniques éclairent, nous soupçonnons un monde complexe qui, actuellement, nous est mal connu. Dans la tentative que nous allons faire pour tracer le portrait des Sadducéens, il nous faudra souvent intercaler des « peut-être » ou des points d'interrogation.

250. Quand on considère l'ensemble des points sur lesquels les rabbins nous renseignent au sujet des Sadducéens, il est impossible de trouver les raisons pour lesquelles ces points figurent dans leurs écrits. Il semble bien que ce soit dû en partie au hasard. Peut-être, cependant, une raison plus précise a-t-elle joué.

Pour la préciser, partons d'une constatation. Pendant les deux derniers siècles de la vie juive avant la ruine de 70, l'opposition des Sadducéens à la croyance à la résurrection, jugée par eux comme une nouveauté non biblique, dut être l'un des éléments majeurs, dans la aggada, de l'opposition entre Pharisiens et Sadducéens. Or, comme nous l'avons vu (§ 120), un seul texte, en tout et pour

1. Hölscher (§ 5) n'a pas su éviter le piège.

tout, dans la littérature rabbinique, parle de façon certaine de la position sadducéenne.

La raison de ce silence presque complet semble claire ; après la ruine de 70, la foi en la résurrection, déjà développée dans le peuple juif depuis longtemps, devint un élément si fondamental de la croyance juive qu'il ne fut plus nécessaire aux rabbins de discuter à ce sujet ; la négation de cette foi en la résurrection apparaissait comme une chose si extraordinaire qu'il était inutile aux Pharisiens d'en montrer l'inanité.

C'est à partir de cette question de la résurrection que nous avançons prudemment, à titre d'hypothèse, l'explication suivante. Les points sur lesquels les rabbins nous renseignent au sujet des opinions et des pratiques sadducéennes ne seraient-ils pas des questions qui, postérieurement à 70, avaient encore un intérêt d'actualité. Cela est lié à la question de l'existence de Sadducéens après 70.

Ajoutons, pour terminer, une remarque méthodologique ; elle est importante. Nos deux sources principales d'information étant Josèphe et les rabbins, nous nous sentirons sur un terrain historiquement solide quand, pour un aspect de la vie ou des idées sadducéennes, nous pourrons invoquer des données prises conjointement dans ces deux sources. Par contre, quand nous ne disposerons que d'éléments de l'une des deux, il nous faudra apporter davantage d'arguments pour être en mesure de dire avec certitude que telle est bien l'opinion ou la pratique sadducéenne.

CHAPITRE XIV

CARACTÉRISTIQUES DU GROUPE SADDUCÉEN

I. Un groupe organisé ?

251. L'existence du groupe sadducéen en tant que groupe organisé a été souvent niée depuis un siècle. En 1874, Wellhausen considérait les Sadducéens non pas comme un groupe organisé, mais comme des gens ayant seulement une philosophie pratique *(Lebensanschauung)* commune ; il parlait encore d'un parti politique (§ 3). En 1906, Hölscher poussa à l'extrême cette vue des choses. Selon lui, les Sadducéens n'avaient absolument aucune organisation ; le Sadducéisme était tout simplement l'attitude d'esprit des aristocrates amis des Romains, aristocrates athées et sceptiques (§ 5). Selon Mansoor, les Sadducéens ne semblent pas avoir été un parti, mais plutôt une classe sociale [1]. Quant à Dietrich, il considère les Sadducéens moins comme un parti qu'une association politico-religieuse d'aristocrates [2] ; cette association était peut-être la réunion de groupes différents qui se faisaient mutuellement la guerre [3].

Par contre, l'existence d'un parti sadducéen organisé a été fortement souligné par Eerdmans en 1914 (§ 9) ; Jeremias accepte pleinement ce point de vue [4].

252. Les données du Nouveau Testament n'apportent pratiquement pas de précision à ce sujet. Ac 23, 6 parle du « parti » (μέρος) des Sadducéens, à côté du « parti » des Pharisiens (§ 92) ; mais il s'agit là de la composition du Sanhédrin : dans cette assemblée, Pharisiens et Sadducéens avaient leur parti. On ne peut rien inférer au sujet du groupe sadducéen en dehors du Sanhédrin.

1. M. Mansoor, *The Dead Sea Scrolls*, Leyde, 1964, p. 144.
2. E. L. Dietrich, dans *RGG* V (1961), col. 1278.
3. Dietrich, *op. cit.*, col. 1278.
4. Jeremias, *Jérusalem*, p. 311-312.

Ac 5, 17 mentionne le « groupe » (αἵρεσις) des Sadducéens, et fait l'équivalence entre ce groupe et l'entourage du grand prêtre (§ 91). Mais, comme nous l'avons vu (§ 91), les mots « le groupe des Sadducéens » sont sans doute une glose.

Flavius Josèphe présente les Sadducéens comme l'une des quatre αἵρεσις juives ; la moins mauvaise traduction de ce terme grec est « groupe » (§ 20). Nous avons cru pouvoir conclure de l'examen des textes de Josèphe que, pour lui, ce groupe sadducéen est plus ou moins organisé (§ 20, n. 3). Mais Josèphe ne fournit aucun détail sur cette organisation (§ 16, n. 3).

Pour les Pharisiens et les Esséniens, Josèphe emploie le même terme αἵρεσις et les mêmes autres synonymes (tableau § 19). Les Esséniens, dans la mesure où nous pouvons les identifier aux gens de Qoumrân, avaient une organisation très poussée. La communauté de Qoumrân, vivant en marge du monde, était très structurée. Les Pharisiens, vivant au milieu des autres juifs, constituaient des communautés ; bien que notre connaissance de ces communautés pharisiennes avant la ruine de 70 et de leur organisation reste encore très fragmentaire[1], nous entrevoyons cependant qu'elles étaient relativement structurées, tout en constituant quelque chose de beaucoup moins organisé que les Esséniens.

Ces remarques au sujet des Esséniens et des Pharisiens sont nécessaires pour éviter une inférence fausse à partir des données de Josèphe. Il met absolument sur le même pied, dans toutes ses notices, les trois groupes, Sadducéens, Esséniens, Pharisiens. Comme il y a une grande différence d'organisation entre Pharisiens et Esséniens, nous ne savons pas, sur la seule base de Josèphe, si les Sadducéens, au point de vue organisation, étaient plus fortement groupés que les Pharisiens, ou non. D'autre part, il est tout à fait vraisemblable que, à l'intérieur du groupe sadducéen, il y avait une certaine variété de tendances.

Il n'y a rien à tirer, en faveur d'une absence d'organisation des Sadducéens, de ce que Josèphe, pour les Sadducéens, ne donne pas le chiffre des membres, alors qu'il le donne pour les Esséniens et les Pharisiens (§ 22). Par ailleurs, nous avons cru devoir rejeter l'équivalence, générale chez les historiens modernes, entre Sadducéens et partisans d'Aristobule II d'une part, Pharisiens et partisans d'Hyrkan II d'autre part (§ 31-32).

Dans ses récits relatifs aux Asmonéens, Josèphe mentionne une seule et unique fois le « groupe des Sadducéens »[2], dans la finale du récit de la rupture de Jean Hyrkan (134-104) avec les

1. JEREMIAS, *Jérusalem*, pp. 333-336.
2. Μοῖρα, *Ant.* XIII 296 ; pour le sens et l'emploi de ce terme, voir notre § 19.

Pharisiens (§ 40 et n. 3, 4). Il n'en parle pas davantage pour la période suivante. Quant il mentionne le grand prêtre Anan le Jeune (en 62 de notre ère), il dit qu'il « suivait la doctrine des Sadducéens »[3], sans préciser la nature de son insertion dans le groupe.

253. Origène (§ 98, texte n° 36 ; cité à nouveau § 99) dit que les Sadducéens étaient une fraction du peuple juif. Dans le récit d'*A.R.N.* rec. B, ch. X (traduit § 80, n. 7), les Sadducéens et les Boéthusiens sont appelés deux « associations » *(mshphwt)*. Ces indications corroborent les données de Josèphe au sujet de l'existence d'un groupe sadducéen. Mais elles ne permettent pas plus de préciser son organisation.

L'ensemble des textes rabbiniques font apparaître les Sadducéens comme un groupe nettement particularisé, ayant sa halaka bien déterminée[1], ainsi que sa aggada, nous les étudierons toutes les deux au ch. XV. Mais ils n'apportent aucune précision sur leur organisation. Nous ne voyons jamais apparaître de chefs de ce groupe, de commissions. Toujours, ces textes parlent, globalement, « des Sadducéens », ou bien nous voyons intervenir « un sadducéen ». Par ailleurs, les textes rabbiniques ne soulignent jamais que le Temple était le quartier général des Sadducéens.

Au Ier siècle de notre ère, les Sadducéens constituaient un groupe pleinement inséré dans la vie juive. Ils avaient une halaka et une aggada propres, se distinguant nettement de celles des Pharisiens. Il est donc probable que le groupe sadducéen n'était pas simplement un ensemble de juifs ayant une philosophie pratique commune. Mais nous ignorons quel était le degré d'organisation et la cohésion interne de ce groupe.

3. *Ant.* XX 199. Sur cette traduction, voir § 16, n. 3 (nous avons rejeté la traduction « s'affilia au groupe des Sadducéens »).
1. Particulièrement caractéristique est le cas des règles de pureté ; des femmes sadducéennes vont, à ce sujet, entendre les docteurs pharisiens pour suivre leurs directives, différentes de celles des Sadducéns (§ 258).

II. Les Boéthusiens et les Hérodiens.

A. Les Boéthusiens.

254. La littérature rabbinique parle assez souvent des Boéthusiens [1]. En dehors de cette littérature, nous n'en trouvons pas mention certaine [2] ; Josèphe ne les connaît pas [3].

Les textes rabbiniques mentionnent toujours les Boéthusiens, globalement, ou un Boéthusien, mais sans indiquer de nom propre. Aucun nom de Boéthusien ne nous est connu.

Les consonnes de Boéthusien sont, selon toute probabilité, *bytwsy* [4], pluriel *bytwsyn* [5]. Les variantes sont nombreuses [6] ; rete-

---

1. Dans les paragraphes qui suivent, nous allons reprendre tous les textes où il en est question. Les principaux passages où le mot figure sont cités § 69. Pour avoir sous la main l'ensemble des citations, on peut utiliser S. Krauss, *Griech. und latein. Lehnwörter*, II, 1899, p. 153 a.

2. Il y a, sur l'un des tombeaux de la vallée du Cédron à Jérusalem, une inscription mentionnant des prêtres qui sont des *bené Hézir* (texte dans L. H. Vincent, *Jérusalem de l'A.T.*, I, 1954, p. 336 a). S. Klein, *Jüd.-paläst. Corpus inscriptionum*, Vienne et Berlin, 1920, pp. 14-17 (nous n'avons pu avoir ce volume entre les mains) substitue à l'un des noms de celui de Boéthos ; Vincent, *op. cit.*, p. 336 a, n. 2, qualifie cette solution d' « hypothèse fallacieuse ». — Sur un ossuaire du Mont Scopus à Jérusalem (texte dans Frey, *Corpus inscr. jud.*, II, 1952, n° 1246) figurent *bwṭwn* et *shmwn bwṭwn*. Frey se demande si ce nom est *Boethôn* ou *Boethos*.

3. Il ne parle que de Boéthos et de ses fils grands prêtres. C. Daniel, dans *RQ* 6 (1967-1969), n° 21, p. 47, n. 66, emploie à deux reprises le terme de « Boethosiens » quand il parle des œuvres de Josèphe ; c'est une erreur.

4. On trouve cette graphie entre autres dans Tos. *Sukka* III 16 (197, 22) édition princeps ; Tos. *Yoma* I 8 (181, 2) manuscrit d'Erfurt. Pour ces notes 4-6, voir, en ce qui concerne la Tosefta, l'apparat critique de Liebermann ; pour les parties III-VI, non encore publiées, consulter l'apparat critique de Zuckermandel, fort peu satisfaisant, et celui des fascicules de la *Tosefta* de Stuttgart, dont seule une petite partie est parue.

5. Cette graphie se trouve, entre autres, dans Tos. *Yoma* I 8 (181, 3) ms. d'Erfurt et ms. de Londres ; Tos. *R.H.* I 15 (210, 10) ms. de Vienne ; Tos. *Sanh.* VI 6 (424, 30) ms. d'Erfurt ; Tos. *Sukka* III 1 (195, 19) ms. d'Erfurt.

6. Voici celles que nous avons relevées dans la Tosefta. — *byytwsyn* : Tos. *R.H.* I 15 (210, 10) éd. princeps ; Tos. *Yoma* I 8 (181, 3) éd. princeps. — *bytsy* : Tos. *Sukka* III 16 (197, 22) ms. d'Erfurt ; Tos *Yoma* I 8 (181, 2) ms. de Vienne. — *bytsyn* : Tos. *Sanh.* VI 6 (424, 30) ms. de Vienne ; Tos. *Yoma* I 8 (181, 3) ms. de Vienne — *bytys* : Tos. *Yoma* I 8 (181, 2) éd. princeps. — *byt syyn* (en deux mots) : Tos. *Yad.* II 20 (684, 3) ms. de Vienne. Lisowsky et Rengstorf, *Tosefta* de Stuttgart, VI/3, p. 267, traduisent « la maison de Siyyan », mais ajoutent que cette leçon est incompréhensible, et qu'il s'agit, en fait, des Boéthusiens. Pour ce passage, le ms. d'Erfurt donne *bytwtyym* ; cette graphie avec un second *t*, et non *s*, est curieuse, et il faut écrire *bytwsyym* (Lisowsky et Rengstorf, *op. cit.*, p. 267, n. 205). — *bytws* : Tos. *Yoma* I 8 (181, 2) éd. princeps (dans l'apparat critique de Zuckermandel, il est dit que la leçon de cette éd. princeps est *bytys* ; mais Liebermann, dans son apparat, dit que cette leçon est *bytws*). — *byt syn* (en deux mots) : dans les trois cas que nous allons citer, Zuckermandel, bien que citant le témoignage des mss., écrit toujours en un seul mot ; mais, selon J. Perles, *Études talmudiques* II [les Boéthusiens], dans *REJ* 3 (1881), p. 120, dans

nons surtout la graphie en deux mots : *byt syn*[7] ; elle nous servira un peu plus loin, quand nous discuterons l'hypothèse de l'identification entre Boéthusiens et Esséniens.

La vocalisation de *bytwsyn* est inconnue. C'est peut-être *bay^etûsîn*, ou *bay^etôsîn*[8]. Les auteurs modernes écrivent le nom de façon diverse. On trouve, par exemple, Boéthusiens[9], Boéthosrens[10], Boéthusiens[11], Boéthuséens[12], Boéthésiens[13]. Jusqu'à plus ample informé, nous choisissons Boéthusiens. Avant de chercher l'origine de leur nom, voyons ce qu'ils sont.

Ces Boéthusiens apparaissent, dans les textes rabbiniques, comme un groupe juif au tournant de notre ère. Aucun texte[14] ne les situe avant l'époque d'Hérode Ier (37 à 4 avant J.-C.).

Voici les renseignements que nous avons recueillis à leur sujet dans notre deuxième partie. Il y a tout d'abord des points de halaka pour lesquels parlent uniquement des Boéthusiens[15]. C'est pourquoi nous avons pu, au chapitre 9, consacrer une première partie (§ 123-139) aux Boéthusiens, et une seconde (§ 140-162) aux Sadducéens.

---

ces trois cas, les mss ont la graphie en deux mots. Tos. *R.H.* I 15 (210, 10, 11, 15) ms. d'Erfurt ; Tos. *Sanh.* VI 6 (424, 30) ms. de Vienne ; Tos. *Sukka* III 1 (195, 19) ms. de Vienne. Rabbinovicz signale à PERLES, *op. cit.*, p. 120, que, pour b. *Men.* 65ᵃ, un ms. du Caire est ms. de Rome ont également la graphie en deux mots. C'est cette graphie que l'on trouve, pour tous les cas où le terme est employé, dans l'édition princeps de l'*Aruch completum* parue avant 1480 (il s'agit d'un grand dictionnaire talmudique composé par Natan ben Yehiel de Rome [+ 1106] et complété en 1101), qui range ce terme à *byt* (LEVY, *Wörterbuch*, I, p. 229 a ; PERLES, op. cit., p. 120).

7. Voir les attestations à la note précédente.
8. JASTROW, *Dictionary*, *sub verbo* : singulier, *bay^etûsî* ; pluriel, *bay^etôsîn*. LEVY, *Wörterbuch*, *sub verbo* : singulier, même chose ; pluriel, *bay^etûsîn*. ALBECK, dans son édition de la Mishna, t. 5 (1958) à *Men.* X 3 : *baytôsim*.
9. Ainsi LAGRANGE, *Judaïsme*, p. 304. C. DANIEL, dans *RQ* 6 (1967-1969), n° 21, p. 47, n. 66, écrit Boethosiens, sans accent sur le *e*.
10. BILLERBECK (voir son Index, IV, p. 1219 a) : Boethosäer.
11. J. NEUSNER, *A Life of Raban Yohanan ben Zakkai*, p. 197 (dans l'index) : Boeth*u*sians. Mais, dans le cours de son exposé (ainsi p. 53, 55), il écrit Boeth*e*sians.
12. de VAUX, *Institutions*, II, 1960, p. 393.
13. NEUSNER (voir n. 11) dans le cours de son exposé.
14. Dans le commentaire hébreu tardif de la Megillat taanit, la recension espagnole (attestée par le seul manuscrit *pé*) ne connaît que les Sadducéens ; dans les manuscrits de la recension italienne, le manuscrit *aleph* ne connaît que les Boéthusiens (LICHTENSTEIN, dans *HUCA* 8-9 [1931-1932], pp. 261-262). Or, nous constatons un fait intéressant. Dans le commentaire de la notice du 28 tébèt (*M.T.* 26), lignes 1-2 (texte dans LICHTENSTEIN, p. 342), il est question des Sadducéens du temps d'Alexandre Jannée (103-76). Ordinairement, le manuscrit *aleph* dit Boéthusiens. Or, ici, contrairement à son habitude, il modifie la phrase pour ne pas avoir à parler des Boéthusiens (voir la traduction de ce commentaire § 188, et la leçon de ce manuscrit *aleph* § 188 n. 6).
15. En dehors des textes relatifs à la halaka, que nous allons citer, rappelons que nous avons un seul texte où les Boéthusiens figurent seuls (*Sédèr Olam* 3, cité § 83 et note 8) ; ils se trouvent mentionnés dans une liste de gens qui n'ont pas part au monde futur. Un seul manuscrit de ce texte, pour la liste en question, ajoute les Sadducéens (§ 83, n. 8).

Selon les Boéthusiens, l'offrande de la première gerbe doit se faire le dimanche qui suit le sabbat survenant après le jour de la Pâque (§ 130). La position sadducéenne nous est inconnue ; selon les Jubilés et les gens de Qoumrân, cette offrande a lieu le dimanche qui suit le sabbat survenant après les sept jours de la fête pascale, donc huit jours après les Boéthusiens (§ 130). En rapport avec cette halaka boéthusienne, nous voyons les Boéthusiens soudoyer des faux témoins pour la nouvelle lune (§ 134).

Les Boéthusiens, observateurs très scrupuleux du repos sabbatique, interdisent que l'on fasse la cérémonie de *ḥibbûṭ ḥarayôt* le jour du sabbat (§ 136). La position sadducéenne, qui nous est inconnue, devait être identique (§ 136).

Les Boéthusiens interdisent de confectionner des tephillin avec une peau d'animal « crevé » ou « déchiré » ; mais cette indication, qui figure dans un seul texte, n'est sans doute pas historique (§ 137) ; la position sadducéenne est inconnue.

Enfin, selon la seconde partie du commentaire hébreu de *Megillat taanit* 12, commentaire dans lequel le « Livre des décrets » est un code de lois boéthusien (§ 164), les Boéthusiens appliquaient à la lettre la loi du talion, la prescription sur le linge, preuve de virginité, et celle sur le crachat en cas de refus du lévirat (§ 166). Mais, dans aucun de ces trois cas, ces renseignements ne paraissent historiquement certains (§ 167, 168, 170 ; conclusion § 171). Sur ces points, nous ignorons la halaka sadducéenne.

Donc, les renseignements certains au sujet des Boéthusiens portent d'une part sur le calendrier (date de l'offrande de la première gerbe), d'autre part sur le repos sabbatique [16] (interdiction de la cérémonie de *ḥibbûṭ ḥarayôt*).

255. Dans un certain nombre d'autres textes rabbiniques, nous avons constaté que, pour un point donné de la halaka, les sources parlent tantôt des Boéthusiens, tantôt des Sadducéens.

Dans la discussion au sujet du *tamîd*, qui, selon les adversaires des Pharisiens doit être payé par les particuliers, le Babli parle des Sadducéens ; le commentaire hébreu de *Megillat taanit* 3 parle des Boéthusiens (§ 142). Nous avons montré qu'il faut préférer l'indication du Babli (§ 142, n. 7).

Pour la discussion au sujet de l'héritage des filles, le Yerushalmi (§ 232) et le Babli (§ 233) parlent des Sadducéens ; seule la Tosefta (§ 232) parle des Boéthusiens. Nous avons conclu (§ 235)

---

16. M. R. Lehmann, dans *RQ* 3 (1961-1962), n° 9, p. 117, n. 1 : nulle part, dans le Talmud, en dehors de quelques versions de la Tosefta, les Boéthusiens n'apparaissent avec les pharisiens dans des discussions sur les sacrifices ; les attaques des Boéthusiens semblent avoir porté seulement sur le calendrier. — Comme on le voit par notre exposé, le repos sabbatique était également un sujet discuté entre Boéthusiens et Pharisiens.

que, dans la Tosefta, Boéthusiens est ici synonyme de Sadducéens.

Dans le cas de la libation de soukkôt effectuée contrairement à la halaka pharisienne, la Mishna et le Babli (1ᵉʳ texte) parlent tout simplement de façon vague (« il »). Le Babli (2ᵉ texte) fait mention d'un Sadducéen ; la Tosefta, d'un Boéthusien (§ 219). Il semble probable qu'il s'agit, en fait, d'un Sadducéen (§ 219).

Dans la discussion portant sur l'imposition de l'encens le Jour de kippour, le Yerushalmi et la Tosefta parlent des Boéthusiens (§ 192). Le Sifra, le Yerushalmi (autre texte) et le Babli parlent des Sadducéens. Il est difficile de trancher la question de savoir si, dans la version primitive, d'ordre à la fois halachique et aggadique, il était question des Boéthusiens ou des Sadducéens (§ 195).

Pour la discussion au sujet des conditions de la mise à mort des faux témoins, la Mishna (§ 172) et le Babli (§ 176) parlent des Sadducéens ; c'est sans doute aussi le cas du Yerushalmi qui dit « ils » (§ 175) La Tosefta fait mention des Boéthusiens. Nous avons conclu que, dans cette discussion, la précision des adversaires des Pharisiens était un élément tardif dans les récits en question ; il est donc difficile de dire si, historiquement, cela visait les Boéthusiens ou les Sadducéens [1] (§ 176).

Comme on le voit, dans tous les cas où la tradition rabbinique parle à la fois des Sadducéens et des Boéthusiens, nous ne pouvons retenir aucun point où, de façon historiquement certaine, les Boéthusiens étaient en jeu. Et il ressort clairement de ce panorama que, la plupart du temps, dans les textes en question, Boéthusien est synonyme de Sadducéen.

256. L'origine du nom de Boéthusiens va-t-elle nous permettre de préciser la nature de ce groupe ? Laissons de côté l'étymologie fantaisiste proposée par Löw [1]. Le texte de *A.R.N.* rec. A, ch. 5 affirme que le nom de Boéthusiens « vient de Boéthos » [2] (§ 80). Les auteurs modernes acceptent généralement cette explication,

---

1. Nous voyons que, dans les cinq cas qui viennent d'être rappelés, le Babli parle toujours des Sadducéens ; les autres textes rabbiniques (Tosefta, Yerushalmi, commentaire de la Megillat taanit) parlent tantôt des Boéthusiens, tantôt des Sadducéens. Or, pour deux cas où seuls les Boéthusiens sont en scène (date de la fête des semaines, interdiction de la cérémonie de ḥibbûṭ ḥarayôt au sabbat, voir § 127 et 136), le Babli également fournit une donnée. Il sait donc éventuellement parler seulement des Boéthusiens.

1. Loew, dans la revue *Ben Chananya* I (1858), p. 246 ss. (nous n'avons pu l'avoir entre les mains) : le nom de Sadducéen vient de ṣadiq. Mais, ajoute Löw, ce nom a été donné par leurs adversaires. Les Sadducéens, en effet, s'appelaient eux-mêmes, selon Löw, en grec εὐθύς, au sens de juste, honnête. Ce nom grec était écrit en hébreu 'btws (Löw cite, pour étayer son hypothèse, εὐγενής, écrit en hébreu 'bgynws). Les opposants du groupe changèrent ce 'btws en bytws, qui a donné bytwsyn.

2. Rappelons que, dans ce texte d'*A.R.N.* rec. A, ch. 5, Boéthos n'est pas présenté comme le fondateur du groupe (§ 81).

en précisant que le Boéthos en question est le prêtre d'Alexandrie contemporain d'Hérode Ier, dont nous allons parler un peu plus loin[3]. Les objections de Manson contre cette dérivation du nom de Boéthusiens à partir de Boéthos paraissent sans fondement sérieux[4]. On peut, semble-t-il, retenir cette origine du nom.

Mais le Boéthos en question est-il bien le prêtre alexandrin Boéthos ? Notons tout d'abord que ce nom grec Βοηθός est la transposition d'un nom juif en 'azar (deux grands prêtres fils de Boéthos s'appellent l'un Yo'azar, l'autre Élé'azar). Nous connaissons un certain nombre de personnages s'appelant Boéthos. Énumérons-les d'abord d'après les sources ; nous nous demanderons ensuite si l'on peut grouper plusieurs indications en un seul personnage.

1. Un stoïcien de Sidon, vivant vers 250 avant notre ère[5] ;

2. celui qui a donné son nom aux Boéthusiens[6] ;

3. le prêtre alexandrin du temps d'Hérode, connu seulement par Josèphe[7] ; son fils Simon, qui vivait à Jérusalem, fut nommé grand prêtre par Hérode vers 22 avant notre ère[8] ;

4. le Boéthos dont la « famille » (bét Baithos) est critiquée dans la complainte d'Abba Shaoul[9] ;

5. le « père » de Marthe, épouse du grand prêtre Yoshua ben Gamaliel[10] (63 environ-65) ;

6. le Babli parle des « gâteaux Boéthos »[11] ;

7. le « père » de Matthias[12], personnage en activité au moment de la révolte de 66.

---

3. Voir, par exemple, DERENBOURG, Essai, p. 157 ; L. GINZBERG, dans JE III (1902), p. 285 b ; JEREMIAS, Jérusalem, p. 313.
4. T. W. MANSON, dans BJRL 22 (1938), pp. 150-151, dont voici la critique. 1) Dans b. Pes. 57[a], le nom de la dynastie boéthusienne est donnée non pas sous la forme bytwsyn, mais sous celle de byt byytws, comme cela est naturel (il s'agit du texte de la complainte d'Abba Shaoul, voir § 76 et n. 1). — 2) Si les Boéthusiens devaient leur nom à Boéthos, il serait curieux que la légende ait créé, à l'origine des Boéthusiens (A.R.N. rec. A, ch. 5) un mythique disciple d'Antigone de Soko (Manson fait une erreur, voir plus haut notre n. 2). — 3) Βοηθός, nom grec, est un terme officiel correspondant au latin adjutor. Ce terme grec est fréquent dans les ostraca, au sens de « assistants » des collecteurs d'impôts, ou, moins fréquemment, d'autres officiers. Donc, les Boéthusiens étaient, primitivement les βοηθοὶ τῶν συνδίκων, les assistants des juifs qui administraient les affaires (pour Manson, Sadducéens vient du grec συνδίκοι, voir § 110 et n. 3-6).
5. PHILON, De aeternitate mundi 76.
6. Selon le récit d'A.R.N. rec. A, ch. 5 (§ 80).
7. Ant. XV 320
8. Ibid.
9. Voir § 76 et n. 1.
10. Voir § 74 et n. 14-15.
11. b. Pes. 37[a].
12. Guerre V 527.

Signalons enfin, à titre de mémoire, Boéthos ben Zônim, marchand du second siècle de notre ère, et Rabbi Boéthos, un amora palestinien (vers 300) [13].

Laissons de côté le n° 1, sans intérêt pour nous. Le n° 3 eut quatre fils (Simon, Yoazar, Éléazar, Simon Kanthéras) et un petit-fils (Élionaios) qui furent grands prêtres (détails § 74) ; fait important pour notre recherche : ces grands prêtres fils ou petits-fils de Boéthos furent en charge uniquement sous Hérode Ier, son fils Archélaüs et son petit-fils Agrippa Ier (41-44). Donc, ce n° 3 est identique au n° 4. Le n° 5 pourrait être également le même personnage. Le n° 6 est sans doute identique au n° 3. Quant au n° 7, c'est très probablement le même que le n° 3.

Nous voyons donc que seul le prêtre alexandrin Boéthos peut être le personnage du n° 2. Cela du reste cadre bien avec les renseignements que nous avons déjà rassemblés au sujet de ces Boéthusiens, à la fois du point de vue historique (le groupe apparaît au tournant de notre ère) et au sujet de leurs caractéristiques (gens préoccupés, entre autres, du calendrier).

257. Qui sont ces Boéthusiens ? Quels sont leurs rapports avec les Sadducéens ?

Selon certains historiens, les Boéthusiens ne sont rien d'autre que les Sadducéens [1]. Mais cette assimilation plus ou moins complète des Boéthusiens aux Sadducéens se heurte au témoignage de *A.R.N.* rec. A, ch. 5. De l'examen de ce texte, nous avons cru pouvoir conclure fermement le fait historique suivant (§ 81) : au tournant de notre ère, il y avait deux groupes distincts, les Sadducéens et les Boéthusiens [2].

C'est pourquoi d'autres auteurs précisent que les Boéthusiens constituaient l'un des groupes sadducéens [3]. A notre avis, c'est la bonne solution.

13. Rappelons aussi *bwṭwn*, sur une inscription (§ 254, n. 2 fin), qui pourrait être Boéthos.
1. R. MEYER, dans *TWNT*, VII, p. 45 : les noms de Sadducéens et de Boéthusiens étaient prononcées l'un pour l'autre. JEREMIAS, *Jérusalem*, p. 310 : « un groupe de Sadducéens, peut-être même l'ensemble des Sadducéens, s'appelaient Boéthusiens » (même chose p. 266).
2. Dans le Babli, à propos de l'*ʿérûb* (texte § 147), on fait encore la distinction entre « un non juif, un Sadducéen, un Boéthusien ».
3. L. GINZBERG, dans *JE* III (1902), p. 284 b : « une secte juive étroitement liée aux Sadducéens, sinon un développement des Sadducéens » ; p. 285 a : selon l'opinion prédominante des historiens, ils sont une variété des Sadducéens (onze ans plus tard, GINZBERG, dans *MGWJ* 52 [1913], p. 393, les considérait comme les scribes sadducéens) ; HOELSCHER, *Sadduzäismus*, p. 77 : rien d'autre qu'une sorte de Sadducéens ; LESZYNSKY, *Sadduzäer*, p. 273 : après la période asmonéenne, les Sadducéens se scindèrent en plusieurs groupes, dont celui des Boéthusiens ; BILLERBECK, IV, p. 1219 a (dans son Index, à « Boéthusiens ») : un groupe à l'intérieur du parti sadducéen. Les auteurs qui considèrent ainsi les Boéthusiens comme un groupe au milieu des Saddu-

Plusieurs ont cherché d'autres explications. Grätz considérait les Sadducéens comme les opposants politiques des Pharisiens, les Boéthusiens comme leurs opposants religieux[4]. Derenbourg établissait une distinction tranchée entre Sadducéens et Boéthusiens ; il appelait les Boéthusiens des royalistes, et les limitait aux familles de prêtres en chef[5]. Selon Montet, les Sadducéens n'avaient « rien de commun » avec les Boéthusiens[6].

Certains ont vu dans les Boéthusiens les Hérodiens dont parle l'Évangile ; nous allons voir la valeur de cette identification (§ 159). Il faut auparavant examiner une autre hypothèse, celle de l'assimilation des Boéthusiens aux Esséniens.

Elle fut lancée, semble-t-il, par le rabbin Azaria de Rossi[7] († 1578). Cette opinion fut reprise, entre autres, en 1821 par Bellermann[8], en 1847 par Herzfeld[9]. Selon Ed. Reuss en 1860, « la récente recherche scientifique l'a[vait] rendue vraisemblable »[10]. En 1876, J. Levy l'acceptait à titre d'hypothèse[11]. Cette idée a trouvé un regain d'actualité depuis le début des trouvailles de Qoumrân. Elle figure sous la plume de Katz[12], Grintz[13] et Daniel[14].

céens rapprochent le fait, plus ou moins consciemment, de ce que nous savons, chez les Pharisiens du Ier siècle de notre ère, à propos des deux groupes hillélite et shammaïte.

4. GRAETZ, Geschichte, III, 1888, p. 89 et 223.

5. DERENBOURG, Essai, p. 163. A la p. 181, il pense que les Bené Bathyra étaient de la famille des Boéthusiens. Il est tentant de rapprocher Boéthusiens et Bené Bathyra ; mais, comme nous l'avons dit (§ 160 fin), on ne peut entrevoir le rapport précis qui existait entre les deux.

6. Éd. MONTET, Essai, 1883, p. 313. Selon Montet, les Boéthusiens ont exclu les Sadducéens du Sanhédrin, du pontificat et des charges politiques en général. Cette construction historique manque de base.

7. AZARIA DE ROSSI, Me'ôr 'énayîm, section 'imrê bina ch. 3, édition D. CASSEL, Vilna, 1866, p. 96.

8. J. J. BELLERMANN, Geschichtliche Nachrichten aus dem Alterthume über Essäer und Therapeuten, Berlin, 1821, p. 1147 ss (nous ne connaissons cette étude que par S. WAGNER, Die Essenen in die wiss. Diskussion, Berlin, 1960, p. 63).

9. L. HERZFELD, Geschichte des Volkes Jisrael, II, Brunswick, 1847, pp. 397-398 (nous n'avons pu avoir ce volume entre les mains ; nous donnons les chiffres du volume et de la page sous toute réserve, car nous avons trouvé trois ou quatre indications différentes chez les auteurs qui le citent.

10. Ed. REUSS, dans Real-Ency. für prot. Theologie, XIII, 1860, p. 296.

11. LEVY, Wörterbuch, I, p. 299 a.

12. B. Z. KATZ, The Pharisees, Sadducees, Zealots and Christians (en hébreu), Tel Aviv, 1947 (connu par A. FINKEL, The Pharisees and the Teacher of Nazareth, Leyde, 1964, p. 4, n. 5).

13. Y. M. GRINTZ, Gens de la « communauté », Esséniens, Bet (')sin (en hébreu), dans Sinaï 32 (1952-1953), pp. 11-43.

14. C. DANIEL, Les « Hérodiens » du N.T. sont-ils les Esséniens ?, dans R.Q. 6 (1967-1969), n° 21, pp. 31-53. Daniel parle des Boéthusiens dans sa longue note 66, p. 47. En dehors de A.R.N., rec. A, ch. 5, il ne cite aucun des textes rabbiniques relatifs aux Boéthusiens. La connaissance unilatérale qu'il en a par les historiens modernes le conduit à une affirmation erronée ; il dit que, dans le Talmud, les Boéthusiens apparaissent comme « une secte religieuse impie ».

Selon Daniel, qui identifie Hérodiens, Boéthusiens et Esséniens, « Boéthusiens » serait un surnom insultant donné aux Esséniens [15].

L'argument mis en avant par de Rossi pour justifier son identification entre Boéthusiens et Esséniens est la graphie, dans certains cas, du nom de Boéthusiens en deux mots : *byt syn* (voir plus haut § 254 et n. 6). *Syn* serait le nom « Essénien ». Depuis 400 ans, les partisans de cette identification ont repris l'argument ; ils ne semblent pas en avoir apporté d'autres qui soient historiquement solides [16].

Or, cet argument paraît sans valeur. D'une part, le témoignage de la tradition manuscrite en faveur de cette graphie en deux mots est assez mince. D'autre part, si dans « Boéthusiens », la première partie du terme était le mot *byt*, famille, il faudrait, en seconde partie, un nom propre de personne. Or rien ne nous permet de dire que *syn* est un nom de personne. Du reste, les partisans de l'explication en question voient là le nom « Esséniens ».

On pourrait invoquer, en faveur de l'identification des Boéthusiens aux Esséniens le fait que, dans un texte de la Tosefta (§ 134 et n. 5), l'un des deux faux témoins soudoyés par les Boéthusiens, au sujet de la nouvelle lune, monte de Jéricho à Jérusalem. Ce pourrait être un homme se rendant de Qoumrân à la Ville sainte. Mais c'est là un indice ténu ; il ne prendrait de valeur que si nous pouvions l'étayer dans un ensemble de preuves. Ce n'est pas le cas.

Nous connaissons un peu la halaka boéthusienne (§ 254). Parmi les quelques points connus, un seul permet de faire une comparaison avec les gens de Qoumrân. Il s'agit de la date de l'offrande de la première gerbe. Or, sur ce point, les Boéthusiens ont une halaka différente de Qoumrân. Selon les Boéthusiens, cette offrande se fait le dimanche qui suit le sabbat survenant après le jour de la Pâque. Pour les gens de Qoumrân, par contre, elle se fait le dimanche qui suit le sabbat survenant après la semaine pascale (§ 130).

L'identification des Boéthusiens aux Esséniens n'est donc pas à retenir. Nous nous en tenons à la solution signalée un peu plus haut : les Boéthusiens sont un groupement à l'intérieur des Sadducéens.

258. Les éléments que nous possédons sur l'histoire des Boéthusiens sont extrêmement fragmentaires.

15. DANIEL, *op. cit.*, p. 47, n. 66, vers la fin : il croit que c'est l'équivalent complet du terme « Hérodiens ».
16. DANIEL, *ibid.*, pense trouver un argument dans le fait que Boéthusiens et Esséniens avaient, tous deux, un calendrier différent de celui des Pharisiens. Mais, comme nous allons le dire un peu plus loin dans notre exposé, sur cette question de calendrier, le seul point précis où nous ayons des renseignements à la fois pour les Boéthusiens et pour les Esséniens montre que les deux groupes avaient un calcul différent.

Comme nous l'avons vu, leur nom vient selon toute probabilité du prêtre alexandrin Boéthos. Mais les hypothèses en rapport avec l'origine alexandrine de Boéthos sont assez peu solides, semble-t-il[1], d'autant plus que son fils Simon, quand il fut nommé grand prêtre par Hérode Ier, vers 22 avant notre ère, vivait déjà à Jérusalem[2]. On peut noter cependant un élément de rapprochement entre Boéthusiens et Philon[3].

Le seul trait que l'on a voulu invoquer en faveur du caractère grec des Boéthusiens est le suivant[4]. Dans la discussion au sujet de l'héritage des filles, un Boéthusien discute avec Rabbi Yoshua (vers 140 de notre ère). La discussion se termine par le mot prononcé par le Boéthusien : « Parfait » ; c'est le grec κάλως, écrit q'lws (§ 137). On le voit, l'argument est vraiment ténu.

En se basant sur l'origine de leur nom, le prêtre Boéthos, on peut dire que les Boéthusiens étaient des gens gravitant autour des grands prêtres fils et petit-fils de Boéthos, créatures des Hérode (§ 256).

B. *Les Hérodiens.*

259. Nous en arrivons à une dernière question. Les Boéthusiens sont-ils les Hérodiens ?

C'est uniquement dans les deux premiers évangiles synoptiques que nous trouvons la mention des Hérodiens. Dans Marc, nous avons cinq conflits en Galilée (voir § 87) opposant Jésus aux Pharisiens ; en finale du cinquième (guérison de l'homme à la main desséchée), il y a un entretien entre les Pharisiens et les Hérodiens pour perdre Jésus (Mc 3, 6). Dans les parallèles des deux autres synoptiques, cette mention des Hérodiens ne figure pas (Mt 12, 14 : seulement les Pharisiens ; Lc 6, 11 : « ils » c'est-à-dire les scribes et Pharisiens dont il est question en 6, 7).

Marc rencontre également cinq conflits, à Jérusalem, entre

---

1. CHWOLSON, *Das letzte Passamahl*, p. 129 b : très probablement, Boéthos avait exercé le sacerdoce au temple de Léontopolis ; les anciennes halakôt des prêtres alexandrins devaient, sans doute, correspondre beaucoup plus à celles des Sadducéens qu'à celles des Pharisiens. A. SCHLATTER, *Jochanan ben Zakkai*, p. 49 : la noblesse sacerdotale revenue d'Égypte était « indubitablement hellénisée profondément » ; p. 49, n. 2 : il est possible que les conflits entre les Pharisiens et leurs adversaires devinrent plus âpres du fait que les coutumes des Boéthusiens (ce sont, pour Schlatter, les prêtres revenus d'Égypte) étaient en usage au temple de Léontopolis. R. MEYER, dans *TWNT* VII, p. 45 : il se peut que la famille de Boéthos ait eu des traditions sadocites égyptiennes, et ait ainsi rempli les conditions nécessaires pour un nouveau pontificat légitime à Jérusalem.
2. Josèphe le dit explicitement : « Simon était hiérosolymitain » (*Ant.* XV 320), vivait à Jérusalem, comme on traduit parfois.
3. Voir § 127 et n. 8.
4. J. PERLES, dans *REJ* 3 (1881), p. 120.

Jésus et les Pharisiens (§ 87). Dans le deuxième conflit, relatif au tribut dû à César, on voit un petit groupe de Pharisiens et d'Hérodiens intervenir dans le dessein de prendre Jésus au piège (Mc 12, 13). Dans le passage parallèle de Matthieu, il est question également des Pharisiens et des Hérodiens (Mt 22, 16) ; Lc, par contre, ne connaît pas les Hérodiens (Lc 20, 20).

Ajoutons une dernière mention des Hérodiens. En Mc 8, 15, qui parle du « levain des Pharisiens et du levain d'Hérode », certains témoins (p[45] et d'autres manuscrits) disent : « ... et du levain des Hérodiens. »

260. Avant de voir ce que l'on peut tirer de ces données, jetons un coup d'œil rapide sur les diverses solutions proposées quant à la nature de ces Hérodiens.

Deux études, l'une de Bikermann [1], l'autre de Rowley [2], fournissent une abondante documentation sur ce problème soulevé dès les premiers temps de l'exégèse patristique.

Bikermann proposa l'explication suivante : « Citoyens romains, possesseurs de grandes *familiae* d'esclaves et d'affranchis, ils [les héritiers d'Hérode Ier] donnèrent, j'imagine, à leur domesticité le nom d'Hérodiens. » [3] Jouön accepta cette solution, en y apportant seulement quelques petites précisions [4]. Mais elle fut rejetée par Rowley qui en revint à une explication assez courante : les Hérodiens sont des partisans d'Hérode [5]. On trouve cette solution chez Simon [6].

L'identification des Hérodiens aux Sadducéens trouva autrefois quelques partisans [7] ; elle semble actuellement abandonnée. Par contre, ceux qui voient dans les Hérodiens des Boéthusiens sont très nombreux, encore de nos jours. On peut signaler, entre

---

1. E. BIKERMANN, *Les Hérodiens*, dans *RB* 47 (1938), pp. 184-197.
2. H. H. ROWLEY, *The Herodians*, dans *JTS* 41 (1940), pp. 14-27.
3. BIKERMANN, *op. cit.*, p. 195.
4. P. JOUÖN, *Les « Hérodiens » dans l'Évangile*, dans *RSR* 28 (1938), pp. 585-588 ; il pense qu'il s'agirait non pas de la domesticité en général, mais de fonctionnaires de rang élevé (p. 587).
5. ROWLEY, *op. cit.*, pp. 23-27.
6. M. SIMON, *Les sectes juives d'après le témoignage patristique*, dans le volume collectif *Studia patristica* I, Berlin, 1957, p. 528 : sens exclusivement politique ; ce sont des partisans d'Hérode ou des gens à sa solde.
7. Les Hérodiens sont les Sadducéens : HARDOUIN en 1693 ; LE CLERC en 1701 (références dans ROWLEY, *op. cit.*, p. 16, n. 6). Les Hérodiens sont un parti politique composé principalement de Sadducéens : LIGHTFOOT en 1684 ; FARRAR en 1898 ; ARMSTRONG en 1906 ; P. DURAND en 1938 (références dans ROWLEY, *op. cit.*, p. 17, n. 2).

autres, Geiger[8], Renan[9], Stapfer[10], Farrar[11], Zahn[12], Kohler[13], Momigliano[14], Finkelstein[15], Daniel[16].

La solution qui identifiait les Hérodiens aux Sadducéens semblait avoir pour elle un gros argument : Mt 16, 6 parle « du levain des Pharisiens et des Sadducéens » ; or, dans le passage parallèle de Mc 8, 15, il est question « du levain des Pharisiens et du levain d'Hérode » (« ... du levain des Hérodiens » dans p^{45} et d'autres témoins). Mais l'examen que nous avons fait (§ 86) de l'emploi, chez Matthieu, de la formule « Pharisiens et Sadducéens » nous a conduit à la conclusion suivante : il s'agit là d'un assemblage artificiel qui ne représente pas la réalité historique[17]. On ne peut donc faire fond sur le texte de Mt 16, 6.

L'assimilation des Boéthusiens aux Hérodiens se base, surtout, sur un fait précis : les Boéthusiens, comme nous l'avons vu un peu plus haut, étaient des gens gravitant autour des grands prêtres créatures des Hérode. Cette assimilation est-elle certaine ? Si on identifie ainsi Boéthusiens et Hérodiens, les deux passages de Marc où il est question des Hérodiens en compagnie des Pharisiens (Mc 3, 6 ; 12, 13 = Mt 22, 16) affirment donc la présence, ensemble, des Pharisiens et des Boéthusiens. Or les Boéthusiens étaient les ennemis des Pharisiens. Même en tenant compte du front commun des ennemis de Jésus, cette présence commune semble un peu difficile.

Jusqu'à plus ample informé, par conséquent, nous considérons que l'hypothèse identifiant Boéthusiens et Hérodiens est vraisemblable, mais non certaine[18].

8. GEIGER, *Urschrift*, p. 128. Dans les notes suivantes, quand nous n'ajoutons pas de précision au sujet des Boéthusiens, c'est que l'auteur dont nous parlons les considère comme différents des Sadducéens.

9. E. RENAN, *Vie de Jésus*, 1863, p. 217, n. 2 et p. 348.

10. E. STAPFER, dans *Encyclopédie des sciences religieuses*, XI (1881), p. 390.

11. FARRAR, 1898 (cité par ROWLEY, dans *JTS* 41 [1940], p. 16).

12. ZAHN, 1903 (cité par ROWLEY, *op. cit.*, p. 16).

13. K. KOHLER, dans *JE* VI (1904), p. 360 b.

14. MOMIGLIANO, dans *Cambridge Ancient History*, 10, 1934, p. 324 (cité par ROWLEY, *op. cit.*, p. 16).

15. FINKELSTEIN, *The Pharisees*, 1962, p. 770.

16. C. DANIEL, dans *RQ* 6 (1967-1969), n° 21, p. 47, n. 66. Pour Daniel, Hérodiens = Esséniens = Boéthusiens ; Boéthusiens et Hérodiens seraient deux sobriquets insultants donnés aux Esséniens par leurs adversaires.

17. Notons que, dans le passage parallèle de Lc 12, 1, il n'est question que des Pharisiens.

18. Le jugement de P. JOUÖN, dans *RSR* 28 (1938), p. 585, n. 1, semble juste : « L'absence de témoignage historique [en dehors du N.T.] montre que tout ce que anciens et modernes ont écrit et que tout ce qu'on écrira sur les Hérodiens est conjectural. »

Les Boéthusiens doivent leur nom au prêtre alexandrin Boéthos qui eut des fils et des petits-fils grand prêtre du temps des Hérode (Hérode Ier, Archélaüs, Agrippa Ier). Ils constituaient l'un des groupes sadducéens ; il se pourrait qu'ils soient identiques aux Hérodiens.

III. Des Sadducéens a Jérusalem seulement ?

261. Holmes avait cru pouvoir affirmer que, à Alexandrie, beaucoup d'aristocrates étaient sadducéens[1] ; mais cette opinion, basée sur une fausse identification entre sadducéisme et tendance à l'hellénisation[2], est sans valeur. Nous ne possédons pas la moindre donnée positive sur l'existence de Sadducéens dans la diaspora. Comme nous l'avons vu (§ 53), chez Philon d'Alexandrie il n'y a pas d'influence sadducéenne.

Cependant, y avait-il des Sadducéens dans la diaspora ? En l'absence de donnée, il faut, pour répondre à la question, procéder par raisonnement. « Si la division de l'opinion religieuse en trois partis est vraie pour la Palestine, elle ne l'est pas pour la diaspora. »[3]. Par ailleurs, l'insistance des Sadducéens sur l'État (§ 284) « devait donner jusqu'à leur langage religieux un son étrange pour les oreilles des masses nécessairement non politiques de la diaspora »[4]. Il semble donc exact de penser qu'il n'y avait pratiquement pas de Sadducéens dans la diaspora[5]. On peut seulement se demander si à Rome, capitale de l'empire romain, en particulier autour de Poppée (voir plus bas § 308), il n'y avait pas des Sadducéens.

Pour la Palestine, en dehors de la ville de Jérusalem, nous ne possédons pas plus de renseignements que pour la diaspora. Certes, il est question dans les Abot de Rabbi Natan[6], au temps de Yohanan ben Zakkay († vers 80) d'un prêtre en chef habitant Bet Rama[7], qui vit saintement[8] et ignore les règles pharisiennes au sujet de la pureté du fourneau. On pourrait songer à un Saddu-

---

1. S. Holmes, dans Charles, *Apocrypha*, I, p. 535, note sur Sg 1, 1 : Indubitablement, bien des gens de la classe dirigeante à Alexandrie, étaient, comme ceux de Palestine, de caractère sadducéen et penchaient vers l'hellénisme. »
2. Sa phrase citée dans notre note précédente le montre.
3. M. Philonenko, *Joseph et Aséneth*, Leyde, 1966, p. 104.
4. Baron, *Histoire d'Israël*, II, p. 665. Baron ajoute : il y eut, chez les Sadducéens, un mouvement de retour à la Loi écrite antérieure ; cela dut aliéner aux Sadducéens l'homme ordinaire des communautés de la diaspora.
5. Baron, *op. cit.*, II, p. 638.
6. *A.R.N.* rec. A, ch. 12 (56 col. a, 4).
7. Localisation inconnue.
8. Mot à mot « selon les règles de la *ḥassidût* ».

céen. Finkelstein avait essayé de considérer le sadducéisme comme le produit conjoint de la hiérarchie du Temple et de l'aristocratie de province, alors qu'il voyait dans le pharisaïsme le produit des conditions de vie urbaine (§ 11) ; mais cette opposition entre ville et campagne a été, à bon droit, rejetée (§ 11 et n. 6). Beaucoup de prêtres vivaient à la campagne, mais ce devait être surtout des gens de familles modestes.

Donc, dans l'état de nos connaissances, il semble raisonnable de supposer qu'il n'y avait pratiquement pas de Sadducéens en dehors de Jérusalem [9].

IV. UN GROUPE NON SACERDOTAL.

262. En tête de ce développement, il est nécessaire, pour déblayer le terrain, de rappeler la conclusion à laquelle nous sommes arrivé en ce qui concerne le nom de Sadducéens et son origine (§ 111). L'explication qui voit, à l'origine de ce nom, le prêtre Sadoq du temps de David n'est pas certaine, et cela pour deux raisons. D'une part, il n'est pas sûr que « Sadducéens » vienne d'un personnage appelé Sadoq ; d'autre part, si on accepte un Sadoq à l'origine du nom de Sadducéens, on a le choix entre le Sadoq prêtre du temps de David, et un autre Sadoq.

Le lien que l'on croyait pouvoir découvrir entre le prêtre Sadoq et le nom de Sadducéens a eu une influence mauvaise sur la recherche relative à la composition du groupe. Nous avons relevé, chez Wellhausen, un certain flottement de pensée à ce sujet : par endroit, il est enclin à limiter les Sadducéens aux prêtres, mais, par ailleurs, il note qu'ils comprenaient aussi des familles laïques (§ 3). Lagrange pense que les Sadducéens reçurent leur nom « parce que les prêtres en étaient le noyau » [1] ; il considère les Sadducéens « avant tout [comme] le parti politique du haut sacerdoce », en ajoutant, toutefois, qu'il avait ses théoriciens, les scribes sadducéens [2]. Quant à Mantel, en 1961, il n'hésite pas à écrire [3] : « comme il est bien connu, les membres du parti sadducéen étaient prêtres. »

Parmi les auteurs récents, retenons-en deux. Jeremias repré-

---

9. WELLHAUSEN, *Pharisäer*, p. 44 : « En dehors de Jérusalem, il n'y a pas de Sadducéens, le Temple est leur propre quartier *(Revier)*, ils ne descendent pas dans le tourbillon de la vie quotidienne. » Les deux jugements au sujet du Temple et de la vie quotidienne ne semblent pas tout à fait exacts.

1. LAGRANGE, *Judaïsme*, p. 301.
2. LAGRANGE, *Évangile de Matthieu*, 1923, p. 429, n. 24.
3. H. MANTEL, *Studies in the History of the Sanhedrin*, Cambridge Mass., 1961, p. 89.

sente ce que nous pourrions appeler la voie moyenne. Il réagit contre l'idée selon laquelle les Sadducéens seraient « un parti clérical se recrutant sinon exclusivement du moins principalement dans les cercles de prêtres de rang élevé »[4]. Les grands prêtres et les prêtres en chef étaient en général sadducéens[5] ; mais il y avait dans le groupe sadducéen beaucoup de laïcs, car « les membres de la noblesse laïque étaient en grande partie sadducéens »[6]. Selon Jeremias, chez les Sadducéens, comme chez les Pharisiens, « les laïcs formaient la grosse masse des partisans »[7]. Les dirigeants du groupe sadducéen étaient les prêtres de rang élevé[8].

La position de Reicke représente une réaction complète contre tout aspect clérical du groupe sadducéen. Au temps de Jannée (103-76), Reicke distingue, du point de vue politique, trois tendances : à droite, l'ancienne noblesse sacerdotale ; au centre, les Sadducéens et les nouveaux riches ; à gauche, les Pharisiens, représentants d'un parti de roturiers[9]. La distinction radicale entre Sadducéens et noblesse sacerdotale se retrouve à plusieurs reprises dans l'exposé de Reicke[10].

263. Pour essayer de se faire une opinion sur cette délicate question du caractère sacerdotal ou laïque du groupe sadducéen, il faut tout d'abord rassembler les données mises au jour à ce sujet dans nos deux premières parties.

Dans le Nouveau Testament, le grand prêtre Caïphe est Sadducéen. Pour dire cela, on ne peut s'appuyer sur Ac 5, 17 ; en effet, les quatre mots « le groupe des Sadducéens » sont sans doute une glose (§ 91). Mais, en Jn 11, 50, Caïphe prononce une parole de résonnance sadducéenne (§ 25, n. 4).

Dans le Sanhédrin, nous voyons l'existence du « parti » des Sadducéens et du « parti » des Pharisiens (§ 92). L'existence de laïcs sadducéens dans cette assemblée est attestée par Ac 23, 14 (§ 92). Mais cela ne nous dit pas quelle était la physionomie du groupe sadducéen en dehors du Sanhédrin. Dans Ac 4, 1, le texte fait mention de trois éléments : « les prêtres, le commandant du Temple, et les Sadducéens. » Les Sadducéens sont donc distingués des prêtres. Mais, comme nous l'avons vu (§ 91), la mention des Sadducéens est probablement une glose. Il en va de même dans

4. JEREMIAS, *Jérusalem*, p. 309.
5. *Op. cit.*, p. 310.
6. *Ibid.*, p. 309.
7. *Ibid.*, p. 311.
8. Même page.
9. Bo REICKE, *Neut. Zeitgeschichte*, 1965, p. 54. Cette vue des choses semble trop influencée par un désir de rapprochement entre la situation juive et celle de Rome à la même époque.
10. Voir par exemple p. 99 et 115. Rappelons que Reicke rejette tout lien entre le nom de Sadducéens et le prêtre Sadoq du temps de David (§ 112, n. 1).

Ac 5, 17 ; on ne peut donc s'appuyer sur ce dernier verset pour affirmer que les Sadducéens sont l'entourage du grand prêtre.

Donc, les Actes des Apôtres ne fournissent pas de donnée certaine au sujet du caractère sacerdotal ou non sacerdotal du groupe sadducéen.

Josèphe, dans ses notices générales sur les Sadducéens, ne parle jamais des prêtres sadducéens (§ 29). Mais nous avons fait remarquer qu'il faut, à propos de ces textes, éviter de faire une inférence fausse en disant que, du temps de la jeunesse de Josèphe, il n'y avait pas de prêtres sadducéens (§ 29). Il n'en reste pas moins que cette absence de mention de prêtres, à propos des Sadducéens, sous la plume de Josèphe serait un peu étrange si le groupe avait été un groupe principalement sacerdotal [1].

264. Dans notre deuxième partie consacrée à la littérature rabbinique, le chapitre traitant du clergé (ch. XI) n'est que l'un des cinq chapitres. Nous y avons vu, certes, de temps en temps, apparaître un grand prêtre. Mais lorsque les rabbins discutent avec les Sadducéens au sujet de points controversés de la halaka concernant le clergé, les défenseurs du point de vue sadducéen sont « les Sadducéens » ; rien ne nous est dit de particulier sur les prêtres à l'intérieur de leur groupe.

Par ailleurs, dans le sillage de ce que nous venons de noter au sujet de Josèphe, rappelons que, dans la notice des Abot de Rabbi Natan (§ 80), relative à l'origine des deux groupes, sadducéen et boéthusien, nous ne trouvons aucune indication au sujet des prêtres.

Pour toutes les questions étudiées dans notre deuxième partie, les textes rabbiniques parlent toujours globalement des Sadducéens, ou des Boéthusiens, au pluriel, ou bien mettent en scène un Sadducéen, ou un Boéthusien, anonyme. Dans ce dernier cas, à trois ou quatre reprises, il est question d'un *zaqèn*. Nous examinerons (§ 271) si ce terme ne désignerait pas un membre du Sanhédrin. Relevons, pour le moment, le fait qu'il s'agit sûrement d'un laïc.

Au terme de ce petit examen des données rabbiniques, nous arrivons au même résultat qu'après le rappel des indications de Josèphe : les Sadducéens n'apparaissent pas comme un groupe sacerdotal. Ajoutons, pour terminer, que, dans les notices des Pères de l'Église (§ 98), il n'est jamais question d'eux comme d'un groupe sacerdotal.

---

1. Josèphe, quand il parle des Sadducéens qui parviennent aux magistratures (§ 28), songe à des laïcs tout autant qu'à des prêtres.

265. Pour compléter ces notations, il faut maintenant rassembler les indications, dans Josèphe et la littérature rabbinique, relatives aux grands prêtres, aux prêtres et aux laïcs présentés explicitement comme Sadducéens.

Parmi les Asmonéens, il n'y a pas à retenir ici Aristobule II, car nous avons cru devoir rejeter l'assimilation courante faite entre Sadducéens et partisans d'Aristobule II (§ 31-32).

Deux grands prêtres asmonéens sont présentés par Josèphe comme Sadducéens : Jean Hyrkan (134-104), son fils Alexandre Jannée (103-76). C'est Josèphe qui nous dit que, à la fin de sa vie, Hyrkan devint Sadducéen (§ 35). Mais la comparaison de son texte avec celui de la littérature rabbinique nous a amené à penser que la rupture entre les Pharisiens et l'Asmonéen était plus vraisemblablement le fait d'Alexandre Jannée (§ 39 fin). Il est par ailleurs possible que le prêtre qui, selon la tradition rabbinique, n'accomplit pas la libation de soukkôt selon le rite pharisien soit Alexandre Jannée (§ 219).

Parmi les grands prêtres de l'époque hérodienne et romaine, il faut d'abord mentionner les cinq membres de la famille de Boéthos : Simon (22 environ-5 avant J.-C.) ; Yoazar (4 avant J.-C. ; une seconde fois en 6 après J.-C.) ; Éléazar (à partir de 4 avant J.-C.) ; Simon Kanthéras (à partir de 41) ; Élionaios (vers 44). On peut sans doute y ajouter Yoshua ben Gamaliel (63 environ-65), car il avait pour femme Marthe, « fille de Boéthos ». Comme nous avons cru pouvoir affirmer le lien entre Boéthos et le nom de Boéthusiens (§ 256), ces grands prêtres de la famille de Boéthos étaient dans la mouvance boéthusienne. Or les Boéthusiens sont probablement un groupe à l'intérieur des Sadducéens (§ 257).

Outre le grand prêtre Caïphe, connu par les Évangiles (§ 263), nous savons, par Josèphe (§ 30) l'existence d'un autre grand prêtre sadducéen : Anan le Jeune (en l'an 62).

Dans la littérature rabbinique, le seul grand prêtre qui soit explicitement noté comme Sadducéen et dont le nom soit donné est Ishmaël [1]. Selon toute probabilité, il s'agit d'Ishmaël II (jusqu'en 61) (§ 210). Selon les sources rabbiniques, Ishmaël brûla deux vaches rousses, l'une selon la halaka sadducéenne, une autre selon la halaka pharisienne (§ 211), car, Sadducéen, il dut obéir aux Pharisiens (§ 210).

On le voit, en ce qui concerne les grands prêtres, le glanage n'est pas très abondant. Mais il faut ajouter une indication importante : quelques rites ou prescriptions de détail pour la cérémonie

---

1. Selon b. *Ber.* 29ᵃ (voir plus haut § 39, n. 9), Jean Hyrkan, à la fin de sa vie, devint « Sadducéen ». Mais, comme nous l'avons dit (même n. 9), ici « Sadducéen » a peut-être le sens général d'hérétique.

de kippour laissent supposer que, pour la tradition pharisienne, tout grand prêtre, en principe était sadducéen (§ 201).

Pour les autres prêtres, nous n'avons guère d'indications. Sous Agrippa Ier (41-44) semble-t-il, une fille de prêtre fut brûlée de l'extérieur (§ 180), donc selon une halaka différente de celle des Pharisiens qui est sans doute celle des Sadducéens (§ 181). Il est possible que le tribunal qui la condamna était un tribunal de prêtres (§ 181, n. 3).

Un prêtre en chef vivant à la campagne, dont il est question dans les Abot de Rabbi Natan, était peut-être sadducéen (§ 261).

Nous savons que, dans le groupe pharisien, il y avait un certain nombre de prêtres, soit des prêtres aristocrates [2], soit des prêtres de basse classe [3]. Au Ier siècle de notre ère, le clergé était donc réparti dans les deux groupes, sadducéen et pharisien. Nous ne connaissons pas leur proportion respective dans chacun des deux.

Quant aux laïcs sadducéens, nous n'en connaissons pratiquement pas de par leur nom. On peut seulement citer le Jonathan, ami du roi Jean Hyrkan (134-104) (§ 30). Indiqués de façon anonyme, nous avons les grands de Jérusalem qui, en 61, s'opposèrent à Agrippa II ; selon toute vraisemblance, c'étaient des Sadducéens (§ 210).

266. Josèphe et la littérature rabbinique donnent, en somme, le même son de cloche. Ces deux sources parlent, la plupart du temps, des Sadducéens de façon globale ; elles les présentent comme un groupe bien particularisé, mais ne précisent pas sa composition. Les données fournies à leur sujet permettent seulement de dire une chose : les Sadducéens n'étaient pas un groupe proprement sacerdotal. On peut cependant supposer que le groupe avait pour centre les grands prêtres et les prêtres en chef.

Eppstein a cru pouvoir rejeter l'opinion courante selon laquelle la hiérarchie du Temple était sadducéenne, et les Sadducéens avaient, au Temple, leur quartier général (§ 12). Comme les grands prêtres étaient, semble-t-il, tous Sadducéens, cette idée d'Eppstein n'est pas à retenir.

Les développements qui précèdent conduisent à une conclusion : en tant que tel, le groupe sadducéen n'était pas un groupement sacerdotal.

---

2. JEREMIAS, *Jérusalem*, p. 344, en cite trois : Jean Hyrkan (134-104) avant sa rupture avec les Pharisiens ; Flavius Josèphe ; un prêtre en chef Lévi, connu par un papyrus d'Oxyrinque (référence dans Jeremias, p. 344, n. 80). Ailleurs (pp. 315-316), il cite, pour le Ier siècle de notre ère, six prêtres de rang élevé qui étaient scribes pharisiens.

3. JEREMIAS, *Jérusalem*, p. 316, pour le Ier siècle après J.-C., fait mention de six prêtres de rang inférieur qui étaient scribes pharisiens.

V. Un groupe aristocratique ?

267. Les données au sujet de la composition sociologique du groupe sadducéen sont très rares. Le renseignement majeur, sur ce point, est fourni par Josèphe ; il nous dit que les Sadducéens sont des aristocrates, peu nombreux et pas suivis par le peuple (§ 28). En disant cela, Josèphe a en vue, la Jérusalem du Ier siècle de notre ère.

La littérature rabbinique donne un élément qui permet de voir que cette affirmation de Josèphe n'est pas à classer immédiatement dans le domaine de la légende. Selon les Abot de Rabbi Natan, les Sadducéens se servaient d'ustensiles en or et en argent[1] (§ 80). Comme Josèphe, ce texte rabbinique vise la situation au Ier siècle de notre ère ; il considère les Sadducéens comme des gens riches. Par ailleurs, selon les Sadducéens, le *tamîd* était payé par les particuliers (§ 142) ; ce point de vue s'explique sans doute en partie par la richesse des Sadducéens (§ 144).

Mais, à partir de ces deux données, nous nous posons deux questions. D'une part, qu'en était-il des Sadducéens au IIe et Ier siècle avant notre ère ? D'autre part, au temps de Jésus, tous les Sadducéens étaient-ils des aristocrates ?

Pour répondre à la première question, nous manquons d'éléments. En effet, il n'est pas possible, à notre avis, d'identifier les aristocrates groupés autour d'Aristobule II (67-63) aux Sadducéens (§ 31-32).

268. La réponse à la seconde question est difficile. On invoquait parfois, il y a quelques décades, l'argument suivant pour corroborer le dire de Josèphe[1] : seules les familles de l'aristocratie se mariaient avec les prêtres officiant au Temple. Cela est inexact. Dans cette question de mariage, il ne s'agissait pas de classe sociale, mais de pureté d'origine ; seuls les Israélites de pure origine pouvaient marier leurs filles à des prêtres[2]. Il faut tenir compte également du fait que, chez les juifs, être prêtre était en quelque sorte un titre de noblesse[3].

---

1. Dans ce texte de *A.R.N.* rec. A, ch. 5 (traduction § 80), cet usage d'ustensiles de prix est mis en rapport avec le rejet par les Sadducéens d'une récompense après la mort. Cette liaison ne semble pas historique. Mais les deux éléments, chacun pris à part, le sont : rejet de la rétribution ; usage d'objets de valeur.

1. On le trouve, par exemple, chez K. Kohler, dans *JE* X (1905), p. 630 b.

2. Jeremias, *Jérusalem*, p. 392.

3. Josèphe, *Vie* 1 : « Les divers peuples ont chacun leur manière de fonder la noblesse ; chez nous, ce sont les affinités avec le sacerdoce (ἡ τῆς ἱερωσύνης μετουσία) qui attestent l'illustration d'une famille » (traduction A. Pelletier

Les Pharisiens étaient « en majorité des gens du peuple »[4]. Cependant, nous connaissons des aristocrates pharisiens. Il faut d'abord citer Josèphe lui-même. D'origine très vraisemblablement sadducéenne, il devint Pharisien, à l'âge de 19 ans si l'on en croit ce qu'il nous raconte, à un âge plus avancé si l'on tient compte de certains éléments de son existence (§ 15). Au moment de la guerre juive de 66, nous voyons en scène Simon, fils de Gamaliel ; né à Jérusalem, c'était un pharisien « d'une famille très illustre »[5]. Enfin, l'un des points qui divisaient, au Iᵉʳ siècle de notre ère, Hillélites et Shammaïtes concernait l'enseignement. Selon les Shammaïtes, il ne fallait donner l'enseignement qu'à des fils de famille ; par contre, les Hillélites acceptaient tout le monde (§ 14).

Par conséquent, certains aristocrates étaient pharisiens. Cependant, nous ne pouvons savoir s'ils étaient nombreux. Mais, chez les Sadducéens, au temps de Jésus, n'y avait-il que des aristocrates ? Reicke tente de trouver une ressemblance entre la situation chez les juifs au Iᵉʳ siècle de notre ère et celle que nous connaissons, à la même époque, à Rome. Il y avait, à Rome, rivalité entre les *optimates*, la noblesse sénatoriale, et les *populares* qui comprenaient deux parties : au centre, les *equites*, nouveaux riches, à gauche, le parti populaire. Sous Alexandre Jannée (103-76), dit Reicke, on trouvait, chez les juifs, à droite l'ancienne noblesse sacerdotale, à gauche les Pharisiens, représentants d'un parti populaire de roturiers[6]. Et c'est à partir de cette ressemblance entre Rome et la Judée que Reicke dit, quand il parle du Iᵉʳ siècle de notre ère, que les Sadducéens étaient le parti lié aux patriciens et aux nouveaux riches[7].

Le manque pratiquement complet de données, pour la situation juive, rend ce rapprochement entre Rome et la Judée conjectural. Et nous ne savons pas avec certitude si, dans le groupe sadducéen, il n'y avait que des aristocrates. Cependant, comme une aristocratie ne vit pas sans clientèle, on peut penser qu'il y avait dans ce groupe des Sadducéens de basse classe.

VI. Un groupe de gens religieux.

269. Parmi les historiens modernes, ce sont à peu près les mêmes qui accusent les Sadducéens d'être des politiciens et d'être

---

dans la collection Budé). Cette traduction « affinités » paraît beaucoup trop faible. Le sens est clair : il s'agit du fait d'être prêtre.

4. Jeremias, *Jérusalem*, p. 332. Il dit qu'il ne faut pas compter les Pharisiens parmi la classe supérieure.

5. *Vie* 191 : γένους σφόδρα λαμπροῦ.

6. Bo Reicke, *Neut. Zeitgeschichte*, pp. 53-54.

7. *Op. cit.*, p. 115.

des juifs peu ou pas religieux [1] ; il y a, du reste, chez ces auteurs, une distinction entre politique et religion qui ne correspond pas à la vie juive en Palestine au tournant de notre ère.

Dans le sillage de ceux qui, depuis un siècle, se sont préoccupés de souligner la piété et le zèle religieux des Sadducéens [2], R. Meyer a eu raison d'insister sur l'idéal sadducéen : un état-temple national et particulariste, avec une eschatologie, à savoir l'attente de la purification du pays, de la délivrance de l'emprise païenne et de la restauration du royaume de David (§ 10). Grundmann présente les efforts des Sadducéens comme une réaction contre l'idéal d'Hérode Ier. Ce dernier, dit-il, voulait incorporer à l'empire romain un royaume palestinien qui devait être, à titre égal, la patrie des juifs et des non juifs ; les Sadducéens, par contre, ont fait effort pour ajouter à l'empire romain l'état-temple comme une grandeur largement autonome [3].

Nous avons cité ces deux opinions récentes pour attirer l'attention sur ce qui, du point de vue religieux, paraît l'essentiel du groupe sadducéen : un idéal en continuité avec la révélation de la Tora, mais, bien entendue, comprise selon l'exégèse du groupe. Nous retrouverons ces questions dans le chapitre suivant.

Il n'est pas nécessaire de longs développements pour faire voir que les Sadducéens n'étaient nullement des impies et des mécréants [4]. Un tel reproche ne se trouve jamais sous la plume de

---

1. Rappelons quelques noms. GEIGER, 1857 : au début, la distinction entre Sadducéens et Pharisiens se situait davantage sur le plan politique que religieux (§ 2) mais Geiger soulignait la piété des Sadducéens (§ 2). WELLHAUSEN, 1874 : Les Sadducéens étaient « un parti principalement politique », les Pharisiens, un parti « principalement religieux » (§ 3). Même chose chez MONTET, 1883 (§ 4). SCHUERER : relâchement de l'intérêt religieux, influences rationalistes (§ 6). HOELSCHER, 1906 : athéisme pratique (§ 5). SEGALL, 1917 : gens irreligieux poursuivant des buts uniquement politiques (§ 9). LAGRANGE, *Évangile de Matthieu*, 1923, p. 426, n. 24 : « avant tout le parti politique du haut sacerdoce. » BILLERBECK, IV, p. 339 : les Sadducéens étaient « à la différence des Pharisiens, tout d'abord (von vornherein) un parti politique ». P. VOLZ, dans *RGG* ² V (1931), col. 28 : « Du point de vue religieux, les Sadducéens n'ont aucune importance ; ce sont de purs rationalistes. » P. BONNARD, *L'évangile selon saint Matthieu*, Neuchâtel, 1963, p. 324, n. 2 : « Aux couches populaires, dont la piété s'attachait de plus en plus à l'idée de rétribution future fondée sur celle de la résurrection, les Sadducéens faisaient l'effet d'intellectuels mécréants ou sceptiques. »
2. GEIGER (§ 2) ; CHOWLSON (§ 6) ; LESZYNSKY (§ 7) ; BARON, *Histoire d'Israël*, II, pp. 638-639 : des nationalistes fervents ; ce « réveil nationaliste » les conduit à insister sur l'application de la Loi et à se concentrer sur la Loi écrite comme faisant seule autorité.
3. W. GRUNDMANN, *Umwelt des Urchristentums*, Berlin, I, 1965, p. 268.
4. Bien entendu, nous parlons du groupe en tant que tel. Il y avait sûrement des Sadducéens qui étaient de mauvais juifs. Certains juifs allaient jusqu'à l'apostasie ; le cas le plus marquant est celui de Tibère Alexandre, un neveu de Philon ; après avoir abandonné la religion de ses pères, il devint procurateur romain en Palestine (46-48 ; voir *Ant.* XX 100-103), puis préfet d'Égypte. Mais, en ce qui concerne l'apostasie, nous ne savons rien des Sadducéens.

Josèphe (§ 29). Il est faux de dire que, pour lui, Sadducéen est synonyme d'Épicurien (§ 21). Et Josèphe note que les Sadducéens recherchaient la sagesse (§ 27).

Quant à la littérature rabbinique, elle ne contient pas la moindre allusion à une prétendue irréligiosité des Sadducéens. Absolument tous les textes que nous avons étudiés les font apparaître comme des gens soucieux de pratiquer les commandements de la Tora.

VII. Des scribes sadducéens.

270. Beaucoup d'historiens modernes affirment qu'il y avait des scribes sadducéens, mais, la plupart du temps, ils se contentent d'affirmer le fait, sans essayer de voir ce qu'ils étaient exactement et quelle était leur place dans le groupe sadducéen. Quelques-uns, cependant, ont tenté de préciser les choses. Voyons rapidement leurs opinions, avant d'examiner les données que l'on peut glaner à ce sujet dans les sources.

Selon Box, au temps de Jésus, les Sadducéens avaient continué à garder l'ancienne appellation de *soferim* pour désigner les membres du Sanhédrin de la classe des scribes. Et, continue Box, le langage populaire se servait de cette ancienne appellation pour parler des scribes en dehors du Sanhédrin [1]. Selon Ginzberg, les Boéthusiens étaient les scribes des Sadducéens [2]. Lagrange voyait dans les scribes sadducéens les théoriciens du parti [3] ; mais Jeremias insiste pour dire que les chefs du parti sadducéen étaient les clercs, et non pas les scribes [4]. Quant à Reicke, il dit, sans autre précision, que, au Ier siècle après J.-C., c'était principalement entre les trois groupes sadducéen, pharisien et essénien que se répartissaient les scribes [5].

Le Nouveau Testament atteste clairement l'existence de scribes sadducéens, non pas de façon directe, mais, indirectement, par les précisions qu'il donne au sujet des scribes pharisiens [6]. On a voulu

---

1. G. H. Box, *Scribes and Sadducees in the N.T.*, dans *the Expositor* VIIIe série, 15 (1918), pp. 401-411 ; 16 (1918), pp. 55-69 ; ici, pp. 410-411.
2. L. Ginzberg, dans *MGWJ* 52 (1913), p. 393.
3. Lagrange, *Évangile selon saint Matthieu*, 1923, p. 429, n. 24.
4. Jeremias, *Jérusalem*, p. 311 ; cela constitue une différence très importante entre Sadducéens et Pharisiens. Chez les Pharisiens, les chefs étaient les scribes (p. 311). Rappelons qu'il ne faut pas confondre scribes pharisiens et Pharisiens tout court. Jeremias insiste sur ce point (p. 341) : « Il faut rejeter l'idée complètement fausse selon laquelle les Pharisiens en tant que tels étaient des scribes. »
5. Bo Reicke, *Neut. Zeitgeschichte*, 1965, p. 113. Plus loin, p. 121, il parle des Sadducéens et des Pharisiens comme des « deux orientations de la science des scribes ».
6. Mc 2, 16 : « Les scribes des Pharisiens » ; Lc 5, 30 : « les Pharisiens et leurs scribes » ; Ac 23, 9 : « quelques scribes du parti des Pharisiens. »

voir un scribe sadducéen dans le νομικός de Lc 10, 25 ; mais cela n'est pas sûr du tout (§ 90). Manquent de base également (§ 90) les hypothèses qui voient des scribes sadducéens dans la scène relative au tribut à César, ou dans une forme primitive de l'expression « scribes et pharisiens » qui aurait été « prêtres scribes » [7].

Selon Josèphe, il y avait des maîtres sadducéens [8] ; c'étaient des scribes. Par contre, il n'y a rien à tirer, à ce sujet, du fait que Josèphe, en parlant des Sadducéens, emploie à plusieurs reprises le terme de φιλοσοφία [9]. En effet, il utilise ce mot pour désigner les trois, voire les quatre groupes juifs ; sous sa plume, le terme signifie : idées, idéal, groupe de gens ayant cet idéal (§ 20).

271. Dans la littérature rabbinique, il faut d'abord signaler un passage du Talmud de Babylone (traduit § 201) où il est question de « deux scribes [pharisiens], parmi les disciples de Moïse, à l'exclusion des Sadducéens ». La tournure de cette phrase laisse, peut-être, supposer qu'il y avait des scribes sadducéens [1]. Lors de la rupture d'Alexandre Jannée avec les Pharisiens (§ 36), nous voyons en scène Juda ben Guedidya, *zaqén*.

Mais c'est surtout les textes où il est question d'un *zaqén* qui doivent retenir notre attention. Nous rencontrons un *zaqén* boéthusien dans la discussion au sujet de la fête des semaines (§ 127) ; un *zaqén* sadducéen dans celle relative à l'héritage des filles (§ 233). Enfin, on peut ajouter le texte relatif à l'offrande de farine ; il ne mentionne pas explicitement le *zaqén* (§ 224), mais la discussion est construite selon le même type que dans les deux cas cités à l'instant [2].

Que désigne exactement ce terme *zaqén*, qui signifiant vieillard ou ancien ? Dans le grand Sanhédrin, il n'y avait pas de nom spécial pour désigner un membre de cette assemblée suprême. Dans la littérature rabbinique, *zaqén* est parfois utilisé pour dési-

---

7. Dans *Hénoch* 98, 15 ; 104, 11, il est question de gens qui composent des écrits. Il est peu probable qu'il s'agisse de scribes sadducéens (§ 56, n. 23).

8. *Ant.* XVIII 16 : les Sadducéens considèrent comme une vertu de « disputer contre les maîtres (διδασκάλους) de la sagesse qu'ils suivent ». Voir le sens de ce texte § 27 et n. 5-8.

9. Voir les citations dans le tableau du § 19.

1. G. H. Box, dans *the Expositor* VIIIᵉ série, 15 (1918), p. 409, note, voyait des scribes sadducéens dans le *lblr* et le *swpr* dont parlent *A.R.N.* rec. A, ch. 36 (tr. Goldin, p. 151). C'est une erreur. Le *sophèr*, ici, est le copiste. Ce texte d'*A.R.N.* est une liste de sept catégories de gens qui n'ont pas part au monde futur. Dans les listes analogues, on trouve plusieurs fois la mention du copiste (Jeremias, *Jérusalem*, p. 404). La malédiction portée contre lui vise le fait qu'il exige un salaire pour transcrire les rouleaux de la Tora (*ibid.*, p. 405). Quant au *lblr*, c'est le mot *librarius*, copiste également. La condamnation portée contre lui vient peut-être de ce qu'il rédigeait parfois des contrats de prêt à intérêt.

2. Dans la recherche du présent paragraphe, nous n'avons pas à nous préoccuper de l'authenticité ou du caractère légendaire de ces récits.

gner, de façon tout à fait générale, un membre du Sanhédrin, et non pas un membre du groupe des anciens à l'intérieur de cette assemblée [3]. Hillel et Shammay sont, une fois ou l'autre, appelés Hillel l'Ancien [4] et Shammay l'Ancien [5]. Il semble bien que, dans ces deux cas, *zaqén* veut dire que ces deux personnages étaient membres du Sanhédrin [6]. On peut rappeler ici les « anciens » dans Ac 23, 14 (voir § 92).

Par ailleurs, dans la littérature rabbinique, il y a une certaine équivalence entre *zaqén* et *ḥakam*, sage, docteur [7]. On trouve le même fait dans les Évangiles. Parfois, dans les Évangiles, il est fait mention de trois groupes au Sanhédrin, grands prêtres, scribes et anciens. Mais, plus souvent, il n'est question que de deux groupes. Dans ces cas, les grands prêtres figurent, en général, en premier ; en second, on voit soit les scribes, soit les anciens [8].

Ces différentes remarques permettent une supposition dans les textes rabbiniques faisant mention d'un *zaqén* sadducéen ou boéthusien, il s'agit soit d'un scribe, soit d'un membre du Sanhédrin. Si l'on choisit cette seconde hypothèse, cela revient presque au même, concrètement, pour notre recherche dans ce paragraphe. En effet, dans les textes en question, le *zaqén* boéthusien ou sadducéen intervient et discute à titre de théoricien, de personnage instruit, de scribe.

VIII. Absence d'influence étrangère caractéristique.

272. En 1882, Baneth postulait, à l'origine du mouvement sadducéen, des enseignements d'Épicure qui auraient déterminé son orientation (§ 4). C'est une hypothèse en l'air. En 1906, Hölscher songeait à une influence du droit romain sur la halaka sadducéenne pour trois points : responsabilité du maître envers son esclave (§ 179) ; exécution des faux témoins (§ 176) ; héritage des filles (§ 237). Comme nous l'avons vu au terme de l'examen de ces trois questions, cette explication ne semble pas s'imposer.

Récemment, Grundmann parle, à propos des Sadducéens, de tendances libérales qui les auraient conduit à accepter des formes

3. Ainsi dans Tos. *Sanh.* VIII 1 (427, 10) ; Tos. *Sheq.* III 27 (179, 23).
4. *Shebiit* X 3 ; *Ar.* IX 4.
5. *Sukka* II 8.
6. Gamaliel, le maître de saint Paul, est aussi appelé parfois Gamaliel l'Ancien (ainsi *Git.* IV 2). Mais c'est peut-être pour le distinguer de son petit-fils, Gamaliel II.
7. Détails dans E. Lohse, *Die Ordination im Spätjudentum*, Göttingen, 1951, pp. 50-52.
8. Deux exemples. 1) Mt 26, 3 : grands prêtres et anciens ; parallèles de Mc 14, 1 et Lc 22, 2 : grands prêtres et scribes. 2) Mt 27, 1 : grands prêtres et anciens ; parallèle de Lc 22, 66 : grands prêtres et scribes.

de vie hellénistiques[1]. Cette affirmation générale ne repose sur aucune base précise. Du reste, au sujet de l'influence hellénistique dans le judaïsme aux derniers siècles avant la ruine de 70, Sundberg fait de précieuses remarques. Les Pharisiens, dit-il[2], furent influencés par l'hellénisme au même titre que les Sadducéens. En effet, « l'hellénisation dans les deux partis, et dans le judaïsme en général, après la révolte maccabéenne, dut être en grande partie accidentelle et inconsciente ».

Il est inexact de dire que, pour Josèphe, Sadducéen est synonyme d'Épicurien (§ 20). Les différentes tentatives pour trouver une origine grecque ou persane au terme de Sadducéen sont vaines (§ 110). Jamais les rabbins n'accusent les Sadducéens d'être entachés d'hellénisme[3]. Dans la décoration des tombeaux palestiniens des juifs du Iᵉʳ siècle après J.-C., spécialement à Jérusalem, on ne trouve aucune image humaine ; or, ces tombeaux étaient des sépultures de gens riches, donc en partie sadducéens[4]. Ces gens étaient fidèles à la Tora dans leur rejet de toute représentation humaine.

La seule allusion, dans les textes rabbiniques, à une coutume profane, à propos des Sadducéens, figure dans la discussion sur le rite de l'encens le Jour de kippour. Selon les rabbins, les Sadducéens disaient : « Si, en présence d'un homme de chair et de sang, on agit ainsi [on se présente complètement prêt], à plus forte raison devant le Lieu [Dieu] » (§ 193, textes nᵒˢ 2 et 3). Après avoir examiné la justification de la halaka sadducéenne, nous avons rejeté une éventuelle influence de la coutume profane de l'encens sur la formation de cette halaka.

On peut sans doute ajouter ici un dernier élément. Josèphe dit que les Sadducéens sont « aussi rudes dans leurs relations avec les ὁμοίους qu'avec les étrangers » (§ 28). Cette phrase, nous l'avons vu, est assez énigmatique, car nous ne savons pas qui sont exactement ces ὁμοίοι, ces « semblables » (§ 28). Retenons seulement ici que, au dire de Josèphe, les Sadducéens ne sont pas le moins du monde entachés de libéralisme.

273. Voici le tableau que nous obtenons du groupe sadducéen, au temps de Jésus. C'est un groupe de gens religieux, chez qui nous ne pouvons trouver d'influence étrangère caractéristique. Ce

---

1. W. GRUNDMANN, *Umwelt des Urchristentums*, I, 1965, pp. 268 et 269.
2. A. C. SUNDBERG, dans *The Interpreter's Dictionary of the Bible*, IV (1962), p. 162 a.
3. J. HALÉVY, dans *REJ* 8 (1884), p. 44.
4. M. SMITH, *The Image of God*, dans *BJRL* 40 (1958), pp. 492-493.

groupe est nettement particularisé, avec sa halaka et sa aggada propres. Mais nous ignorons le degré de son organisation. Au milieu de ce groupe, les Boéthusiens, qui sont peut-être les Hérodiens, constituent un groupement particulier. Il semble qu'il y a des Sadducéens seulement à Jérusalem. Le groupe, en tant que tel, n'est pas sacerdotal. En général, les grands prêtres et le haut clergé sont sadducéens. Ceux des Sadducéens dont nous entrevoyons l'existence sont des aristocrates ; mais il devait y avoir des Sadducéens non aristocrates. Dans le groupe, il y a des scribes, dont nous ne savons ni l'importance, ni le rôle exact.

CHAPITRE XV

ATTITUDE FONDAMENTALE

I. FIDÉLITÉ A L'ÉCRITURE COMPRISE AU SENS LITTÉRAL.

A. La Bible sadducéenne.

274. Il n'y a pas à retenir le reproche qu'adressait Hölscher aux Sadducéens : ils auraient refusé aux Écritures saintes le caractère sacré qui les distingue des écrits profanes [1]. Ce reproche était fondé sur une fausse interprétation d'une mishna relative à l'impureté des mains causée par les Livres saints [2]. Aucun indice ne conduit à supposer que les Sadducéens ne considéraient pas les Livres saints comme sacrés.

Mais qu'admettaient-ils en fait de Livres saints ? Depuis le IIe siècle avant notre ère, les juifs avaient coutume de distinguer trois groupes de Livres saints : la Tora, les prophètes, les autres écrits [3]. On trouve l'attestation de cette division dans le Nouveau Testament [4] ; elle figure dans la discussion de Rabban Gamaliel II (vers 90) avec les Sadducéens au sujet de la résurrection (§ 120, n. 1).

Le canon de l'ancienne synagogue [5] fut fixé vers la fin du Ier siècle de notre ère [6] ; il comprend 24 livres [7]. Au moment de la consti-

---

1. HOELSCHER, *Sadduzäismus*, p. 33.
2. *Yad.* IV 6 ; voir plus haut § 153.
3. Voir le prologue de la traduction grecque du Siracide (vers la fin du IIe siècle), versets 1. 8-11.
4. Lc 24, 44 (Loi, prophètes, psaumes). On sait que le terme « prophètes » désigne tout à la fois ce que nous les chrétiens appelons, bien à tort, les livres historiques, et les livres prophétiques au sens strict.
5. Dossier rabbinique dans BILLERBECK, IV, p. 415-451 : « Le canon de l'Ancien Testament et son inspiration. »
6. Sans doute au synode de Jabné.
7. b. *B.B.* 14[b] : 5 pour la Tora, 8 pour les prophètes, 11 pour les écrits (Ruth, Psaumes, Job, Proverbes, Qohélet, Cantique, Lamentations, Daniel, Esther, Esdras [= Esdras et Néhémie], Chroniques). — Le pharisien Josèphe, *Contre Apion* I 39-40, n'en compte que 22.

tution de ce canon, certains livres, considérés jusqu'alors plus ou
moins comme Écriture sainte, furent laisés de côté [8].

275. Nous n'avons aucune donnée au sujet du canon scripturaire des Sadducéens. Bien entendu, ils acceptaient le Pentateuque.
Qu'en était-il des autres groupes, les livres prophétiques et les
autres écrits ? Nous rencontrons d'abord une question de principe. Les Sadducéens acceptaient-ils ces deux groupes de textes au
même rang d'Écriture sainte que le Pentateuque ?

Un certain nombre de Pères de l'Église, d'Hippolyte à Honorius Augustodunensis, ont affirmé que les Sadducéens reconnaissaient uniquement le Pentateuque comme Écriture sainte (§ 103).
Un tel jugement, qui n'était guère retenu au siècle dernier [1],
semble connaître actuellement une certaine faveur [2].

Cette affirmation des Pères de l'Église semble reposer sur
deux bases. D'une part, il leur arrivait parfois de confondre Sadducéens et Samaritains [3]. D'autre part, ils lisaient dans Actes 23, 8
que, pour les Sadducéens « il n'y a pas ... d'esprit ». Quelque soit
le sens exact de cette négation (voir plus haut § 92), certains Pères
virent là une négation de l'Esprit saint (plus haut § 102). On peut
donc se demander si cette mauvaise interprétation de la donnée
scripturaire n'est pas l'une des origines de leur affirmation : les
Sadducéens n'acceptaient pas comme Livres saints les prophètes
et les autres écrits [4].

---

8. Citons surtout le Siracide (§ 48).
1. On peut cependant citer : C. Taylor, *Sayings of the Fathers*, Cambridge 1897 [2], p. 114 ; il se peut, dit Taylor, que l'on soit, à certains égards
plus près de la vérité en disant qu'ils rejetaient les prophètes et les écrits,
plutôt qu'en disant qu'ils les acceptaient ; K. Budde, *Der Kanon des A.T.*,
Giessen, 1900, pp. 42-43 : tout à fait possible que les Sadducéens n'aient considéré comme proprement canonique que le Pentateuque ; Schuerer, II, p. 481.
2. W. Grundmann, *Umwelt des Urchristentums*, I, 1965, p. 268 ; Geoltrain,
dans le *Biblisch-histor. Handwörterbuch* de Bo Reicke et L. Rost, III (1966),
col. 1639 (le Pentateuque : seule autorité, col. 1640 (les prophètes : seulement
Écriture de second rang) ; R. Schnackenburg, *Christliche Existenz nach dem
N.T.*, II, Munich 1968, p. 160 (traduction française d'H. Rochais à paraître)
(le Pentateuque, unique source de révélation).
3. Voir les données § 103 fin. Cependant, c'est un auteur Samaritain,
Aboul Fath (XIVe siècle) qui dit dans ses *Annales Samaritaines*, p. 102 (traduction plus haut § 37, n. 1) que les Sadducéens « ne fondent leur croyance
que sur la Loi [le Pentateuque] ».
4. Je dois cette suggestion à dom Jean Gribomont. — Certains Pères
considéraient les livres prophétiques comme particulièrement « inspirés »
(voir quelques références et citations dans E. Mangenot, *Dictionnaire de Théologie catholique* VII/2 (1923), col. 2077-2083) ; sur ce point, ils se situaient dans
le sillage de la tradition rabbinique (voir Billerbeck, IV, pp. 443-446 et II,
p. 127, n° 3). On pourrait se demander s'il n'y aurait pas aussi, à la base
de cette affirmation de certains Pères, une inférence fausse à partir de la
scène des Synoptiques où Jésus discute avec les Sadducéens au sujet de la
résurrection (§ 89) : puisque Jésus ne répond aux Sadducéens que par un
seul texte tiré du Livre de l'Exode, c'est donc que ses adversaires ne reconnaissaient pas d'autres écrits inspirés en dehors du Pentateuque.

Les deux bases de cette opinion de certains pères sur le canon sadducéen sont sans valeur. Par conséquent, il n'y a pas à la retenir.

Les prophètes et les écrits, il est vrai, ne sont jamais cités par les Sadducéens dans leurs argumentations scripturaires, telles que nous les livrent la tradition rabbinique [5]. Mais elles sont trop fragmentaires pour que nous puissions, à partir de ce silence, en conclure qu'ils n'admettaient pas ces deux groupes de textes.

On peut toutefois se demander si, pour les Sadducéens, ces deux groupes, tout en étant considérés comme Écriture sainte, n'avaient pas, à leurs yeux, une autorité moindre que le Pentateuque. Cela est possible. Il faut du reste noter que, même dans tradition pharisienne, on relève une certaine différence faite entre le Pentateuque d'une part, les prophètes et les écrits d'autre part. Cette différence s'exprime, entre autres, par l'emploi du terme de *qabbala* pour désigner ces deux groupes [6].

276. Le groupe des écrits eut, pendant longtemps, un contenu très variable dans le judaïsme, avant qu'il ne soit définitivement fixé à onze livres par les rabbins, à la fin du Ier siècle de notre ère.

Quels livres admettaient les Sadducéens au début de notre ère ? Les Psaumes, utilisés dans la liturgie du Temple, devaient être à une place d'honneur pour le clergé. Peut-être en allait-il de

---

5. Nous n'avons pu relever qu'un seul texte (§ 120, note 4) : le *Tanhuma* fait allusion à l'emploi, par les Sadducéens, de Jb 7, 9 pour rejeter la croyance à la résurrection ; mais il n'est pas sûr que ce texte, dans sa forme primitive, parlait des Sadducéens (§ 120, n. 5).

6. *Qabbala* veut sans doute dire tradition (selon N. M. BRONZNICK, *Qabbala as Metonym for the Prophets and the Hagiographa*, dans *HUCA* 38 [1967], pp. 285-295, le sens serait « docilité », « obéissance »). Sur la portée de ce terme, voir BILLERBECK, IV, p. 447 : La Tora a été, de façon fixe et définitive, enseignée ou dictée ou livrée par écrit ; par contre, les prophètes et les écrits sont des « textes qui se sont développés à partir de la tradition ». C. TAYLOR, *Sayings of the Fathers*, 1897, p. 114, cite, dans le texte original, un passage du commentaire hébreu du traité *Abot*, contenu dans le manuscrit A de la Mishna : « Et donc, je dis que les prophètes et les hagiographes sont appelés parole de la *qabbala* car elles sont reçues par *diadoché* (succession) et viennent des jours de Moïse, et ne sont donc pas égales aux cinq livres [de la Tora] qui sont tous préceptes et ordonnances. » Taylor pense que ce texte exprime bien le point de vue sadducéen. Cela n'est pas sûr (voir des textes rabbiniques exactement dans le même sens, cités par BILLERBECK, IV, p. 449). G. H. BOX, dans *Encyclopaedia of Religion and Ethics* XI (1920), p. 45 a, cite *Qoh. R.* sur Qoh. VII 23 (96^b 43) : Jacob de kefar Nibouraya (vers 350), à Tyr, enseignait certaines pratiques que Rabbi Aggée considère comme hétérodoxes. Jacob cite la Loi (Nb 1, 18 ; Gn 17, 12). Le Rabbi déclare que son enseignement est faux, et cite Éz 10, 3. Jacob est condamné à être fouetté. « Quoi, dit-il, vous me condamnez en raison [seulement] de la *qabbala* ! » Box, *op. cit.*, p. 45 b, pense que ce texte illustre bien quelle pouvait être la position sadducéenne ; ce n'est pas certain.

même chez les Sadducéens. Ben Sira était pré-sadducéen (§ 48-51). Son livre fut rejeté par la tradition pharisienne (§ 48). Il n'est pas impossible que les Sadducéens l'aient considéré comme Écriture sainte [1]. Il se pourrait qu'ils n'aient pas accepté la fête de pourîm (§ 157), donc qu'ils n'aient pas reconnu le livre d'Esther, accepté par les Pharisiens ; les Sadducéens très probablement n'acceptaient pas Daniel, du fait qu'il enseignait la résurrection [2], et que, d'autre part, sa date de rédaction définitive était très tardive. On peut penser qu'ils avaient une certaine prédilection pour le livre de Job, où l'on trouve la négation de la survie de l'âme (Jb 7, 9 ; voir § 120, n. 4). Pour les autres livres du groupe des écrits, nous ne connaissons pas le point de vue sadducéen.

B. *Volonté de vivre selon la Loi.*

277. Nous avons déjà vu (§ 269) que les Sadducéens étaient des gens religieux. Nulle part, les rabbins ne les accusent de vouloir se soustraire aux prescriptions bibliques [1] ; le reproche capital qu'ils leurs adressent est d'avoir une fausse interprétation de la Tora.

Le dialogue, plus ou moins légendaire, entre un jeune grand prêtre et son père est, à ce sujet, très révélateur. On se rappelle de quelle façon, un Jour de kippour, un jeune grand prêtre fait l'imposition de l'encens selon le rite sadducéen (§ 193). A l'issue de la cérémonie, il s'entretient avec son père, grand prêtre n'étant plus en activité (dialogue dans les textes nᵒˢ 1, 4 et 6 du § 193). Le père se lamente d'avoir été contraint, toute sa vie, d'obéir aux Pharisiens ; le fils est très fier d'avoir osé agir conformément à ses convictions sadducéennes. Dans tout ce récit, nous ne trouvons, de la part du rédacteur pharisien, aucune critique contre une éventuelle volonté, de la part des Sadducéens, de se dérober aux exigences de la Tora.

Le drame de conscience des Sadducéens était de ne pouvoir suivre leur interprétation de la Bible, car, au Iᵉʳ siècle de notre ère, les Pharisiens avaient réussi à imposer en partie leur halaka.

Par suite du changement des conditions de vie et sous l'influence d'autres facteurs, certaines lois bibliques tombèrent en désuétude. Nous avons signalé (§ 244) la prescription biblique rela-

---

1. Le premier livre des Maccabées est de tendance sadducéenne (§ 52). Mais, vue la date tardive de sa composition (vers l'an 100), il est difficile de supposer que les Sadducéens l'aient considéré comme Écriture sainte.
2. Voir § 201 quelques indications au sujet de l'emploi de ce livre dans le cérémonial de kippour contrôlé par les Pharisiens.
1. Erreur d'HOELSCHER, *Sadduzäismus*, p. 26 : l'examen des discussions entre Pharisiens et Sadducéens montre que les Sadducéens ne se souciaient pas d'appliquer strictement la Tora.

tive aux « eaux amères » ; on peut également citer celle qui ordonnait de briser la nuque d'une génisse pour expier un meurtre dont l'auteur est inconnu [2] (Dt 21, 4). Malheureusement, nous ne savons pas quelle était l'attitude des Sadducéens vis-à-vis de ces suppressions de lois bibliques.

C. *Explication littérale.*

278. La littérature rabbinique contient une dizaine de discussions scripturaires entre les Pharisiens et leurs adversaires, Sadducéens ou Boéthusiens [1]. Mais il est impossible de considérer l'ensemble de ces discussions comme historique [2]. Nous ne pouvons donc pas réunir les phrases d'exégèse mises dans la bouche des Sadducéens pour avoir une idée de leur façon d'expliquer la Bible. Notre effort vise bien plutôt à essayer de dégager quelques petits points historiquement solides.

A trois reprises, nous entendons les Pharisiens opposer leur « Tora parfaite » au « bavardage inutile » des Sadducéens [3]. Cette dernière expression désigne, de façon globale, les paroles des Sadducéens, donc, entre autres, leurs démonstrations scripturaires. Cette attaque générale des rabbins polémistes ne nous renseigne pas sur le caractère des justifications bibliques mises en avant par les Sadducéens.

Nous avons noté ce trait, car il nous donne l'étape ultime d'un long développement dans l'opposition entre Pharisiens et Sadducéens. En effet, à l'origine, la divergence entre les deux groupes fut occasionnée non par une différence dans l'interprétation de versets de la Bible, mais par une conception différente dans un domaine non directement exégétique. Nous avons constaté le fait, de façon claire, à propos du rite de l'imposition de l'encens à kippour ; ce

2. *Sota* IX 9 : cette loi biblique fut supprimée, car les meurtriers devenaient trop nombreux.
1. En voici la liste :
— § 120, n. 1 : à propos de la résurrection ;
— § 127 : à propos de la date de la fête des semaines (avec les Boéthusiens) ;
— § 137 : à propos des tephillin (un Boéthusien) ;
— § 142 : qui doit payer les frais du *tamîd* ? ;
— § 163 (seconde partie du commentaire de la Megillat taanit) : application à la lettre du talion, du linge et du crachat (Boéthusiens) ;
— § 173 : condition pour la mise à mort des faux témoins ;
— § 178 : responsabilité du maître vis-à-vis de son esclave ;
— § 193 : le rite de l'encens à kippour (textes n°s 2 et 3 : Sadducéens ; textes n°s 4 et 5 : Boéthusiens) ; textes étudiés § 197 ;
— § 224 : le droit des prêtres à manger de l'offrande de farine.
2. Voir, à chacun des paragraphes indiqués dans la note précédente, l'examen de la valeur historique ou légendaire de ces discussions.
3. Deux fois pour les Sadducéens (§ 224 et 233) ; une fois pour les Boéthusiens (§ 127).

n'est que dans un temps second que la discussion scripturaire joua (§ 197). Et, au terme de ce développement historique, les Pharisiens en arrivèrent à considérer tout argument des Sadducéens, biblique ou non, comme un « bavardage inutile ».

279. Dans la justification de la halaka, les Sadducéens ne semblent pas avoir fait beaucoup appel à des arguments non directement scripturaires. Nous n'en avons rencontré que deux. D'une part, un argument *a fortiori*, à propos du rite de l'encens le Jour de kippour (§ 196). D'autre part, un argument d'ordre eudémonique, le désir de Moïse d'assurer la joie de son peuple [1] (§ 127).

En ce qui concerne les arguments directement scripturaires, le rapprochement de deux données paraît intéressant pour entrevoir ce qui était peut-être une attitude générale des Sadducéens. Dans la discussion au sujet du *tamîd*, les Sadducéens pensaient que les frais du sacrifice devaient être payés par les particuliers, et non par la communauté. Si l'on en croit la tradition pharisienne, les Sadducéens invoquaient, en justification, le verset de Nb 28, 4, où il est dit, au singulier, « tu » (§ 142). Ce texte parle bien du sacrifice du *tamîd*, mais sa force probante, dans la discussion pour savoir qui doit payer les frais, est nulle. Les Sadducéens, se contentaient de ce seul argument, jugé, à leurs yeux, décisif.

Nous retrouvons exactement la même chose dans la discussion au sujet de la mise à mort des faux témoins. Le point discuté entre Pharisiens et Sadducéens était de savoir à quel moment il faut mettre à mort des faux témoins, avant ou après que celui qui avait été faussement accusé ait été exécuté. Les Sadducéens disaient : après. Comme justification biblique, ils invoquaient uniquement Dt 19, 21, la loi sur le talion ; sur la base de ce seul texte, il est impossible de dirimer la controverse (§ 173). Mais les Sadducéens, si l'on peut se fier à ce que nous rapporte la tradition rabbinique, devaient penser que ce verset était décisif.

Sur la base de ces deux constatations, on peut supposer que l'exégèse sadducéenne devait être sobre.

280. L'une des raisons fondamentales de l'opposition entre Sadducéens et Pharisiens était la différence au sujet des règles de pureté : les Sadducéens, dans leur fidélité à la Bible, continuaient de penser que ces règles étaient applicables uniquement dans l'enceinte du Temple.

La littéralité de l'exégèse sadducéenne se retrouve en quelque sorte dans l'un des principes scripturaires mis en jeu par les rabbins au second siècle de notre ère. Les Pharisiens, dans leur exé-

---

1. On trouve une autre fois un argument de cet ordre, à propos de l'offrande de farine : « Moïse aimait Aaron » (§ 224). Mais ce texte (commentaire hébreu de la Megillat taanit) est une historicité douteuse.

gèse explicative, tendaient à rattacher à l'Écriture leurs traditions. Ce fut Rabbi Aqiba († après 135) qui poussa et exploita à fond, systématiquement, ce genre d'exégèse[1]. Pour les besoins de la cause, il dut poser le principe que l'Écriture ne parlait pas le langage des hommes. A son avis, les particularités de la syntaxe, au lieu d'être considérées comme des phénomènes de grammaire, devaient être interprétés comme désignant des choses manifestement hors du texte et du contexte. On en a un exemple particulièrement éclairant dans l'interprétation qu'Aqiba donna de la particule de l'accusatif *'ét*[2].

Or, à ce principe d'Aqiba, Rabbi Ishmaël († vers 135) en opposa un autre : la Tora « parle selon le langage des hommes — *klshwn bny 'dm* »[3]. Ishmaël est le dernier représentant de l'ancienne halaka. Le principe qu'il met avant contre Aqiba « est si complètement en accord avec les enseignements sadducéens qu'il n'y a pas besoin de preuve pour montrer que c'était primitivement un principe sadducéen »[4]. Selon les Sadducéens, la Tora était claire, sans ambiguïté, facilement compréhensible, il fallait s'y tenir de façon littérale. De cette fidélité au texte même de la Bible compris de façon littérale, nous avons un précieux confirmatur sous la plume d'Origène[5].

D. *Hostilité aux nouveautés de croyance et de rite.*

281. C'est la fidélité à l'Écriture, expliquée au sens littéral, qui conditionne l'attitude des Sadducéens vis-à-vis des nouveautés. Nous rassemblerons plus loin l'ensemble des indications où nous voyons les Sadducéens rejeter les nouvelles croyances (§ 283) et les nouveaux rites (§ 285). Nous avons entendu (§ 157, n. 4), à propos de la fête de pourîm, la déclaration de 85 anciens qui, selon la tradition rabbinique, s'opposèrent à cette fête nouvelle : « Moïse nous a parlé ainsi : il n'y aura pas d'autre prophète, à l'avenir, pour introduire une nouveauté — *lḥdsh* — pour vous. » Ce mot d'ordre, prononcé ici à propos d'un point particulier, devait en somme être celui des Sadducéens pour l'ensemble de leur vie.

---

1. Sur les règles exégétiques d'Aqiba, voir W. BACHER, *Die Agada der Tannaiten*, I, Strasbourg, 1903[2], pp. 301-309 ; J. BONSIRVEN, *Exégèse rabbinique et exégèse paulinienne*, Paris, 1939, pp. 188-199.
2. b. *Pes.* 22[b].
3. Les principaux textes où figure ce principe sont indiqués par BILLERBECK, III, pp. 136-137.
4. J. Z. LAUTERBACH, *Rabbinic Essays*, Cincinnati, 1951, p. 31, n. 11 (texte de 1913).
5. Voir § 103.

Mais, une fois ou l'autre, nous constaterons que les Sadducéens avaient été amenés à forger une halaka nouvelle. Cela nous conduira à voir dans quel sens on peut parler d'une tradition sadducéenne.

II. ÉCRITURE ET TRADITION.

A. *Aggada sadducéenne.*

282. Notre connaissance du détail des croyances sadducéennes est extraordinairement mince. Halévy, persuadé qu'il y avait un enseignement doctrinal des Sadducéens [1], s'est efforcé de glaner, dans la littérature rabbinique, quelques traces de cet enseignement [2]. Le résultat est maigre [3], et la conclusion qu'il crut pouvoir en tirer dépasse largement les prémisses [4].

Cependant, grâce aux données de Josèphe surtout, nous pouvons nous faire une idée assez exacte, semble-t-il, des opinions sadducéennes sur quelques points essentiels.

A propos de la controverse sur le rite d'encens à kippour, nous avons entrevu que les Sadducéens s'en tenaient à une notion assez primitive de la présence de Dieu dans le Saint des saints (§ 199).

En ce qui concerne la résurrection, nous sommes sur un terrain plus ferme. Le triple témoignage du Nouveau Testament (Évangiles synoptiques et Actes, § 87-88 et 92), de Flavius Josèphe (§ 26) et de la littérature rabbinique [5] permet d'affirmer avec certi-

---

1. J. HALÉVY, *Traces d'Aggadot saducéennes dans le Talmud*, dans *REJ* 8 (1884), pp. 38-56, ici p. 41 : « le simple bon sens invite à présumer que la partie dogmatique, si elle n'était pas réunie dans un traité systématique à l'instar des Pirqé Abot, était au moins enseignée dans les écoles et répandue dans les masses, car, à ce que nous sachions, malgré sa sévérité proverbiale, le saducéisme n'a jamais été accusé de misanthropie ou de mysticisme. »

2. Article cité à la note précédente.

3. Voici les principaux éléments mis en lumière par Halévy : un texte sur le destin (qui n'est pas ad rem, voir § 24, n. 9) ; un sur les anges, mortels par nature (cité § 92 et n. 11) ; un sur la légende des trois enfants du livre de Daniel (cité plus bas n. 7). Ajoutons la mention, dans beaucoup d'aggadôt sur Doëg et Achitophel, qu'ils étaient de grands maîtres et des membres influents du Sanhédrin (APTOWITZER, *Parteipolitik*, p. 218, n. 23) ; Aptowitzer pense qu'il s'agit là de la désignation des Sadducéens. Rappelons enfin deux textes relatifs à la lapidation d'une adultère, signalés par Aptowitzer (§ 185, n. 2 et 3).

4. HALÉVY, *op. cit.*, p. 56 : « Le rabbinisme talmudique, dans sa partie doctrinaire, ne représente pas le pharisaïsme du Ier siècle de l'ère vulgaire, mais constitue un produit mélangé de pharisaïsme et de sadducéisme. »

5. A vrai dire, dans cette littérature, la moisson est très maigre. Dans le Talmud, nous n'avons trouvé qu'un texte (§ 120, n. 1) et ce texte affirme seulement que les Sadducéens niaient la possibilité de démonstration scripturaire de la résurrection. Dans le Tanhuma, il est question, une fois, de la négation de la résurrection par les Sadducéens ; mais il n'est pas sûr que le texte original parlait bien d'eux (§ 120, n. 4 et 5).

tude que les Sadducéens n'avaient pas accepté la croyance à la résurrection ; c'était pour eux une nouveauté qui n'était pas enseignée dans la Tora. Ils s'en tenaient à l'ancienne conception biblique du shéol [6].

Leur opposition à cette nouvelle croyance en la résurrection vient de leur fidélité à la révélation biblique du Pentateuque ; il est donc arbitraire de supposer, comme le fait saint Jérôme (§ 103) que les anciens Sadducéens y croyaient. La question de savoir si, au premier siècle de notre ère, absolument tous les Sadducéens étaient opposés à cette croyance est un peu plus délicate. A partir de Lc 20, 27, certains historiens ont cru pouvoir penser que le rejet de cette croyance, au temps de Jésus, était seulement le fait de certains Sadducéens (§ 88). Nous avons écarté cette solution. A notre avis, aucune donnée sûre ne permet de dire que l'opposition sadducéenne à la résurrection n'était pas générale au Ier siècle de notre ère.

Nous ne savons pas si la discussion entre Rabban Gamaliel II (vers 90) et les Sadducéens au sujet de la résurrection (§ 120 et n. 1) est historique. Nous pouvons au moins dire une chose. Les arguments mis en avant, dans ce texte, par les Pharisiens pour justifier la résurrection devaient être classiques dans ce groupe. On a, dans cette discussion (même n. 1 du § 120), les versets suivants invoqués en faveur de la résurrection : Dt 31, 16 ; Is 26, 19 ; Ct 7, 10. Les Sadducéens n'ont pas de peine à rejeter d'un revers de main pareils arguments.

Il est étonnant de ne pas voir invoqué, par les Pharisiens, le livre de Daniel. Cette absence tendrait à donner une certaine valeur aux remarques d'Halévy au sujet de légendes relatives à certains éléments du livre de Daniel [7].

283. L'idée d'une récompense outre-tombe est intimement liée à la croyance à la résurrection qui en est une expression particulièrement marquante. La négation de la rétribution après la mort par les Sadducéens est attestée par Josèphe (§ 26) et par la notice

6. Dans un texte du Tanhuma, les Sadducéens invoquent Jb 7, 9, de façon pertinente, pour nier la résurrection ; mais, dans sa forme primitive ce texte ne parlait peut-être pas des Sadducéens (voir n. précédente).
7. J. HALÉVY, dans *REJ* 8 (1884), pp. 53-55, relève le texte de b. *Sanh.* 93[a] : selon Rabbi Éliézer, les trois enfants sont morts par l'effet du mauvais œil ; selon Rabbi Josué, ils se sont noyés dans le crachat [que les païens lancèrent à la figure des juifs infidèles] ; selon d'autres docteurs, ils retournèrent en Palestine, s'y marièrent et eurent beaucoup d'enfants. Le même texte du Babli continue au sujet de Daniel lui-même. Il était absent de Babylone au moment de la scène de la fournaise. Selon Rab (+-247), il était parti creuser un grand canal à Tibériade ; selon Shemuel, importer des plantes fourragères ; selon Yohanan, acheter des porcs à Alexandrie. Halévy, p. 55, voit là « une légende hostile d'origine sadducéenne, perpétuée dans les écoles et naïvement recueillie par les talmudistes. »

des *A.R.N.* rec. A, ch. 5 (§ 80), dont la phrase portant sur ce point est d'une authenticité assurée (§ 248). Le précieux texte de l'*Elenchos* consacré aux Sadducéens exprime de façon très exacte que les Sadducéens n'attendaient de récompense ou de châtiment que pendant la vie terrestre (§ 101).

Il est difficile de se faire une idée des croyances sadducéennes au sujet des anges Nous avons noté (§ 92) les interprétations diverses que les historiens donnent de la notice d'Ac 23, 8. Il s'agirait du rejet, par les Sadducéens, de l'angélologie et démonologie populaires, ou bien du rejet de la conception des anges comme agents de révélation, ou bien de la conception sadducéenne des anges comme des créatures de nature finie et mortelle. Mais nous avons préféré voir, dans ce verset des Actes, avec ses termes « ange » et « esprit », la désignation de l'homme après la mort, ressuscité ou non.

Donc, à notre avis, ce texte des Actes ne renseigne pas sur les limites de l'angélologie sadducéenne. Une tradition rabbinique au sujet du grand prêtre Simon le Juste (vers 200 avant notre ère) fournit peut-être un élément de cette angélologie. Si cela est exact, on est porté à dire que l'angélologie sadducéenne était très sobre (§ 93).

Josèphe affirme catégoriquement que les Sadducéens ne croyaient pas à la providence. Mais l'examen de son dire (§ 24-25), extrêmement difficile à comprendre, nous a conduit à penser que, en fait, les Sadducéens mettaient davantage l'accent sur la liberté que sur la prédestination.

Le grand prêtre Caïphe déclara que le salut du peuple était préférable à celui d'une seule personne (Jn 11, 50). Cette parole nous a paru avoir une résonnance tout à fait sadducéenne (§ 248). Selon l'*Elenchos* les Sadducéens pensent que Dieu ne se soucie en rien des particuliers (§ 101). Ces deux données s'épaulent mutuellement. L'absence de préoccupation spéciale, chez les Sadducéens, pour les individus est lié au fait qu'ils s'en tenaient à l'ancienne révélation de la Bible.

284. En ce qui concerne le messianisme, nous n'avons que quelques points de repère. Rien, dans les sources, n'indique explicitement quelles idées professaient les Sadducéens, ni même s'ils en avaient. Certains modernes s'en tiennent sur ce point à des généralités sans grand intérêt[1], en les étayant parfois sur des données sans consistance[2].

1. Citons par exemple B. D. EERDMANS, dans *the Expositor* VIIIᵉ série, 8 (1914), pp. 314-315 : « Les Sadducéens attendaient un royaume messianique, tel qu'il avait été prophétisé par l'Ancien Testament. Seuls ceux qui seraient en vie au temps du Messie verraient sa gloire » (pour les Pharisiens,

Selon Leszynsky[3], les Sadducéens attendaient le messie issu d'Aaron, et rejetaient le messianisme davidique, car, dans le Pentateuque, il n'y avait rien au sujet de ce dernier[4].

Les Sadducéens, en fait, attendaient-ils le messie lévitique ? Commençons par jeter un rapide coup d'œil sur l'interprétation d'Ex 19, 6 dans le judaïsme des derniers siècles avant la ruine de 70[5]. Le texte hébreu de ce verset parle de l'ensemble du peuple d'Israël qui est « un royaume de prêtres et une nation consacrée ». La Septante traduit βασίλειον ἱεράτευμα ; cela peut vouloir dire ou bien « un sacerdoce royal » (ce qui est l'inverse du texte hébreu ?) ou bien « un royaume, un sacerdoce ».

Mais les Targoums donnent une interprétation totalement différente, en distinguant trois réalités : le peuple d'Israël, les rois, les prêtres. On trouve cela dans tous les Targoums : Onqélos[6], Yerushalmi I[7], Yerushalmi II fragmentaire[8] et Yerushalmi II Neofiti[9]. La même chose figure dans le Syriaque[10] ; on en trouve l'écho dans l'Apocalypse[11]. Cette exégèse, que l'on peut appeler pharisienne, avec sa distinction entre rois et prêtres, apparaît également dans les Targoums sur Gn 49, 3[12].

attente d'un royaume des ressuscités) ; J. Klausner, *Jésus de Nazareth*, traduction française, Paris, 1933, p. 296 : « Moins passionnés [que les Zélotes] étaient les Sadducéens. Non point qu'ils allassent jusqu'à renier tout à fait la croyance au Messie, puisque cette croyance était exprimée dans les Écritures, dont les Sadducéens reconnaissaient la sainteté ; mais ils rejetaient les textes post-bibliques et faisaient tous leurs efforts pour ruiner une idée politiquement dangereuse » ; p. 492 : « ils étaient surtout les adversaires de la forme post-biblique de l'idée messianique. »
2. Eerdmans, *op. cit.*, p. 314, invoque, en faveur d'une attente messianique chez les Sadducéens, Mt 3, 7, où l'on voit les Sadducéens venir avec les Pharisiens au baptême de Jean. Mais il s'agit là d'un blocage artificiel qui ne donne pas une idée exacte de la réalité historique (§ 86).
3. Leszynsky, *Sadduzäer*, p. 94.
4. Dans la discussion entre Jésus et les Pharisiens au sujet de David et du Messie, les Sadducéens n'apparaissent pas (Mt 22, 41 : les Pharisiens ; Mc 12, 35 : les scribes ; Lc 20, 41 : « on »). Il ne semble pas qu'on puisse invoquer ce fait pour dire que les Sadducéens rejetaient le messianisme davidique ; en effet, nulle part, dans les données historiquement certaines des Synoptiques, les Sadducéens n'apparaissent conjointement avec leurs adversaires, les Pharisiens. — Dans le Pentateuque, il n'y a que Gn 49, 10 qui ait pu fournir aux Pharisiens une base lointaine pour leur idée sur le Messie issu de David.
5. Matériel dans Charles, *The Book of Jubilees*, 1902, p. 116, note (repris dans ses *Apocrypha*, II, p. 38, n. à *Jubilé* 16, 18), utilisé par Leszynsky, *Sadduzäer*, p. 95. Dans les textes de Qoumrân publiés jusqu'en 1962, on ne trouve pas d'exploitation d'Ex 19, 6 (voir l'Index biblique de Carmignac dans ses *Textes de Qumrân*, II, 1963, p. 338). Mais elle figure dans *Jubilés* 16, 18.
6. « Rois, prêtres et peuple saint. »
7. « Rois couronnés, et prêtres faisant le service, et peuple saint. »
8. « Rois et prêtres et peuple saint. »
9. Même chose qu'à la n. 8.
10. « Royaume et prêtres et peuple saint. »
11. « Royaume et prêtres » (Ap. 5, 10).
12. Pour ce verset, Onqélos n'a rien au sujet de la distinction, mais Yerushalmi I, Yerushalmi II fragments, et Yerushalmi II Neofiti : la royauté a été donnée à Juda, le sacerdoce à Lévi.

Une pareille exégèse, qui figure déjà dans les Jubilés [13], est manifestement une critique des rois-prêtres asmonéens. Leszynsky voit dans cette exégèse une tendance antisadducéenne [14] ; pour pouvoir avancer cette opinion, il doit affirmer que les Sadducéens étaient partisans des Asmonéens [15]. Mais il est difficile de dire, de façon générale, que les Sadducéens étaient ainsi partisans des rois-prêtres asmonéens (détails plus loin § 297). On trouve l'appellation de « prêtres du Dieu très haut » à propos des Asmonéens [16] ; mais il ne s'agit pas de textes d'origine sadducéenne [17]. Quant aux documents qui parlent d'un messie issu de Lévi, ils émanent des milieux esséniens ou qoumraniens. Aucune donnée ne nous permet donc d'avancer l'hypothèse d'une attente d'un messie lévitique chez les Sadducéens.

Les Sadducéens n'étaient pas un groupe proprement sacerdotal (§ 262-266) ; cependant le Temple de Jérusalem constituait en quelque sorte le fondement de la vie nationale pour eux. Cela venait du fait que ce Temple, organisé d'après la révélation de la Tora, était le lieu de la présence de Dieu dans son peuple. R. Meyer et Grundmann ont, à juste titre, insisté sur l'idéal sadducéen de l'état-temple (§ 269). Mais, faute de renseignements de détails, nous devons nous contenter, sur ce point, d'une indication très générale [18].

Quant à la question de savoir si une espérance eschatologique

---

13. *Jubilés* 16, 18 : « un royaume et des prêtres » (texte éthiopien). Voir aussi 2 M 2, 17 : το βασίλειον καὶ τὸ ἱεράτευμα καὶ τὸν ἁγιασμόν.

14. Leszynsky, *Sadduzäer*, p. 96.

15. Même page.

16. *Ant.* XVI 163 (pour Jean Hyrkan) ; b.*R.H.* 18ᵇ (Jean Hyrkan) ; *Assomption de Moïse* 6, 1 (pour les Asmonéens, globalement). Dans la littérature juive hellénistique, en particulier dans la traduction du Siracide, l'emploi de Très haut (ὕψιστος) » pour désigner Dieu est fréquente. « Elle correspond à ᶜElyôn dans la Bible hébraïque, mais elle qualifie aussi Zeus dans les dédicaces païennes. Ce Zeus Hypsistos s'est confondu avec le Beélshemîm syrien » (J. Starcky, *Les livres des Maccabées*, fascicule de la « Bible de Jérusalem », 1961³, p. 239, n. a). Cependant, pour expliquer l'apparition de l'expression « prêtres du Dieu Très haut », à propos des Asmonéens, il faut sans doute songer à une influence de Gn 14, 18. Du reste, dans *Jubilés* 32, 1, on trouve cette expression à propos de Lévi et de ses descendants.

17. Selon Leszynsky, *Sadduzäer*, p. 94, à l'époque asmonéenne, il y avait dans l'emploi de l'expression « Melchisédeq, prêtre du Dieu Très haut », une allusion à Sadoq et aux Sadducéens. La preuve reste à fournir.

18. R. Meyer, dans *TWNT*, VII, p. 45 : « Ce ne sont pas les Pharisiens, mais seulement l'aristocratie sacerdotale, et l'aristocratie laïque unie à elle, qui ont tenté avec succès, habileté et énergie, de maintenir la théocratie en vie, dans le cadre de l'empire romain ». On sait que le terme théocratie (θεοκρατία) est une invention de Josèphe (ou de sa source), *Contre Apion* II 165 : Moïse, dit-il pour expliquer ce terme, a « placé en Dieu le pouvoir et la force » ; dans notre langage moderne, le mot a un sens un peu différent de celui de Josèphe : « gouvernement où l'autorité, regardée comme émanant de Dieu, est exercée par ses ministres » (*Petit Larousse*, 1967, *ad verbum*).

existait dans le groupe sadducéen [19], la même pauvreté de nos sources ne permet pas d'y répondre.

B. *Halaka sadducéenne.*

285. Les renseignements fournis par les textes rabbiniques à l'occasion des polémiques entre Pharisiens et Sadducéens sont fragmentaires ; ils donnent cependant un ensemble d'éléments dont le regroupement permet de se faire une idée relativement précise de la halaka sadducéenne.

Rappelons d'abord des points sur lesquels nous ignorons quelle était la position sadducéenne. Dans le domaine proprement biblique, nous ne connaissons pas la halaka sadducéenne sur le sabbat (§ 145), le lévirat (§ 240), la polygamie (§ 242). Pour des lois ayant seulement une base biblique lointaine : nous ignorons le point de vue sadducéen pour les tephillîn [1] (§ 138, n. 8), et le mariage entre oncle et nièce (§ 241). Pour des lois n'ayant pas de base dans le Pentateuque, nous ne connaissons pas la halaka sadducéenne sur les points suivants : l'impôt du demi-siècle, que les prêtres sadducéens, sans doute, refusaient de payer, mais au sujet duquel nous ne connaissons pas l'attitude des laïcs sadducéens (§ 223) ; la stipulation ordonnant de s'arrêter à 39 coups dans la flagellation (§ 182) ; la prosbole, instituée par Hillel au dire de la tradition rabbinique [2] ; la récitation du *shema*[c 3] ; les rites de la fête de soukkôt [4].

Les Sadducéens voulaient, par principe, s'en tenir à la lettre de la Tora ; il n'est donc pas étonnant qu'ils rejetaient les lois et

---

19. R. MEYER, parlant de l'idéal sadocite ou sadducéen, pense qu'il comportait un élément eschatologique (§ 10).

1. Selon un seul texte, d'historicité douteuse, les Boéthusiens interdisaient de confectionner les tephillin sur une peau de bête « crevée » ou « déchirée » (§ 137).

2. *Shebiit* X 3 : Hillel s'aperçut que l'on ne voulait plus consentir de prêts à l'approche de la septième année (l'année sabbatique pendant laquelle la Tora, Dt 15, 1-2, ordonnait la rémission des dettes) ; il institua donc la *prosbole*, (πρὸς βουλῇ, « devant le tribunal »), permettant au signataire de réclamer sa dette à n'importe quel moment. R. MEYER, *Tradition und Neuschöpfung im antiken Judentum*, Berlin, 1965, p. 66 : Hillel n'a pas pu prendre un décret à ce sujet, car il n'avait pas d'autorité pour cela ; il a dû l'enseigner à ses confrères, et d'autres l'acceptèrent également, car cette mesure était commode. Mais ajoute Meyer, on trouve encore plus tard des protestations de Pharisiens contre cette abolition (b. *Git.* 36b). Ajoutons que, selon toute probabilité, les Sadducéens n'acceptaient pas la chose.

3. Au Temple, les prêtres de service récitaient le *shema*c, élément du culte synagogal, sans base biblique directe (§ 72). Mais, nous ignorons l'attitude de principe des Sadducéens au sujet de cette récitation.

4. Ils rejetaient très probablement le rite de la libation d'eau à Soukkôt (voir un peu plus loin). Nous ignorons leur attitude au sujet du port du *loulab* et de l'*étrog* à cette fête. Quant aux réjouissances populaires à l'occasion de cette solennité (§ 218 début), qui étaient d'origine pharisienne, elles n'étaient sûrement pas goûtées des Sadducéens.

rites nouveaux. Nous en avons l'assurance dans un certain nombre de cas. Avant de les énumérer, il est bon de souligner que l'un des aspects fondamentaux de l'opposition entre Pharisiens et Sadducéens concernait la pureté rituelle. Le mouvement pharisien, en effet, contrairement à la lettre de l'Écriture, « cherchait à élever au rang de norme générale, valable également pour ceux qui n'étaient pas prêtres, les prescriptions de pureté que l'Écriture imposait aux prêtres pour la consommation du prélèvement qui leur était réservé » [5].

C'est donc en particulier sur des questions de pureté que nous voyons les Sadducéens s'opposer à la halaka pharisienne [6]. Selon toute probabilité, ils n'acceptaient pas l'usage de la purification des mains (§ 151 fin). Ils rejetaient l'impureté des Livres saints (§ 154). Ils riaient de voir les Pharisiens soumettre à la purification le chandelier à sept branches (§ 227). Il s'agissait là de trois nouveautés pharisiennes.

En dehors du domaine de la pureté, voici des prescriptions nouvelles que les Sadducéens, très vraisemblablement, n'acceptaient pas : l'cérûb (§ 147 fin), la libation d'eau à soukkôt (§ 222 fin), l'annulation des vœux (§ 150 fin), la fête de pourîm (§ 157 fin).

Bien entendu, les cas de nouveautés non bibliques que nous venons de citer ne représentent qu'une faible partie de ceux qui devaient exister. Les autres cas ne sont pas discutés dans les textes rabbiniques relatifs aux Sadducéens. Nous ne savons donc pas quelle était l'attitude des Sadducéens en l'occurrence. Il est téméraire d'affirmer qu'ils les acceptaient [7].

286. Sur un certain nombre de points, les Sadducéens suivaient, pensaient-ils, à la lettre les stipulations de la Tora. Mais il faut distinguer les points où, très certainement, leur pratique était en conformité avec l'Écriture, et les autres points où, malgré la conviction des Sadducéens, la Tora n'avait rien prévu de précis.

Dans la première catégorie, nous trouvons trois cas. La fille de

---

5. JEREMIAS, *Jérusalem*, p. 345. — Pour les Pharisiens, ces règles de pureté s'appliquaient en dehors du Temple, alors que pour les Sadducéens, elle n'étaient valables que dans l'enceinte du sanctuaire (§ 207).

6. L'ensemble du système de pureté des Pharisiens, avec ses deux degrés de pureté (ṭᵉbûl yôm, mᵉcôrab shèmèsh) paraissait aux Sadducéens contraire à la Tora (§ 207 et n. 6).

7. LAUTERBACH, *Rabbinic Essays*, 1951, p. 32, n. 13 (texte de 1913) : dans la littérature rabbinique, seules quelques lois traditionnelles, non bibliques, sont discutées par les Sadducéens ; on peut donc supposer, continue Lauterbach, qu'ils observaient les autres. Ce raisonnement semble faux. A notre avis, l'absence de données rabbiniques sur beaucoup de lois traditionnelles, en ce qui concerne le point de vue sadducéen, a des causes différentes de celle indiquée par Lauterbach.

prêtre qui se livre à la prostitution est brûlée vive, de l'extérieur [1]
(§ 180-181) ; le rite de l'imposition de l'encens, le Jour de kippour,
se fait en dehors du Saint des saints [2] (§ 199) ; ceux qui brûlent la
vache rousse doivent attendre le coucher du soleil [3] (§ 207).

On peut y ajouter quatre autres cas : les prêtres ont le droit
de manger de l'offrande de farine (§ 224-225) ; la loi du talion est
appliqué à la lettre (§ 167) ; le linge, preuve de virginité, est réellement apporté (§ 168) ; la femme qui refuse le lévirat crache effectivement à la face du beau-frère (§ 170). Mais sur ces quatre points,
nous avons une incertitude ; nous ne savons pas si, de fait, les
Sadducéens ou les Boéthusiens pratiquaient effectivement cette
halaka que les textes rabbiniques leur imputent de façon théorique.

Nous trouvons ensuite, dans une seconde catégorie, des cas où
les Sadducéens croyaient suivre à la lettre la Tora, mais, pour lesquels, en fait, la législation biblique n'avait rien prévu de précis,
ou bien avait un texte peu clair laissant place à plusieurs interprétations possibles. Il s'agit de la date de l'offrande de la première
gerbe (§ 130), du moment de la mise à mort des faux témoins
(§ 173), du paiement des frais du *tamîd* (§ 142), et de la responsabilité du maître pour son esclave (§ 178).

Pour la date de l'offrande de la première gerbe, le terme « sabbat » en Lv 23, 11 est susceptible de plusieurs interprétations. Les
Boéthusiens y voyaient la désignation du jour du sabbat tombant
immédiatement après la Pâque. Pour les faux témoins, les Sadducéens déclaraient qu'ils ne devaient être exécutés qu'une fois
mis à mort celui qui avait été faussement accusé. La Bible n'avait
pas légiféré sur ce détail. Les Sadducéens invoquaient en leur
faveur Dt 19, 21, relatif au talion. Ce texte n'était nullement décisif
pour leur opinion. Ils affirmaient que les frais du *tamîd* devaient
être payés par les particuliers, et non par la communauté. Ils
croyaient trouver une base biblique ferme dans la mention du
« tu », au singulier, en Nb 28, 4. Ce verset n'a rien à voir avec la
discussion en question. Enfin, ils déclaraient le maître responsable
pour son esclave. La Bible n'avait pas légiféré sur ce point. Si l'on
en croit la Mishna, les Sadducéens appliquaient au serviteur ce
qui est dit, dans la Bible, des animaux.

---

1. C'est la loi de Lv 21, 9. Le cas que nous connaissons pour le milieu
du Ier siècle de notre ère est sans doute à mettre au compte d'un tribunal
sadducéen (§ 181).
2. Le texte de Lv 16, 12-13 n'est pas clair (§ 197). Mais nous avons cru
pouvoir supposer (§ 199) que les Sadducéens s'en tenaient à l'ancienne tradition, conforme à la conception ancienne de la présence de Dieu.
3. La position sadducéenne au sujet de la pureté est plus conforme à
la Bible que celle des Pharisiens.

287. Nous arrivons à des cas pour lesquels les Sadducéens, selon les récits rabbiniques, n'apportaient aucune preuve scripturaire, bonne ou mauvaise, à l'appui de leur pratique. Il s'agit de l'héritage de la tante et de la nièce, et de l'interdiction de relations sexuelles après la naissance. Pour l'héritage, les Sadducéens affirmaient que la nièce et la tante devaient hériter à part égale (§ 235 fin). Ils interdisaient, semble-t-il, à la mère, après une naissance, d'avoir des relations sexuelles pendant 33 jours, ou 66 dans le cas d'une fille (§ 239 fin). Il s'agit, dans les deux cas, d'une halaka nouvelle par rapport à la Bible.

Nous pouvons ajouter, à cet endroit, le cas du *niṣṣôq*. Les Sadducéens le déclaraient impur (§ 156).

Enfin, nous arrivons au cas extrême : l'acceptation, par les Sadducéens, d'un rite non biblique pratiqué par l'ensemble du peuple. Il s'agit de la cérémonie de *ḥibbûṭ ḥarayôt*, consistant à frapper le sol autour de l'autel des holocaustes avec des branches de saule, le sixième jour de la fête de soukkôt (§ 135). A vrai dire, il n'est pas absolument certain que les anciens Sadducéens l'aient accepté (§ 136). Les sources rabbiniques ne parlent, à ce sujet, que des Boéthusiens, et encore sur un seul point : ils rejetaient ce rite les années où il tombait le jour du sabbat (§ 136).

C. *En quel sens peut-on parler d'une tradition sadducéenne ?*

288. Dans la conception pharisienne, la tradition joue un rôle essentiel [1]. Il y a d'une part la loi écrite, *torah she ketab*, d'autre part, la loi orale, *torah shebeᶜal péh*, qui est la tradition. Un contemporain a pu parler de deux sœurs jumelles [2]. Chez les docteurs pharisiens de l'époque tannaïte, on trouve des opinions diverses au sujet de la valeur et de l'autorité de la tradition par rapport à l'Écriture [3]. Mais, au milieu de ces divergences, tous sont d'accord pour affirmer la nécessité absolue de cette tradition. C'est la « haie autour de la Tora » écrite, qui permettait aux scribes pharisiens de développer la législation biblique en fonction des besoins nouveaux, et de l'appliquer à l'ensemble des cas concrets de la vie quotidienne.

Pour illustrer ces affirmations théoriques, rappelons-nous de

---

1. L'étude fondamentale est celle de J. Z. LAUTERBACH, *The Sadducees and Pharisees. A Study of their respective attitudes towards the Law*, dans les Mélanges Kohler, Berlin, 1913, réimprimée dans son volume posthume *Rabbinic Essays*, Cincinnati, 1951, pp. 21-58. On pourra aussi consulter, pour les Pharisiens, l'exposé d'A. MICHEL et J. LE MOYNE, dans le *DBS* VII, col. 1059-1063 : la tradition.
2. LAUTERBACH, *op. cit.*, p. 47 : les Pharisiens ont élevé la loi orale au rang de « sœur jumelle » de la Loi écrite.
3. Détails dans *DBS*, VII, col. 1062.

quelle façon, au début du traité Abot de la Mishna, les successeurs de Moïse et des prophètes sont les « paires », c'est-à-dire les scribes, chefs des Pharisiens, depuis le IIe siècle, jusqu'à Hillel et Shammay, en activité vers la fin du Ier siècle avant notre ère. Une telle conception de la chaîne de la tradition était en opposition complète avec le point de vue saducéen. Pour les Saducéens, les successeurs de Moïse sont les grands prêtres dans le Temple [4].

Selon Josèphe, les Saducéens rejetaient la tradition orale des Pharisiens et s'en tenaient uniquement à la Loi écrite (§ 27). Nous venons de voir (§ 287) que, dans certains cas, les Saducéens avaient été amenés à établir une halaka nouvelle, sans base biblique directe. L'affirmation tout à fait générale de Josèphe n'est-elle donc pas exacte ? Pour répondre, il faut d'abord examiner deux textes qui concernent très directement la position théorique des Saducéens au sujet de la loi écrite.

Auparavant, écartons deux explications inexactes. Selon Geiger, l'attitude négative vis-à-vis de la tradition orale n'était pas le fait des anciens Saducéens, mais seulement des Boéthusiens [5]. Quant à Lauterbach, il se basait sur l'expression de Mt 16, 12, « doctrine des Pharisiens et des Saducéens », pour dire qu'il y avait des lois orales et des enseignements communs aux deux groupes [6]. Cette base n'est pas solide, car nous avons, dans cette expression de Matthieu, un assemblage artificiel qui ne correspond pas à la réalité historique (§ 86).

289. Le premier texte relatif à la conception saducéenne de la Loi écrite se trouve dans le récit talmudique racontant la rupture entre Alexandre Jannée et les Pharisiens (§ 36). Le mauvais conseiller du roi, Éléazar ben Poïra, pousse Jannée à mettre à mort les docteurs pharisiens. Jannée hésite, car il se demande « ce qu'il en adviendra de la Tora ». Éléazar réplique : « Vois, elle est enroulée et déposée dans le coin. Quiconque veut étudier, qu'il vienne et étudie ! »

Ces paroles mises par la légende rabbinique dans la bouche d'Éléazar, ennemi des Pharisiens ont peut-être le sens suivant : l'explication de la Tora ne nécessite aucun docteur, aucune tradition [1].

Le second texte est plus difficile à comprendre. Nous le ren-

---

4. L. FINKELSTEIN, *Mabo le-Massektot Abot ve A.R.N.*, New-York, 1950, introduction en anglais, p. x.
5. GEIGER, *Urschrift*, p. 134.
6. LAUTERBACH, *op. cit.*, p. 33, n. 13.
1. Voir plus haut § 36, où nous avons dit que cette explication de la phrase d'Éléazar n'est pas certaine. — On peut rappeler ici Ac 8, 30-21, texte tout à fait en accord avec la conception pharisienne : une simple lecture de la Bible ne suffit pas pour en saisir le sens.

controns à propos de la discussion entre Pharisiens et Sadducéens relative à la révision des sentences criminelles (§ 177). Il y est question d'une « matière que les Sadducéens reconnaissent », et d'une « matière qu'ils ne reconnaissent pas ».

Derenbourg[2] et Lauterbach[3] voient, dans cette matière reconnue par les Sadducéens des lois traditionnelles acceptées par les Sadducéens. Par contre, Baneth[4], Leszynsky[5] et Goldschmidt[6] pensent qu'il s'agit purement et simplement de la Tora écrite. A notre avis, c'est la bonne explication. En effet, comme le contexte le montre, il est question de choses que l'on peut apprendre à l'école, donc qui sont explicitement dans l'Écriture. Par conséquent, cette phrase exprime la distinction radicale entre la loi écrite et la loi orale ; elle semble faire directement écho à la déclaration de Josèphe que nous avons rappelée un peu plus haut.

Mais il faut tenir grand compte de la chronologie. Cette phrase en question figure dans l'énoncé d'une règle rabbinique qui repose sur une baraïta de l'école de Rabbi Ishmaël († vers 135) (§ 177). Nous avons donc là le point de vue sadducéen tel qu'il apparaissait à une époque où la rupture était totale entre Sadducéens et Pharisiens. Or, pour tenter une réponse à la question de l'existence d'une tradition sadducéenne, il faut jeter un coup d'œil sur la période ancienne de la halaka, vers le second siècle avant notre ère.

290. Sur deux points, nous avons vu le Pharisien Shiméon ben Shatah (vers 90 avant notre ère) soutenir un point de vue identique à celui des Sadducéens : pour la condamnation des faux témoins (§ 175), et pour la responsabilité du maître vis-à-vis de son esclave (§ 179).

D'autre part, dans certains cas, nous savons avec certitude ou grande probabilité que le point de vue sadducéen représente l'ancienne halaka, par rapport aux opinions pharisiennes qui reflètent l'existence de nouveautés. Le roi Jannée (103-76) s'en tient à l'ancienne pratique biblique, selon laquelle il n'y a pas possibilité d'annulation des vœux (§ 149) ; les Sadducéens, sans doute, avaient également ce point de vue (§ 150). Pour le rite de l'encens le Jour de kippour, la façon de faire des Sadducéens, qui ordonnent d'imposer l'encens en dehors du Saint des saints, est, selon toute pro-

---

2. Derenbourg, *Essai*, p. 125.
3. Lauterbach, *op. cit.*, p. 33, n. 13 : cette formule désigne, en son sens premier, la Tora écrite, mais vise également « certaines lois traditionnelles » acceptées par les Sadducéens.
4. Ed. Baneth, dans *Magazin für die Wissenschaft des Judenthums* 9 (1882), p. 66.
5. Leszynsky, *Sadduzäer*, pp. 47-48 : il s'agit de choses qui sont dans la Tora écrite, plus précisément de l'exégèse scripturaire des Sadducéens.
6. Goldschmidt, *Der bab. Talmud* (trad. allemande seule), IX, 1934, p. 702, n. 78.

babilité, l'ancienne halaka (§ 199). Enfin, dans le calcul des sept semaines entre l'offrande de la première gerbe et la fête de Pentecôte, le calcul à partir d'un dimanche a des chances d'être le calcul primitif (§ 131).

Ces quelques exemples, il est vrai, ne sont qu'une très faible partie de l'ensemble de la halaka en vigueur. Selon Lauterbach, l'ancienne halaka pharisienne était souvent la même que la halaka sadducéenne. Mais les rabbins, dit-il, ou bien ont supprimé bon nombre de halakôt anciennes qui suivaient l'enseignement des Sadducéens, ou bien ne disent pas que les Sadducéens étaient d'accord avec eux. De la sorte, il nous est difficile de déceler jusqu'à quel point les principes sadducéens étaient en accord avec cette ancienne halaka.

Il n'en reste pas moins vrai que, dans certains cas non prévus par la Bible, les Sadducéens ont créé une halaka nouvelle[1], différente de la halaka, nouvelle également, des Pharisiens (§ 287).

Comme l'a bien montré Lauterbach, la dispute entre Sadducéens et Pharisiens portait non pas sur le contenu des traditions, mais sur l'autorité et le caractère obligatoire de la tradition[2]. Il est certain que les Sadducéens étaient en possession de lois traditionnelles et de coutumes. Mais, du fait qu'elles ne faisaient pas partie intégrante de la Tora, les Sadducéens pensaient qu'elles n'étaient pas absolument obligatoires. On peut supposer qu'ils ne voulaient pas enfreindre le commandement de Dt 13, 1, ordonnant de ne rien ajouter à ce que Dieu avait prescrit.

La position respective des Pharisiens et des Boéthusiens au sujet de la cérémonie de ḥibbûṭ ḥarayôt est, à cet égard, très éclairante. Les années où ce rite non biblique tombait un sabbat, les Pharisiens le pratiquaient quand même. Par contre, les Boéthusiens jugeaient inadmissible que ce rite non biblique prime le repos sabbatique ordonné par la Tora ; ils interdisaient donc cette cérémonie le jour du sabbat (§ 136).

291. La divergence d'attitude entre Pharisiens et Sadducéens au sujet de l'autorité de la tradition est-elle en rapport avec leur divergence sur la mise par écrit de cette tradition ?

Nous l'avons vu (§ 164), les Pharisiens interdisaient de mettre par écrit les halakôt. La position théorique et le comportement pratique des Sadducéens nous sont mal connus. Nous avons cru

1. D. DAUBE, *Texts and Interpretation in Roman Law and Jewish Law*, dans *the Jewish Journal of Sociology* 3 (1961), pp. 3-28 ; sur les Sadducéens, pp. 9-14. Selon Daube, p. 9, c'est une erreur de considérer les Sadducéens comme des litéralistes, s'en tenant de façon rigoureuse au texte de la loi écrite. Car, dans des matières non couvertes par l'Écriture, ils faisaient usage de la libre discussion pour faire avancer les questions.
2. LAUTERBACH, *Rabbinic Essays*, p. 26.

devoir rejeter l'équivalence entre le « Livre des décrets » dont
parle la notice araméenne de la Megillat taanit et un code de lois
sadducéen (§ 163-165). Mais cela ne veut pas dire que les Sadducéens ne possédaient pas un code de lois écrit.

Pour les autres halakôt, en dehors du domaine judiciaire, nous
ignorons l'attitude des Sadducéens. Peut-on supposer que l'insistance des Pharisiens sur la loi *orale* a été une réaction contre la
coutume des Sadducéens de mettre par écrit leurs traditions ?

A vrai dire, il semble faux de vouloir faire des Sadducéens des
gens soucieux de fixer leurs coutumes par écrit. Certes, il y avait
des scribes sadducéens (§ 270-271). Nous ne savons presque rien
d'eux, en dehors de leur existence. Cependant, un trait de Josèphe
est précieux. Il dit que, chez les Sadducéens, c'est une vertu de
« disputer contre les maîtres de la sagesse » (§ 27). Cette indication concerne le domaine de la aggada. Elle fait apparaître la
volonté des scribes sadducéens de ne pas se lier à une tradition, de
s'attacher uniquement au texte de la Bible [1]. Si donc telle est bien
l'attitude historiquement exacte des Sadducéens, on voit mal
comment ils auraient été préoccupés de fixer couramment par écrit
leur aggada et leur halaka [2].

292. Les Sadducéens étaient par conséquent des gens qui ne
reconnaissaient comme seule autorité décisive que la Loi écrite.
Ce fut leur attitude fondamentale tout au cours de leur existence.
Les Pharisiens développèrent énormément les lois traditionnelles ;
il n'est pas impossible que l'insistance des Sadducéens sur le texte
de la Bible ait conduit les Pharisiens à chercher des justifications
scripturaires à leurs pratiques nouvelles.

C'est peut-être en fonction de ce problème qu'il faut comprendre un texte de la Mishna dont le sens reste très discuté. Il figure
dans *Hag.* II 2. Nous y trouvons d'abord un dire de Yosé ben

---

1. Dans son explication du dire de Josèphe, LESZYNSKY, *Sadduzäer*, p. 136,
paraît forcer la note : « Les Sadducéens ne connaissaient aucune tradition,
sous aucune forme. Le maître pouvait tirer quelque chose d'une parole de
l'Écriture ; si, aussitôt, l'élève croyait pouvoir ou devoir comprendre le même
verset autrement, cet élève jouissait de son indépendance et de sa liberté
de pensée et d'action. » Bonnes remarques de R. MEYER, *Tradition und
Neuschöpfung im antiken Judentum*, 1965, p. 59 : le scribe sadducéen reste
toujours soumis à la critique et ne fixe jamais ses décisions comme valables
pour tous les siècles ; le scribe pharisien, par contre, est lié à une tradition
d'école fixée de façon absolue, transmise de maître à élève ; en tant qu'il
est porteur de la loi orale et gardien de la « haie autour de la Tora », le
scribe est la dernière instance dans le domaine de la législation religieuse.
2. Selon E. URBACH, *The Derasha as a Basis of the Halakha and the Pro-
blem of the Soferim* (en hébreu) dans *Tarbiz* 27 (1957-1958), pp. 166-182, les
Sadducéens avaient une halaka écrite, et ne se fondaient pas uniquement sur
l'Écriture (il est vrai qu'Urbach considère encore comme un code de lois
sadducéen le « Livre des décrets » dont parle la Megillat taanit, ce qui est
une erreur, voir plus haut § 165, n. 2).

Yoézer (vers 150 avant J.-C.) : « il ne faut pas *lsmwk* [1]. » Vient ensuite l'énumération des « paires » de la tradition pharisienne ; on nous dit que, dans chaque « paire », le président — *nasi* — était d'avis qu'il fallait *lsmwk* ; par contre, le « père du tribunal » — *'ab bét dîn* — disait qu'il ne fallait pas *lsmwk*.

Que signifie cette expression *lsmwk* ? En général, les commentateurs pensent que le verbe *smk* veut dire « imposer les mains sur la victime ». Lohse, par contre, à la suite de certains auteurs juifs, voit dans ce terme l'ordination des rabbins [2]. Mais Leszynsky a proposé une explication totalement différente [3]. Il note d'une part [4] la place de ce texte dans l'ensemble de *Hag.* I 6 — III 5, d'autre part [5] le sens de *'smakta* dans le Talmud, qui désigne le fait d'appuyer un enseignement sur l'Écriture. Donc, selon Leszynsky [6], *Hag* II 2 serait à traduire : « Devons-nous appuyer [la tradition orale sur l'Écriture] ? » Nous aurions là l'indication du désir des Pharisiens de justifier leurs lois traditionnelles par des références scripturaires.

Cette explication a été acceptée par Revel [7]. Elle n'est pas certaine ; jusqu'à plus ample informé, nous la retenons. Voici donc, à la suite de Leszynsky [8], comment l'on peut expliquer historiquement l'ensemble de ce texte de la Mishna. Si vraiment c'est bien Yosé ben Yoézer (vers 150 avant J.-C.) qui s'est, le premier occupé de la question du besoin de justification scripturaire des lois traditionnelles, la querelle à l'intérieur du groupe pharisien commença très tôt. Elle se continua durant toute la période des « paires », c'est-à-dire jusqu'à Hillel et Shammay vers la fin du Ier siècle avant notre ère. Finalement, triompha le point de vue de ceux qui voulaient ces justifications scripturaires. C'était, dans le groupe pharisien, le triomphe indirect de la fidélité des Sadducéens à la Bible.

Cette volonté des Sadducéens de s'en tenir à la Bible comme

---

1. Verbe *smk*.
2. E. LOHSE, *Die Ordination im Spätjudentum und im N.T.*, Stuttgart, 1950, pp. 31-32. Il cite comme partisans de cette explication A. SIDON, 1900 ; L. LOEW, 1900 ; S. ZEITLIN, 1917 (voir les références dans sa p. 31, n. 6). Lohse précise que c'est une hypothèse et souligne que l'on ne peut y apporter de preuve solide.
3. LESZYNSKY, *Sadduzäer*, pp. 109-124.
4. *Op. cit.*, pp. 112-118 ; tout le contexte, selon Leszynsky, est consacré, de près ou de loin, à l'opposition entre Pharisiens et Sadducéens.
5. *Op. cit.*, p. 118.
6. Même page.
7. REVEL, dans *JQR* n. s. 7 (1916-1917), p. 438. Ed. BANETH, dans *Magazin für die Wissenschaft des Judenthums* 9 (1882), p. 75, avait déjà pensé que les Pharisiens s'efforcèrent d'appuyer la tradition de l'Écriture pour lutter contre les Sadducéens s'en tenant à la loi écrite ; mais il ne parlait pas de *Hag.* II 2.
8. *Sadduzäer*, p. 120.

seule autorité n'alla pas sans danger. Il est inexact, à notre avis, de dire que les Sadducéens opérèrent un « retour artificiel aux anciennes institutions »[9]. Ils voulaient seulement garder intégralement la législation biblique. A mesure que des situations nouvelles changeaient les conditions de vie du peuple juif et créaient des besoins inconnus des législateurs de la période israélite, les Sadducéens en arrivèrent, inconsciemment, à se figer plus ou moins dans le conservatisme. Les Pharisiens, par contre, grâce à leur conception de la loi orale, sœur jumelle de la loi écrite, surent sans cesse appliquer l'ancienne législation aux situations nouvelles.

*
**

La fidélité à l'Écriture, expliquée au sens littéral, semble être l'attitude fondamentale du groupe sadducéen. Comme Livres inspirés, les Sadducéens acceptaient la Loi, les prophètes et les écrits ; de ce dernier groupe, au contenu flottant jusqu'à la fixation du canon par les Pharisiens à la fin du Ier siècle de notre ère, les Sadducéens n'acceptaient pas certains livres. Parmi les textes qu'ils rejetaient, on peut citer Daniel et Esther.

Voulant s'en tenir, par principe, au texte de la Bible, expliqué de façon littérale, les Sadducéens s'efforçaient de vivre selon la Loi ; absolument aucune donnée ancienne ne les accuse d'être de mauvais juifs. Cette fidélité à la lettre de la Bible les conduisit à rejeter les nouveautés de croyance et de rite.

Dans le domaine des croyances, nous saisissons assez bien certaines données essentielles des opinions sadducéennes. Ils gardaient l'ancien idéal de l'Israël d'autrefois, avec deux caractéristiques fondamentales, liées l'une à l'autre par un lien profond : le sort et la vie du peuple comptent beaucoup plus que ceux des individus ; après la mort, tous les hommes, bons ou méchants, descendent au shéol, lieu de ténèbres et d'oubli où ils mènent une existence diminuée. Fidèles à cet idéal ancien, les Sadducéens n'ont jamais accepté la croyance à la résurrection corporelle individuelle ni l'idée de récompenses ou de châtiments dans l'au-delà. Ils insistaient, par ailleurs, beaucoup sur la liberté humaine, sans pour autant en arriver à nier la providence. Nous n'avons pas de détail sur leur espérance eschatologique, et nous ignorons s'ils attendaient la venue du Messie, davidique ou lévitique.

Dans le domaine de la halaka, les Sadducéens voulaient s'en tenir également à la lettre de la Bible. Mais, par suite du changement profond intervenu dans la vie du peuple entre la période de l'exil de Babylone et le tournant de notre ère, bien des cas qui se

9. Baron, *Histoire d'Israël*, II, p. 639.

posaient en cette dernière période n'avaient pu être prévus par le Pentateuque.

Les Sadducéens furent donc amenés, sur certains points de détail, à créer une halaka nouvelle. Nous en connaissons quelques exemples. Pour la mise à mort du faux témoin, ils exigeaient que l'on attende d'avoir mis à mort celui qui avait été faussement accusé. Ils déclaraient le maître responsable pour son serviteur. Lorsqu'une tante et une nièce se trouvaient devant un héritage, ils attribuaient à chacune d'elles une part égale.

Il se créa donc une tradition sadducéenne. Mais, pour les Sadducéens, cette tradition ne s'éleva jamais, comme ce fut le cas dans le groupe pharisien, au rang d'une quasi égalité avec la Loi écrite.

CHAPITRE XVI

HISTOIRE

I. Période Asmonéenne.

293. Pendant la période perse et le début de la période grecque jusqu'à l'arrivée du premier grand prêtre hellénisant, Jason (175-172), la vie de la communauté juive en Judée se poursuit sans grands soubressauts.

A sa tête se trouve, au moins depuis l'an 200, un sénat aristocratique, dirigé par le grand prêtre, chef de la communauté. Ce grand prêtre est sadocide (§ 46), garde sa charge la vie durant ; la succession se fait par voie héréditaire.

De 180 à 167, l'aristocratie de Jérusalem travaille à l'hellénisation de la vie juive mais sans avoir l'intention de changer la religion juive traditionnelle. Cependant, le mouvement rencontre des résistances dans le peuple [1].

Antérieurement à la révolte des Maccabées, on voit apparaître les Asidéens. Il en est question dans le livre d'Hénoch [2]. Au début de la révolte, « un groupe [3] d'Asidéens » se joint à Mattathias et à ses partisans (1 M 2, 42). Mais, par la suite, les Asidéens se séparent de Judas Maccabée et font la paix avec le grand prêtre Alcime (162-159) (1 M 7, 12-13).

L'existence de ces Asidéens est historiquement très importante en ce qui concerne la genèse de groupes différents au sein du peuple juif, car c'est, pour nous, la première attestation d'un groupement juif particularisé. La rupture des Asidéens avec les Maccabées montre une hostilité vis-à-vis des révoltés dont on a peut-être

---

1. Sur ce caractère de l'hellénisation à Jérusalem, voir V. Tcherikover, *Hellenistic Civilization and the Jews*, Philadelphie, 1959, ch. 4.
2. *Hénoch* 90, 6 : les agneaux qui naissent des brebis blanches.
3. Pour la justification de la traduction de συναγωγὴ ʽΑσιδαίων par « un groupe d'Asidéens », voir *DBS* VII, col. 1036.

quelque écho dans le livre de Daniel [4]. Il y avait peut-être chez ces Asidéens une opposition au mouvement de réforme des Maccabées [5].

294. Le soulèvement des Maccabées marque le début d'une grande mutation dans la religion et la vie juive ; pour se faire une idée de l'ampleur de cette mutation, on peut, semble-t-il, la rapprocher du mouvement de fond qui travaille le catholicisme depuis l'ébranlement de la guerre de 1939 et le concile de Vatican II.

Pour saisir de façon un peu concrète quelques aspects fondamentaux de cette mutation, comparons rapidement la situation des juifs en 200 et en 100 avant notre ère. En 200, une toute petite communauté, localisée en Judée, ayant des aspirations eschatologiques encore peu développées et dont la succession sadocide de ses grands prêtres assure la continuité institutionnelle Un siècle plus tard, un très grand état asmonéen, dans toute la Palestine, avec des besoins nouveaux dont la législation de la Tora n'avait pas pu parler, une intense fermentation eschatologique dont la croyance de la résurrection n'est que l'une des manifestations principales de nouveautés non bibliques, et, à la tête de l'état, une dynastie de rois-prêtres.

Il faut nous arrêter un peu sur les étapes de la formation de cette dynastie de rois-prêtres, rappeler de quelle façon les Asmonéens établirent une nouvelle succession de grands prêtres et une royauté nouvelle.

Mattathias était prêtre (1 M 2, 1). En se basant sur l'indication de son habitation à Modîn (2, 1), on le considère ordinairement comme un obscur prêtre de campagne. Mais il était venu là après avoir quitté Jérusalem (même verset 1) ; on peut donc supposer qu'il avait dans la capitale une résidence permanente [1]. Était-il aristocrate [2] ?

On nous le présente comme faisant partie de la classe de Yehoyarib (1 M 2, 1). Or, dans 1 Chr 24, 7, Yehoyarib est en tête des 24 classes sacerdotales, donc à une place prééminente. Mais il est probable que le texte actuel des Chroniques est ici le résultat d'une modification faite à une époque où la dynastie pontificale des Asmonéens existait déjà.

Dans 1 Chr 24, 1-6, il est impossible de savoir si cette classe de Yehoyarib fait partie des sadocides. En 1 M 2, 54, l'auteur, qui est de tendance sadducéenne (§ 52), fait dire à Mattathias : « Pinhas notre père. » Il est probable qu'il faut prendre ce terme de

4. Le « léger secours » de Dn 11, 34.
5. R. Meyer, *TWNT* VII, p. 39.
1. J. Liver, dans *RQ* 6 (1967-1969), p. 26, n. 57.
2. Liver, *op. cit.*, p. 26 : le fait est possible.

père au sens physique, et non au sens moral, car, dans la suite du verset, il y a une utilisation de Nb 25, 13 contenant la promesse d'une descendance à Pinhas. Mais cette mention de Pinhas comme l'ancêtre de Mattathias ne permet pas d'affirmer que, en fait, Mattathias était historiquement descendant de Pinhas, ancêtre des Sadocides[3]. En effet, il est possible que nous ayons, dans ce texte de 1 M 2, 54, une attestation du désir de rattacher les Asmonéens à l'ancêtre des Sadocides, désir qui serait apparu à l'époque où les grands prêtres asmonéens avaient constitué leur dynastie pontificale.

Des trois fils de Mattathias qui furent chef des juifs, Simon ne fut pas grand prêtre. Jonathan fut le premier grand prêtre asmonéen (152-143/2), mais il avait été institué par Alexandre Balas (1 M 10, 20). Simon, lui, fut institué grand prêtre par les juifs (1 M 14, 35. 41) ; à partir de lui (142/1-134), les Asmonéens furent grands prêtres par droit de succession[4] jusqu'à Hyrkan II[5] (76-67).

L'instauration de cette succession n'alla pas sans difficulté. En effet, 1 M 14, 41 montre que la désignation de Simon comme grand prêtre fut faite avec une restriction toute spéciale ; il fut nommé grand prêtre « jusqu'à l'arrivée d'un prophète accrédité »[6]. Cette stipulation joua seulement de façon provisoire, puisque son fils, Jean Hyrkan (134-104), lui succéda comme grand prêtre. Elle avait dû avoir pour cause, entre autres, l'opposition des Pharisiens à l'installation d'une dynastie non davidique[7].

Le premier Asmonéen à prendre le titre de roi fut Aristobule Ier (104-103) ou son frère Alexandre Jannée[8] (103-76). C'est donc à ce moment là qu'il y eut, en rigueur de terme, un roi-prêtre à la tête de l'état juif.

295. Nous saisissons diverses manifestations de l'hostilité de certains juifs aux Asmonéens. Nous avons rappelé, au début de ce chapitre, celle des Asidéens. On peut signaler ensuite celle des gens de Qoumrân. Il est faux de dire qu'ils contestaient la légitimité des Asmonéens au souverain pontificat (§ 63). Mais ils considéraient que le culte au Temple de Jérusalem n'était plus accompli selon les prescriptions et ils attendaient sa purification ainsi que celle de la ville sainte.

Par ailleurs, vers le début et la fin du gouvernement des

3. Voir § 46 le schéma généalogique au sujet de Pinhas.
4. Aristobule Ier mourut sans enfant (en 103). Le pontificat passa à son frère Alexandre Jannée.
5. Après la prise de Jérusalem par Pompée, en 67, ce dernier nomma grand prêtre son frère Aristobule II. Ce fut la fin du pontificat à vie pour les Asmonéens.
6. Attente basée sur Dt 18, 15 ; voir dans le même sens, 1 *QS* IX 11.
7. Voir *supra* § 52 et n. 5.
8. Voir *supra* § 35 n. 3.

Asmonéens, nous voyons des prêtres manifester leur opposition. Dans le décret honorifique en faveur de Simon (142/1-134), il est précisé, entre autres, qu'il « ne sera permis à personne du peuple et d'entre les prêtres de rejeter l'un de ces points » (1 M 14, 44) : interdiction de rejeter les ordonnances portées par Simon, de contredire ses ordres, de tenir une réunion dans le pays sans son autorisation. Il y avait donc des prêtres récalcitrants.

L'autre donnée nous porte en 63 avant J.-C., quand Pompée, à Damas, reçoit des ambassades juives. Outre l'ambassade d'Hyrkan II et celle d'Aristobule II, Josèphe fait mention d'une ambassade du peuple [1]. Elle « demanda à ne plus avoir de roi, car la tradition est d'obéir aux prêtres de Dieu qu'ils honoraient, et ces hommes [Hyrkan II et Aristobule II], descendants de prêtres, avaient voulu amener le peuple à changer de gouvernement pour le réduire en servitude. »

Mais c'est surtout au sujet des Pharisiens que nous sommes renseignés en ce qui concerne leur opposition aux rois-prêtres asmonéens. Il semble faux de dire que cette opposition venait du fait que les Asmonéens furent des grands prêtres guerriers [2]. Un pareil reproche vient d'une conception moderne et non biblique de la guerre. Il est certain que les Asmonéens menèrent leurs guerres de conquête dans la ligne de l'ancienne eschatologie particulariste [3]. Rappelons-nous les principales campagnes de Jean Hyrkan et d'Aristobule Ier. Hyrkan (134-104) fait la guerre contre les Samaritains et détruit leur sanctuaire [4] ; il soumet l'Idumée avec Hébron, l'ancienne ville du sacre de David [5]. Son fils Aristobule Ier (104-103) annexe l'Iturée [6] et oblige les habitants à se faire circoncire [7].

L'opposition des Pharisiens aux Asmonéens visait surtout la réunion, sur la même tête, du sacerdoce et de la royauté. Nous avons déjà vu (§ 284) comment l'exégèse pharisienne d'Ex 19, 6 réagissait contre cela en distinguant très nettement les rois et les

1. *Ant.* XIV 41. Notons que, dans le récit parallèle, *Guerre* I 131-132, n'est pas question de cette ambassade du peuple.
2. APTOWITZER, *Parteipolitik*, p. 5 : il fut intolérable pour les Asidéens de voir Jonathan et Simon, chefs de guerre, devenir grands prêtres. A ce sujet, relevons le jugement d'un juif contemporain, J. KLAUSNER, *Jésus de Nazareth, trad. française*, 1933, p. 197 : « Sans ces victoires-là [celles des Asmonéens], il n'y aurait jamais eu de Palestine juive. L'état juif serait resté la ' Judée ', un tout petit district de Syrie, une province oubliée de la ' Palestine ' et nous n'aurions ni le Talmud, ni le christianisme » (même chose p. 199).
3. R. MEYER, dans *TWNT* VII, p. 44.
4. *Guerre* I 64-66 ; *Ant.* XIII 255, 275-283.
5. *Ant.* XIII 257.
6. *Ant.* XIII 319.
7. *Ant.* XIII 318.

prêtres. Quand nous entendons dire[8] qu'il « ne faut pas conférer l'onction [royale] à des prêtres [devenus] rois », nous avons la même protestation fondamentale, présentée sous un revêtement halachique[9]. Les Asmonéens n'étaient pas des Davidides ; selon les Pharisiens, ils n'avaient aucun droit à la royauté. Dans les Abot de Rabbi Natan, un commentaire de Ct 1, 6 parle des « conseillers de Juda qui ont rejeté de sur eux le jour du Saint-béni-soit-il, et ont établi comme roi sur eux un homme »[10] ; l'auteur pense peut-être aux Sadducéens[11]. Mais ce texte rabbinique est tardif ; nous allons examiner un peu plus bas l'attitude des Sadducéens vis-à-vis des Asmonéens.

Une dernière donnée historique fait, sans doute, entrevoir une influence pharisienne. A deux reprises, des femmes asmonéennes se trouvèrent à la tête de l'état juif. Dans le premier cas, ce fut bref. Jean Hyrkan, à sa mort (104) laissa par testament le gouvernement à sa femme ; mais son fils Aristobule devint tout de suite le chef[12]. Alexandre Jannée agit de même en faveur de sa femme Alexandra[13] : elle fut reine pendant neuf ans, jusqu'à sa mort (76-67). Hyrkan et Jannée, à leur mort, laissaient des fils majeurs, capables de gouverner. La désignation, dans les deux cas, de la veuve doit donc avoir, pour raison principale, la volonté de séparer le pouvoir princier ou royal et le pouvoir sacerdotal. Cette volonté pourrait avoir pour origine le désir de supprimer l'une des causes de l'opposition pharisienne[14].

296. Les Pharisiens apparaissent comme un groupe puissant et bien organisé sous le règne d'Alexandre Jannée[1] (103-76). La genèse de sa formation se situe dans le courant du second siècle avant notre ère.

En ce qui concerne les Sadducéens, une question préliminaire se pose. Peut-on parler d'une fondation du groupe sadducéen ? Nous sommes porté à répondre négativement. En effet, toutes les

---

8. j. *Sheq.* VI 1, 49ᵈ 2 (III/2, 300) ; j. *Sota* VIII 3, 22ᶜ 43 (pas traduit en IV/2, 313, qui renvoie à III/2, 300) ; j. *Hor.* III 3, 47ᶜ 55 (pas traduit en VI/2, 274, qui renvoie III/2, 300).
9. H.-J. SCHOEPS, *Die Opposition gegen die Hasmonäer*, dans *TLZ* 81 (1956), col. 668 : la suite du texte montre clairement qu'il s'agit de rejeter les grands prêtres de la royauté ; en effet, on invoque Gn 49, 10. Voir aussi APTOWITZER, *Parteipolitik*, p. 55.
10. *A.R.N.* rec. A ch. 20 (72 col. a, 3).
11. APTOWITZER, *Parteipolitik*, p. 55.
12. *Guerre* I 71 ; *Ant.* XIII 302.
13. *Guerre* I 107 ; *Ant.* XIII 407.
14. LESZYNSKY, *Sadduzäer*, p. 97.
1. A vrai dire, dans les récits de Josèphe relatifs à Jannée, le mot « Pharisiens » n'apparaît qu'une fois, dans la recommandation du roi à sa femme, au moment de sa mort (§ 187 et n. 4). Mais ils sont très puissants sous le règne d'Alexandra (76-67), et, parmi les ennemis de Jannée, il dut y avoir beaucoup de Pharisiens (détails § 187).

analyses précédentes ont fait apparaître les Sadducéens comme les continuateurs des anciennes traditions, les opposants aux nouveautés de croyance et de rite. Par conséquent, à notre avis, il n'y a pas à parler d'une fondation des Sadducéens [2]. Mais, progressivement, à mesure que, jusqu'à la ruine de 70, différents groupes nouveaux apparurent (Pharisiens et Esséniens d'abord, Zélotes ensuite), les Sadducéens virent petit à petit leur nombre diminuer. Comme nous l'avons dit (§ 251-253), au Ier siècle de notre ère, nous ignorons dans quelle mesure le groupe sadducéen était un groupe organisé ; il est possible qu'il n'ait pas présenté une structure très forte. A notre avis, cette caractéristique, à cette époque, s'explique bien par suite des conditions de sa formation, telles que nous avons cru pouvoir les mentionner à l'instant.

La seule donnée historique précise que nous possédons sur l'apparition des Sadducéens est contenue dans les Abot de Rabbi Natan (§ 80). Dans ce récit, présenté en fonction de la perspective pharisienne, nous avons essayé d'extraire le noyau historique solide : la séparation entre Pharisiens et Sadducéens s'est faite vers la fin du second siècle avant notre ère (§ 82).

Selon Josèphe, Jean Hyrkan (134-104), à la fin de sa vie, rompit avec les Pharisiens et se joignit aux Sadducéens (§ 35). Après avoir examiné les données de ce récit de Josèphe, et les avoir comparées avec celles de la tradition rabbinique, nous avons été amené à supposer (§ 39 fin) que la rupture entre les Pharisiens et l'Asmonéen se situe plus vraisemblablement sous Alexandre Jannée (103-76).

Alexandre Jannée fut hostile aux Pharisiens (§ 187). Sur la question de l'annulation des vœux, il apparaît avec un point de vue identique à celui des Sadducéens : l'annulation est impossible (§ 149). Par ailleurs, c'est sans doute lui qui, officiant comme grand prêtre à la fête de soukkôt, accomplit la libation d'eau d'une façon qui n'était pas conforme à la halaka pharisienne (§ 219).

Sous le règne de sa veuve Alexandra (76-67), les Pharisiens furent puissants (§ 187). Pendant cette période, ils acquirent une influence grandissante dans le Sanhédrin (§ 188). Cependant, faute de données, nous ne pouvons en préciser les modalités ; la tradition rabbinique, rapportée par le commentaire hébreu de la Megil-

2. HOELSCHER, *Sadduzäismus*, p. 100 : « Il ne s'est pas formé un parti, se sentant solidaire, d'ennemis des Pieux et des Pharisiens, c'est-à-dire qu'il n'a pas existé, à cette époque, de noblesse sacerdotale ' sadducéenne '. » Par contre LESZYNSKY, *Sadduzäer*, pp. 119-120, parle de la formation historique du groupe : pendant la crise maccabéenne, le combat pour la Tora avait fait l'union. Mais les Asidéens répandaient des enseignements non contenus dans la Tora, qui apparurent aux prêtres sadocites comme des nouveautés, des abandons de la Loi. Les partisans de ces prêtres se rassemblèrent pour former le parti sadducéen, dont le programme était : la Tora seule.

lat taanit, d'une éviction *totale* des Sadducéens de ce Sanhédrin (§ 188) est en effet une légende (§ 189). Mais il est certain que les Sadducéens devinrent alors minoritaires ou soumis à la pression pharisienne.

Les quatre années qui suivirent la mort d'Alexandra furent une période de guerre civile entre les deux fils, Hyrkan II et Aristobule II. Nous avons rejeté l'assimilation courante entre partisans d'Hyrkan II et Pharisiens d'une part, partisans d'Aristobule II et Sadducéens d'autre part [3] (§ 31-32).

297. Après avoir ainsi rassemblé les données historiquement certaines relatives aux Sadducéens pendant la souveraineté des Asmonéens, il faut essayer de voir quelle fut l'attitude générale des Sadducéens vis-à-vis de ces rois-prêtres.

L'arrivée des Asmonéens comme grands prêtres entraîna l'éviction des grands prêtres sadocides [1]. Onias III (= IV) s'était enfui en Égypte ; il construisit un temple à Léontopolis (§ 47). Le Maître de justice de Qoumrân, prêtre, était peut-être un Sadocide (§ 62). Mais comme nous l'avons vu (§ 294), 1 M 2, 54 atteste que, vers l'an 100, on avait éprouvé le besoin de rattacher, sans doute de façon légendaire, les prêtres asmonéens à Pinhas, l'ancêtre des Sadocides. Cet effort avait peut-être pour but, entre autres, de gagner à la cause asmonéenne des prêtres jusque là hostiles, car nous savons que, durant la royauté asmonéenne, il y eut de l'hostilité chez certains prêtres (§ 295 début).

On dit parfois que les Sadducéens furent favorables aux Asmonéens du fait de la politique conquérante et mondaine de ces souverains [2]. Ce raisonnement est fondé sur une vue fausse de ce que furent vraiment les Asmonéens, et sur une façon de se représenter les Sadducéens comme des politiciens peu religieux ; cela nous a paru entièrement faux (§ 269).

Leszynsky avait essayé de trouver une justification scriptu-

---

3. Bo REICKE, *Neutest. Zeitgeschichte*, 1965, p. 115 : la révolte des nobles, sous Aristobule II (67-63) et son fils Antigone (40-37), fut une période de prospérité pour les Sadducéens. Ce jugement repose sur l'équivalence entre partisans d'Aristobule II et Sadducéens.

1. H.-J. SCHOEPS, dans *TLZ* 81 (1956), col. 664, insiste sur la titulature de l'Asmonéen Simon au moment où il fut nommé grand prêtre : ἀρχιερεύς, ἡγούμενος, στρατηγός (1 M 14, 41-42). Cela marquait dit Schoeps, l'exclusion officielle des Sadocites et le rejet de leur prétention au souverain pontificat.

2. LAGRANGE, *Judaïsme*, pp. 105-106 : « Ce caractère politique revêtu par le sacerdoce n'était pas pour déplaire à la masse des prêtres, était une source d'honneurs ou de profits pour le sacerdoce. La protestation contre les Papes trop épris de la Renaissance ne naquit pas d'abord dans la Curie romaine. » BONSIRVEN, *Judaïsme palestinien*, I, p. 56 : les Sadducéens « furent les soutiens naturels des Hasmonéens, prêtres eux-mêmes ; ils comprirent et approuvèrent la politique conquérante et mondaine d'un Jean Hyrkan et d'un Alexandre [Jannée] ».

raire et théologique pour expliquer que les Sadducéens furent les soutiens des Asmonéens. Les Sadducéens, disait-il [3], exploitaient Ex 19, 6 en fonction de leur idéal de rois-prêtres ; donc, ajoutait-il, les Asmonéens furent nécessairement sadducéens. Il y a là, semble-t-il, un cercle vicieux. Il est certain que la tradition pharisienne expliquait ce verset en distinguant rois et prêtres (§ 284), et que cela est dirigé contre les rois-prêtres asmonéens (§ 295). Leszynsky précise que c'était l'hostilité pharisienne contre l'exégèse sadducéenne du verset et de l'Exode. Mais il ne peut dire cela qu'en posant tout d'abord l'égalité entre point de vue sadducéen et point de vue asmonéen ; or, c'est toute la question.

C'est donc par d'autres voies qu'il faut aborder le problème. Nous avons tout d'abord le témoignage du premier livre des Maccabées. Cet écrit, composé vers l'an 100, à Jérusalem sans doute, est de tendance sadducéenne (§ 52). L'auteur est historiographe de la cour. Nous pourrions, peut-être, pour l'ensemble de son livre, poser une question identique à celle que nous avons posée à propos d'un seul verset, 1 M 2, 54 (§ 297 début) : cette œuvre n'aurait-elle pas pour but, entre autres, de rallier à la cause asmonéenne des partisans des Sadocides ?

Mais, quand on parle, à l'époque asmonéenne, de Sadocides et de traditions sadocides, surgit une question. Quel est le rapport entre l'héritage sadocide et les Sadducéens proprement dits ? A notre avis, l'étymologie du mot Sadducéens ne permet pas de fournir une réponse. En effet, comme nous l'avons vu au chapitre VII, il n'est pas du tout sûr que ce nom vienne de Sadoq, prêtre du temps de David.

La continuité historique entre les Sadocites de l'époque perse et grecque et les Sadducéens est en général affirmée par les historiens modernes [4]. Elle est en effet probable. Le groupe sadducéen, au Ier siècle de notre ère, n'apparaît pas comme un groupe principalement sacerdotal (§ 262-266). Qu'en était-il, à ce sujet, à l'époque où l'on peut commencer à parler des Sadducéens proprement dits, c'est-à-dire vers l'an 100 avant notre ère. Les prêtres du groupe ne devaient pas être, par principe, opposés au souverain pontificat asmonéen, car, dans le Pentateuque, rien n'était prévu pour le choix du grand prêtre : il n'était pas précisé à quelle famille sacerdotale il devait appartenir.

En dehors de la question du cumul, sur la même tête, du pouvoir royal et sacerdotal, l'idéal asmonéen semble avoir été

---

3. LESZYNSKY, *Sadduzäer*, pp. 96-97.
4. Voir les auteurs cités par R. MEYER, dans *TWNT* VII, p. 36, n. 9 ; en sens contraire, il ne trouve à citer qu'Ed. MEYER, *Ursprung und Anfänge des Christentums*, II, 1921, pp. 290-291, et H.-J. SCHOEPS, *Urgemeinde, Judenchristentum, Gnosis*, Tübingen, 1956, p. 71.

pleinement en conformité avec l'ancienne législation biblique[5]. On peut donc supposer que les Sadducéens, prêtres et laïques, n'avaient pas de raison de principe à s'opposer à cet idéal. Mais peut-on se représenter les Sadducéens comme le parti du gouvernement ?

II. PÉRIODE ROMAINE.

A. *Hérode Ier (37-4) et son fils Archélaüs (— 4 à + 6).*

298. Un événement de la jeunesse d'Hérode nous a permis d'entrevoir ce qui a pu être l'une des raisons de l'origine de la divergence entre Pharisiens et Sadducéens au sujet de la responsabilité du maître vis-à-vis de son esclave : les Sadducéens affirmaient cette responsabilité, les Pharisiens la niaient (§ 179). Voici l'événement[1]. Le jeune Hérode, alors responsable de la Galilée, avait fait exécuter sans jugement Ézéchias et sa bande, coupables de brigandage, en fait d'agitation anti-romaine. Les dirigeants juifs forcent Hyrkan II, alors grand prêtre et ethnarque (63-40), à faire comparaître Hérode devant le Sanhédrin. Il est acquitté ; seul, le pharisien Saméas osa blâmer Hyrkan II de songer à absoudre Hérode.

En 37, Hérode assiège Jérusalem, défendu par l'Asmonéen Antigone, fils d'Aristobule II ; la résistance de la population est acharnée[2]. Selon Josèphe[3], le pharisien Pollion et son disciple Saméas conseillent la reddition à Hérode. Maître de la ville, Hérode affermit sa domination ; il fait exécuter 45 notables juifs du parti (αἵρεσις) d'Antigone[4]. Comme pour les événements de 67-63 (§ 31), avec les partisans d'Aristobule II, nous avons là un groupement qui n'est pas sur le même plan que celui des Sadducéens. Mais, bien entendu, il est probable qu'un certain nombre de ces partisans d'Antigone étaient des Sadducéens.

Dans un autre récit, Josèphe raconte qu'Hérode, devenu roi (37), fait exécuter tous les membres de la gérousie (συνέδριον), à l'exception du Pharisien Saméas[5]. Sans doute, comme bien sou-

---

5. Les Asmonéens furent très nationalistes et, par certains côtés, très opposés au monde grec. Miss K. KENYON, *Jerusalem*, Londres, 1967, pp. 136-137, remarque que, à Jérusalem, sous les Asmonéens, la céramique et les autres objets d'usage quotidien, comparée à ceux de la Samarie à la même époque, trahissent une attitude de xénophobie qui refuse l'adoption de produits étrangers, sauf le vin des îles grecques.
1. *Ant.* XIV 163-180.
2. *Ant.* XIV 469-478 ; *Guerre* I 347-353.
3. *Ant.* XV 3 (rien dans la *Guerre*).
4. *Ant.* XV 6. Pour le sens de ce terme, voir notre tableau § 19.
5. *Ant.* XIV 175.

vent chez Josèphe, cette affirmation générale (tous les membres) ne doit pas être prise au pied de la lettre [6]. Peut-on penser que ce massacre de membres du Sanhédrin est identique à l'exécution des 45 notables partisans d'Antigone [7] ?

Cette élimination d'aristocrates fidèles aux Asmonéens fut sans aucun doute un coup dur pour les Sadducéens. Du reste, l'arrivée d'Hérode à la tête du royaume juif marquait un changement profond. La hiérocratie asmonéenne était basée sur le particularisme religieux et national ; Hérode, avec une visée d'universalisme, voulait intégrer son royaume dans l'empire romain, désirant que tous, juifs et non juifs, aient leur place dans ce royaume [8].

299. En ce qui concerne le clergé, il faut d'abord signaler un fait qui, après le règne d'Hérode, eut une influence déterminante sur un regain de puissance des Sadducéens : la reconstruction du Temple par le roi.

Hérode s'assura l'entier contrôle du souverain pontificat. Le fait qu'il s'arrogea le pouvoir de nommer le grand prêtre n'était pas, en lui-même, de nature à choquer les juifs soucieux de suivre les prescriptions de la Loi [1]. En effet, rien n'était prévu à ce sujet dans la législation biblique. Et, depuis que la charge de grand prêtre avait pris, à partir de la période perse, une importance capitale dans la vie de la nation, c'était la première fois que les juifs voyaient à leur tête un roi qui ne soit plus un étranger [2] et qui soit un autre personnage que le grand prêtre [3].

Mais, pour dominer entièrement le clergé, Hérode mit fin au souverain pontificat à vie ; il ne maintint un grand prêtre en charge que dans la mesure où son attitude lui semblait conforme à ses intérêts à lui.

---

6. On peut rappeler ici le récit légendaire du commentaire hébreu de la Megillat taanit (§ 188) : éviction de *tous* les Sadducéens du Sanhédrin par Alexandre Jannée.

7. C'est l'opinion de WELLHAUSEN, *Pharisäer*, p. 106, reprise par R. MEYER, dans *TWNT* VII, p. 44.

8. MEYER, *op. cit.*, p. 45.

1. Jonathan l'Asmonéen avait été nommé grand prêtre par Alexandre Balas (1 M 10, 20) et confirmé par Antiochus VI (1 M 11, 57).

2. C'était un prosélyte. Son père, Antipater, était Iduméen ; sa mère, Kypros, était d'une famille de cheik arabe. Hérode avait essayé de faire répandre par Nicolas de Damas, son historiographe, l'idée qu'il descendait des premiers juifs revenus de l'exil de Babylone (*Ant.* XIV 9). Selon le Babli (b. *B.B.* 3ᵇ), il aurait même cherché à se déclarer descendant des rois asmonéens.

3. Selon STRABON XVI 2, 46 (REINACH, *Textes*, p. 111), Hérode fut grand prêtre : « un membre de sa famille [Strabon parle d'Hyrkan II] Hérode, homme du pays, usurpa la même dignité [de grand prêtre] ». Comme on le voit, c'est parce que Strabon considère Hérode comme de la famille asmonéenne (voir, note précédente, la légende du Talmud de Babylone) qu'il en fait un grand prêtre.

Le premier qu'il choisit fut Ananel (37-36, de nouveau à partir de 34). C'était un Sadocide (§ 47, n. 4), originaire de Babylonie[4]. C'est peut-être intentionnellement qu'Hérode nomma ainsi un Sadocide, et un prêtre de l'étranger. Après le pontificat éphémère d'Aristobule III (en 35), puis celui de Jésus, fils de Phiabi (jusqu'en 22 environ), nous voyons le très long pontificat de Simon, fils de Boéthos (22 environ-5 avant J.-C.). Au dire de Josèphe, cette nomination de Simon fut la conséquence du mariage d'Hérode avec Mariamme, fille ou sœur de Simon (§ 74). Mais d'autres causes, à côté de cette raison familiale, durent jouer. Boéthos était un prêtre alexandrin. Nous n'avons aucun élément permettant de dire qu'il avait exercé une activité au temple de Léontopolis, et nous ne savons pas de quelle lignée sacerdotale il était. C'est donc uniquement en fonction du fait qu'il était d'Alexandrie que nous pouvons supposer, à titre d'hypothèse, un dessein d'Hérode : s'agit-il, dans la pensée du roi, de favoriser l'hellénisation à Jérusalem ?

Quant à la raison d'ordre familial pour un autre mariage, il faut peut-être la situer dans le contexte de la discussion entre Sadducéens et Pharisiens au sujet de l'héritage de la tante et de la nièce. Comme nous l'avons vu (§ 236), la divergence entre Sadducéens (la tante et la nièce héritent à part égale) et les Pharisiens (la nièce seule hérite) a sans doute pour origine leur divergence d'attitude vis-à-vis d'Hérode. Le roi avait épousé Mariamme l'Asmonéenne, petite-fille d'Hyrkan II[5] ; il devait y avoir des descendantes d'Hyrkan II, issues de son fils (§ 236, n. 3), alors que Mariamme était la fille d'Alexandra, sœur de ce fils d'Hyrkan. Pour les Sadducéens, Mariamme, et donc Hérode son mari, avaient hérité à part égale, avec ces descendantes, de l'héritage asmonéen. Pour les Pharisiens, par contre, Mariamme et donc Hérode n'avaient rien hérité de cet héritage. Quant au mariage d'Hérode avec l'autre Mariamme, la fille ou la sœur du grand prêtre Simon, il avait peut-être pour but, dans la pensée du roi, de lui donner quelque reflet du pouvoir sacerdotal.

---

4. C'est sans doute le même personnage que le grand prêtre Hanamel dont parle *Para* III 5 ; dans ce texte de la Mishna, Hanamel est dit égyptien. JEREMIAS, *Jérusalem*, p. 104, n. 79, donne une explication plausible pour rendre compte de cette appellation d'Égyptien (les juifs de Palestine ne témoignaient pas beaucoup de bienveillance pour les juifs de Babylonie, par contre ils prisaient beaucoup ceux d'Égypte ; quand il faut raconter quelque chose d'honorable pour des juifs de l'étranger, on préfère attribuer la chose à l'Égypte plutôt qu'à la Babylonie). Si on accepte cette explication, il n'est donc pas nécessaire de se demander si Ananel, venant de Babylonie, aurait été à Alexandrie avant d'être grand prêtre à Jérusalem. Mais la présence d'Ananel à Alexandrie n'est-elle pas une hypothèse possible ?

5. C'est peut-être à partir de ce mariage entre Hérode et Mariamme l'Asmonéenne qu'il faut expliquer la genèse de la légende attestée dans Strabon et le Talmud de Babylone, selon laquelle Hérode était de la famille des Asmonéens (voir plus haut n. 2 et 3).

Toujours est-il que, sous le gouvernement d'Hérode, de son fils Archélaüs (— 4 à + 6) et de son petit-fils Agrippa Iᵉʳ (roi de 41 à 44), quatre fils et un petit-fils de Simon furent grands prêtres (détails § 74).

La présence de ces cinq grands prêtres de la famille de Boéthos va de pair avec l'existence, à cette époque, du groupement des Boéthusiens, dont le nom vient du prêtre Boéthos (§ 256). Ces Boéthusiens sont, semble-t-il, un groupe au milieu des Sadducéens (§ 257) ; il se pourrait qu'ils soient identiques aux Hérodiens (§ 260). Donc, dès le règne d'Hérode, puis ensuite, l'influence sadducéenne trouva à s'exercer.

En ce qui concerne le grand prêtre Simon (22 environ-5 avant J.-C.), sa destitution illustre bien de quelle façon le souverain pontificat était entièrement entre les mains d'Hérode. Le roi avait contraint les Pharisiens à prêter serment. Ils refusèrent et furent soumis à une amende. Elle fut payée par la femme de Phéroras, frère cadet d'Hérode [6]. Après des représailles contre les Pharisiens, Hérode veut forcer son frère Phéroras à répudier sa femme ; il refuse, ce qui entraîne l'hostilité entre les deux frères. Un complot contre Hérode, visant à l'empoisonner, est monté par Phéroras, Antipater, fils d'Hérode et de Doris, et d'autres [7]. A la mort de Phéroras, Hérode accuse sa femme, Mariamme fille ou sœur de Simon, d'avoir été au courant du complot et de le lui avoir caché. Cela conduit Hérode à répudier Mariamme et à destituer Simon du souverain pontificat [8].

300. A la mort d'Hérode (4 avant notre ère), l'agitation antiromaine, qui s'était déjà manifestée avant son arrivée au pouvoir [1], se renouvela [2]. Le grand prêtre Yoazar, fils de Boéthos, nommé par Hérode en 4 avant J.-C., fut révoqué par Archélaüs. De cette destitution, Josèphe donne deux explications différentes. Selon la première [3], le peuple avait demandé un grand prêtre plus honorable. Selon la seconde [4], Yoazar avait conspiré avec les gens qui se révoltèrent contre les Romains ; cette explication a toute chance d'être vraie [5]. Elle est particulièrement éclairante de l'atti-

---

6. *Ant.* XVII 41-44.
7. *Ant.* XVII 46-50.
8. *Ant.* XVII 78.
1. Voir, par exemple, l'agitation d'Ézéchias et de sa bande (plus haut § 298).
2. *Ant.* XVII 250-298.
3. *Guerre* II 7 ; *Ant.* XVII 207 (sur ces textes, voir plus haut § 34 et n. 6).
4. *Ant.* XVII 339.
5. Au moment du recensement de Quirinius, en 6-7 après J.-C., ce Yoazar exhorta les juifs, au dire de Josèphe (*Ant.* XVIII 3), à ne pas s'opposer à cette mesure. Il aurait donc changé d'attitude vis-à-vis des Romains en l'espace de dix ans.

tude hostile de certains prêtres de l'aristocratie vis-à-vis des Romains ; nous en retrouverons d'autres exemples au moment de la guerre de 66.

Après la destitution d'Archélaüs par Rome (en l'an 6 de notre ère), et l'intégration de la Palestine dans le cadre de l'empire romain à titre de province, « la constitution de l'état, dit Josèphe[6], fut [redevint] un gouvernement de notables (ἀριστοκρατία) et la conduite du peuple fut [de nouveau] confiée aux grands prêtres ». Aristocratie laïque et aristocratie sacerdotale retrouvent du pouvoir ; cela veut dire, pour les Sadducéens, un regain d'autorité. En ce qui concerne le clergé, du fait de la reconstruction du Temple par Hérode sur un plan beaucoup plus grand, son importance numérique dut s'accroître considérablement.

B. *Période des gouverneurs (6-66), avec l'intermède de la royauté d'Agrippa Ier (41-44).*

301. Les grands prêtres furent nommés d'abord par les gouverneurs romains (jusqu'en 41), puis par Agrippa Ier, petit-fils d'Hérode et de Mariamme l'Asmonéenne, roi des juifs de 41 à 44. A la mort d'Agrippa, son frère, Hérode, roi de Chalcis (44-48), obtint de l'empereur Claude des pouvoirs étendus : gouvernement du Temple, administration de son trésor, droit de nommer les grands prêtres[1]. Après sa mort (en 48), mais, sans doute, en 50 seulement, ces pouvoirs passèrent à son neveu[2], fils d'Agrippa Ier, Agrippa II, qui fut roi de Chalcis (48-53), puis reçut en échange, de l'empereur Claude, les deux tétrarchies de Philippe et de Lysanias. Agrippa II exerça ces droits jusqu'à ce que, en 66, les Zélotes s'emparèrent du pouvoir à Jérusalem.

Au temps de Jésus, nous savons qu'il y avait dans le Sanhédrin le « parti » des Pharisiens et le « parti » des Sadducéens (Ac 23, 6 ; voir § 92 début). Mais il est difficile de connaître l'importance numérique de chacun d'eux. Relevons les données qui permettent une approche de la question.

L'arrestation de Jésus et sa condamnation devant le Sanhédrin semble avoir été essentiellement l'affaire du grand prêtre et des prêtres en chef (§ 307). Quelque temps après la Pentecôte, lors de la comparution des apôtres devant le Sanhédrin, le Pharisien Gamaliel Ier réussit à faire triompher son point de vue, ce qui entraîna le relâchement des accusés (Ac 5, 39). Par contre, en l'an 58, dans le procès de Paul, la discussion entre Sadducéens et Pharisiens tourna à la bagarre (Ac 23, 10). Comme on le voit, ces trois

---

6. *Ant.* XX 251.
1. *Ant.* XX 15 (cf. XX 103).
2. *Ant.* XX 16 et 222.

données, prises conjointement, ne permettent pas de dire qu'il y avait, de façon générale, une fraction dominante au sein de ce Sanhédrin.

Pour la justice criminelle, quelle halaka était-elle en vigueur, celle des Pharisiens ou celle des Sadducéens ? Au Ier siècle de notre ère, nous connaissons trois cas.

La femme surprise en délit d'adultère allait être lapidée (Jn 8, 4-5). Dans un pareil cas, la halaka pharisienne exigeait la strangulation (§ 185 et n. 1). En l'an 36 ou 37 (?), le diacre Étienne fut lapidé (Ac 7, 58). Quand les Pharisiens condamnaient quelqu'un à la lapidation, le condamné était précipité dans une fosse ; s'il n'était pas mort dans sa chute, on le couvrait de pierres (§ 185, et n. 5). Il y avait là un adoucissement à l'ancienne pratique de la lapidation proprement dite. Mais le texte des Actes ne permet pas de dire de quelle façon exacte Étienne fut lapidé.

De toute façon, ces deux cas ne peuvent guère être invoqués d'une façon ferme pour dire que la halaka sadducéenne était alors en vigueur. Dans le cas d'Étienne, il pourrait s'agir d'un acte de justice populaire, plus ou moins proche du lynchage, ou plutôt d'une exécution par la « communauté », dans la ligne de la tradition biblique [3] (Lv 24, 16 ; Dt 13, 10-11 ; 17, 5-7 ; 21, 21), sans que le Sanhédrin ait eu à intervenir. Quant à la femme adultère dont il est question en Jn 8, 4-5, il se pourrait que la lapidation envisagée soit à expliquer de la façon suivante : pendant la période des gouverneurs romains, le Sanhédrin n'aurait plus eu le droit de s'occuper des affaires impliquant la peine de mort.

Par contre, le troisième cas est beaucoup plus net. Il s'agit de la fille de prêtre condamnée pour prostitution (détails § 180-181). Elle fut brûlée vive, de l'extérieur, selon la prescription de Lv 21, 9. Dans un cas pareil, les Pharisiens brûlaient la coupable de l'intérieur. Cette condamnation eut lieu très probablement sous le règne d'Agrippa Ier (41-44) ; la halaka suivie, différente de celle des Pharisiens, était sans doute la halaka sadducéenne (§ 181).

302. Au Ier siècle de notre ère, les Sadducéens étaient encore pleinement intégrés à la vie juive. Il se pourrait que, par certains côtés, l'opposition entre Sadducéens et Pharisiens ait été quelque peu analogue à celle qui existait, au milieu du groupe pharisien, entre Hillélites et Shammaïtes. Et les Shammaïtes pouvaient, parfois, se trouver plus proches des Sadducéens que des Hillélites [1].

---

3. Voir *Ant.* XVI 394.
1. Cependant A. SCHWARZ, *Die Controversen der Schammaiten und der Hilleliten*, I, Vienne, 1893, pp. 13-15, pense que, dans l'attitude des Pharisiens vis-à-vis des Sadducéens, les Hillélites étaient en fait plus favorables aux Sadducéens que les Shammaïtes. L'effort d'Hillel, dit-il (p. 14), fut d'expliquer les enseignements traditionnels à l'aide de la lettre de la Loi ; cela était

C'est peut-être sous le règne d'Agrippa Ier que la tension entre Pharisiens et Sadducéens fut la moins forte. Le roi a laissé un souvenir très favorable dans la tradition rabbinique[2]. Nous avons vu (§ 230) de quelle façon cette tradition se plaît à raconter ce qu'aurait été l'attitude du roi Agrippa et de sa femme Cypros : une soumission totale aux décisions de Rabban Gamaliel Ier. Le roi sut désarmer l'opposition de Simon[3], sans doute un Pharisien[4]. Mais, d'autre part, il nomma trois grands prêtres, dont deux, le premier et le dernier, étaient de la famille de Boéthos : Simon Kanthéras, fils de Simon (grand prêtre à partir de 41) ; Élionaios, fils de Kanthéras (grand prêtre vers 44). Depuis le temps d'Archélaüs (— 4 à + 6), il n'y avait plus eu de grand prêtre de la famille de Boéthos. Dans la tradition rabbinique, Élionaios figure dans la liste des grands prêtres qui brûlèrent une vache rousse (§ 203 et n. 6).

Pour les grands prêtres nommés par les gouverneurs romains (6-41), puis par Hérode de Chalcis (44-48) et Agrippa II (il les nomma de 50 à 66, voir plus haut § 301), nous ne possédons que de maigres indications sur leur attitude vis-à-vis des Pharisiens et sur la fermeté de leurs convictions sadducéennes.

Caïphe (18 environ-37) prononce (Jn 11, 50) une parole sadducéenne (§ 25, n. 4). Ishmaël ben Phiabi II (jusqu'en 61) brûla deux vaches rousses, une selon la halaka sadducéenne, puis une selon la halaka pharisienne (§ 211). Nous avons rejeté l'explication d'Eppstein, pour qui Ishmaël se soumit au plan des docteurs pharisiens conduisant à l'élimination des Sadducéens de la vie religieuse (§ 212). Cet Ishmaël II est sans doute l'objet de louange dans la tradition rabbinique (§ 210). Toujours est-il que, dans l'affaire du Temple, en 61, il prit fermement le parti des grands de Jérusalem contre Agrippa II et le procurateur Festus, ce qui le conduisit en captivité à Rome (§ 210).

Cette affaire fait entrevoir, peut-être, l'un des aspects importants de l'opposition entre Pharisiens et Sadducéens. Agrippa II

un pont sur lequel les deux groupes auraient pu faire la paix. Mais peut-on encore parler de traditions si on les trouve écrites dans la Tora ? Cela explique, conclut Schwarz (p. 15), la réaction des Pharisiens d'ancienne école, avant tout de Shammay.

2. Voir DERENBOURG, *Essai*, pp. 216-217.
3. *Ant.* XIX 332-334.
4. Cela semble ressortir de l'accusation de Simon portée contre Agrippa Ier : il lui reproche d'être prosélyte (voir plus haut, § 299, n. 2), ce qui est dit de son grand-père Hérode Ier. Mais dans une autre occasion, le peuple cria au roi : « Tu es notre frère [= tu fais partie du peuple élu à part entière] » (*Sota* VII 8 ; voir les parallèles rabbiniques cités par JEREMIAS, *Jérusalem*, p. 437, n. 159, et son exposé, pp. 437-439). La divergence d'attitude, chez les juifs, vis-à-vis d'Agrippa Ier provenait sans doute d'une différence dans l'application de Dt 23, 8-9 : les uns devaient appliquer ces versets à Agrippa ; d'autres devaient refuser cette application.

avait donc fait surélever son palais pour pouvoir observer ce qui se passait sur l'esplanade du Temple. Les notables de Jérusalem protestent avec indignation, car, disent-ils[5], il est « contraire à la tradition[6] de voir ce qui se passait au Temple, en particulier les sacrifices ». Ces notables, très probablement des Sadducéens, s'opposent à ce qu'un laïc voit le déroulemens du culte au Temple ; les Pharisiens, par contre, souhaitaient sans doute que les laïcs voient le mieux possible ce déroulement.

Le dernier grand prêtre pour le comportement sadducéen duquel nous ayons un renseignement précis est Anan le Jeune (en 62). Josèphe raconte (§ 33) comment, outrepassant ses droits et profitant de l'absence d'un procurateur à Jérusalem, il fit mettre à mort Jacques, frère du Seigneur, et quelques autres. Cela entraîna sa destitution par Agrippa II.

303. Au dire de Josèphe[1], parlant de la situation des Pharisiens au Ier siècle de notre ère, « toutes les prières et tous les sacrifices se règlent d'après leurs interprétations ». Et il dit, un peu plus loin[2], que les Sadducéens, quand ils parviennent aux magistratures, doivent se soumettre aux règles pharisiennes « contre leur gré et par nécessité ».

La littérature pharisienne fait écho aux dires de Josèphe au sujet de la liturgie. Nous avons rencontré deux cas où les Sadducéens apparaissent comme soumis aux prescriptions pharisiennes. Pour le rite de l'encens à kippour, nous entendons (§ 193, textes n°s 1, 4, 6) le vieux grand prêtre qui n'est plus en fonction déclarer que, durant toute sa vie, il s'est soumis aux Pharisiens. La scène se situe au Ier siècle de notre ère. Ces mêmes textes, relatifs au rite de l'encens, montrent le fils de ce vieux grand prêtre comme un homme plein de fougue et de courage pour accomplir le rite selon sa halaka sadducéenne. Cet élément ne serait-il pas un écho du regain de pouvoir des Sadducéens au Ier siècle après J.-C. ?

L'autre donnée rabbinique qui montre l'obéissance des Sadducéens aux Pharisiens concerne la combustion de la vache rousse. On le voit dans deux circonstances. D'une part, Ishmaël ben Phiabi (très probablement Ishmaël II, grand prêtre jusqu'en 61, voir § 208) doit, après avoir brûlé une vache selon la halaka sadducéenne, en brûler une seconde selon la halaka pharisienne (§ 208 et 211). D'autre part, dans une scène sans doute légendaire, Yohanan ben Zakkay empêche un grand prêtre, dont le nom n'est pas indi-

---

5. *Ant.* XX 191.
6. οὐ γὰρ ἦν πάτριον, leçon du Mediceo-Laurentianus plut. LXIX cod. 10, et du Vaticanus grec 984 ; οὐ γὰρ ἦν πάτριον οὐδὲ(ν) νόμιμον, « contraire à la tradition et à la loi », leçon des autres témoins, n'est pas à retenir.
1. *Ant.* XVIII 15.
2. *Ant.* XVIII 17.

qué, de brûler une vache selon la halaka sadducéenne (§ 214-215).
On peut sans doute y ajouter une troisième donnée. Il se
pourrait que l'une des versions, dans Josèphe, de la destitution
du grand prêtre Yoazar, en 4 avant J.-C., soit à comprendre de la
façon suivante : ce grand prêtre n'obéissait pas assez aux Pharisiens (§ 34 et n. 6-7).

Yohanan ben Zakkay, l'un des grands maîtres pharisiens dans
les dernières décades avant la destruction de 70, apparaît, dans les
textes rabbiniques, six fois en discussion avec les Sadducéens ou
les Boéthusiens : l'impureté des Livres saints (§ 153) ; la date de
la fête des semaines (§ 127) ; la vache rousse (§ 214), récit sans
doute légendaire (§ 215) ; l'héritage des filles (§ 233) ; l'ʿérûb
(§ 147) ; l'offrande de farine (§ 224), récit sans doute légendaire.

Dans tous les cas, Yohanan triomphe totalement de ses adversaires. Cette présentation de la tradition rabbinique ne doit pas
nous tromper. Notons du reste que, pour les récits qui ont des
chances d'être historiques, Yohanan ben Zakkay apparaît à propos
de questions somme toute assez secondaires, sauf la date de
la fête des Semaines. Pour ces deux raisons, nous ne pouvons donc
pas affirmer que Yohanan réussit à triompher des Sadducéens [3], ou
seulement à éliminer complètement l'influence des Boéthusiens [4].

La prépondérance pharisienne au Ier siècle de notre ère a été
couramment affirmée par les historiens depuis cent ans. Certains
ont pensé que c'est dans la dernière décade avant la ruine de 70
que les Pharisiens ont triomphé [5]. Mais, récemment, R. Meyer [6] et
Weiss [7] ont réagi contre l'idée d'une prépondérance pharisienne
avant 70. Il semble juste de ne pas considérer comme historique-

3. L. ROSENTHAL, *Ueber den Zusammenhang der Mischna*, II, Strasbourg,
1892, p. 10 : à l'époque de Yohanan ben Zakkay, les Sadducéens sont déchus ;
ils sont tout justes capables de proférer des moqueries sans portée. — Une
telle vue des choses ne tient pas compte de l'aspect polémique et en
partie légendaire des récits rabbiniques relatifs aux controverses entre
Yohanan ben Zakkay et les Sadducéens.
4. BILLERBECK, II, p. 850 ; il donnait comme argument en faveur de son
opinion l'institution de 15 jours de fête commémorant la victoire des Pharisiens sur les Boéthusiens (*M.T.* 4 [selon la numérotation de Lichtenstein],
commentaire hébreu). Mais, comme nous l'avons vu (§ 128), le texte araméen
de cette notice de la *M.T.* ne parle pas d'une telle victoire, et il n'y a pas
à retenir la présentation du commentaire hébreu.
5. A. BUECHLER, *Die Priester und der Cultus*, 1895, pp. 205-206 : à partir
de l'an 63 (destitution du grand prêtre Anan le Jeune, Sadducéen), les Pharisiens devinrent les grands maîtres ; l'aristocratie sacerdotale, qui se préoccupait seulement de toucher les revenus et de commander, fut remplacée
par des prêtres à idées pharisiennes ; il y eut de nouveaux fonctionnaires au
Temple, où le poste de « commandant » fut créé. — Selon Eppstein (voir
§ 212), sous Ishmaël ben Phiabi II (grand prêtre jusqu'en 61), les Sadducéens furent éliminés de la vie religieuse de Jérusalem.
6. R. MEYER, *Tradition und Neuschöpfung im antiken Judentum*, Berlin,
1965, pp. 53, 67, 68, n. 2.
7. H.-F. WEISS, *Der Pharisäismus im Lichte der Ueberlieferung des N.T.*,
en finale de la publication de Meyer signalée dans la note précédente, p. 93.

ment vraies les affirmations générales de Josèphe que nous avons rappelées un peu plus haut. Par ailleurs, ce que nous avons dit, depuis le § 301, sur les grands prêtres, le Sanhédrin, la justice criminelle, ne permet pas du tout de conclure que les Pharisiens avaient, à cette époque, le contrôle de la vie juive à Jérusalem.

III. La grande révolte (66-73) et ses conséquences.

304. A deux reprises, nous avons déjà rencontré des grands prêtres manifestant leur opposition contre les Romains : Yoazar, en l'an 6, conspira avec les agitateurs anti-romains (§ 300) ; en 62, Anan le Jeune prit parti, avec les nobles de Jérusalem, contre Agrippa II et le procurateur Festus (§ 302). De cette hostilité dans les milieux de l'aristocratie sacerdotale, nous avons des manifestations pendant la guerre, à partir de 66.

C'est, du reste, le signal même de la révolte qui est donné par un prêtre aristocrate. En 66, Éléazar, commandant du Temple, fils d'Ananie, grand prêtre en charge de 47 jusqu'en 55 au moins, entraîne les prêtres officiant au Temple à ne plus accepter les sacrifices offerts par un étranger, donc, entre autres, les sacrifices quotidiens offerts pour l'empereur[1].

A la fin de cette année 66, les Zélotes s'emparent du pouvoir à Jérusalem ; ils désignent comme chefs de la ville Joseph, fils de Gorion, et Anan le Jeune, l'ancien grand prêtre[2]. Par ailleurs, durant l'hiver 67-68, les Zélotes, maîtres de Jérusalem, tirèrent au sort un nouveau prêtre, Pinhas de Habta[3]. Cet homme faisait partie de l'une des « tribus pontificales », celle d'Éniachim[4] ; il était donc, semble-t-il, Sadocide[5]. Ce souci, chez les Zélotes, de la légitimité du grand prêtre est caractéristique.

Au moment de la destruction du Temple, la noblesse sacerdotale résista farouchement et sombra avec le sanctuaire et la ville sainte. De la fidélité des prêtres, nous avons un témoignage dans une tradition rabbinique[6].

---

1. *Guerre* II 409.
2. *Guerre* II 562-563.
3. *Guerre* IV 155.
4. *Ibid.* ; cette famille pontificale n'est pas connue par ailleurs.
5. Jeremias, *Jérusalem*, p. 264, le pense. Cela n'est pas absolument certain. — Après avoir mentionné l'origine de Pinhas (membre de la famille d'Éniachim), Josèphe (*Guerre* IV 155) dit, presque aussitôt : il n'était pas ἐξ ἀρχιερέων. En général, les traducteurs font un contresens sur cette expression ; ils traduisent : « il ne descendait pas des grands prêtres ». Or, ici, ἀρχιερεῖς signifie, comme bien souvent (voir Jeremias, *Jérusalem*, pp. 243-248), non pas « grands prêtres », mais « prêtres en chef ». Josèphe dit donc : Pinhas « n'appartenait pas à l'aristocratie sacerdotale ».
6. b. *Taan.* 29ᵃ (baraïta anonyme) : « Quand le Temple fut détruit pour la première fois [dans le texte actuel du Babli, cette légende concerne la destruction de 586 ; il s'agit, en fait, de celle de 70], des troupes de jeunes prêtres se rassemblèrent et montèrent sur le toit du Temple. Ils dirent : Maître du monde, comme il ne nous est pas donné d'être de fidèles tréso-

La cessation du culte au Temple, la disparition du Sanhédrin en tant qu'organe de gouvernement, la fin des grands prêtres, la perte définitive de l'indépendance de l'état juif furent des coups mortels pour l'aristocratie sacerdotale et laïque. Mais cela ne veut pas dire la disparition immédiate et totale des Sadducéens.

Nous avons plusieurs témoignages de l'existence de Sadducéens après la catastrophe. Vers 90, nous voyons Rabban Gamaliel II discuter avec eux au sujet des preuves scripturaires de la résurrection (§ 120, n. 1) ; le même docteur pharisien est en scène à propos de l'ᶜérûb (§ 147), et il sait encore faire la distinction entre Boéthusien et Sadducéen (même § 147).

Un demi-siècle plus tard, vers 140, Rabbi Yoshua discute avec un Boéthusien au sujet des tephillîn (§ 137). Vers 150, Rabbi Yosé ben Halaphta discute les cas où il faut considérer les Sadducéennes comme Israélites (§ 238).

Par ailleurs, chez les prêtres, la tradition de la division du clergé en 24 classes se perpétue. L'inscription dite « de Nazareth », trouvée à Césarée de Palestine, datant du IIIᵉ ou IVᵉ siècle après J.-C. donnait une liste des 24 familles de prêtres [7]. Pendant la période byzantine, en Galilée, il y avait encore des groupes de prêtres organisés qui conservaient les *mishmarôt* comme si le Temple existait toujours [8].

A vrai dire, les différents textes rabbiniques que nous venons de rappeler sont, sans doute, plus ou moins légendaires. Mais ils paraissent constituer, quand même, un indice de la présence de Sadducéens pendant le siècle qui suivit la ruine.

Aux VIIIᵉ et IXᵉ siècles, le Qaraïsme apparaîtra comme une continuation du courant sadducéen, surtout par le primat donné à l'Écriture. Mais, nous le savons (§ 94), dans le domaine de la halaka, le seul point où les Sadducéens et l'ensemble des Qaraïtes sont d'accord est le rejet de la libation d'eau à soukkôt ; il faut y ajouter la fixation de l'offrande de la première gerbe le dimanche qui suit la Pâque (§ 130 fin), mais il s'agit là des Boéthusiens.

On a parfois affirmé une continuité historique entre Sadducéens et Qaraïtes [9]. Nous savons trop peu de choses de l'histoire des groupes juifs aux premiers siècles de notre ère pour pouvoir dire si, de fait, les Sadducéens se sont perpétués pendant ces siècles [10].

riers, les clés peuvent t'être remises. — Alors, il les lancèrent en l'air ; une sorte de paume de main arriva et les saisit. Puis, il se jetèrent en bas et se précipitèrent dans le feu. »
7. Texte dans *Bible et terre sainte* nᵒ 61, pp. 2-5.
8. Textes fragmentaires, trouvés dans la gueniza du Caire, et publiés par P. KAHLE, *Masoreten des Westens*, I, Stuttgart, 1927, pp. 1-23 (texte hébreu), et pp. 1*-58* (traduction). Le manuscrit date du IXᵉ ou Xᵉ siècle (Kahle, p. 87).
9. Par exemple, LAUTERBACH, *Rabbinic Essays*, pp. 246-247.
10. LESZYNSKY, *Sadduzäer*, p. 302.

APPENDICE

LES SADDUCÉENS ET LA NAISSANCE DU CHRISTIANISME

305. Il reste à esquisser brièvement l'attitude des Sadducéens vis-à-vis de Jésus et des premiers chrétiens, à indiquer rapidement leur responsabilité dans la mort de Jésus [1].

Au Ier siècle de notre ère, les Sadducéens, à Jérusalem, avaient un pouvoir réel, en particulier grâce au Temple, à la personne du grand prêtre, chef de la nation et président du Sanhédrin, et à leur importance au sein de cette assemblée suprême (§ 303). Dans le reste du pays, par contre, il est peu probable qu'il y ait eu des Sadducéens (§ 261) ; et, dans ces contrées de province, bien des juifs sans doute n'étaient ni Pharisiens, ni Esséniens, ni Zélotes, autrement dit n'étaient pas affiliés aux grands groupes particularisés que nous connaissons.

---

1. Ces questions mériteraient un gros exposé. On pourra consulter en particulier : CHWOLSON, *Das letzte Passamahl*, pp. 85-125 (attitude des Pharisiens, Sadducéens et autres juifs vis-à-vis de Jésus ; seuls les Sadducéens sont responsables de la mort de Jésus) ; LESZYNSKY, *Sadduzäer*, pp. 280-297 (Jésus était Sadducéen) ; J. KLAUSNER, *Jésus de Nazareth*, traduction française d'I. FRIEDMANN et M. R. LAVILLE, Paris, 1933, pp. 486-490 et passim (les Pharisiens considéraient Jésus comme l'un des leurs ; sa perte est due aux Sadducéens et Boéthusiens) ; P. WINTER, *On the Trial of Jesus*, Berlin, 1961, pp. 111-135 (Jésus était proche des Pharisiens ; les raisons de son arrestation n'ont rien à voir avec les différences religieuses entre lui et les juifs, c'est l'affaire des Romains) ; H.-F. WEISS, *Der Pharisäismus im Lichte der Ueberlieferung des N.T.*, en finale de R. MEYER, *Tradition und Neuschöpfung im antiken Judentum*, Berlin, 1965, pp. 89-132 (considère que beaucoup de conflits présentés par les Évangiles entre Jésus et les Pharisiens datent, en fait, du temps de la première génération chrétienne ; mais l'hostilité entre Jésus et les Pharisiens exista pendant son ministère) ; WEISS, la seconde partie de l'article Φαρισαῖος, dans *TWNT* VIII, pp. 36-51 ; H. CAZELLES, *Naissance de l'Église ; secte juive rejetée ?*, Paris, 1968, ch. 9 ; A. MICHEL et J. LE MOYNE, *Pharisiens*, dans *DBS* VII, surtout col. 1100-1110.

I. JÉSUS.

A. *Ministère public.*

306. De par son lieu d'origine et son genre de vie, avant son ministère, Jésus se trouvait beaucoup plus proche des Pharisiens que des Sadducéens. En effet, sa famille habitait Nazareth, en Galilée ; il était un homme du peuple, un artisan, et n'appartenait pas à une famille de prêtres.

Durant sa jeunesse, il dut acquérir, à Nazareth, une connaissance de la Tora qui dépassait le niveau moyen pour l'ensemble des juifs ; mais nous ignorons à quel courant se rattachaient ses maîtres. Toujours est-il que, durant son ministère, nous le voyons en relations avec les Pharisiens.

Sur bien des points, l'enseignement de Jésus se trouvait très proche de celui des Pharisiens ; songeons, surtout, à sa prédication sur la résurrection, le Royaume de Dieu, l'eschatologie et le monde à venir.

Mais, dès le début de son activité, il suscita l'hostilité des Pharisiens de Galilée. On peut indiquer, comme raisons majeures de cette opposition pharisienne, les données suivantes : les relations de Jésus avec les publicains, les pécheresses et les pécheurs ; le reproche adressé aux Pharisiens de trop faire prévaloir la loi orale sur la loi écrite ; la façon dont il revendiquait une autorité lui venant directement de Dieu.

Cette critique de la conception pharisienne de la loi orale situe Jésus assez proche des Sadducéens ; mais on ne peut guère parler d'influence de ces derniers sur Jésus, car c'est en fonction de son pouvoir d'envoyé de Dieu qu'il réagit pour rappeler l'autorité de la loi écrite. De même, quand on voit les disciples de Jésus accusés par les Pharisiens de ne pas pratiquer le lavement des mains, on ne peut guère songer à une influence sadducéenne. Certes, les Sadducéens rejetaient probablement ce rite non biblique (§ 151) ; mais sans doute bien d'autres juifs que les Sadducéens, surtout en Galilée, ne suivaient pas cette prescription pharisienne.

Par contre, sur un point, le rapprochement entre Jésus et les Sadducéens est beaucoup plus significatif. Il s'agit de la scène relative au didrachme (Mt 17, 24-27), propre au premier Évangile. Cet impôt annuel n'avait pas de base dans le Pentateuque ; à l'époque de Jésus, certains prêtres, probablement des Sadducéens, refusaient de le payer (§ 223). Dans cette scène de Matthieu, nous voyons Jésus déclarer que cet impôt n'est pas dû ; mais, à titre de « fils » et non de prêtre, il le paye cependant, pour ne pas donner à ses adversaires une occasion de l'attaquer.

B. *Arrestation et procès.*

307. Si Jésus était resté en Galilée, il est douteux que les Pharisiens se soient décidés à l'éliminer de façon brutale. Mais la conscience messianique de Jésus le poussa à monter à Jérusalem. C'est là qu'il se heurta aux Sadducéens [1].

Dans les récits évangéliques de la Passion, le grand prêtre et les prêtres en chef sont en scène ; assez souvent les anciens leur sont associés. Par contre, la mention des scribes est très rare [2]. Quant aux Pharisiens, ils disparaissent à peu près totalement, à ce moment, des récits [3].

Jésus chassa les vendeurs du Temple ; le grand prêtre et les autorités sacerdotales du Temple durent être inquiétés par cet acte d'autorité. Cela, joint à l'acclamation messianique de Jésus par la foule lors de son entrée dans la ville sainte, conduisit le grand prêtre Caïphe et les prêtres en chef à intervenir contre Jésus, considéré par eux comme un agitateur messianique, donc à la fois dangereux pour la tranquillité de la nation juive sous contrôle des Romains, et inquiétant par ses revendications messianiques. Ce sont le grand prêtre et les prêtres en chef qui le firent arrêter.

La comparution de Jésus, dans la nuit, chez le grand prêtre Anne [4], qui n'était plus en fonction depuis l'an 15, mais continuait à jouir d'un grand prestige, souligne que toute cette affaire de la perte de Jésus a été menée par le grand prêtre et son entourage.

Dans la séance du Sanhédrin, le matin, les juifs décrétèrent que Jésus devait être condamné à mort [5]. Mais, comme ils n'avaient plus, sous l'occupation romaine, le droit d'exécuter quelqu'un [6], ils renvoyèrent Jésus à Pilate. Nous n'avons aucune donnée sur l'attitude des Pharisiens pendant cette séance du Sanhédrin.

Par contre, au cours du procès devant Pilate, il se pourrait

---

1. Le manuscrit de l'article *Pharisiens* du *DBS* avait été préparé par A. MICHEL. Dans le gros travail de refonte que je fis sur ce manuscrit, je fus amené à récrire certaines parties ; ce fut, entre autres, le cas pour le chapitre sur « les Pharisiens et la mort de Jésus ». Michel disait que les Pharisiens avaient eu un rôle déterminant, à côté des Sadducéens, dans l'arrestation et la mort de Jésus. Je supprimai, dans la rédaction, la mention de ce rôle des Pharisiens à ce moment. Michel demanda que l'on réintroduise en partie cette mention. Cela explique le caractère par endroits peu unifié du texte imprimé.
2. Voir détails dans *DBS* VII, col. 1106.
3. *Op. cit.*, même colonne.
4. Sur cet interrogatoire chez Anne, voir P. BENOIT, *Passion et résurrection du Seigneur*, Paris, 1966, ch. 4.
5. Sur cette question, qui reste historiquement très discutée, on peut voir X. LÉON-DUFOUR, *Passion*, dans *DBS* VI, en particulier col. 1465-1466, et BENOIT, *op. cit.*, ch. 5.
6. Nous penchons nettement pour cette solution ; elle s'appuie, entre autre sur Jn 18, 31.

que l'intervention de sa femme (Mt 27, 19) soit en rapport avec
l'influence des Pharisiens sur les femmes (§ 230) et leur comportement en général marqué par la douceur. En tout cas, une chose
est certaine : dans les récits de la Passion, aucune donnée explicite
ne fait mention d'un rôle actif des Pharisiens en vue de la mort de
Jésus. Il nous paraît inexact de combler ce silence des sources
en supposant que les Pharisiens travaillèrent, à ce moment, de
concert avec les Sadducéens. A notre avis, les prêtres en chef et le
grand prêtre, qui étaient Sadducéens, sont les responsables de la
mort de Jésus.

II. L'ÉGLISE NAISSANTE.

308. Après la résurrection de Jésus, les disciples de Jésus
constituent, au sein du peuple juif, un groupe, une αἵρεσις [1], au
même titre que les autres groupes juifs existant à cette époque,
Pharisiens, Sadducéens, Esséniens, Zélotes. Cette situation dura
une trentaine d'années.

Ce groupe de disciples se trouva, tout de suite, à Jérusalem en
butte à l'hostilité des Sadducéens. En effet, les apôtres annon-
çaient, au Temple, la résurrection de Jésus. Cela constituait pour
l'aristocratie sacerdotale du Temple une double raison d'intervenir : d'une part, il s'agissait de la résurrection, à laquelle les
Sadducéens étaient opposés ; d'autre part, cette prédication de la
résurrection avait lieu au Temple. Nous savons par Ac 5, 39 que,
grâce à l'intervention très modérée du Pharisien Gamaliel, le Sanhédrin se décida à relâcher les apôtres.

En 43 ou 44, le roi Agrippa Ier fait exécuter Jacques, frère de
Jean (Ac 12, 2). Agrippa était bien disposé envers les Pharisiens ;
mais par ailleurs, sur les trois grands prêtres qu'il nomma pendant son règne, deux étaient de la famille de Boéthos (§ 302). C'est
peut-être sous son gouvernement que l'hostilité entre Pharisiens
et Sadducéens fut la moins forte. Nous ne savons pas quel fut le
motif exact de l'opposition d'Agrippa Ier vis-à-vis de Jacques et
d'autres membres du groupe chrétien.

Au moment du concile de Jérusalem, en 48-49, nous voyons
l'action de Pharisiens devenus croyants (Ac 15, 5). Ils voulaient que
les païens, une fois devenus chrétiens, observent en entier la Loi
de Moïse. La décision du concile fut prise en sens différent : les
convertis du paganisme furent exemptés de l'observance de la Loi.
Mais, en 62, à Jérusalem, les Pharisiens se montrèrent de nouveau
favorables aux chrétiens. Le grand prêtre Anan le Jeune, profitant

---

1. Voir, dans le tableau de notre § 19, la colonne « chrétiens ».

de ce que le nouveau procurateur, Albinus, n'était pas encore arrivé à son poste, fit mettre à mort Jacques, frères de Jésus, et quelques autres (voir § 33). Josèphe précise qu'Anan était Sadducéen. Et il nous rapporte la réaction contre les condamnations portées par Anan : « tous ceux des habitants de la Ville qui étaient les plus modérés et les plus attachés à la Loi en furent irrités »[2]. Ces termes de Josèphe désignent, à coup sûr, les Pharisiens. Et comme Anan était Sadducéen, nous avons, dans cet événement, l'illustration de la double attitude vis-à-vis des chrétiens que nous avons rencontrée dès les premiers temps après la Pentecôte : modération des Pharisiens, hostilité des Sadducéens.

En 61, quand Paul arrive à Rome, si l'on en croit Ac 28, 17-26, la rupture n'était pas encore effective entre juifs et chrétiens. Par contre, en 64, l'empereur Néron accuse les chrétiens d'être responsables de l'incendie de Rome et les livre au supplice ; le récit de Tacite[3] montre que les chrétiens ne sont plus considérés comme une partie du peuple juif.

En 62, Néron répudie Octavie et épouse Poppée. Dans l'entourage de cette dernière, il y avait des juifs. Le Pharisien Josèphe en profita, en 64 environ[4]. Un peu auparavant, en 61, il y avait eu, à Jérusalem, l'affaire du mur du Temple. Agrippa II avait surélevé son palais pour observer l'esplanade du Temple. Les notables de Jérusalem, des Sadducéens selon toute probablité, en réponse à cette innovation, avaient fait élever, au Temple, un mur qui cachait la vue au roi ainsi qu'aux soldats romains. Agrippa et le procurateur Festus ordonnèrent la destruction de ce mur. Les juifs refusèrent et demandèrent l'envoi d'une ambassade à Néron. Dix notables, conduits par le grand prêtre Ishmaël ben Phiabi II, allèrent à Rome. Grâce à l'intervention de Poppée, les juifs obtinrent de Néron que le mur du Temple reste debout[5] ; ils avaient donc gagné la partie contre Festus et Agrippa. Par contre, en 64, l'intervention de Poppée auprès de Néron amena la nomination, comme procurateur en Judée, de Florus[6] dont la « déplorable administration, loin de favoriser le calme dans une population surexcitée, ne fit que hâter son soulèvement contre le pouvoir impérial »[7]. Donc Poppée tout à la fois est favorable aux juifs de

2. *Ant.* XX 201.
3. *Annales* XV 44.
4. *Vie* 16 : arrivant à Rome pour défendre les prêtres juifs, il se lie d'amitié avec Alituros, un juif, mime, favori de Néron. Alituros présente Josèphe à Poppée ; Josèphe obtient d'elle la libération des prêtres juifs emprisonnés, et « d'autres bienfaits importants ».
5. *Ant.* XX 189-195.
6. *Ant.* XX 252 : c'est sa femme, Cléopâtre, très liée avec Poppée, qui avait obtenu cette charge pour son mari.
7. F. M. ABEL, *Histoire de la Palestine*, I, 1952, p. 477. Il ressort de ce que nous venons de dire dans les trois alinéas précédents que la rupture entre

Palestine et travaille contre eux. Faudrait-il penser que c'est grâce à l'influence de Poppée auprès de Néron en faveur des juifs que ces derniers, vers 61-64, s'arrangèrent pour que les chrétiens ne soient plus considérés par les Romains comme faisant partie du peuple juif ?

309. Nous n'avons pas de cas historiquement certain de l'influence des Sadducéens, aux origines de l'Église, sur la législation ou les rites. Et il n'y a pas à retenir, en ce sens, le fait que l'Église se soit donnée une structure sacerdotale assez analogue, à certains égards, à celle qui s'appuyait sur le Temple. Car il s'agit là non pas d'un phénomène de première heure, mais d'un développement à partir de la lecture de l'Ancien Testament où l'Église chrétienne a puisé ses modèles [1].

chrétiens et juifs doit se situer entre 62 et 64. A partir de 64, grâce surtout à l'action de Florus, l'attitude des Romains contre les juifs de Palestine devint de plus en plus hostile. La rupture entre juifs et chrétiens aurait-elle était demandée par des juifs désireux, précisément de ne pas avoir en leur sein un groupe jugé hostile aux Romains ?

1. M. SIMON, *Les sectes juives au temps de Jésus*, Paris, 1960, p. 117.

ABRÉVIATIONS

Sigles des périodiques, dictionnaires
et collections patristiques fréquemment cités

BJRL = Bulletin of John Rylands Library.
CBQ   = The Catholic Biblical Quartely.
CC   = Corpus Christianorum.
CSCO = Corpus Scriptorum Christianorum Orientalium.
CSEL = Corpus Scriptorum Ecclesiasticorum Latinorum.
DBS   = Dictionnaire de la Bible, Supplément.
DJD   = Discoveries in the Judaean Desert of Jordan.
GCS   = Griechische Christlichen Schriftsteller.
HTR   = The Harvard Theological Review.
HUCA = Hebrew Union College Annual.
JBL   = The Journal of Biblical Literature.
JE   = The Jewish Encyclopedia.
JQR   = The Jewish Quartely Review.
JSS   = The Journal of Semitic Studies.
JTS   = The Journal of Theological Studies.
MGWJ = Monatsschrift für Geschichte und Wissenschaft des Judentums.
NTS   = New Testament Studies.
PG   = Patrologia graeca.
PL   = Patrologia latina.
RB   = Revue Biblique.
REJ   = Revue des études juives.
RGG   = Die Religion in Geschichte und Gegenwart.
RHR   = Revue d'histoire des religions.
RQ   = Revue de Qumran.
RSPT = Revue des sciences philosophiques et théologiques.
RSR   = Recherches de science religieuse.
SC   = Sources chrétiennes.
TLZ   = Theologische Literaturzeitung.
TWNT = Theologisches Wörterbuch zum Neuen Testament.
VT   = Vetus Testamentum.
ZAW   = Zeitschrift für die alttestamentliche Wissenschaft.
ZNW   = Zeitschrift für die neutestemantliche Wissenschaft.
ZRGG = Zeitschrift für Religions- und Geistegeschichte.

Parmi les traités de la Mishna utilisés
voici ceux dont les titres sont abrégés

A.Z. (Aboda zara).
Ar. (Arakin).
B.B. (Baba batra).
B.Q. (Baba qama).
Ber. (Berakot).
Ed. (Eduyot).
Er. (Erubin).
Git. (Gittin).
Hag. (Hagiga).
Hor. (Horayot).
Hul. (Hullin).
Kel. (Kelim).
Ket. (Ketubot).
Maksh. (Makshirin).
Meg. (Megilla).
Men. (Menahot).

Naz. (Nazir).
Ned. (Nedarim).
Neg. (Negayim).
Pes. (Pesahim).
Qid. (Qiddushin).
R.H. (Rosh ha-shana).
Sanh. (Sanhédrin).
Shab. (Shabbat).
Shebu. (Shebuôt)
Sheq. (Sheqalim).
Taan. (Taanit).
Ter. (Terumot).
Yad. (Yadayim).
Yeb. (Yebamot).
Zeb. (Zebahim).

Publications citées en abrégé

ALBECK, *Buch der Jubiläen* = Ch. ALBECK, *Das Buch der Jubiläen und die Halacha* [pharisienne], seconde partie du 47. *Bericht der Hochschule für die Wissenschaft des Judentums,* ayant sa pagination propre, Berlin 1930, 60 p.

APTOWITZER, *Parteipolitik* = V. APTOWITZER, *Parteipolitik des Hasmonäerzeit im rabbinischen und pseudoepigraphischen Schrifttum* (« Veröffentlichungen der A. Kohut Memorial Foundation » 5), Vienne, Kohut-Foundation, 1927, XXX et 326 p.

BARON, *Histoire d'Israël* = S.W. BARON, *Histoire d'Israël ; vie sociale et religieuse,* traduction française par V. NIKIPROWETZKY, Paris, P.U.F., tome I, 1956 ; tome II, 1957 (collection « Sinaï »).

BILLERBECK = H.L. STRACK et P. BILLERBECK, *Kommentar zum Neuen Testament aus Talmud und Midrasch,* Munich, Beck, I, 1922 = [1] 1969[5] ; II, 1924 = 1969[5] ; III, 1926 = 1965[4] ; IV/1, 1928 = 1965[4] ; IV/2, 1928 = 1961[3]. — Billerbeck est le seul auteur de ces volumes (voir J. JEREMIAS, dans *ZAW* 55 [1964] p. 2).

BONSIRVEN, *Judaïsme palestinien* = J. BONSIRVEN, *Le judaïsme palestinien au temps de Jésus-Christ ; sa théologie,* 2 volumes, Paris 1935, Beauchesne.

CHARLES, *Apocrypha* = R.H. CHARLES, *The Apocrypha and Pseudepigrapha of the Old Testament in English,* 2 volumes, Oxford, 1913 = 1963, Clarendon Press.

1. Dans la mention des dates d'édition, ce signe = désigne une réimpression, anastatique ou autre, sans changement de la pagination.

CHWOLSON, *Das letzte Passamahl* = D. CHWOLSON, *Das Letzte Passamahl Christi und der Tag seines Todes,* nach dem in Uebereinstimmung gebrachten Berichten der Synoptiker und des Evangelium Johannis, nebst einem Anhang : Das Verhältniss der Pharisäer, Sadducäer und der Juden überhaupt zu Jesus Christus nach den mit Hilfe rabbinischer Quellen erläuterten Berichten der Synoptiker (« Mémoire de l'académie impériale de Saint-Pétersbourg » VII° série, t. 41 n° 1), Saint-Pétersbourg 1892, VIII et 132 p. La réimpression anastatique, avec corrections et 60 p. de compléments, Leipzig 1903, n'a pu être consultée.

DALMAN, *Aramäische Dialektproben* = G. DALMAN, *Aramäische Dialektproben,* 1927[2] = 1960, Darmstadt, Wissenschaftliche Buchgesellschaft (publié, en 1960, dans le même volume que la réimpression de sa *Grammatik*).

DALMAN, *Grammatik* = G. DALMAN, *Grammatik des jüdisch-palästinischen Aramäisch,* 1905 [2] = 1960, Darmstadt, Wiss. Buchgesellschaft.

DALMAN, *Worte Jesu* = G. DALMAN, *Die Worte Jesu,* I, 1930 [2] = 1965, Darmstadt, Wiss. Buchgesellschaft.

DERENBOURG, *Essai* = J. DERENBOURG, *Essai sur l'histoire et la géographie de la Palestine d'après les Thalmuds et les autres sources rabbiniques.* I : Histoire de la Palestine depuis Cyrus jusqu'à Adrien, Paris 1867, IV et 486 p.

DUPONT-SOMMER, *Écrits esséniens* = A. DUPONT-SOMMER, *Les écrits esséniens découverts près de la Mer Morte,* Paris, Payot («Bibliothèque historique), 1960 [2].

EISSFELDT, *Einleitung* = O. EISSFELDT, *Einleitung in das A.T.,* Tübingen 1964 [3], Mohr, XVI et 1129 p.

FINKELSTEIN, *Pharisees* = L. FINKELSTEIN, *The Pharisees. The Sociological Background of their Faith* (« The Morris Loeb Series »), Philadelphie (1938 [1]) 1962 [3], Jewish Publication Society of America, 2 volumes à pagination continue.

GEIGER, *Urschrift* = A. GEIGER, *Urschrift und Uebersetzungen der Bibel in ihrer Abhängigkeit von der innern Entwicklung des Judentums,* Breslau 1857 = Francfort-sur-le-Main 1928, avec introduction de P. KAHLE et appendices de N. CZORTHOWSKI (traduction en hébreu par Y. L. BARUK, Jérusalem 1949, indication que nous citons de seconde main).

GRAETZ, *Geschichte,* III = H. GRAETZ, *Geschichte der Juden,* Leipzig, t. III, 1878 [3], 1888 [4].

JASTROW, *Dictionary* = M. JASTROW, *A Dictionary of the Targumim, the Talmud Babli and Yerushalmi and the Midrashic Literatur,* I, 1886 ; II, 1903. Réimpression anastatique, New York 1950, Pardes Publishing House.

JEREMIAS, *Jérusalem* = J. JEREMIAS, *Jérusalem au temps de Jésus.* Recherches d'histoire économique et sociale pour la période néotestamentaire (collection des Volumes annexes de la Bible de Jérusalem), traduction française par J. LE MOYNE, Paris 1967, Cerf.

HOELSCHER, *Sadduzäismus* = G. HOELSCHER, *Der Sadduzäismus. Eine kritische Untersuchung zur späteren jüdischen Religionsgeschichte,* Leipzig 1906, Hinrich, IV et 116 p.

LAGRANGE, *Judaïsme* = M. J. LAGRANGE, *Le judaïsme avant Jésus-Christ* (« Études bibliques »), Paris 1931, Gabalda.

Leszynsky, *Sadduzäer*, = R. Leszynsky, *Die Sadduzäer*, Berlin 1912, Mayer et Müller, 309 p.

Levy, *Wörterbuch* = J. Levy, *Wörterbuch über die Talmudim und Midraschim*, 4 volumes, 1876-1889 = 1924, Berlin et Vienne, Harz.

R. Meyer, *TWNT* VII = R. Meyer, Σαδδουκαῖος, dans *TWNT* VII ([1960-] 1964) p. 35-54.

Moore, *Judaism* = G. Foot Moore, *Judaism in the First Centuries of the Christian Era, the Age of the Tannaim*, 3 volumes, 1927-1930 = 1966, Cambridge Mass., Harvard University Press.

Reinach, *Textes* = Th. Reinach, *Textes d'auteurs grecs et romains relatifs au judaïsme, réunis, traduits et annotés*, Paris, 1895 = 1963, Hildesheim, Olms.

Revel, *JQR* n.s. 2 (1911-1912) ; 3 (1912-1913) = B. Revel, *Inquiry into the Sources of Karaite Halakah*, dans *JQR* n.s. 2 (1911-1912) p. 517-544 ; 3 (1912-1913) p. 337-396. Ces deux articles ont été réunis en un volume sous le titre *The Karaite Halakah and its Relation to Sadducaean, Samaritan and Philonian*, Part I, Philadelphie 1913 ; comme nous n'avons pu l'avoir sous la main, nous citons d'après la pagination de la revue.

Schuerer, *Geschichte* = E. Schuerer, *Geschichte des jüdischen Volkes im Zeitalter Jesu Christi*, I, 1901 [3-4] ; II, 1907 [4] ; III, 1909 [4] ; réimpression anastatique 1964, Hildesheim, Olms.

Strack, *Einleitung* = H. L. Strack, *Einleitung in Talmud und Midrasch*, Munich 1920 [5] = 1969, Beck.

Van Goudoever, *Fêtes* = J. Van Goudoever, *Fêtes et calendriers bibliques*, 3e éd., traduit par M.-L. Kerremans, Paris 1967, Beauchesne (« Théologie historique » n° 7).

de Vaux, *Institutions* = R. de Vaux, *Les Institutions de l'A.T.* (collection des Volumes annexes de la Bible de Jérusalem), 2 volumes, Paris 1957 et 1960, Cerf.

Wellhausen, *Pharisäer* = J. Wellhausen, *Die Pharisäer und die Sadducäer. Eine Untersuchnug zur inneren jüdischen Geschichte*, Greifswald 1874 = Hannovre 1924 = Göttingen 1967, Vandenhoeck et Ruprecht, 131 p. Cette réimpression anastatique ne comporte pas l'Appendice (p. 132-164) contenant une traduction allemande des Psaumes de Salomon avec introduction et notes.

BIBLIOGRAPHIE

I. SOURCES

A. Targoums

Targoums du Pentateuque

- Onqélos : A. SPERBER, *The Bible in Aramaic*, I, Leyde, Brill, 1959.
- Yerushalmi I (Pseudo-Jonathan), dans la Polygotte de WALTON, IV, Londres 1657.
- Yerushalmi II :
  - fragments, dans le même tome de WALTON ;
  - manuscrit Neofiti : pour la Genèse, édition princeps d'A. DIEZ MACHO, *Neophyti I*, Madrid-Barcelone, Consejo superior de investigaciones cientificas, tome I, 1968 (texte, trad. castillane, trad. française par R. LE DÉAUT, et anglaise) ; pour Exode à Deutéronome, microfilm dont M. Grelot nous a aimablement permis la consultation.

Targoum de Ruth, dans la Polygotte de WALTON, II, Londres 1655.

B. Littérature intertestamentaire

1°. Textes connus avant 1947 (sauf le Document de Damas)

- Apocalypse syriaque de Baruch : édition critique et trad. anglaise de R. H. CHARLES, Londres 1896 ; trad. française de P. BOGAERT (*SC* 144), Paris 1969.
- Aristée (Lettre d'), texte critique et trad. d'A. PELLETIER (*SC* 89), Paris 1962.
- Ascension d'Isaïe : texte éthiopien dans R. H. CHARLES, Londres 1900 ; trad. française d'E. TISSERANT (« Documents pour l'étude de la Bible »), Paris 1909, Letouzey.
- Assomption de Moïse : texte latin (reproduction de l'édition de CERIANI, 1861), traduction et notes par E.-M. LAPERROUSAZ, sous le titre de « Testament de Moïse ». Constitue le cahier 9 (1970) de *Semitica* (paru en mai 1970, nous n'avons pu l'utiliser pour notre rédaction).
- IV Esdras : édition critique de L. GRY, 2 volumes, Paris 1938, Geuthner.
- Hénoch éthiopien : édition critique de R. H. CHARLES (« Anecdota Oxoniensia » *Semitic Series* n° 11), Oxford 1906, Clarendon ; trad. de Fr. MARTIN (« Documents pour l'étude de la Bible »), Paris 1906, Letouzey.
- Jubilés : édition critique de R. H. CHARLES (« Anecdota Oxoniensia » *Semitic Series* n° 8), Oxford 1895 ; trad. anglaise du même, dans ses

Apocrypha, II, 1913, p. 11-82, traduction française dactylographiée de Fr. MARTIN († 1913), dont un exemplaire se trouve à la Bibliothèque Oecuménique et Scientifique pour l'Étude de la Bible » (Institut Catholique de Paris) (les notes s'arrêtent à *Jubilés* 31, 13).

— Psaumes de Salomon : éd. critique et trad. de J. VITEAU (« Documents pour l'étude de la Bible »), Paris 1911, Letouzey.

— Testaments des douze patriarches : éd. critique de R. H. CHARLES, Oxford 1908 = 1960, Hildesheim, Olms, et de M. de JONGE, Leyde 1964, Brill ; trad. anglaise de CHARLES, *Apocrypha*, II, 1913, p. 296-297.

2°. Textes de Qoumrân, y compris le Document de Damas.

Les sigles utilisés sont ceux qui sont indiqués dans *DJD* I, 1955, p. 46-47.

Textes, avec ponctuation masorétique : E. LOHSE, *Die Texte aus Qumran hebräisch und deutsch*, Munich 1964, Kösel. Éventuellement, vérification sur les éditions princeps, indiquées dans Lohse.

Traduction française : A. DUPONT-SOMMER, *Les écrits esséniens découverts près de la Mer morte* (« Bibliothèque historique »), Paris 1960², Payot ; J. CARMIGNAC, P. GUILBERT, E. COTHENET, H. LIGNÉE, *Les textes de Qumran traduits et annotés* (« Autour de la Bible »), 2 volumes, Paris 1961 et 1963, Letouzey.

C. Flavius Josèphe

Texte critiique avec traduction anglaise annotée dans « the Loeb Classical Library », 9 volumes, Londres, Heinemann, et Cambridge Mass., Harvard University Press, 1926-1965 (réimpressions), par H. St. THACKERAY, R. MARCUS, A. WIKGREN, L. FELDMANN.

Traduction latine (du IVᵉ siècle) : édition DINDORF, Paris 1865 2 volumes.

Traduction française sous la direction de Th. REINACH (« Publications de la Société des Études juives »), 7 volumes, Paris 1900-1932, Leroux. — Nous suivons la division en paragraphes de l'édition Loeb, de temps en temps légérement différents de celle de Reinach.

Pour le Contra Apion et l'Autobiographie, éditions critiques de la « Collection... Budé » : Contre Apion, 1930, texte de Th. REINACH, trad. de Léon BLUM ; Autobiographie, 1959, texte et traduction d'A. PELLETIER.

D. Philon d'Alexandrie

Texte critique avec traduction anglaise annotée dans « the Loeb Classical Library », Londres (Heinemann) et Cambridge Mass. (Harvard Univ. Press), 12 volumes, 1929-1953 (réimpressions) par F. H. COLSON, G. H. WHITACKER, J. W. EARP, R. MARCUS.

E. *Megillat taanit*

Edition critique d'H. LICHTENSTEIN, dans *HUCA* 8-9 (1931-1932) : texte araméen primitif, p. 318-322 ; commentaire hébreu tardif, p. 323-331.

Pour le texte, la numérotation de Lichtenstein que nous utilisons est différente de celle des éditions antérieures. Aussi, pour chaque citation, nous ajoutons, après le numéro de Lichtenstein, la mention du jour et du mois.

F. Littérature rabbinique

1° Mishna

Texte, traduction allemande et commentaire : *Mischnaiot*, 6 volumes, édités par des rabbins allemands sous la direction de D. HOFFMANN, Francfort-sur-le-Main et autres lieux, 1887-1933 = Leyde 1968, Brill.

Édition de Ch. ALBECK, Jérusalem, Bialik Institut, 6 volumes, 1954-1958. —
Cette édition, avec annotation en hébreu, ne comporte pas de traduction.

Édition critique, avec traduction allemande et commentaire (en 1970,
37 traités parus sur 63, la publication ne suivant pas l'ordre la
Mishna), commencée en 1912 sous la direction de G. BEER et O.
HOLTZMANN, dirigée actuellement par K. H. RENGSTORF et L. ROST,
Die Mischna, Giessen puis Berlin, Töpelmann. Nous citons la Mishna :
Ber. II 3 (seule abréviation du traité).

2°. Tosefta

Édition critique, peu satisfaisante, sans traduction : M. S. ZUCKERMANDEL,
Pasewalk 1880 = Jérusalem 1937 = Jérusalem 1963, Wahrmann
Books. Dans les citations, nous indiquons toujours, entre paren-
thèses, la page et la ligne ; ainsi Tos. *Nidda* V 3 (645, 24).

Pour les deux premières parties, édition critique fondamentale de
S. LIEBERMANN, New York, Jewish Theological Seminary of America,
I, 1955 ; II, 1962.

Édition critique avec traduction allemande et commentaire (un quart,
environ, de paru, la publication ne suivant pas l'ordre de la Tosefta),
dirigée par K. H. RENGSTORF, collection « Rabbinische Texte » série
I, Stuttgart, depuis 1952, Kohlhammer.

3°. Talmud

— Talmud de Jérusalem (ou Yerushalmi).
  - Édition de Krotoschin 1866 (= Berlin 1920 = New York 1949).
  - Traduction française de M. SCHWAB, 11 volumes, Paris 1878-1890
    = Paris 1932-1933 = en 6 volumes doubles, Paris 1960 = 1969, G. P.
    Maisonneuve. Cette traduction est très insatisfaisante ; nous avons
    toujours fait nos traductions directement sur l'original. Cependant,
    après l'indication du folio, de la colonne (4 colonnes par folio) et
    de la ligne de l'édition de Krotoschin, nous mentionnons, entre
    parenthèses, le volume et la page de la traduction de Schwab ;
    ainsi : j. *Sanh.* VI 5, 23ᵇ 67 (VI/1, 279).
— Talmud de Babylone (ou Babli).
  - Édition un petit peu critique, avec traduction allemande : L.
    GOLDSCHMIDT, 9 volumes in-folio, 1897-1935, Berlin, Leipzig, La Haye.
  - Traduction allemande seule, de L. GOLDSCHMIDT, en 12 volumes in-8°,
    Berlin 1930-1936, Jüdischer Verlag.
  - Traduction anglaise abondamment annotée, sous la direction d'I.
    EPSTEIN, 37 volumes (y compris les petits traités extracanoniques),
    Londres 1935-1965, Soncino Press (réimpression ; la dernière, 1961,
    en 18 volumes).
  - Nous citons le Talmud de Babylone : b. *Ber.* 8ᵃ (folio et page).

4°. Traités extracanoniques.

Quatre ont été utilisés :

— *Abot de Rabbi Natan* (A. R. N.)
  - Édition critique des deux recensions, A et B : S. SCHECHTER, Vienne
    1887 = Hildesheim 1970, Olms. Nous citons la pagination selon la
    numérotation romaine (et non hébraïque) de Schechter, avec men-
    tion de la colonne (a, pour la recension A ; b, pour la recension B) ;
    ainsi : *A.R.N.* rec. A, ch. 5 (26 col. a, 4).
  - Traduction anglaise de J. GOLDIN (« Yale Judaica Series » 10), New
    Hawen 1955, Yale University Press.

— *Dèrèk èrès rabba*

Texte dans le Talmud de Babylone, édition de Vilna 1925, tome 14. Traduction anglaise dans la traduction du Talmud de Babylone édition Soncino.

— *Dèrèk èrès zuta*

Texte et traduction comme pour le précédent. Nous n'avons pu consulter l'édition critique d'A. TAWROGI, Königsberg 1885 (l'exemplaire de la Bibliothèque Nationale est perdu).

— *Soferim*

Édition critique de M. HIGGER, New York 1937. Traduction anglaise au même endroit que pour les deux traités cités précédemment.

5°. Midrashim

— *Mekilta* de Rabbi Ishmaël

Édition critique et traduction anglaise de J. Z. LAUTERBACH, 3 volumes, Philadelphie 1933-1935 (réimpressions), Jewish Publications Society of America.
Citée : *Mek.* Ex. 13, 17 (I 171, 13) ; entre parenthèses, indication, pour le texte hébreu, du volume de la page, et de la ligne de Lauterbach).

— *Sifra*

Édition de Varsovie 1866. Nous n'avons pu avoir sous la main la traduction de J. WINTER, Breslau 1938.
Cité : *Sifra* Lv 13, 2 (53ª 13).

— *Sifré* sur les Nombres

Édition critique d'H. S. HOROVITZ (« Corpus tannaiticum » III/3), Leipzig 1917, Fock.
Traduction allemande de K. G. KUHN (« Rabbinische Texte » II/3) Stuttgart [1933-]1959, Kohlhammer.
Cité : *Sifré* Nb 5, 31 § 21 (26, 2) ; entre parenthèses, page et ligne d'Horovitz.

— *Sifré* sur le *Deutéronome*

Édition critique : H. S. HOROVITZ et L. FINKELSTEIN (« Corpus tannaiticum » III/3, 2), Berlin 1939, Jüdischer Kulturbund = New York 1969, Jewish Theological Seminary of America.
Cité : *Sifré* Dt 1, 15 § 15 (25, 8).

— *Midrash rabba* sur le Pentateuque et les cinq Megillôt.

Édition de Varsovie 1874.
Pour *Genèse Rabba*, édition critique de J. THEODOR et Ch. ALBECK (« Veröffentlichung der Akademie für die Wissenschaft des Judentums »), 5 parties en 3 volumes à pagination continue, Berlin 1912-1936.
Traduction anglaise de l'ensemble de ce Midrash rabba sous la direction d'H. FREEDMAN et M. SIMON, 10 volumes, Londres 1939 = 1951, Soncino Press.
Cité : *Ex. R.* 15, 22 sur 13, 2 (25 ᵇ 7). — Pour *Gn. R.*, les indications entre parenthèses renvoient à l'édition de Theodor Albeck.

— *Midrash* sur les Psaumes.

Édition S. BUBER, Vilna 1891. Citée : *Midr. Ps.* 9, 16 (46 ª 3).
Traduction anglaise de W. G. BRAUDE (« Yale Judaica Series 13), New Haven 1959, Yale University Press, 2 volumes.

— *Pesiqta* de Rab Kahana.

Édition critique, sans traduction, de B. MANDELBAUM, New York 1962, Jewish Theological Seminary of America, 2 volumes à pagination continue. Citée : *Pesiqta* IV 7 (73, 8), entre parenthèses, page et ligne de l'édition de Mandelbaum.

— *Pesiqta rabbati*.

Édition de Varsovie 1913. Citée *Pesiqta rabbati* XIV (63 ᵃ 25). Traduction anglaise de W. G. BRAUDE (« Yale Judaica Series 18), New Haven 1968, Yale University Press.

— *Tanhuma* sur le Pentateuque.

Recension tardive : édition de Varsovie, sans date (fin du XIXᵉ siècle). Citée : *Tanhuma* Beréshit § 5 (5 ᵇ 4).
Recension ancienne (Tanhuma B) ; édition critique de S. BUBER, 3 parties en 2 volumes, Vilna (1855 =)1913. Citée : *Tanhuma B*, ' aharé môt § 7 (32 ᵃ 8).

6°. Autres écrits

— *Yalqout Shiméoni*.

Édition de Varsovie, sans date (1876 ?), 2 volumes. Citée : *Yalqout Shiméoni* I § 191 (61 ᵇ 30).

— *Séder olam*

Édition critique et traduction allemande des chapitres 1-10 : A. MARX (thèse de Königsberg), Berlin 1903, Itzkowski.

II. TRAVAUX

Pour la période allant de 1600 à 1857, date de la publication de l'*Urschrift* de Geiger, nous ne mentionnons que quelques auteurs. Nous en avons vu d'autres signalés dans des bibliographies ; mais, l'expérience nous ayant appris qu'il est très dangereux de recopier purement et simplement des titres relevés dans des listes bibliographiques, nous avons indiqué seulement les publications que nous avons eues entre les mains.

A. Bibliographie générale

1° Monographies

SHEPHEARD N., *Dissertatio de Sadducaeis* (thèse de 1658), dans J. LEUSDEN, *Philologus hebraeo-mixtus*, Utrecht 1663, p. 133-137 (Dissertatio decima nona).

BARTHEL S., *De Sadducaeis schediasma historicum*, Leipzig 1699, in-4°. Réimprimé dans B. UGOLINI, *Thesaurus antiquitatum sacrarum*, tome 22, Venise 1759, in-folio, col. CCXLIII-CCLVI.

GROSSMANN, *De philosophia Sadducaeorum* ; 4 fascicules in-4°, Leipzig. I (n'a pu être consulté) 1836 ; II : *De fragmentis eorum exegeticis*, 1837, 28 p. ; III : *De statu eorum literario, morali et politico*, 1838, 30 p. ; IV (sans sous-titre) 1838, 23 p.

DAVAINE E., *Le Saducéisme. Étude historique et dogmatique*, thèse, Montauban 1888, 147 p.

LAFAY J., *Le Saducéisme*, thèse, Lyon 1904, Vitte, 95 p.

HOELSCHER G., *Der Sadduzäismus. Eine kritische Untersuchung zur späteren jüdischen Religionsgeschichte*, Leipzig 1906, Hinrich, IV et 116 p.

LESZYNSKY R., *Die Sadduzäer*, Berlin 1912, Mayer et Müller, 309 p.

LEVY L., *Das Buch Qohelet. Ein Beitrag zur Geschichte des Sadduzäismus*, 1912. — Nous n'avons pu l'avoir entre les mains.

REVEL B., *Leszynsky's « Sadduzäer »*, dans *JQR* n.s. 7 (1916-1917) p. 429-438.

BOX G. H., *Who Were the Sadducees?*, dans *the Expositor* VIIIᵉ série, 15 (1918) p. 401-411.

KAPLAN (Caplan) Ch., *Kat hsdwqym* [= *Le parti sadducéen* ; en hébreu], dans *Horeb* 4 (1937) p. 68-84.

2°. Dictionnaires

a. Article « Sadducéens ».

dom CALMET, *Dictionnaire historique, critique... de la Bible*, (1717) 2ᵉ éd., Genève, IV (1730) p. 352-356.

WINER G. B., *Biblisches Realwörterbuch*, Leipzig 1848 ³, II, p. 352-356.

Real-Encyclopädie für Protestantische Theologie und Kirche, éditée par J. J. HERZOG, 1ʳᵉ éd., XIII (1860) p. 289-297 : Ed. REUSS.

A Dictionary of the Bible édité par W. SMITH, Londres, III (1863) p. 1083-1090 : E. TWISLETON.

A Cyclopedia of the Biblical Literatur édité par J. KITTO, 3ᵉ éd. par W. L. ALEXANDER, Edimbourg, III (1876) p. 726-736 : Ch. GINSBURG.

Encyclopédie des sciences religieuses publiée par F. LICHTENBERGER, Paris, XI (1881) p. 389-392 : Ed. STAPFER.

HAMBURGER J., *Real-Encyclopädie für Bibel und Talmud*, II : *Die talmudischen Artikel*, Strelitz 1883, p. 1038-1059.

A Dictionary of the Bible de J. HASTINGS, Edimbourg, IV (1902) p. 349-352 : D. EATON.

Encyclopaedia Biblica de T. K. CHEYNE, Londres, IV (1903) col. 4230-4240 : A. E. COWLEY.

Realencyklopädie für protestantische Theologie und Kirche, 3ᵉ éd. par A. HAUCK, Leipzig, XV (1904) p. 264-292 : F. SIEFFERT.

The Jewish Encyclopedia, New York et Londres, X (1905) p. 630-633 : K. KOHLER.

A Dictionary of Christ and the Gospels de J. HASTINGS, Edimbourg, (1909) p. 548-550 : J. MITCHELL.

Dictionnaire de la Bible, V (1912) col. 1337-1345 : H. LESÊTRE.

Dictionary of the Apostolic Church de J. HASTINGS, Edimbourg, II (1918) p. 438-440 : W. D. NIVEN.

Encyclopaedia of Religion and Ethics de J. HASTINGS, Edimbourg, XI (1920) p. 43-46 : G. H. BOX.

Jüdisches Lexicon, Berlin, V (1930) col. 36-37 : R. LESZYNSKY.

Die Religion in Geschichte und Gegenwart, Tübingen, 2ᵉ éd., V (1931) col. 27-28 : P. VOLZ.

The Universal Jewish Encyclopedia, New York, IX (1943) p. 308-309 : R. Travers HERFORD.

HAAG H., *Bibel Lexikon*, Einsiedeln et Cologne, 1951, col. 1448-1450.

Svenskt bibliskt Uppslagsverk d'I. ENGNELL et A. FRIDRICHSEN, II (1952) col. 1001-1003 : E. SJÖBERG.

Enciclopedia cattolica, Rome, X (1953) col. 1609-1610 : P. de AMBROGGI.

Theologisches Wörterbuch zum Neuen Testament, VII ([1960-]1964) p. 35-54 : R. MEYER.

Die Religion in Geschichte und Gegenwart, 3ᵉ éd., V (1961) col. 1277-1278 : E. L. DIETRICH.

The Interpreter's Dictionary of the Bible, New York et Nashville, IV (1962) p. 160-163 ; A. C. SUNDBERG.

Enciclopedia de la Biblia, Barcelone, VI (1963) col. 345-350 : F. López
Melús.
Lexicon für Theologie und Kirche, 2ᵉ éd., IX (1964) col. 207-208 :
A. Wikenhauser.
Biblisch-historisches Handwörterbuch de Bo Reicke et L. Rost, Göt-
tingen, III (1966) col. 1639-1640 : P. Geoltrain.
Bibel-Lexicon d'H. Haag, 2ᵉ éd., 1968, col. 1502-1503 : J. de Fraine.
b. Article « Boéthusiens ».
The Jewish Encyclopedia, III (1902) p. 284-285 : L. Ginzberg.
Jüdisches Lexicon, I (1927) col. 1099-1101 : I. Guenzig.
Encyclopaedia judaica, Berlin, IV (1929) col. 912-913 : J. Guttmann.
The Universal Jewish Encyclopedia, II (1940) p. 438 : S. Rabinowitz.

3°. Judaïsme

a. Histoires.

Jost J. M., *Geschichte des Judenthums und seiner Secten,* Leipzig, 1857,
p. 214-226.
Fuerst J., *Geschichte des Karäerthums bis 900 der gewöhnlichen Zeitre-
chnung,* I, Leipzig 1862, p. 1-14.
Derenbourg J., *Essai sur l'histoire et la géographie de la Palestine d'après
les Thalmuds et les autres sources rabbiniques.* I : Histoire de la
Palestine depuis Cyrus jusqu'à Adrien, Paris 1867, surtout p. 70-82,
119-144, 150-165, 452-456. Traduction en hébreu par Mibaschan,
Saint-Pétersbourg 1896 (nous indiquons cette traduction de seconde
main).
Graetz H., *Geschichte der Juden,* III (1857 ¹, 1863 ²) 1878 ³ (1884 ⁴, 1905 ⁵),
p. 91-95, 647-657. Nous citons parfois aussi la 4ᵉ éd., 1888. — La
traduction française, *Histoire des juifs,* par M. Wogue, Paris, II
(de 538 à 70 après J.-C.), 1884, est de peu d'utilité car elle est
abrégée.
Schuerer E., *Geschichte des jüdischen Volkes im Zeitalter Jesu Christi,*
II, Leipzig 1907 ⁴, p. 475-489.
Schlatter A., *Geschichte Israels von Alexander dem Grossen bis Ha-
drian,* Stuttgart 1925 ³, chapitre 19 : « Le Sadducéisme » (p. 165-
170).
Baron S. W., *Histoire d'Israël. Vie sociale et religieuse,* traduction française par V. Nikiprowetzky, Paris, II, 1957, p. 636-651.

b. Études

Geiger A., *Urschrift und Uebersetzungen der Bibel in ihrer Abhängigkeit
von der innern Entwicklung des Judentums,* Breslau 1857, surtout
p. 20-27, 101-158.
Lagrange M.-J., *Le Judaïsme avant Jésus-Christ,* Paris 1931, p. 301-306.
Bonsirven J., *Le judaïsme palestinien,* Paris 1935, p. 44-58.
Jeremias J., *Jérusalem au temps de Jésus,* traduction française de J. le
Moyne, Paris 1967, p. 309-313, 353-355.

c. Les groupes juifs au temps de Jésus

— Ensemble

Serarius N., *Trihaeresium, seu de celeberrimis tribus apud Judaeos,
Pharisaeorum, Sadducaeorum et Essenorum sectis... libros tres,*
Mayence 1604, 337 p. et l'Index ; réimprimé dans J. Triglandus,
Trium scriptorum illustrium de tribus judaeorum syntagma,
Delft (Hollande), 1703, I, p. 1-204.

SCALIGER J., *Elenchus trihaeresii*, Franeker 1605, 272 p. ; réimprimé dans
    TRIGLANDIUS, *Trium*, I, p. 363-496.
DRUSIUS J., *Responsio ad Serarium de tribus sectis judaeorum*, Franeker
    1605, 289 p. (un second titre, après les pièces liminaires, porte :
    De tribus sectis judaeorum libri quatuor) ; réimprimé dans
    TRIGLANDIUS, *Trium*, I, p. 206-362.
UGOLINI B., *Trihaeresium sive dissertatio de tribus sectis judaeorum
    sectis*, dans son *Thesaurus antiquitatum sacrarum*, Venise, tome
    22, 1759, folio, col. I-CCXXIV.
VOSTE J. M., *De sectis judaeorum tempore Christi*, Rome 1929, p. 11-28.
SIMON M., *Les sectes juives au temps de Jésus* (« Mythes et religions »
    40), Paris 1960, p. 22-26.
SCHUBERT K., *Die jüdischen Religionsparteien im Zeitalter Jesu*, dans le
    volume collectif *Der historische Jesus und der Christus unseres
    Glaubens*, édité par K. SCHUBERT, Fribourg-en-Brisgau 1962, p. 80-82.
—   Pharisiens et Sadducéens (publications les étudiant conjointe-
    ment).
SALDEN G., *Exercitatio de Sadducaeis et Pharisaeis*, dans ses *Otia theo-
    logica*, Amsterdam 1684, p. 554-571.
MUELLER A., *Pharisäer und Sadducäer oder Judaismus und Mosaismus* ;
    eine historisch-philosophische Untersuchung als Beitrag zur Reli-
    gionsgeschichte Vorderasiens, dans « Sitz. der philos.-hist. Classe
    der kais. Akad. der Wissenschaften, Vienne 34 (1860) p. 95-164.
    Réimprimé à part, avec pagination nouvelle, Vienne 1860.
GEIGER A., *Sadducäer und Pharisäer*, dans *Jüdische Zeitschrift für
    Wissenschaft und Leben* 2 (1863) p. 11-54 (réimprimé à part avec
    pagination nouvelle, Breslau 1863) ; 3 (1864-1865) p. 1-28.
HANNE J. R., *Die Pharisäer und Sadducäer als politische Parteien*,
    Zeitschrift für wissenschaftliche Theologie 10 (1867) p. 131-179,
    234-263.
WELLHAUSEN J., *Die Pharisäer und die Sadducäer*. Eine Untersuchung
    zur inneren jüdischen Geschichte, Greifswald 1874 = Hannovre
    1924 = Göttingen 1967, Vandenhoeck et Ruprecht, 131 p. Cette
    réimpression anastatique ne comporte pas l'Appendice (p. 132-164)
    contenant une traduction allemande des Psaumes de Salomon
    avec introduction et notes.
MONTET Éd., *Essai sur les origines des partis saducéen et pharisien et
    leur histoire jusqu'à la naissance de J.-C.* Paris 1883, 335 p.
WAGNER M., *Die Parteiungen im jüdischen Volke zur Zeit Jesu (Pharisäer
    und Sadducäer)*, (« Sammlung gemeinverständlicher wissenschaf-
    tlicher Vorträge » 178), Hambourg 1893, 31 p.
LESZYNSKY R., *Pharisäer und Sadduzäer* (« Volksschriften über die
    jüdische Religion » I/2), Francfort-sur-le-Main, 1912, Kauffmann,
    70 p.
EERDMANS B. D., *Farizeën en Sadduceën*, dans *Theologisch Tijdschrift*
    48 (1914) p. 1-26, 223-230. Nous n'avons pu l'avoir entre les mains.
EERDMANS B. D., *Pharisees and Sadducees*, dans *the Expositor* VIIIᵉ
    série, 8 (1914) p. 299-315.
SEGALL M. H., *Pharisees and Sadducees*, dans *the Expositor* VIIIᵉ série
    13 (1917) 81-108.
ELBOGEN I., *Einige neuere Theorien über den Ursprung der Pharisäer und
    Sadduzäer*, dans le volume collectif *Jewish Studies in Memory of
    Israel Abrahams*, New York 1927, p. 135-148.
BILLERBECK P., *Die Pharisäer und Sadduzäer in der altjüdischen Literatur*,
    dans (H. L. STRACK et) P. BILLERBECK, *Kommentar zum N. T.*,
    Munich, IV/1, 1928, p. 339-352.

BUEHLER W. W., *The Pre-Herodian Civil War and Social Debate*. Jewish Society in the Period 76-40 B. C. and the Social Factors Contributing to the Rise of the Pharisees and the Sadducees, dissertation de Bâle 1964, non publiée. Plusieurs essais par des voies différentes, pour obtenir communication de ce travail ont été infructueux.
— Pharisiens.
La plupart des études consacrées aux Pharisiens contiennent des données sur les Sadducéens. Dans cette bibliographie générale, nous n'en retenons que trois.
FINKELSTEIN, *The Pharisees. The Sociological Background of their Faith* (« The Morris Loeb Series »), Philadelphie (1938 [1] 1940 [2] [sans changement] = 1946), 1962 [3], Jewish Publication Society of America, 2 volumes à pagination continue. Cette 3e édition contient environ 300 pages nouvelles dans le Supplément. Pour les Sadducéens, voir surtout les ch. 2, 4 et 5 de ce Supplément.
MICHEL A. et LE MOYNE J., *Pharisiens*, dans le *DBS* VII ([1961-] 1966) col. 1022-1115.
MEYER R. et WEISS H. F., Φαρισαῖος, dans *TWNT* IX, fascicule 1, 1969, p. 11-51.

B. DÉTAILS (nous ne mentionnons, dans cette bibliographie de tête, que quelques détails particulièrement importants).

Pour le chapitre 2.

RASP H., *Flavius Josephus und die jüdischen Religionsparteien*, dans *ZNW* 23 (1924) p. 24-47.
MOORE G. Foot, *Fate and Free Will in the Jewish Philosophies according to Josephus*, dans *HTR* 22 (1929) p. 371-389.
SCHLATTER A., *Die Theologie des Judentums nach dem Bericht des Josefus* (« Beiträge zur Förderung christlicher Theologie » II/26), Gütersloh 1926, p. 180-194.
WAECHTER L., *Die unterschiedliche Haltung der Pharisäer, Sadduzäer und Essener, zur Heirmamene nach dem Bericht des Josephus* dans *ZRGG* 21 (1969) p. 97-114.
MONTET Éd., *Le premier conflit entre Pharisiens et Sadducéens d'après trois documents orientaux* [Flavius Josèphe, Talmud de Babylone, Annales samaritaines d'Aboul Fath], dans *Journal asiatique* VIIIe série, 9 (1887) p. 415-423.
LÉVI Israël, *Les sources talmudiques de l'histoire juive. II : La rupture de Jannée avec les Pharisiens,*, dans *REJ* 35 (1897) p. 218-223.
FRIEDLAENDER I., *The Rupture between Alexander Jannai and the Pharisees* dans J.Q.R. n.s. 4 (1913-1914), p. 443-444.
BAMBERGER S., *Sadducäer und Pharisäer in ihren Beziehungen zu Alexander Jannai und Salome*, Francfort-sur-le-Main 1907, Kauffmann, 26 p.

Pour le chapitre 3

STAUFFER E., *Probleme der Priestertradition*, dans *TLZ* 81 (1956) col. 135-150.
LIVER J., *The « Sons of Zadok the Priests » in the Dead Sea Scrolls*, dans *RQ* 6 (1967-1969) n° 21, p. 3-30 (paru en hébreu dans *Eretz-Israel* 8 [1967] p. 71-81).

Pour le chapitre 4

CHWOLSON D., *Beiträge zur Entwicklungsgeschichte des Judentums von ca. 400 v. Chr. bis ca. 1000 n. Chr.*, Leipzig 1910. Chapitre 1 (= p.

1-54) : « Qui et quoi est le Am-Haarez dans l'ancienne littérature rabbinique ? ». (Réponse : un Sadducéen).

MARMORSTEIN A., *Les « Épicuriens » dans la littérature talmudique*, dans *REJ* 54 (1907) p. 181-193.

BERGMANN J., *Das Schicksal eines Namens* (épicurien), dans *MGWJ* 81 (1937) p. 210-218.

BANETH Ed., *Ueber den Ursprung der Sadokäer und Boëthosäer*, dans *Magazin für die Wissenschaft des Judenthums* 9 (1882) p. 1-37, 61-95. Réimprimé à part, Dessau 1882. Nous citons d'après la revue.

FINKELSTEIN L., *An Ancient Tradition about the Beginnings of the Sadducees and the Boethusians* (en hébreu), dans *Studies and Essays in Honor of A. Neumann*, Leyde 1962, p. 639-662 (sic, la pagination de la partie hébraïque étant à l'envers). C'est le même texte que le chapitre 4 du Supplément de ses *Pharisees*, 1962 [3].

Pour le chapitre 5

DENNEY J., *The Sadducees and Immortality*, dans *the Expositor* IVe série, 10 (1894) p. 401-409.

MANN J., *Jesus and the Sadducean Priests, Luke 10, 25-37*, dans *JQR* n.s. 6 (1915-1916) p. 415-422.

BAMBERGER B. J., *The Sadducees and the Belief in Angels*, dans *JBL* 82 (1963) p. 433-435.

ZEITLIN S., *The Sadducees and the Belief in Angels*, dans *JBL* 83 (1964) p. 67-71.

ELLIS E. E., *Jesus, the Sadducees and Qumran*, dans *NTS* 10 (1963-1964) 10 (1963-1964) p. 274-279.

Pour le chapitre 6

PAUL A., *Écrits de Qumran et sectes juives aux premiers siècles de l'Islam. Recherches sur l'origine du Qaraïsme*, Paris 1969, Letouzey.

REVEL B., *Inquiry into the Sources of Karaite Halakah*, dans *JQR* n. s. 2 (1911-1912) p. 517-544 ; 3 (1912-1913) p. 337-396 ; pour les divergences entre Pharisiens et Sadducéens, p. 337-352. Ces deux articles ont été réunis en un volume sous le titre *The Karaite Halakah and its Relation to Sadducaean, Samaritan and Philonian*, Part I, Philadelphie 1913 ; comme nous n'avons pu l'avoir sous la main, nous citons d'après la pagination de la revue.

SCHOEPS H. J., *Wer sind die Sadoqiten?* dans *ZRGC* 3 (1951), p. 331-336.

BAMMEL E., *Kirkisanis Sadduzäer*, dans *ZAW* 71 (1959) p. 265-270.

SIMON M., *Les sectes juives d'après les témoignages patristiques*, dans le volume collectif *Studia patristica* I, Berlin 1957, p. 527-539.

Pour le chapitre 7

OORT H., *De oorsprong van den naam « Sadduceëen »*, dans *Theologisch Tijdschrift* 10 (1876) p. 605-617. Nous n'avons pu l'avoir entre les mains.

MANSON T. W., *Sadducee and Pharisee : The Origine and Significance of the Names*, dans *BJRL* 22 (1938) p. 144-159.

NORTH R., *The Qumrân « Sadducees »*, dans *CBQ* 17 (1955) p. 164-188.

Pour le chapitre 11

LAUTERBACH J. Z., *A Significant Controversy between the Sadducees and Pharisees*, dans *HUCA* 4 (1927) p. 173-205 ; réimprimé dans ses *Rabbinic Essays*, Cincinnati 1951, p. 49-83 (nous citons d'après cette dernière pagination).

Bowman J., *Did the Qumran Sect burn the Red Heifer?* dans *RQ* 1 (1958-1959) n° 1, p. 73-84.

Blau J., *The Red Heifer : a Biblical Purification Rite in Rabbinic Literature*, dans *Numen* 14 (1967) p. 70-78.

Eppstein V., *When and how the Sadducees were excommunitated?* dans *JBL* 85 (1966) p. 213-224.

Feuchwang D., *Das Wasseropfer und die damit Verbundenen Zeremonien*, dans *MGWJ* 54 (1910) p. 535-552 ; 711-729 ; 55 (1911) p. 43-63.

Pour le chapitre 12

Schwarz A., *La victoire des Pharisiens sur les Sadducéens en matière de droit successoral*, dans *REJ* 63 (1912) p. 51-62.

Aptowitzer V., *Spuren des Matriarchats im jüdischen Schrifttum.* Excurs 5 : « Le droit d'héritage des filles chez les Sadducéens », dans *HUCA* 5 (1928) p. 283-289.

Pour le chapitre 14

Box G. H., *Scribes and Sadducees in the New Testament*, dans *the Expositor* VIII° série, 15 (1918) p. 401-411 ; 16 (1918) p. 55-69.

Perles J., *Études talmudiques II* [les Boéthusiens], dans *REJ* 3 (1881) p. 119-120.

Grintz Y. M., *'nshy « hayyaḥad » — 'ysyym — bêt (')syn*, en hébreu, dans *Sinai* 32 (1952-1953) p. 11-43.

Bikermann E., *Les Hérodiens*, dans *RB* 47 (1938) p. 184-197.

Rowley H. H., *The Herodians in the Gospels*, dans *JTS* 41 (1940) p. 14-27.

Daniel C., *Les « Hérodiens » du Nouveau Testament sont-ils des Esséniens?* dans *RQ* 6 (1967-1969) n° 21, p. 31-53

Pour le chapitre 15

Lauterbach J. Z., *The Sadducees and Pharisees. A Study of their Respective Attitude toward the Law*, dans *Studies in Jewish Literature, issued in Honor of Prof. K. Kohler*, Berlin 1913, p. 176-198 ; édité à part, Berlin 1913. Réimprimé dans ses *Rabbinic Essays*, Cincinnati 1951, p. 21-48 ; nous citons d'après cette dernière pagination.

Daube D., *Texts and Interpretation in Roman Law and Jewish Law*, dans *The Jewish Journal of Sociology* 3 (1961) p. 3-38 ; sur les Sadducéens, p. 8-14.

Halévy J., *Traces d'aggadot saducéennes dans le Talmud, REJ* 8 (1884) p. 38-56.

Pour lechapitre 16

Aptowitzer V., *Parteipolitik der Hasmonäerzeit im rabbinischen und pseudoepigraphischen Schrifttum*, Vienne 1927.

Schoeps H.-J., *Die Opposition gegen die Hasmonäer*, dans *TLZ* 81 (1956) col. 663-670.

Cazelles H., *Naissance de l'Église. Secte juive rejetée?* (« Lire la Bible » 16), Paris 1968, Cerf, surtout le ch. 4 et le ch. 9.

I. INDEX DES CITATIONS[1]

A. BIBLE

Genèse

1, 11 (LXX)	66
12 (LXX)	66
21 (LXX)	66
24 (LXX)	66
25 (LXX)	66
2, 24	242, 243
24 (LXX)	242
4, 16	69[2]
6, 20 (LXX)	66
7, 14 (LXX)	66
10, 25	64
14, 18	284[16]
17, 12	275[6]
19	92[7]
20, 12	241[7]
36, 20	233, 235 (bis)
24	233, 235 (bis)
38, 6-7	240[8]
8	88[6] (bis)
49, 10	284[4], 295[9]

Exode

3, 6	88, 89
12, 6	159
8	158
13, 9	137 (bis), 138
16	137
15, 27	224
16, 29	146
19, 6	54, 284, 284[5], 297
6 (LXX)	284
20, 10	145

(Exode)

21, 24	163, 164, 166, 167, 167[10]
29	178 (ter), 179
24, 12	163
25, 29	221
28, 36	36[4]
29, 42	140
30, 11-16	140
32, 13	122[4]

Lévitique

1, 4	214[11]
5	191
2, 2	224[5]
3	224[5]
4, 4	191
7	191
15	214[11]
5, 23	172 (bis)
6, 9-16	224
9	224[5]
16	224
7, 9	224[5]
10, 1	191
2	180
5	180
11, 24	207
32-33	226
12, 2-5	239
4	54, 239[9]
4 (LXX)	239[9]
6	239[15]
13, 1-17	73

1. Les chiffres renvoient aux paragraphes ; les exposants indiquent les notes. Les mentions entre parenthèses (bis, ter, pluries) font savoir que la citation figure deux, trois ou plusieurs fois.

(Deutéronome)	
31, 16	120¹, 282
19	163
32, 32	158

Josué

5, 10	159
11	125, 125² (bis)
11 (LXX)	125²
12	125

Ruth

1, 17	184
4, 7	169

1 Samuel

1-4	76
1, 3	76⁵
2, 4	76⁵
12	76
22	76, 239¹⁵
27-36	76
28	44
30	44
31-35	44, 210
35	44
7, 6	218¹⁰

2 Samuel

7, 12-16	50
8, 17	44, 44¹
15, 24-36	44
17, 15	44
19, 12	44
23, 16	218¹⁰

1 Rois

1, 32-53	44
2, 27	44
35	44
11, 1-8	39⁹

2 Rois

14, 8	214⁴
22, 8	61

1 Chroniques

5, 29-34	46
31-41	46

(1 Chroniques)	
35-41	46, 46¹
40	46⁴
6, 35-38	46
12, 28	46
16, 39	46
24, 1-6	46, 294
3	46
4	46
7	14, 294
11	124⁶
27, 17	46
29, 22	46

2 Chroniques

25, 17	214⁴
31, 10	46

Esdras

6, 9	140
15	141
7, 1-2	46⁴
17	140

Néhémie

10, 1	223³ (bis)
22	112¹¹
33-34	140
33	223³ (ter)

Esther

2, 23	36⁸, 184⁴
5, 14	184⁴
6, 1-2	201⁸
4	184⁴

1 Maccabées

2, 1	294 (pluries)
32-38	52
41	52
42	293
51	52
54	50², 52, 52³, 294 (bis), 297 (bis)
57	52⁶
59-60	52
3, 49-50	52, 148
4, 42-53	52²
42	52
46	52⁴

B. Targoums

C. Littérature intertestamentaire

1. *Textes connus avant* 1947 (sauf le Document de Damas)

— Psaumes de Salomon

3, 16	58
4, 1-6	58[13]
1-3	58 (bis)
7-25	58[13]
8, 13	58[14], 239[8]
18-22	58
9, 7	58, 58[4]
17, 20	58[4]

— Testaments des douze patriarches

Aser

7, 1	92, 7

Juda

13, 3	55[9], 240[7]

22, 1	55[2]
25, 1	89[6]

Lévi

14, 1-8	55[5]
4	55[6]
6	55[7], 57[2], 239[4]
17, 11	55[5], 57[2]

Ruben

6, 7-8	55[4]

Zabulon

3, 2.4-7	170[1]
4	55[8], 170[1]
7	170[1]
9, 1-5	55[2]

2. *Textes de Qoumrân* (y compris le Document de Damas)

— Document de Damas

3, 21-4, 4	61
4, 3	61
4, 20-5, 2	242[5]
5, 5	61, 95[9]
7-11	241[11]
7	58[15], 239[9]
8-11	95
10, 4-6	62[7]
11, 4.7-8	147[1]
12, 12	156[4]
13, 2-3	62[5]
6-7	62[6]
14, 3	62[4]
16, 7-8	148
4 Q 226 D[a] 1	59[2]

— 1 Q H = Hymnes

VI 29-30	115

— 1 Q M = Guerre

VII 10	62[1]

— 1 Q p Hab = Péshèr d'Habacuc

II 8	62[9]
VIII 8-10	63
X 4-5	115
XI 7	36[4]

— 1 Q S = Règle de la communauté

I 16-II 18	62[3]
II 25	115
III 4.9	204[8]

(Règle de la communauté)

IV 21	204[8]
V 2.9	60[1]
21	62[1]
VI 8	62[3]
VIII 1	62[3]
IX 7	62[1]
11	52[4], 294[6]
14	60 (bis)
XI 8	115

— 1 Q S[a] = Règle de la congrégation

I 2	60[1]
15-16	62[2]
23	62[1]
24	60[1]
II 3	60[1]
13	62[2]

— 1 Q S[b] = Bénédictions

III 22	60[2]
— 2 Q 18	48[3]
— 3 Q 5	53[3]

— 3 Q Rouleau de cuivre

I 9, II 13, IV 11-12,	
XII 10	36[2]

— 4 Q Fl (Florilège) — 60

I 17	60

— 4 Q Mishmarôt — 63[2], 126[5]

— 4 Q p Nah = Péshèr de Nahoum		18	62[9]
I 2	64	III 15	62[9]
5	64, 64[5]	— Pap 4 Q S[e]	60[4]
7	187[3]	— 4 Q Test (Testimo-nia) 23-30, 24-25	64[9]
III-IV	64	— 4 Q 163, 22	60[6]
III 5.9.11	64	— 4 Q 221 Jubf 1	53[3]
IV 1.3-4	64	— 11 Q Ps[a] XIX 1	115[2]
— 4 Q p Ps 37		— 11 Q Ps[a] Sirach	51[2]
II 17	64[7]	— perg C fr([1])	61[5.6.7]

D. APOCRYPHES DU NOUVEAU TESTAMENT

Acta Pilati		Protévangile de Jacques	
2, 1	230[4]	16, 2	244[1]

E. FLAVIUS JOSÈPHE

Antiquités		(Antiquités)	
I 151	241[7]	(XIII) 289	16[3]
III 146	227[4]	290	111[7]
209	180[4]	291	111[7]
237	140[3]	293	19 (ter), 24[2], 30[1], 40[2.4]
250	125[3]		
252	124[9], 125[3]	294	28[7], 183[2]
IV 238	182[1]	296	16[3], 19, 30[2.3], 40[3], 187[6], 252[2]
248	180[1], 182[1]		
255	88[6]	297-298	22[5], 23
280	167[5]	297	19, 27[3], 40[4]
VIII 401-420	24[13]	298	24[1], 28[2]
X 278	21[4]	299	17[5]
XII 140	140	301	35[3]
186	241[8]	302	295[12]
XIII 171-173	18	311	19, 25[6], 30[9]
171	19, 22[5]	318	295[7]
172-173	24[3]	319	295[6]
172	19, 22[5] (bis)	372-373	39[7], 64[2], 187[2]
173	22[5], 23, 24[8]	372	219[10]
252	125[3]	373	38[4]
255	295[4]	376-379	64[a]
257	295[5]	380	183[5], 187[3], 242[3]
275-283	295[4]	383	247[1]
288-300	35[2]	400-432	30[5]
288-298	111[7]	401	39[5]
288	17[2], 19, 22[9]	403	187[4]
289-296	35, 35[5], 187[1]	405	187[5]

1. Ce texte est rangé ici, bien qu'il ne soit pas du tout certain qu'il ait un rapport avec les écrits de Qoumrân (voir plus haut § 61, note 6).

G. Pères de l'Église

Arnobe l'Ancien.
Adversus nationes III, 12, — 98 n° 17, 99, 103.

Athanase
Epistola de decretis Nic. 10, 98 n° 21.
Epistola encyclica ad epis. Aeg., 98 n° 22, 103.
Lettres festales... en copte 2, 98 n° 20.

Augustin
Sermon 71, III 5, 98 n° 41, 102.
362, XIV 18, 98 n° 42.

Pseudo-Bède
Exposition in Matthaeum III 22, 98 n° 45, 103.

Clément d'Alexandrie
Stromates VI 5, 41, 133[5].
Constitutions apostoliques VI 6, 2, 98 n° 16, 99.

Éphrem le Syrien
Carmina nisibena 39, 94, 107[7].
Commentaire de l'Évangile concordant VIII 11, 98 n° 24.
XVI 22, 98 n° 23.

Pseudo-Éphrem
Finale du Commentaire de l'Évangile concordant :
1° texte, 98 n° 25, 100.
2° texte, 98 n° 26, 100, 100[2], 104, 111[4].

Éphrem le Chroniqueur
Caesares 2196, 98 n° 63.

Épiphane
Panarion haer. 14, 2-3, 98 n° 27, 99 (ter), 102, 103, 104 (ter), 111[1].

Eusèbe de Césarée
Histoire ecclésiastique IV 22, 7, 98 n° 18, 20[1].

Grégoire de Nazianze
Carminum liber II 1, 1162-1163, 98 n° 29, 103.

Oratio XXXI, Theologica V 5, 98 n° 28, 102.

Hégésippe
Mémoires, 20[1], 98 n° 2, 99 (bis).

Hésychius de Jérusalem
Homélie inédite, 98 n° 39, 98[3].

Hippolyte
Elenchos IX 29, 1-4, 98 n° 6, 101, 102, 103, 283.

Honorius Augustodunensis
Liber des haeresibus, 98 n° 61, 99 (bis), 102, 103, 104, 105, 105[1].

Isidore de Séville
Etymologiarum liber VIII 4, 98 n° 43, 99 (bis), 102, 103, 104 (bis), 105.

Jean Damascène
De haeresibus 16, 98 n° 44, 99 (bis), 103, 104 (ter).

Jean Chrysostome
Hom. 49, 2 in Act. Apost., 98 n° 38, 102.

Jean Zonaras
Annales V 2, 98 n° 56,
VI 3, 98 n° 57, 103.

Jérôme
Altercatio 23, 98 n° 31, 103.
Liber interpretationis heb. nominum, 98 n° 32, 104, 107[9].
In Matthaeum
III 22 (1er texte), 121[2].
III 22 (2e texte), 98 n° 33, 103, 104 (bis)
III 22 (3e texte), 98 n° 34, 102, 103.
In Lucam homilia (traduction)
39, 1, 98 n° 35, 102, 107[9]
39, 3-4, 98 n° 36, 99, 103.

Pseudo-Jérôme
Indiculus de haeresibus 2, 5, 98 n° 40, 99 (bis).

Justin

Dialogues 80, 4, 98 n° 1, 99 (ter).

Kerygma Petri

Fragment IV, 133⁵.

Michel Glycas.

Annales II, 98 n° 58, 103.

Michel le Syrien

Chronique, éd. Chabot I, 154, 98 n° 62, 99 (ter), 104 (bis).

Origène

Contre Celse I 49, 98 n° 15, 103.
         57, 103¹.
     VI 11, 103¹.
In Lucam homilia
     39, 1, 98 n° 8.
     39, 3-4, 98 n° 9.
In Matthaeum
     X 20, 98 n° 10, 99.
     XII 1, 98 n° 11.
     XVII 29, 98 n° 12, 102.
         35, 98 n° 13, 103.
         36, 98 n° 14, 103.

Pacien

Epistola I 1, 98 n° 37.

Paschase Rabert

In Matthaeum
     X 22, 98 n° 49, 102, 104 (bis).
     X 22 (second texte), 98 n° 50, 102, 103.

Philastre de Brescia

Diversorum heresorum liber 5, 98 n° 30, 99, 103, 104 (ter), 111²⁹.

Photius

Amphilochia 80, 98 n° 51.

Contra Manichaeos III, 98 n° 52.
     IV 25, 98 n° 53.

Pseudo-Bède, Ps.-Éphrem, Ps.-Jérôme, Ps.-Isidore, voir à Bède, etc.

Raban Maur.

De universo IV 9, 98 n° 48, 99, 103, 104 (bis).
In Matthaeum
     I, 98 n° 46, 102, 104 (bis).
     VI, 98 n° 47, 102, 104.

Recognitiones pseudo-clémentines

I 53-54, 98 n° 19, 99, 100, 100², 103, 104, 111³.
I 53-54 (trad. syriaque), 98 n° 19 bis, 100².

Rupert de Deutz

De divinis officiis V 1, 98 n° 59, 103, 105 (bis).
In Matthaeum II 3, 98 n° 60, 102, 104 (bis).

Souda (« Lexique de Suidas »)

27, 98 n° 54, 104, 110⁷.

Tertullien

De resurrectione carnis 36, 1, 98 n° 7, 107⁹.

Pseudo-Tertullien

Adversus omnes haereses I 1, 98 n° 3 et 4, 99, 103 (bis), 107⁹.

Théophylacte

In Matthaeum III 7, 98 n° 55, 104 (ter), 111²⁹.

Timothée Iᵉ⁵

Lettre XLVII, 94⁵.

H. Megillat Taanit

I. Littérature rabbinique

1. *Mishna*

4. *Talmud de Babylone*

(Yoma)

47^a	216 (pluries), 216^{1.3}, 217²
49^{a-b}	192⁴
49^b	192^{5.6}
53^a	69⁷, 193, 194, 195, 196, 196¹, 197
56^b-57^a	67

Sukka

43^b	135⁶, 136⁴
48^b	67, 69¹³, 219^{4.9}, 221

Rosh ha-shana

3^b	179⁵
6^b	124⁸
17^a	67⁵, 83⁶, 118⁶
18^b	284¹⁶
22^b	69¹⁷, 134⁸
29^b	161⁵

Taanit

2^a	221³
3^a	218¹¹
17^b	128¹³
23^a	187⁷
25^a	24⁹
29^a	304⁶

Megilla

10^a	47³
26^a	190³
29^a	156⁶

Hagiga

14^a	92¹¹

Yebamot

15^b	240⁴, 241⁹
63^b	67
101^b	170²
106^b	170²

Ketubot

46^a	168⁴
112^a	67

Nedarim

49^b	67

Nazir

43^b	90³
47^b-48^a	90⁵

Gittin

36^b	285²
45^b	67^{5.6}
55^a	172²
59^b	72⁵

Sota

4^b	151⁸
22^b	40¹

Qiddushin

66^a	36¹, 39⁸, 69¹, 70², 248
75^b-76^a	240^{6.12}

Baba qama

53^b-54^a	167¹¹
80^b	90²
83^b	167⁷
84^a	167¹⁰

Baba batra

3^b	179⁵, 299²
14^b	274⁷
111^a	237⁷
115^b-116^a	69¹⁵, 70⁷, 233¹, 234⁴
115^b	77², 234⁵, 248¹¹

Sanhédrin

19^{a-b}	179¹
33^b	177^{2.5}
37^a	67
37^b	185³
38^a	67
38^b	67 (bis)
39^a	67
52^a	180³
52^b	180⁷, 181²
58^b	241⁷
90^b-91^a	119¹⁰, 120¹
90^b	67⁵, 70⁹, 88,119¹¹
91^a	67
93^a	46², 282⁷
100^b	48^{4.6}, 67
105^b	67
106^b	67

Makkot

5^b	69⁹, 175⁷, 176³, 248⁹

Horayot

4^a	177^{3.5}
11^a	67

II. INDEX DES NOMS ET DES MATIÈRES

III. LES GRANDS PRÊTRES

de 200 avant à 70 après J.-C.

Les 8 grands prêtres asmonéens (152-37 avant J.-C.)

Les 28 grands prêtres de 37 avant à 70 après J.-C.

(8) Éléazar, fils de Boéthos (à partir de 4 av. J.-C.), 74, 256, 265.

(9) Jésus, fils de Séé (jusqu'en 6 ap. J.-C.), 74.

(10) Anne (6-15), 74, 75, 111[26], 153, 307.

(11) Ishmaël Ier ben Phiabi (env. 15-16), 192[7], 203, 210, 210[2], 216[3].

(12) Éléazar, fils d'Anne (env. 16-17) (74).

(13) Shiméon, fils de Qamith (17-18), 216, 216[2].

(14) Joseph Caïphe (18 env.-37), 25[4], 91, 183, 241[10], 248, 248[13], 263, 265, 302, 307.

(15) Jonathan, fils d'Anne (Pâque-Pentecôte 37), 34, 34[4].

(16) Théophile, fils d'Anne (à partir de 37) (74).

(17) Simon Kanthéras, fils de Boéthos (à partir de 41), 74, 256, 265, 302.

(18) Matthias, fils d'Anne (74).

(19) Elionaios, fils de Kanthéras (vers 44), 74, 75, 203, 256, 265, 302.

(20) Joseph, fils de Kami (74).

(21) Ananie, fils de Nébédée (47 jusqu'en 55 au moins), 34, 74, 76, 304.

(22) Ishmaël II ben Phiabi (jusqu'en 61), 34, 70, 75 (bis), 76, 76[5], 192[7], 203, 208, 209, 210 (ter), 210[2,5], 211, 212, 213, 215, 215[3], 216[3], 265, 302, 303, 303[5], 308.

(23) Joseph Kabi (jusqu'en 62), 215[3].

(24) Anan, fils de Anan (62), 14, 16[3], 20, 23, 30, 33 (pluries), 101[3], 183, 198[3], 215[3], 252, 265, 302 (bis), 303[5], 304 (bis), 308.

(25) Jésus, fils de Damnée (62-63 env.), 74, 215[3].

(26) Yoshua ben Gamaliel (63 env.-65), 74, 75, 256, 265.

(27) Matthias, fils de Théophile (65-67) (74).

(28) Pinhas de Habta (67[8]-70), 47, 74, 304.

IV. LES DOCTEURS PHARISIENS[1]

Antigone de Soko (vers 180 av. J.-C.), 2[7], 79, 80, 80[7], 81, 95, 95[4], 111[24], 256[4].

PAÎRES

Yosé ben Yoézer (vers 150 av. J.-C.), 73, 111[29], 226, 292.

Yosé ben Yohanan (vers 150 av. J.-C.), 226.

Juda ben Tabbay (vers 90 av. J.-C.), 175, 175[9], 176.

Shiméon ben Shatab (vers 90 av. J.-C.), 36, 71, 149, 174, 175, 175[9], 176, 176[2], 179, 179[2], 183, 187[7], 188, 190, 226, 226[4], 228, 290.

Saméas (Shemaya) (vers 50 av. J.-C.), 30[8], 179, 298 (ter).

Pollion (Abtalyon) (vers 50 av. J.-C.), 30[8], 298.

Hillel (vers 20 av. J.-C.), 39[10], 74[3], 79[3], 88, 88[2], 160, 161[2], 239, 271, 285, 285[2], 288, 292, 302[1].

Shammay (vers 30 av. J.-C.), 14, 79[3], 88, 88[2], 239, 271, 288, 292.

TANNAÏTES

Abba Shaoul (vers 150), 204[5].

Abba Shaoul, fils de la Batanéenne (avant 70), 76, 210, 256, 256[4].

1. Pour les dates (période d'activité, ou mort si elle est connue), nous suivons les données contenues dans J. JEREMIAS, *Verzeichnis der Schiftgelehrten*, tome VI de (STRACK-)BILLERBECK, *Kommentar*, Munich 1961 (2e édition, 1963, en un volume avec le tome V).

Aqabya ben Mahalalel (vers 70), 239[9].

Aqiba († après 135), 24[7], 25, 48, 202, 280[1], 280.

Éléazar ben Énoch, 151.

Éléazar ben Sadoq, prêtre (vers 100), 180.

Éléazar ben Yosé (vers 180), 237[7].

Élisha ben Abouya (Acher) (vers 120), 122[6].

Éliézer ben Hyrkanos, prêtre (vers 90), 127, 167[10], 168, 168[4], 226.

Éliézer ben Yosé (vers 150), 119.

Gamaliel I[e5] (30-40), 230, 271[6], 301, 302, 308.

Gamaliel II (vers 90), 70, 83, 88, 119, 120, 120[1], 147, 271[6], 304.

Hiyya l'Ancien (vers 200), 77[8], 124, 124[5], 193.

Ishmaël ben Élisha, prêtre († vers 135), 168, 280.

école d'Ishmaël († vers 135), 177, 289.

Ishmaël ben Yosé (vers 180), 67.

Ishmaël (IIe siècle), 127.

Jonathan († vers 140), 161[2].

Juda (vers 120), 122[6].

Juda ben Batyra (vers 110), 127.

Juda ben Dortay (vers 20 av. J.-C.), 161[1].

Juda ben Élay (vers 150), 182[5].

Meïr (vers 150), 185[3], 203.

Sadoq l'Ancien, prêtre (vers 50-90), 47, 47[6], 109.

Shiméon ben Azzay (vers 110), 153[7].

Shiméon Ier ben Gamaliel Ier († 70), 147, 218[4].

Simay (vers 210), 117.

Yohanan ben Baroqa (vers 110), 135.

Yohanan ben Zakkay († vers 80), 70, 74[3], 77, 123[3.5], 127, 140[5], 147, 153, 154, 155, 161, 214, 214[4.5], 215, 224, 233 (bis), 235[3.4], 244, 248[4], 249, 261, 303, 303[3].

Yosé ben Halaphta (vers 150), 205, 238 (bis).

Yosé ben Juda (vers 180), 237[7].

Yoshiya (vers 140), 161[2].

Yoshua (vers 140), 70, 137, 258, 304.

Yoshua ben Hananya, lévite (vers 90), 38[8], 67, 87, 88[3], 119, 153[7].

Yoshua ben Qarha (vers 150), 67.

Zacharya ben ha-qasab (vers 150 ?), 237[7].

Zacharya ben Qebutal (Ier siècle), 201.

AMORAS

Palestiniens

Abbahou (vers 300), 67 (ter).

Aggée (vers 330), 275[6].

Aha bar Hanina (vers 300), 204[5].

Ammi (vers 300), 67.

Boéthos (vers 300), 256.

Ben Azzay (vers 110), 185[2].

Éléazar ben Pedat (vers 270), 24[9].

Hanina (vers 225), 204[5].

Hanina (ve siècle), 67 (ter).

Jacob de Kefar Nibouraya (vers 350), 275[6].

Jannée (vers 225), 237[7].

Hiyya bar Abba (vers 280), 177.

Lévi (vers 300), 122[3].

Resh Laqish (= Shiméon ben Laqish) (vers 250), 46[4], 201[1].

Shemuel ben Nahman (vers 260), 157.

Shiméon ben Laqish, voir Resh Laqish.

Yohanan († 279), 177, 201[1].

Yonathan (vers 220), 157.

Yosé ben Hanina (IIIe siècle), 219[1.2].

Yoshua ben Lévi (vers 250), 67, 193.

Babyloniens

Abayé († 338[9]9), 36, 39[8.9], 170[2].

Huna († 297), 233, 234[7].

Joseph († 333), 48, 181.

Juda († 299), 67.

Nahman bar Isaac († 356), 36.

Rab († 247), 92[11], 233, 234[7], 282[7].

Raba († 352), 67, 120[4], 239.

Shéshét (vers 260), 67.

Docteurs que nous n'avons pu situer

Aha, 204[5].

Éliézer, 282[7].

Josué, 282[7].

Shemuel, 282[7].

Shemuel, 92[11], 177.

Yohanan, 282[7].

GLOSSAIRE

aggada : terme utilisé seulement en opposition à halaka (voir plus bas). Désigne tout l'ensemble de l'enseignement : narration, légende, explication d'ordre moral ou édifiant.

Amoras : les docteurs pharisiens en activité après la période des Tannaïtes (voir plus bas), c'est-à-dire de 220 environ à 500 environ.

Babli : désignation abrégée du Talmud de Babylone.

baraïta : une tradition des Tannaïtes (voir plus bas) qui n'a pas été incorporée dans la Mishna.

Falashas : juifs d'Éthiopie.

guemara : commentaire de la Mishna dans les deux Talmuds, celui de Palestine et celui de Babylone.

halaka : terme opposé à aggada (voir plus haut). Désigne à la fois l'ensemble de la législation (*la* halaka) et telle loi particulière (*une* halaka, des halakot).

Mishna : avec une majuscule, le recueil de lois.

mishna : avec une minuscule, telle loi particulière de la Mishna.

paires : nom donné aux autorités pharisiennes avant la période des Tannaïtes (voir plus bas). Selon la tradition pharisienne, entre l'époque de Yosé ben Yoézer (vers 150 avant J.-C.) et celle d'Hillel (vers 20 avant J.-C.), à chaque génération, deux docteurs étaient à la tête du Sanhédrin (d'où leur nom de paires) ; l'un était président, l'autre vice-président.

Rab : titre des docteurs pharisiens de Babylonie.

Rabban : titre donné au Ier siècle de notre ère à Gamaliel Ier, son fils Shiméon Ier, son petit-fils Gamaliel II, et à Yohanan ben Zakkay.

Rabbi : titre des docteurs pharisiens de Palestine.

Tannaïtes : les docteurs pharisiens depuis la fin de la période des paires (voir plus haut) vers 20 avant notre ère, jusqu'à l'an 220 environ.

Yerushalmi : désignation abrégée du Talmud de Jérusalem ou de Palestine.

TABLE DES MATIÈRES

TROISIÈME PARTIE

QUI SONT LES SADDUCÉENS ?
TENTATIVE POUR CERNER LEUR MYSTÈRE. 245

464TABLE DES MATIÈRES

IMPRIMERIE A. BONTEMPS, LIMOGES (FRANCE) — Dépôt légal : 1er trimestre 1972